ALGUÉM PARA AMAR

Da autora:

Agora e sempre
Algo maravilhoso
Alguém para amar
Tudo por amor
Doce triunfo
Em busca do paraíso

Dinastia Westmoreland:

Whitney, meu amor
Até você chegar
Um reino de sonhos

Judith McNaught

ALGUÉM PARA AMAR

Tradução
Vitória Regina P. Mantovani

7ª edição

Rio de Janeiro | 2024

Copyright © 1990 by Eagle Syndication, Inc.
Os direitos morais da autora foram assegurados.

Direitos de reprodução da tradução cedidos para a Editora Bertrand Brasil. Editora Bertrand Brasil é uma empresa do Grupo Editorial Record.

Título original: *Almost heaven*

Imagens de capa: Cynthia Liang/Shutterstock (castelo) e Valery Petrushkov/Shutterstock (mulher)

Texto revisado segundo o novo
Acordo Ortográfico da Língua Portuguesa

2024
Impresso no Brasil
Printed in Brazil

CIP-BRASIL. CATALOGAÇÃO NA PUBLICAÇÃO
SINDICATO NACIONAL DOS EDITORES DE LIVROS, RJ

M429a 7ª ed.	McNaught, Judith, 1944- Alguém para amar / Judith McNaught; tradução Vitória Regina P. Mantovani. – 7ª ed. – Rio de Janeiro: Bertrand Brasil, 2024. 504 p. ; 23 cm.
	Tradução de: Almost heaven ISBN 978-85-286-2401-4
	1. Romance americano. I. Mantovani, Vitória Regina P. II. Título.
19-58631	CDD: 813 CDU: 82-31(73)

Vanessa Mafra Xavier Salgado – Bibliotecária – CRB-7/6644

Todos os direitos reservados. Não é permitida a reprodução total ou parcial desta obra, por quaisquer meios, sem a prévia autorização por escrito da Editora.

Direitos exclusivos de publicação em língua portuguesa somente para o Brasil adquiridos pela:
EDITORA BERTRAND BRASIL LTDA.
Rua Argentina, 171 – 3º andar – São Cristóvão
20921-380 – Rio de Janeiro – RJ
Tel.: (21) 2585-2000

Atendimento e venda direta ao leitor:
sac@record.com.br

Agradecimentos

À minha editora, Linda Marrow, pelos anos de amizade e pelas noites de trabalho intenso.

A Perry Knowlton, agente e excelente amigo.

A Diana Gabaldon, por tudo que me ensinou sobre a Escócia.

A Susan Prigozen, que sabe tudo sobre as estrelas. Elizabeth Cameron e eu somos imensamente gratas a você.

Capítulo 1

Quinze criados, usando a tradicional libré azul e prata da Casa de Cameron, saíram de Havenhurst ao nascer do sol daquele dia. Todos carregavam mensagens idênticas e urgentes que o tio de Lady Elizabeth, Sr. Julius Cameron, os incumbira de entregar em quinze diferentes residências por toda a Inglaterra.

Os destinatários das mensagens tinham apenas uma coisa em comum: haviam, certa vez, pedido a mão de Elizabeth em casamento.

Os quinze cavalheiros, ao ler a mensagem, se surpreenderam. Alguns ficaram incrédulos; outros, desconfiados, e outros, ainda, cruelmente satisfeitos. Doze deles enviaram respostas imediatas, declinando a oferta ultrajante de Julius Cameron e, depois, correram à procura de amigos com quem pudessem compartilhar o saboroso e inesperado mexerico.

Três destinatários tiveram reações bem distintas.

Lorde John Marchman acabara de retornar da caçada, seu passatempo diário favorito, quando o criado de Havenhurst chegou à sua casa e um lacaio entregou-lhe o recado.

— Raios me partam — murmurou ele enquanto lia.

A mensagem comunicava que o Sr. Julius Cameron ansiava por ver a sobrinha, Lady Elizabeth Cameron, imediata e convenientemente casada. Por essa razão, o Sr. Cameron dizia estar disposto agora a reconsiderar o pedido previamente rejeitado de John e conceder a ele a mão de Elizabeth. Ciente de que um ano e meio se passara desde a última vez que John esteve na companhia da moça, Julius Cameron se dispôs a mandar a sobrinha, devidamente acompanhada por uma dama, para passar uma semana na casa de John, a fim de "renovar os laços".

Incapaz de acreditar no que estava lendo, Lorde Marchman andava de um lado para outro enquanto relia a carta.

— Raios me partam — repetiu.

Passando a mão pelo cabelo loiro, lançou um olhar distraído para a parede à sua frente, completamente ornamentada com seus mais adorados tesouros: as cabeças empalhadas de animais que havia caçado por toda a Europa e além. Um alce encarou-o de volta com seus olhos vítreos; ao lado dele, um javali selvagem exibia suas presas. Aproximando-se, Lorde Marchman afagou o alce por trás dos chifres, num gesto de afeição que, embora absurdo, expressava sua gratidão pela esplêndida caçada que aquele troféu em particular lhe proporcionara.

A visão encantadora de Elizabeth Cameron dançava diante de seus olhos — um rosto incrivelmente adorável, com aqueles olhos verdes, pele de camafeu e sorridentes lábios macios. Um ano e meio atrás, ao conhecê-la, ele a considerou a jovem mais bela que já vira. E, depois de encontrá-la somente duas vezes, o encanto de seus 17 anos conquistara-o de tal forma que ele apressara-se em escrever ao irmão dela, pedindo-a em casamento, apenas para ser friamente rejeitado.

Mas era evidente que o tio de Elizabeth, agora seu guardião, via John com outros olhos.

Talvez a própria adorável Lady Elizabeth estivesse por trás dessa decisão, pensou. Talvez os dois encontros que tiveram no parque significassem tanto para ela quanto haviam significado para ele.

John foi até outra parede, que exibia uma variedade de varas de pesca. Pensativo, escolheu uma delas. As trutas morderão a isca esta tarde, considerou enquanto se recordava dos magníficos cabelos cor de mel de Elizabeth. Sob a luz do sol, os cabelos dela brilhavam como as escamas reluzentes de uma bela truta saltando na água. A analogia parecia tão adequada e poética que Lorde Marchman parou, fascinado com o pensamento, e pousou a vara de pesca no chão. Elogiaria os cabelos de Elizabeth exatamente com aquelas palavras, decidiu, quando aceitasse a oferta de Julius e ela viesse para sua casa, no mês seguinte.

SIR FRANCIS BELHAVEN, o 14º destinatário da mensagem de Julius Cameron, leu o recado sentado em seu quarto, envolto num robe de cetim, enquanto sua amante o esperava, deitada nua na cama, do outro lado do cômodo.

— Francis, querido — ronronou ela, arranhando o lençol de cetim com as longas unhas. — O que há de tão importante nessa carta que o impede de ficar aqui comigo?

Ele ergueu os olhos e franziu a testa, ouvindo o ruído que as unhas dela produziam.

— Não estrague os lençóis, amor — disse. — Custaram trinta libras cada.

— Se você gostasse de mim — retrucou ela, tentando não dar a impressão de se queixar —, não iria se importar com o preço. — Francis Belhaven era tão avarento que, às vezes, Eloise se perguntava se, casando-se com ele, ganharia apenas um ou dois vestidos por ano.

— E se você gostasse de mim — disse ele suavemente —, seria mais cuidadosa com meu dinheiro.

Aos 45 anos, Francis Belhaven ainda não se casara, mas não lhe faltava companhia feminina. Adorava imensamente as mulheres — seus corpos, seus rostos, seus corpos...

Agora, no entanto, precisava gerar um herdeiro legítimo e, para isso, precisava de uma esposa. Durante o ano anterior, calculara seriamente os rígidos requisitos que exigiria da afortunada jovem que fosse escolhida por ele. Queria uma esposa jovem, bonita e dona de sua própria fortuna, para que não esbanjasse a dele.

Desviando a atenção da carta de Julius, lançou um olhar ávido aos seios de Eloise e acrescentou mentalmente um novo requisito para a futura esposa: ela deveria ser compreensiva em relação ao seu apetite sexual e à sua necessidade de um *menu* variado. De nada adiantaria irritar-se por ele se envolver num caso trivial com outra mulher de vez em quando. Em sua idade, Sir Francis não tinha a menor intenção de ser tolhido pelos conceitos de moral e fidelidade de uma moçoila zelosa.

A imagem de Elizabeth Cameron se sobrepôs à de sua amante nua. Que beleza exuberante ela possuía quando ele lhe propusera casamento, cerca de dois anos atrás! Os seios, como frutas maduras, a cintura fina, o rosto... inesquecível. A fortuna... adequada. Desde então, surgiram rumores de que ela havia ficado praticamente na miséria depois do misterioso desaparecimento do irmão, mas Julius Cameron sugeria que ela teria um dote razoável, demonstrando que, como sempre, os rumores não tinham fundamento.

— Francis!

Ele se levantou, encaminhou-se para a cama e sentou-se ao lado de Eloise. Pousou uma das mãos em seu quadril, carinhosamente, ao mesmo tempo que tocava a sineta com a outra.

— Espere só um momento, querida — disse quando um criado entrou apressado no quarto. Então, entregou-lhe a carta e instruiu: — Diga ao meu secretário para enviar uma resposta afirmativa.

A ÚLTIMA MENSAGEM foi encaminhada da residência de Ian Thornton, em Londres, para sua propriedade rural em Montmayne, onde acabou juntando-se a uma pilha de correspondências, de convites sociais a cartas de negócios, esperando por sua atenção.

Ian abriu a carta de Julius Cameron enquanto ditava rapidamente ao seu novo secretário e não demorou nem a metade do tempo que Lorde Marchman e Sir Francis Belhaven levaram para tomar uma decisão.

Olhou para a carta com absoluta incredulidade, enquanto Peters, o secretário que estava a seu serviço havia apenas duas semanas, murmurava uma silenciosa prece de agradecimento pela pausa e continuava escrevendo o mais depressa que podia, tentando acompanhar o ritmo do patrão.

— Isto aqui — disse Ian, brevemente — foi enviado para mim por engano ou por zombaria. Em todo o caso, é de um mau gosto excruciante.

A lembrança de Elizabeth Cameron relampejou diante de seus olhos — a jovem sedutora, interesseira e frívola, dona de um rosto e de um corpo que lhe embotavam a mente. Estava noiva de um visconde quando a conhecera. Claro que não se casara — sem dúvida, desprezara-o em favor de alguém com melhores perspectivas. A nobreza inglesa, como Ian bem sabia, casava-se apenas por prestígio e dinheiro e, depois, ia procurar satisfação sexual em outros lugares. Era evidente que os parentes de Elizabeth Cameron estavam-na colocando de volta no páreo dos casamentos e, se assim fosse, deviam estar desesperados para desencalhá-la, chegando ao ponto de renunciar a um título em favor do dinheiro dele.

Porém, a possibilidade pareceu-lhe tão improvável que Ian descartou-a. Era óbvio que a carta não passava de uma brincadeira estúpida, certamente perpetrada por alguém que se lembrava dos rumores que haviam eclodido durante a festa, naquele fim de semana distante... Alguém imaginara que ele talvez achasse graça na mensagem.

Afastando tanto o remetente como Elizabeth Cameron dos pensamentos, Ian voltou-se para o atormentado secretário, que continuava escrevendo freneticamente.

— Não é necessário responder a esta aqui — disse, atirando a carta sobre a escrivaninha, na direção do rapaz.

Entretanto, a folha de papel deslizou na superfície polida da mesa de carvalho e flutuou para o chão. Desajeitado, Peters tentou apanhá-la no ar, mas, ao se inclinar, levou consigo todas as outras cartas, que se esparramaram no chão.

— Si-sinto muito, senhor — gaguejou, ajoelhando-se enquanto tentava juntar as dezenas de folhas espalhadas pelo carpete. — Sinto muito mesmo, Sr. Thornton — acrescentou ele, amontoando com gestos nervosos todos os contratos, convites e cartas numa única pilha desordenada.

Mas o patrão nem parecia ouvi-lo. Já disparava mais instruções enquanto lhe passava, por cima da mesa, o restante da correspondência aberta.

— Recuse os três primeiros convites — dizia Ian —, aceite o quarto, recuse o quinto. Envie minhas condolências a este aqui. Para este outro, explique que estarei na Escócia e mande um convite para que me encontre lá, juntamente com as instruções para chegar ao chalé.

Agarrando a papelada contra o peito, Peters esticou a cabeça do outro lado da mesa.

— Sim, Sr. Thornton! — disse, esforçando-se para demonstrar confiança. Mas era difícil ser confiante quando se estava de joelhos e, ainda pior, quando não se tinha muita certeza de quais das instruções daquela manhã deveriam seguir com quais convites ou cartas.

Ian Thornton ficou o restante da tarde enclausurado com Peters, ditando mais palavras ao já sobrecarregado secretário.

Depois, passou parte da noite em companhia do Conde de Melbourne, seu futuro sogro, discutindo o contrato de seu noivado com a filha do conde, que estava em negociações.

Peters, por sua vez, passou aquela mesma noite tentando descobrir, com a ajuda do mordomo, quais convites seu patrão aceitaria ou rejeitaria.

Capítulo 2

Com a ajuda do lacaio, que acumulava a função de cavalariço quando a ocasião assim exigia (o que acontecia com frequência), Lady Elizabeth Cameron, Condessa de Havenhurst, desmontou de sua velha égua.

— Obrigada, Charles — disse, sorrindo com afeição para o criado idoso.

Naquele momento, a jovem condessa não se assemelhava sequer remotamente à imagem convencional de uma mulher da nobreza, ou mesmo à de uma dama da sociedade. Seus cabelos estavam cobertos por um lenço azul, amarrado à nuca; o vestido era simples, sem adornos e até mesmo um pouco antiquado; e, sob o braço, carregava a cesta trançada que costumava levar quando ia às compras no vilarejo. Porém, nem mesmo o traje rústico, a velha égua ou a cesta debaixo do braço conseguiam fazer com que Elizabeth Cameron parecesse "comum". Sob o lenço, os cabelos dourados e reluzentes caíam em uma elegante desordem sobre seus ombros e suas costas; soltos, como costumavam ficar, emolduravam um rosto de notável beleza. As maçãs do rosto eram delicadamente esculpidas; a pele, suave e viçosa; os lábios, generosos e macios. Mas eram os olhos seu traço mais admirável: emoldurados por sobrancelhas delicadas e por longos cílios curvos, eram vívidos, de uma cor verde luminosa.

Não eram cor de avelã ou esverdeados, mas verdes, expressivos, reluzindo como esmeraldas quando ela estava feliz, ou escurecidos, quando se entristecia.

Esperançoso, o lacaio espiou o conteúdo da cesta, embrulhado em papel, mas Elizabeth balançou a cabeça com um sorriso pesaroso.

— Não vai encontrar tortas aí dentro, Charles. Estavam caras demais e o Sr. Jenkins não quis ser sensato. Eu disse que levaria uma dúzia, mas, mesmo assim, não baixou sequer um centavo. Por isso, recusei-me a comprar uma só que fosse. Por uma questão de princípios. Sabia — confidenciou ela, com um risinho — que, quando ele me viu entrando no armazém, na semana passada, foi esconder-se atrás dos sacos de farinha?

— É um covarde! — exclamou Charles, sorrindo. Era fato conhecido entre os comerciantes que Elizabeth Cameron espremia o máximo de cada xelim e que, quando se tratava de pechinchar, o que sempre acontecia, era difícil vencê-la.

Era a inteligência, não a beleza, a maior arma de Elizabeth nessas transações, pois não apenas fazia contas de cabeça, como também se mostrava encantadoramente razoável e inventiva quando formulava seus argumentos para conseguir um preço melhor. Assim, costumava vencer seus oponentes ou confundia-os até que concordassem com ela.

Suas preocupações com dinheiro não se limitavam às compras no vilarejo; praticava a mesma economia em quase tudo o que se referia a Havenhurst, com métodos sempre bem-sucedidos. Aos 19 anos, carregando sobre os jovens ombros a responsabilidade da pequena propriedade de sua família e dos dezoito dos noventa antigos empregados, ela conseguia fazer o possível e o impossível com a limitada ajuda financeira do tio rabugento: manter Havenhurst longe das garras do leiloeiro, além de alimentar e vestir os criados que haviam permanecido.

O único "luxo" a que Elizabeth permitia-se era a Srta. Lucinda Throckmorton-Jones, sua dama de companhia de longa data, que agora recebia um salário bastante reduzido. Embora Elizabeth se sentisse perfeitamente capaz de morar sozinha em Havenhurst, sabia que, se o fizesse, o pouco que restara de sua reputação se esvairia por completo.

Elizabeth entregou a cesta ao lacaio e disse, animada:

— Em vez de tortas, comprei morangos. O Sr. Thergood é mais razoável do que o Sr. Jenkins. *Ele*, sim, concorda que, quando uma pessoa compra várias unidades de qualquer coisa, o mais racional é que pague menos por cada uma.

Charles coçou a cabeça diante desses pensamentos complicados demais para ele, mas tentou fazer-se de entendido.

— É claro — concordou, levando o cavalo pela rédea. — Qualquer tolo pode entender uma coisa dessas.

— É *exatamente* o que penso — disse Elizabeth, antes de se virar e subir correndo os degraus da frente, já decidida a ir trabalhar nos livros de contabilidade.

Bentner, o velho mordomo de postura rígida e impecável, abriu-lhe a porta e, num tom de quem está prestes a explodir de alegria, mas é digno demais para demonstrar, anunciou:

— Uma *visita* a aguarda, Srta. Elizabeth.

Por um ano e meio, não houvera qualquer visitante em Havenhurst, e não era de se admirar que Elizabeth sentisse uma enorme satisfação, que foi logo seguida de confusão. Não poderia ser mais um credor, pois ela pagara a todos quando vendera os objetos mais valiosos de Havenhurst, bem como a maior parte da mobília.

— Quem é? — perguntou, entrando no vestíbulo e desamarrando o lenço.

Um sorriso iluminou o rosto de Bentner.

— É Alexandra Lawrence! Isto é... Townsende — corrigiu-se, ao lembrar que a visitante agora era casada.

A incredulidade, mesclada com a alegria, manteve Elizabeth imóvel por uma fração de segundo. Depois, virou-se e disparou na direção da sala de estar, correndo de maneira pouco condizente com uma dama, enquanto tirava o lenço da cabeça. Parou abruptamente na porta, o lenço solto entre os dedos, os olhos fixos na linda jovem de cabelos castanhos que a esperava no centro da sala. Alexandra, que usava um elegante traje de viagem vermelho, virou-se. As duas se entreolharam e, ao mesmo tempo, seus lábios abriram-se num amplo sorriso.

— *Alex?* É você mesma? — A voz de Elizabeth mal passava de um sussurro repleto de admiração, espanto e pura alegria.

A jovem assentiu, seu sorriso alargando-se.

Ficaram observando-se por um momento, incertas, cada uma reparando nas grandes mudanças da outra no decorrer daquele ano e meio, cada uma imaginando, com uma pontada de apreensão, se tais mudanças haviam sido muito profundas. No silêncio da sala, os laços da amizade de infância e a afeição duradoura começaram a se estreitar entre elas, forçando-as a dar um passo hesitante, depois outro e, de repente, ambas corriam para o esperado encontro num abraço apertado, rindo e chorando de alegria.

— Ah, Alex, você está maravilhosa! Senti tanto a sua falta! — Elizabeth ria, tornando a abraçá-la.

Para a sociedade, "Alex" era Alexandra, Duquesa de Hawthorne, mas, para Elizabeth, era apenas sua melhor amiga, a amiga que estivera afastada numa longa viagem de lua de mel e que, provavelmente, ainda não ouvira falar sobre a terrível confusão em que Elizabeth encontrava-se.

Levando-a para o sofá, Elizabeth deu início a uma torrente de perguntas:

— Quando voltou de viagem? Você está feliz? O que a traz aqui? Por quanto tempo pode ficar?

— Também senti saudades — falou Alex, rindo, e começou a responder às perguntas na ordem em que haviam sido feitas. — Voltamos há três semanas. Estou *absurdamente* feliz. Vim aqui para vê-la, é claro, e posso ficar por alguns dias, se você quiser.

— É evidente que eu quero! — disse Elizabeth, feliz. — Não tenho nada planejado, exceto por hoje: estou esperando a visita de meu tio.

Na verdade, a agenda social de Elizabeth estava completamente vazia pelos doze meses seguintes, e as visitas ocasionais do tio representavam algo *pior* do que não ter nada a fazer. Porém, nada daquilo importava agora. Elizabeth estava tão feliz em ver a amiga que não conseguia parar de sorrir.

Como costumavam fazer quando eram mais novas, ambas tiraram os sapatos, cruzaram as pernas sob o corpo e passaram horas conversando com a fácil intimidade de almas irmãs que, embora separadas pelo tempo, mantinham-se eternamente unidas pelas lembranças — felizes, ternas e tristes — da infância.

— Lembra-se — perguntou Elizabeth, rindo, quase duas horas depois — daqueles deliciosos campeonatos de brincadeira que havia nas festas de aniversário da família de Mary Ellen?

— Nunca vou me esquecer — concordou Alex, sorrindo com as lembranças.

— Você sempre me derrubava do cavalo quando competíamos na justa — disse Elizabeth.

— Sim, mas você ganhava todos os torneios de tiro. Pelo menos até seus pais descobrirem e decretarem que você já era crescida e refinada demais para continuar participando das festas... — Alex ficou séria. — Sentimos muito sua falta depois disso.

— Não tanto quanto senti a de vocês. Sempre sabia os dias em que as competições iriam acontecer e ficava andando por aqui, desanimada, imaginando como vocês estariam se divertindo. Então, Robert e eu decidimos começar nossos próprios torneios. Obrigávamos todos os criados a participar — riu Elizabeth, recordando-se de si mesma e do meio-irmão naqueles dias distantes.

Depois de um instante, o sorriso de Alex desapareceu.

— *Onde* está Robert? Você ainda não me falou sobre ele.

— Ele... — Elizabeth hesitou, sabendo que não poderia falar sobre o desaparecimento do irmão sem revelar todos os fatos que o precederam. Por outro lado, havia algo nos olhos solidários de Alexandra que a fez se perguntar, relutante, se a amiga já saberia de toda a terrível história. Pragmática, completou: — Robert desapareceu há um ano e meio. Imagino que tenha algo a ver com... dívidas. Mas não vamos falar sobre isso — acrescentou, impaciente.

— Muito bem — concordou Alex, o sorriso agora falsamente animado. — Então, sobre o que vamos falar?

— De você — respondeu Elizabeth, prontamente.

Alex era mais velha que Elizabeth, e o tempo voou enquanto lhe contava sobre o casamento e o marido, a quem, obviamente, adorava. Elizabeth ouvia com atenção as descrições dos maravilhosos lugares que a amiga conhecera por todo o mundo em sua viagem de lua de mel.

— Conte-me como está Londres — Elizabeth pediu quando o assunto sobre cidades estrangeiras esgotou-se.

— O que quer saber? — perguntou a amiga, séria.

Elizabeth inclinou-se para a frente para fazer as perguntas que mais lhe interessavam, porém o orgulho impediu-a de formulá-las.

— Ah... Nada em particular — mentiu. "Queria saber se meus amigos me ridicularizam, se me condenam ou, pior, se têm pena de mim", pensou. "Quero saber se correm rumores de que estou à beira da miséria e, acima de tudo, por que ninguém se deu ao trabalho de me fazer uma visita ou escrever uma carta."

Um ano e meio antes, quando debutara na sociedade, Elizabeth logo fizera sucesso. Os pedidos de casamento alcançaram um número recorde. Agora, aos 19 anos, era uma espécie de pária dessa mesma sociedade que antes a imitara, louvara e mimara. Ela quebrara as regras e, com isso, tornara-se o centro de um escândalo que se alastrou pela aristocracia com a rapidez de um incêndio.

Enquanto olhava para a amiga, suspeitando dela, Elizabeth pensava se os membros da alta sociedade sabiam de toda a história ou apenas do escândalo; se ainda falavam sobre o assunto ou se já o haviam esquecido. Alex partira em sua longa viagem pouco antes de tudo acontecer, e Elizabeth calculava se teria ouvido rumores após seu retorno.

As perguntas martelavam em sua mente, desesperadas para serem verbalizadas, mas ela não podia se arriscar por dois motivos: em primeiro lugar, as respostas, quando viessem, poderiam fazê-la chorar, e ela não se entregaria às lágrimas; em segundo, para fazer as perguntas que tanto queria, teria de primeiro contar à amiga tudo o que acontecera. E a verdade nua e crua era que Elizabeth sentia-se solitária e magoada demais para correr o risco de também ser abandonada por Alex.

— O que você quer saber? — indagou Alex com um sorriso propositalmente carinhoso nos lábios, um sorriso esboçado a fim de ocultar a pena e a tristeza que sentia por sua orgulhosa amiga.

— Qualquer coisa! — respondeu Elizabeth prontamente.

— Bem, então... — começou Alex, ansiosa por apagar a sombra das perguntas dolorosas e silenciosas que pairavam no ar. — Lorde Dusenberry acabou de ficar noivo de Cecelia Lacroix!

— Que bom! — afirmou Elizabeth, com sincera felicidade, sorrindo. — Ele tem posses e é de uma das melhores famílias.

— É um conquistador inveterado e vai arrumar uma amante menos de um mês depois de se casar — retrucou Alex com a objetividade que sempre chocava e deliciava Elizabeth.

— Espero que você esteja enganada.

— Não estou. Mas, se você acha que sim, que tal fazermos uma aposta? — Alex prosseguiu, tão contente em ver o brilho ressurgir nos olhos de Elizabeth que falou sem pensar: — Digamos... trinta libras?

De repente, Elizabeth não pôde mais suportar a incerteza. Precisava saber se fora a lealdade que levara Alex até ali ou se a amiga acreditava, erroneamente, que ela continuava sendo a jovem mais requisitada de Londres. Encontrando os olhos azuis de Alex, falou com tranquila dignidade:

— Não tenho trinta libras, Alex.

Alex retribuiu-lhe o olhar sombrio, tentando afastar as lágrimas de solidariedade.

— Eu sei — disse.

Elizabeth aprendera a lidar com a adversidade implacável, aprendera a esconder o medo mantendo a cabeça erguida. Agora, diante da bondade e da lealdade da amiga, quase deu vazão às lágrimas que a tragédia não conseguira lhe arrancar. Mal conseguindo vencer o nó em sua garganta, murmurou:

— Obrigada.

— Não há nada a agradecer. Fiquei sabendo de toda aquela história sórdida e não acredito em uma só palavra! Além disso, quero que você passe a temporada em Londres conosco. — Inclinando-se, Alex tomou a mão da amiga entre as suas. — Em nome de seu orgulho, você tem de enfrentá-los, Elizabeth, e eu vou ajudá-la. Melhor ainda: vou convencer a avó de meu marido a favorecê-la com a influência *dela*. Acredite — finalizou com veemência, embora sorrisse —, ninguém se *atreverá* a ignorá-la se contar com o apoio da duquesa-mãe.

— Pare, Alex, por favor. Você não sabe o que está dizendo. Mesmo que eu estivesse disposta, e não estou, ela jamais concordaria. Não a conheço, mas ela certamente sabe *tudo* a meu respeito... Ou seja, o que dizem sobre mim.

Alex sustentou firmemente o olhar dela.

— Você está certa sobre uma coisa: ela soube dos rumores enquanto eu estava fora. Entretanto, conversei com ela sobre o assunto, e a duquesa-mãe está disposta a se encontrar com você e, depois disso, tomar uma decisão. Ela vai adorá-la tanto quanto eu, Elizabeth. E, quando isso acontecer, moverá céu e terra para fazer a sociedade aceitá-la.

Elizabeth balançou a cabeça, engolindo em seco o nó que se formara em sua garganta, em parte por gratidão, em parte por humilhação.

— Agradeço muito, Alex. Mas eu não suportaria.

— Pois eu já tomei a decisão — avisou Alex com gentileza. — Meu marido respeita meu julgamento e não tenho dúvida de que vai concordar. E quanto aos vestidos para a temporada, tenho muitos que ainda não usei e vou lhe emprestar...

— Não, absolutamente! Por favor, Alex — implorou Elizabeth, percebendo quão ingrata soava —, pelo menos me deixe manter um mínimo de orgulho. Além disso — acrescentou, com um leve sorriso —, não sou tão azarada quanto pareço. Tenho você. E tenho Havenhurst.

— Eu sei. E também sei que você não pode passar o resto da vida aqui. Não precisa ir a festas quando estiver em Londres se não quiser, mas lá poderemos passar mais tempo juntas. Senti muito sua falta.

— Você estará ocupada demais para isso — retrucou Elizabeth, lembrando-se do redemoinho de compromissos sociais que marcavam a temporada.

— Nem tanto — disse Alexandra, com um brilho misterioso nos olhos. — Estou grávida.

Elizabeth envolveu a amiga num abraço apertado.

— Então eu irei! — concordou antes que pudesse pensar melhor. — Mas ficarei na casa do meu tio, se ele não for ocupá-la.

— Na minha casa — reafirmou Alex, enérgica.

— Veremos — respondeu Elizabeth no mesmo tom. E acrescentou, encantada: — Um bebê!

— Com licença, Srta. Alex. — interrompeu Bentner, voltando-se para Elizabeth, hesitante: — Seu tio acabou de chegar — disse. — Quer falar com a senhorita *imediatamente*, no escritório.

Pensativa, Alex olhou para o mordomo e, depois, para Elizabeth.

— Havenhurst me pareceu um pouco deserta quando cheguei — disse. — Quantos criados há aqui?

— Dezoito. Antes de Robert partir, eram quarenta e cinco, dos noventa que tínhamos, mas meu tio os dispensou. Disse que não precisávamos deles e, depois de examinar os livros contábeis, afirmou que seria impossível arcarmos com despesas de casa e comida para todos. De qualquer forma, dezoito permaneceram. — Olhou para Bentner e sorriu, concluindo: — Eles passaram a vida toda em Havenhurst. Aqui também é a casa deles.

Levantando-se, Elizabeth afastou a apreensão que a invadia, um reflexo automático diante da perspectiva de um confronto com o tio.

— Não vou demorar — disse. — Tio Julius não gosta de ficar aqui por mais tempo do que o estritamente necessário.

Bentner abaixou-se para pegar a bandeja de chá, observando Elizabeth sair. Depois, voltou-se para a Duquesa de Hawthorne, a quem conhecia desde que era uma garotinha travessa.

— Com a licença de Vossa Graça — começou, formalmente, a face bondosa repleta de preocupação —, será que eu poderia dizer quanto estou feliz com sua presença, especialmente agora que o Sr. Cameron acabou de chegar?

— Ora, obrigada, Bentner. Fico muito contente em tornar a vê-lo também. Há algo particularmente inoportuno na visita do Sr. Cameron?

— Ao que parece, talvez. — Bentner foi até a porta, espiou na direção do vestíbulo, e então voltou. — Nem Aaron, nosso cocheiro, nem eu gostamos do jeito do Sr. Cameron hoje. E tem mais uma coisa — acrescentou, levantando a bandeja —, nenhum de nós permaneceu aqui por apego a Havenhurst. — Um rubor de embaraço ardeu-lhe na face e a voz tornou-se embargada de emoção. — Ficamos por causa de nossa jovem senhora... Somos tudo o que restou a ela, a senhora entende.

O emocionado voto de lealdade fez os olhos de Alex se encherem de lágrimas, mesmo antes de Bentner acrescentar:

— Não podemos permitir que o tio dela a magoe, como sempre faz.

— Mas não há nenhuma maneira de detê-lo?

O mordomo endireitou o corpo e respondeu, com dignidade:

— De minha parte, sou favorável a atirá-lo da Ponte de Londres. Aaron, no entanto, acha melhor envená-lo.

Havia raiva e frustração naquelas palavras, mas nenhuma ameaça verdadeira. Alex respondeu com um sorriso conspiratório:

— Creio que prefiro seu método, Bentner. É bem mais higiênico.

Alexandra fizera o comentário em tom de brincadeira, e a resposta de Bentner foi uma reverência formal, mas, quando trocaram um rápido olhar, ambos reconheceram a mensagem silenciosa que partilharam. O mordomo a informara de que, se a ajuda dos criados fosse necessária em qualquer situação no futuro, a duquesa poderia contar com sua lealdade total e inquestionável. E a resposta da duquesa assegurara que, longe de se ressentir com sua intromissão, ela agradecia a informação e a guardaria para o caso de tal ocasião se apresentar.

Capítulo 3

Julius Cameron levantou o olhar quando a sobrinha entrou no escritório e estreitou os olhos, contrariado. Mesmo agora, sendo pouco mais do que uma órfã empobrecida, havia uma graça régia na postura de Elizabeth e um orgulho teimoso na maneira como empinava o queixo. Estava com dívidas até o pescoço e mergulhava mais fundo nelas a cada mês, mas continuava andando com a cabeça erguida, exatamente como seu pai arrogante e irresponsável. Aos 35 anos, o pai de Elizabeth morrera num acidente de barco, juntamente com a mãe dela, e, já nessa época, havia perdido no jogo parte substancial de sua herança e hipotecado, em segredo, suas terras. Mesmo assim, continuara exibindo arrogância e vivendo, até o último dia, como um aristocrata privilegiado.

Na condição de filho mais novo do Conde de Havenhurst, Julius não herdara título, riqueza ou terras de grande valor, mas conseguira, à custa de infatigável trabalho e estrita frugalidade, acumular uma fortuna razoável. Contentara-se em prover apenas suas necessidades mais básicas no incessante esforço de melhorar de vida; abstivera-se do *glamour* e das tentações da sociedade não somente devido à incrível despesa que isso representava, mas também por se recusar a depender dos caprichos da nobreza.

Após tantos sacrifícios e a vida espartana que tivera ao lado da esposa, o destino ainda tramava contra ele, pois sua mulher era estéril. Para sua imensa amargura, não teria um herdeiro para sua fortuna e suas terras — nenhum herdeiro exceto o filho que Elizabeth gerasse depois de casada.

Agora, observando-a sentar-se no lado oposto da escrivaninha, à sua frente, Julius sentia-se atingido pela ironia de tudo aquilo com uma força dolorosa e renovada: ele passara a vida inteira trabalhando e economizando, e tudo o que conseguira fora refazer a fortuna do futuro neto de seu irmão inconsequente. E, como se isso não bastasse para enfurecê-lo, sobrara-lhe também a tarefa de limpar a sujeira que Robert, o meio-irmão de Elizabeth, deixara para trás quando desaparecera, há quase dois anos. Como consequência, agora cabia a Julius honrar as instruções que o pai de Elizabeth deixara por escrito e providenciar que ela se casasse com um homem que possuísse títulos *e* fortuna, se possível. Um mês atrás, quando iniciara sua busca por um marido adequado para a sobrinha, Julius imaginara que a tarefa seria bastante fácil. Afinal, quando Elizabeth debutara, um ano e meio antes, sua beleza, sua linhagem impecável e sua suposta riqueza lhe haviam assegurado um recorde de quinze propostas de casamento em apenas quatro semanas. Porém, para a surpresa de Julius, apenas três dos antigos pretendentes tinham remetido respostas afirmativas a ele, e vários outros nem sequer se incomodaram em responder. Naturalmente, não era segredo que agora Elizabeth estava falida, mas Julius oferecera um dote respeitável a fim de se ver livre da responsabilidade. Para ele, que enxergava tudo em termos financeiros, o valor do dote em si já era o bastante para torná-la desejável. Quanto ao escândalo sórdido que a envolvia, Julius sabia pouco e preocupava-se menos ainda. Desprezava a sociedade, bem como seus mexericos, frivolidades e excessos.

A voz de Elizabeth despertou-o de seus sombrios devaneios.

— O que o senhor deseja conversar comigo, tio Julius?

A animosidade, combinada ao ressentimento por imaginar o acesso de raiva que haveria de vir da sobrinha, o fez responder com mais brusquidão do que o normal:

— Vim aqui hoje para discutirmos seu casamento iminente.

— Meu... meu o quê? — ofegou ela, tão surpresa que a rígida máscara de dignidade caiu por um instante, fazendo-a parecer e sentir-se como uma criança desamparada, assustada e encurralada.

— Creio que você ouviu muito bem. — Recostando-se na cadeira, Julius acrescentou, no mesmo tom brusco: — Selecionei três homens. Dois deles possuem títulos; o terceiro, não. Uma vez que títulos de nobreza eram essenciais para seu pai, escolherei aquele com o mais alto grau, dentre os que fizerem a proposta de casamento. Ou seja, presumindo-se que *terei* alguma escolha.

— Como... — Elizabeth fez uma pausa para reorganizar os pensamentos antes de completar a pergunta: — Como o senhor selecionou esses homens?

— Pedi a Lucinda os nomes daqueles que, na época de sua apresentação à sociedade, apresentaram a Robert uma proposta de casamento. Ela me deu os nomes, e eu escrevi uma carta a cada um deles, afirmando seu desejo, e o meu, como seu guardião, de reconsiderá-los como possíveis maridos.

Elizabeth agarrou-se aos braços da cadeira, tentando controlar seu horror.

— Quer dizer — falou num murmúrio estrangulado — que o senhor fez um tipo de oferta pública da minha mão a qualquer um desses homens que estiverem dispostos a me aceitar?

— Sim! — disparou ele, eriçando-se diante da acusação implícita de que não se comportara de maneira condizente com a própria posição ou mesmo com a dela. — Além disso, talvez seja bom que saiba que a célebre atração do sexo oposto por você aparentemente chegou ao fim. Apenas três, dentre os quinze pretendentes, demonstraram interesse em renovar os laços com você.

Profundamente humilhada, Elizabeth mantinha os olhos fixos na parede atrás dele.

— Não consigo acreditar que o senhor tenha *realmente* feito isso.

Julius bateu com a mão sobre a mesa com toda a força.

— Agi dentro dos meus direitos, sobrinha, e de acordo com as instruções específicas de seu perdulário pai. Será que devo lembrá-la que, quando eu morrer, é o *meu* dinheiro que será legado ao seu marido e, depois, ao seu filho? *Meu* dinheiro.

Durante meses, Elizabeth tentara entender o tio. Em algum lugar de seu coração, compreendia a causa de toda aquela amargura e até solidarizava-se com ele.

— Eu gostaria que o senhor tivesse sido abençoado com um filho — disse, com a voz sufocada. — Mas eu não tenho culpa de que não tenha sido. Não lhe fiz mal algum, nunca lhe dei motivos para me odiar a ponto de fazer isso comigo... — A jovem calou-se ao ver a expressão do tio endurecer diante do que ele julgava tratar-se de uma súplica. Ergueu a cabeça, então, reunindo o pouco que restava de sua dignidade: — Quem são esses homens?

— Sir Francis Belhaven — respondeu ele, rapidamente.

Elizabeth encarou-o atônita e balançou a cabeça.

— Quando debutei, conheci centenas de pessoas, mas não me lembro desse nome.

— O segundo é Lorde John Marchman, Conde de Canford.

Novamente, ela meneou a cabeça.

— O nome soa vagamente familiar, mas não consigo relacioná-lo a um rosto.

Obviamente desapontado com aquela reação, Julius falou, irritado:

— Parece que você tem uma péssima memória. Se não consegue se lembrar de um cavaleiro ou de um conde, duvido que possa lembrar-se de um mero cavalheiro sem título — disse, sarcástico.

— Quem é o terceiro? — indagou ela, magoada com a ofensa gratuita.

— Sr. Ian Thornton. Ele é...

Aquele nome fez com que Elizabeth se levantasse com um pulo, enquanto uma onda de animosidade e terror perpassava-lhe o corpo inteiro.

— *Ian Thornton!* — gritou, apoiando-se com ambas as mãos na beirada da escrivaninha. — Ian Thornton! — repetiu, a voz erguendo-se ainda mais, num tom de raiva que beirava a histeria. — Meu tio, se Ian Thornton sequer discutiu a ideia de se casar comigo, foi *diante da mira da arma de Robert*! Seu interesse por mim nunca incluiu o casamento, e Robert duelou com ele justamente por causa de seu comportamento. Na verdade, Robert *atirou* nele!

Em vez de ceder ou mostrar preocupação, Julius limitou-se a olhá-la com fria indiferença. Elizabeth insistiu, enfática:

— O senhor compreende?

— O que eu compreendo — respondeu ele, ruborizando — é que Ian Thornton enviou uma resposta afirmativa à minha carta e foi bastante cordial. Talvez esteja arrependido de seu comportamento no passado e desejoso de corrigir-se.

— Corrigir-se! — repetiu Elizabeth. — Não faço ideia se ele sente ódio ou apenas desprezo por mim, mas posso garantir ao senhor que *nunca* desejou casar-se comigo! É por causa dele que não posso mais aparecer na sociedade!

— Na minha opinião, você está bem melhor assim, longe da influência decadente daquela gente de Londres. Mas essa não é a questão... Ian Thornton aceitou meus termos.

— Que *termos*?

Acostumado à irritabilidade de Elizabeth, Julius respondeu, indo direto ao ponto:

— Cada um dos três candidatos concordou em recebê-la para uma breve visita, a fim de permitir que você decida qual deles é o mais adequado. Lucinda irá com você, como dama de companhia. Deve partir em cinco dias, dirigindo-se, primeiro, à casa de Belhaven, depois para Marchman e, por fim, à casa de Thornton.

A sala girava diante dos olhos de Elizabeth.

— Não posso *acreditar*! — explodiu ela e, em seu desespero, agarrou-se a uma última esperança: — Lucinda saiu de férias, as primeiras em muitos anos! Está em Devon, visitando a irmã.

— Então leve Berta no lugar dela e diga a Lucinda para se encontrar com você quando for para a casa de Thornton, na Escócia.

— Berta? Mas Berta é apenas uma criada! Minha reputação ficará em frangalhos se eu passar uma semana na casa de um homem acompanhada de uma simples criada em vez de uma dama de companhia.

— Pois não diga a ninguém que ela é uma criada — disparou Julius. — Já que na carta eu me referi a Lucinda Throckmorton-Jones como sua dama de companhia, você pode apresentar Berta como sua tia. Sem mais objeções, senhorita — concluiu. — O assunto está encerrado. Era tudo o que tínhamos a tratar neste momento. Pode se retirar.

— *Não* está encerrado! Houve algum engano terrível, estou lhe dizendo! Ian Thornton jamais desejaria me ver novamente, menos ainda do que eu desejo revê-lo!

— Não há engano algum — afirmou Julius, finalizando a discussão. — Ian Thornton recebeu minha carta e aceitou nossa oferta. Até enviou instruções de como chegar à casa dele na Escócia.

— A oferta foi *sua* — gritou Elizabeth. — Não minha!

— Não vou mais discutir pequenos detalhes com você, Elizabeth. A conversa está encerrada.

Capítulo 4

Elizabeth atravessou o corredor lentamente, com a intenção de reencontrar Alexandra, mas seus joelhos tremiam com tanta violência que precisou parar e apoiar-se na parede. Ian Thornton... Em poucos dias, iria confrontar-se com Ian Thornton.

Aquele nome rodopiava em sua mente, fazendo a cabeça girar numa combinação de ódio, humilhação e pavor. Finalmente, endireitou o corpo e entrou numa saleta, atirou-se no sofá e permaneceu com os olhos fixos no retângulo mais claro no papel de parede, onde antes estivera uma pintura de Rubens.

Elizabeth não acreditava, nem por um instante, que Ian Thornton alguma vez tivesse cogitado casar-se com ela e não conseguia imaginar quais possíveis motivos ele teria agora para aceitar a oferta ultrajante de seu tio. Fora tola, ingênua e boba no que se referia a ele.

Agora, enquanto recostava a cabeça e fechava os olhos, mal acreditava que pudera ser tão imprudente — ou tão descuidada — quanto fora naquele fim de semana em que o conhecera. Tinha toda a certeza de que seu futuro seria brilhante, mas, na época, não havia razão para pensar o contrário.

A perda dos pais, quando tinha apenas 11 anos, fora um período sombrio para Elizabeth, mas Robert estivera ao seu lado, confortando-a, animando-a e prometendo que tudo ficaria bem novamente. Robert era oito anos mais velho que ela e, embora fosse filho do primeiro casamento de sua mãe, portanto seu meio-irmão, Elizabeth adorava-o e sempre confiou nele. Seus pais viajavam com tanta frequência que mais pareciam agradáveis visitantes, entrando e saindo de sua vida três ou quatro vezes por ano, levando-lhe presentes e desaparecendo pouco tempo depois, numa nuvem de alegres despedidas.

Exceto pela morte dos pais, a infância de Elizabeth fora extremamente prazerosa. Seu espírito risonho a transformara na queridinha de todos os criados, que faziam tudo por ela. O cozinheiro dava-lhe doces; o mordomo ensinou-a a jogar xadrez; Aaron, o chefe dos cocheiros, ensinou-a a jogar cartas e, anos mais tarde, a usar uma pistola, para o caso de ela precisar se proteger.

Porém, entre todos os seus "amigos" em Havenhurst, aquele com quem Elizabeth passava mais tempo era Oliver, o jardineiro-chefe, que fora trabalhar ali quando ela tinha 11 anos. Um homem calado e de olhos bondosos, Oliver cuidava da estufa e dos canteiros de Havenhurst, conversando suavemente com suas mudas e plantas.

— As plantas precisam de carinho — explicara certa vez, quando Elizabeth surpreendeu-o dizendo palavras encorajadoras a uma enfraquecida violeta na estufa —, exatamente como as pessoas. Experimente — convidou-a, meneando a cabeça na direção da planta. — Diga alguma coisa animadora para essa linda violeta.

Elizabeth sentira-se um pouco tola, mas seguira as instruções, pois a habilidade de Oliver como jardineiro era inquestionável — os jardins de Havenhurst haviam melhorado de forma impressionante em poucos meses, desde que ele começara a trabalhar lá. Então, a menina inclinara-se para a violeta e, do fundo do coração, dissera:

— Espero que você se recupere logo e fique linda como antes! — Afastou-se um pouco, esperando, ansiosa, que as folhas amareladas se erguessem para o sol.

— Já dei a ela uma dose do meu remédio especial — informou Oliver, movendo com cuidado o vaso para a prateleira na qual deixava todas as pacientes adoentadas. — Volte daqui a alguns dias e verá como ela estará ansiosa para mostrar-lhe como se sente melhor. — Oliver, como Elizabeth percebeu mais tarde, chamava as plantas que davam flores de "ela" e as demais de "ele".

No dia seguinte, Elizabeth fora à estufa, mas a violeta continuava tão triste quanto antes. Cinco dias depois, já esquecida da planta, voltara apenas para dividir algumas tortas com Oliver.

— Sua amiga está ali, esperando para vê-la, senhorita — disse o jardineiro.

Ela se aproximou da prateleira e encontrou as delicadas flores da violeta erguendo-se, rígidas, nos frágeis caules, as folhas empertigadas.

— Oliver! — gritou, maravilhada. — Como você *conseguiu*?

— Foram as *suas* palavras bondosas, e um pouco do meu remédio, que a salvaram — respondeu ele e, como pôde ver o brilho de genuína fascinação nos olhos dela ou, talvez, porque quisesse distrair a garotinha órfã de suas tristezas, levou-a para dar uma volta pela estufa, ensinando-lhe o nome das plantas e mostrando-lhe os novos enxertos que estava fazendo.

Aquele dia marcou o início do duradouro caso de amor de Elizabeth com as plantas. Trabalhando ao lado de Oliver, com um avental amarrado na cintura para proteger o vestido, aprendera tudo o que ele podia ensinar sobre seus "remédios", adubos e tentativas de enxertar as plantas umas às outras.

E, quando Oliver ensinou-lhe tudo o que ele sabia, Elizabeth passou a ensinar a ele, pois levava uma grande vantagem: ela sabia ler, e a biblioteca de Havenhurst fora o orgulho de seu avô. Assim, ela e Oliver sentavam-se lado a lado num banco do jardim até que a penumbra tornasse a leitura impossível, e Elizabeth lia em voz alta novos e antigos métodos para ajudar plantas a crescer mais fortes e vibrantes. Em cinco anos, o "pequeno" jardim de Elizabeth tomara a maior parte dos canteiros principais. E, onde quer que se ajoelhasse, armada com sua pazinha, as flores pareciam vicejar ao seu redor.

— Elas sabem que você gosta delas — disse Oliver certo dia, com um de seus raros sorrisos, quando Elizabeth ajoelhou-se num canteiro de coloridos amores-perfeitos. — E é assim que demonstram que também a amam: ficando lindas.

Quando a saúde de Oliver exigiu que ele se mudasse para um lugar de clima mais quente, Elizabeth sentiu imensamente sua falta e passava ainda mais tempo no jardim. Ali, dava asas à imaginação, desenhando e dando vida a novos arranjos, recrutando lacaios e cavalariços para ajudá-la a aumentar os canteiros, até que cobrissem uma parte recém-aterrada que tomava toda a extensão dos fundos da casa.

Além da jardinagem e da companhia dos criados, uma das grandes alegrias de Elizabeth era sua amizade com Alexandra Lawrence. Alex era a vizinha mais próxima e, embora um pouco mais velha, compartilhava com Elizabeth a mesma empolgação de passar horas contando arrepiantes histórias de fantasmas à noite, até as duas tremerem de medo, ou de ficar na casa da árvore, confidenciando segredos e sonhos.

Mesmo depois que Alex casou-se e partiu, Elizabeth não se considerava solitária, pois possuía algo que amava e que ocupava todos os seus sonhos e a maior parte de seu tempo: Havenhurst. Originalmente um castelo, incluindo um fosso e altas torres cercadas de pedras, Havenhurst fora a residência de uma ancestral de Elizabeth, uma viúva do século XII. O marido da viúva aproveitara sua influência sobre o rei e conseguira que várias cláusulas adicionais, pouco comuns na época, fossem anexadas ao legado de sucessão de Havenhurst. Tais cláusulas asseguravam que a propriedade pertenceria à sua esposa e aos seus sucessores pelo tempo que quisessem mantê-la, fossem eles homens ou mulheres.

Como resultado, aos 11 anos, quando seu pai morreu, Elizabeth tornara-se a Condessa de Havenhurst e, embora o título em si significasse muito pouco para ela, Havenhurst, com seu passado, significava tudo. Aos 17 anos, já estava tão familiarizada com a história de seu lar quanto com a de sua própria vida. Sabia tudo sobre os ataques que a propriedade sofrera, bem como os nomes dos agressores e as estratégias que os condes e as condessas haviam empregado para mantê-la a salvo. Sabia tudo o que havia para saber sobre os primeiros proprietários, seus feitos e fraquezas — desde o primeiro conde, cujas coragem e habilidade no campo de batalha o haviam transformado numa lenda (mas que, secretamente, temia a esposa), até o filho dele, o jovem conde cujo infeliz cavalo fora sacrificado por tê-lo derrubado enquanto praticava justa no estafermo, em Havenhurst.

O fosso fora tapado séculos atrás, as paredes do castelo haviam sido removidas e a mansão fora modificada e alargada até que chegasse à sua aparência pitoresca e desconexa de uma casa de campo que se assemelhava muito pouco, ou quase nada, à construção original. Porém, mesmo assim, graças aos pergaminhos e às pinturas guardados na biblioteca, Elizabeth sabia *exatamente* como era a antiga aparência do local, discernindo o fosso e as paredes de pedra. Talvez soubesse até onde ficava o estafermo.

Consequentemente, aos 17 anos, Elizabeth Cameron era bem diferente da maioria das jovens bem-nascidas. Extraordinariamente culta, equilibrada e dona de uma praticidade que se evidenciava a cada dia, ela já estava até aprendendo com o meirinho a administrar sua propriedade com eficiência. Cercada de pessoas em quem confiava durante toda a vida, era detentora de um otimismo ingênuo, acreditando que todas as pessoas eram boas e dignas como ela própria e os outros moradores de Havenhurst.

Assim, naquele fatídico dia em que Robert chegara inesperadamente e, depois de arrastá-la para longe das rosas que estava colhendo, informou-a, com um largo sorriso, de que ela iria debutar na sociedade, em Londres, dali a seis meses, não era de se admirar que Elizabeth reagisse com prazer e sem medo algum de enfrentar quaisquer dificuldades.

— Está tudo acertado — disse Robert, animado. — Lady Jamison concordou em ser sua madrinha, como um tributo à memória de nossa mãe. Esse negócio vai nos custar caro, mas valerá a pena.

Elizabeth encarou-o, surpresa.

— Você nunca mencionou o preço de nada antes. Não estamos em dificuldades financeiras, não é, Robert?

— Não estamos mais — mentiu ele. — Temos uma fortuna, bem aqui em nossas mãos, só que eu ainda não havia percebido.

— Onde? — indagou ela, completamente confusa com tudo o que ouvia, além de ser invadida por uma sensação incômoda.

Rindo, Robert levou-a para a frente do espelho e, segurando-lhe o rosto entre as mãos, a fez encarar a própria imagem. Depois de lançar um olhar intrigado ao irmão, Elizabeth olhou-se no espelho e também riu.

— Por que não me avisou que estou com o rosto sujo de terra? — perguntou, esfregando a mancha com a ponta do dedo.

— Elizabeth — disse ele, com um risinho —, isso é tudo o que você vê no espelho, uma mancha de terra?

— Não. Vejo meu rosto também — respondeu ela.

— E o que lhe parece?

— Parece meu rosto — retrucou ela, com divertida exasperação.

— Elizabeth, seu rosto é a nossa fortuna! — exclamou Robert. — Eu nunca tinha pensado nisso, até ontem, quando Bertie Krandell me falou sobre a esplêndida proposta que sua irmã acabara de receber de Lorde Cheverley.

Elizabeth estava atônita.

— Sobre o que você está falando?

— Sobre seu casamento — explicou ele, com seu sorriso despreocupado. — Você é muito mais bonita do que a irmã de Bertie. Com este rosto, e Havenhurst como dote, poderá conseguir um casamento capaz de alvoroçar toda a Inglaterra. Um casamento que lhe trará joias, vestidos e belas propriedades; e, *a mim*, contatos que serão mais valiosos do que o dinheiro. Além disso — brincou —, se por acaso eu passar por alguma dificuldade em algum momento, sei que você não me deixará faltar dinheiro... Poderá tirar da sua mesada.

— Nós *estamos* com problemas financeiros, não é? — insistiu Elizabeth, preocupada demais com o problema para pensar em seu *début* em Londres.

Robert desviou o olhar e, com um suspiro cansado, fez um gesto para que fossem sentar no sofá.

— Estamos numa situação um pouco crítica — admitiu.

Elizabeth podia ter apenas 17 anos, mas sabia quando ele a estava enganando. E, pela maneira como o irmão olhou para ela, suspeitava que era exatamente isso que ele estava fazendo.

— Na verdade — admitiu ele, relutante —, nossa situação é muito crítica. Muito, mesmo.

— Mas como? — perguntou ela e, apesar de sentir uma onda de temor invadi-la, conseguiu manter-se calma.

O rosto de Robert tingiu-se com o rubor causado pelo embaraço.

— Em primeiro lugar, nosso pai deixou uma quantidade assombrosa de dívidas, algumas delas de jogo. Eu próprio acumulei algumas poucas dívidas do tipo. Nestes últimos anos, consegui lidar com os credores, tanto os dele como os meus, da melhor maneira que pude, mas eles estão ficando impacientes. E não é só isso. Havenhurst nos custa uma fortuna, Elizabeth. Há muito tempo que nossa renda não corresponde às despesas, se é que algum dia isso aconteceu. O resultado é que estamos mergulhados em dívidas até o pescoço. E teremos de hipotecar até objetos da casa para pagar algumas delas ou nenhum de nós poderá mostrar a cara em Londres novamente. Mas isso não é o pior: Havenhurst pertence a você, não a mim, mas, se você não conseguir um bom casamento, muito em breve acabará perdendo-a para os credores.

A voz de Elizabeth vacilou, ocultando a torrente de medo e incredulidade que tomava conta dela:

— Você acabou de dizer que uma temporada em Londres custa uma fortuna, e é óbvio que não temos como pagar — afirmou, pragmática.

— Os credores nos darão uma trégua no instante em que souberem que você está noiva de um homem de posses e títulos. E eu prometo que você não terá dificuldade em encontrar um.

Elizabeth achou o plano muito frio e mercenário, porém Robert balançou a cabeça. Dessa vez, era ele quem se mostrava mais prático.

— Você é mulher, minha querida, e sabe que terá de se casar... Todas as mulheres precisam casar. Mas não encontrará ninguém aceitável se continuar enfurnada aqui em Havenhurst. *Não* estou sugerindo que concordemos com qualquer proposta. Escolherei alguém por quem você possa desenvolver forte afeição. Negociarei um noivado longo, levando em conta sua pouca idade — prometeu ele, sincero. — Nenhum homem respeitável apressará uma jovem de 17 anos para o matrimônio antes de ela estar pronta. É o único jeito, Elizabeth — acrescentou ao vê-la disposta a argumentar.

Embora sempre tivesse sido protegida, Elizabeth sabia que a expectativa de Robert em relação a seu casamento era o correto. Antes de morrer, seus pais deixaram bem clara a obrigação da filha em se casar de acordo com os desejos da família. Nesse caso, seu meio-irmão tinha agora a missão de selecionar o pretendente, e sua confiança nele era irrestrita.

— Ora, anime-se! — disse Robert. — Será que nunca sonhou em usar lindos vestidos e ser cortejada por belos rapazes?

— Algumas vezes, talvez — admitiu ela, com um sorrisinho encabulado, mas era uma afirmação modesta. Afinal, era uma jovem normal, saudável e cheia de vontade de amar e ser amada. E também lera sua cota de romances. As últimas palavras de Robert eram bem interessantes. — Pois bem — disse, com uma risadinha —, vamos tentar.

— Temos de fazer mais do que *tentar*, Elizabeth. Temos de conseguir. Do contrário, você terminará como uma pobre governanta cuidando dos filhos de alguém, em vez de ser uma condessa, ou ocupar posição melhor, quem sabe, com seus próprios filhos. Quanto a mim, posso acabar na cadeia por causa das dívidas.

A imagem do irmão numa cela escura e a dela sem Havenhurst eram suficientes para fazê-la concordar com qualquer coisa.

— Deixe tudo por minha conta — finalizou ele, e foi o que ela fez.

Nos seis meses seguintes, Robert dedicou-se a superar todos os obstáculos que pudessem evitar que Elizabeth causasse uma impressão espetacular no cenário londrino. Uma certa Sra. Porter fora contratada para treiná-la naquelas intrincadas habilidades sociais que não haviam sido ensinadas nem por sua mãe nem por sua governanta. Com a Sra. Porter, Elizabeth aprendeu que jamais deveria demonstrar que era inteligente, culta ou que nutria o mais vago interesse por horticultura.

Uma famosa e cara costureira de Londres foi escolhida para criar e confeccionar todos os vestidos que a Sra. Porter julgava necessários para a temporada.

A Srta. Lucinda Throckmorton-Jones, dama de companhia contratada por várias das debutantes mais bem-sucedidas das temporadas anteriores, foi para Havenhurst a fim de ocupar a posição de acompanhante de Elizabeth. Com cinquenta anos e grossos cabelos grisalhos, que prendia para trás num coque, era dona de uma postura ereta, seu rosto tinha uma constante expressão de contrariedade, como se sentisse um cheiro desagradável, mas fosse educada demais para comentar. Além da aparência intimidadora da dama de companhia, Elizabeth reparou, pouco depois de seu primeiro encontro, que a Srta. Throckmorton-Jones tinha uma capacidade impressionante de permanecer sentada serenamente durante horas, sem mover sequer um dedo.

Elizabeth recusou-se a se sentir acuada com aquele comportamento rígido e tratou de encontrar uma forma de quebrar o gelo. De brincadeira, chamou-a de "Lucy" e, quando o apelido carinhoso e casual foi recebido com um olhar de profunda indignação, tentou encontrar outros meios. E logo descobriu: alguns dias depois que Lucinda mudou-se para Havenhurst, a dama entrou na imensa biblioteca e deparou com Elizabeth enroscada numa cadeira, entretida com um livro.

— Gosta de ler? — perguntou Lucinda, num misto de censura e surpresa ao ver o nome do autor gravado em letras douradas na capa de couro.

— Gosto, sim — respondeu Elizabeth, sorrindo. — E a senhorita?

— Já leu alguma coisa de Christopher Marlowe?

— Sim, mas prefiro Shakespeare.

A partir de então, tornou-se um hábito de todas as noites, após o jantar, conversarem sobre os méritos dos diferentes livros que ambas haviam lido. Não demorou muito para que Elizabeth percebesse que ganhara o relutante respeito da dama de companhia, embora fosse impossível ter certeza se ganhara também sua afeição, pois a única emoção que a dama já havia demonstrado fora raiva, e apenas uma vez, com um comerciante do vilarejo. Mesmo assim, fora uma exibição que Elizabeth nunca mais esqueceria. Brandindo o sempre presente guarda-chuva, Lucinda avançara contra o infeliz, expulsando-o da própria loja, enquanto seus lábios proferiam uma torrente da mais extraordinária, eloquente e afiada fúria que Elizabeth já testemunhara.

— Meu temperamento — informara Lucinda, afetada, à guisa de desculpas — é meu *único* defeito.

Na opinião de Elizabeth, Lucy havia reprimido todas as suas emoções durante os anos em que passara quieta, perfeitamente sentada no sofá, até que finalmente explodiram, como aquelas montanhas sobre as quais lera, que despejavam lava quando a pressão da Terra chegava ao máximo.

Quando os Cameron, juntamente com Lucinda e os criados necessários, chegaram a Londres para o *début*, Elizabeth já aprendera tudo o que a Sra. Porter podia lhe ensinar e sentia-se capaz de enfrentar os desafios que lhe haviam sido descritos. Na verdade, além de memorizar as regras de etiqueta, estava um pouco perplexa com o enorme espalhafato que se fazia em torno daquilo. Afinal, aprendera a dançar nos seis meses em que se preparara para sua estreia e conversava desde que tinha três anos de idade. E, pelo que pudera concluir até então, suas únicas obrigações como debutante seriam conversar educadamente — apenas sobre assuntos triviais —, disfarçar sua inteligência a qualquer custo e dançar.

Um dia após Elizabeth e Robert se instalarem na casa alugada, a madrinha que a apresentaria à nata da sociedade, Lady Jamison, foi visitá-los levando as duas filhas, Valerie e Charise. Valerie era um ano mais velha que Elizabeth e debutara na temporada anterior. Charise era cinco anos mais velha — e a jovem viúva do velho Lorde Dumont, que batera as botas um mês após as núpcias, deixando a recém-casada com posses, aliviada e completamente independente.

Nas duas semanas antes do início da temporada, Elizabeth passara um tempo considerável com as ricas debutantes que se reuniam na sala de estar dos Jamison para fofocar alegremente sobre qualquer um. Todas elas foram a Londres com a mesma obrigação nobre e o mesmo objetivo incumbido por suas famílias: casar-se, de acordo com os desejos da família, com o pretendente mais rico que pudessem encontrar e, ao mesmo tempo, aumentar a fortuna e a posição social de sua família.

Foi naquela sala que a educação de Elizabeth se concluiu. Um pouco chocada, descobriu que a Sra. Porter estava certa a respeito dos nomes que caíam no esquecimento. Também soube que, aparentemente, a sociedade não considerava falta de educação discutir abertamente a situação financeira de uma pessoa — principalmente se o alvo da discussão fosse um cavalheiro solteiro. Logo no primeiro dia, foi com dificuldade que conseguiu esconder a ignorância, suprimindo um arquejo de horror diante da conversa que se entabulava naquele momento.

— Lorde Peters é um excelente partido. Ora, ele tem uma renda de 20 mil libras e a probabilidade de ser nomeado herdeiro do baronato do tio, se este falecer devido à doença do coração, o que todos esperam que aconteça — anunciara uma das garotas.

Todas as outras também tinham uma opinião formada:

— Shoreham é dono de uma esplêndida propriedade em Wiltshire, e mamãe anda roendo as unhas na expectativa de que ele se declare. Imagine só... as esmeraldas dos Shoreham!

— Robelsly anda dirigindo uma linda caleça azul, mas papai diz que ele está com dívidas até o pescoço e que de maneira alguma devo considerá-lo um pretendente. Elizabeth, espere só até conhecer Richard Shipley! Não permita, em nenhuma circunstância, que ele a engane com seu charme; é um patife completo e, apesar de se vestir na última moda, não tem onde cair morto! — Este último aviso veio de Valerie Jamison, a quem Elizabeth elegera sua melhor amiga entre as garotas.

Ela aceitava de bom grado a amizade coletiva e também seus conselhos. Entretanto, sentia um crescente desconforto em relação a algumas de suas atitudes para com aqueles que julgavam inferiores — o que não era de se admirar em se tratando de uma jovem que tinha o mordomo e o cocheiro na conta de *seus iguais*.

Por outro lado, Elizabeth apaixonara-se por Londres, com suas ruas movimentadas, os parques impecáveis e o clima repleto de expectativa, e adorava ter amigas que, quando não estavam falando mal de alguém, eram excelente companhia.

Na noite de seu primeiro baile, no entanto, quase toda a alegria e toda a confiança de Elizabeth desapareceram. Ao subir as escadarias da casa dos Jamison, tendo Robert ao seu lado, sentiu-se subitamente invadida por um terror que jamais sentira. A cabeça girava com todas as regras que ela mal se dera ao trabalho de memorizar, e tinha uma certeza mórbida de que acabaria recebendo o maior e mais famoso chá de cadeira da temporada. Porém, quando entrou no salão de baile, o cenário que a recebeu a fez se esquecer de todos os temores, e seus olhos, maravilhados, brilharam. Candelabros reluziam com centenas de velas; homens atraentes e mulheres com seus lindos vestidos deslizavam de um lado para outro, envoltos em sedas e cetins.

Sem reparar nos rapazes que se viravam para admirá-la, ergueu os brilhantes olhos verdes para o irmão sorridente.

— Robert — sussurrou, radiante —, alguma vez havia *imaginado* que existiam pessoas tão bonitas e salões tão grandiosos?

Trajando um fino vestido branco, bordado com fios dourados, com rosas brancas enfeitando os cabelos dourados e os olhos verdes reluzindo, Elizabeth Cameron parecia uma princesa de contos de fadas.

Estava encantada, e tal encantamento emprestava-lhe uma luminosidade quase etérea, quando, finalmente, recobrou-se o suficiente para sorrir e notar a presença de Valerie e suas amigas.

No final daquela noite, Elizabeth *sentia-se* num conto de fadas. Os rapazes aglomeraram-se em torno dela, implorando para serem apresentados, por uma dança e pela chance de servir-lhe ponche. Ela sorriu e dançou, mas nem por um momento lançou mão dos artifícios que as outras garotas usavam para flertar. Pelo contrário, ouvia os rapazes com interesse genuíno e um sorriso caloroso, deixava-os à vontade e puxava conversa quando a levavam para dançar. Na verdade, estava emocionada com a alegria contagiante, encantada com a música maravilhosa, deslumbrada com toda a atenção que recebia, e tais emoções espelhavam-se em seus olhos e em seu sorriso cativante. Era uma princesa de faz de conta em seu primeiro baile, seduzindo, arrebatando, girando pelo salão sob a luz cintilante dos candelabros, cercada de príncipes encantados, sem pensar que aquilo pudesse ter um fim. Elizabeth Cameron, com sua beleza angelical, cabelos dourados e luminosos olhos verdes, tomara Londres de surpresa. Não era apenas uma onda passageira, mas, sim, uma onda avassaladora.

Os visitantes começaram a chegar à sua casa na manhã seguinte, numa sequência interminável. E foi ali, não nos salões de baile, que Elizabeth arrebatou suas maiores conquistas, pois ela não era apenas linda, mas ainda mais agradável ao conversar. Em apenas três semanas, quatorze cavalheiros lhe propuseram casamento, e Londres fervilhava com aquele acontecimento sem precedentes. Nem mesmo a Srta. Mary Gladstone, a beldade que reinara por duas temporadas consecutivas, havia recebido tantas propostas.

Doze dos pretendentes de Elizabeth eram jovens, apaixonados e adequados; dois eram bem mais velhos e estavam igualmente encantados. Robert, com grande orgulho e falta de tato, dispensou os pretendentes, rejeitando-os rudemente como impróprios e inadequados. Ele esperava, mantendo-se fiel à promessa que fizera a Elizabeth, pelo marido *ideal* com quem ela pudesse ser feliz.

O décimo quinto candidato preencheu todos os requisitos de Robert. Extremamente rico, atraente e apresentável, o Visconde Mondevale, de 25 anos, era, sem dúvida, o melhor partido da temporada. Robert sabia disso e, conforme disse a Elizabeth naquela noite, ficara tão animado que quase se esquecera de tudo e pulara sobre a escrivaninha a fim de cumprimentar o jovem visconde pelo casamento iminente.

Elizabeth ficara satisfeita e emocionada ao saber que aquele cavalheiro, a quem ela havia especialmente admirado, oferecera-se como pretendente e fora escolhido.

— Ah, Robert, ele é muito agradável. Eu não estava segura de que havia gostado de mim o suficiente para me pedir em casamento.

O irmão pousou um beijo carinhoso em sua testa.

— Princesa — brincou —, qualquer homem que olhe para você perde completamente a cabeça. É apenas uma questão de tempo.

Ela lhe ofereceu um breve sorriso, encolhendo os ombros. Já estava cansada da maneira como as pessoas falavam de seu rosto, como se não houvesse um cérebro por trás dele. Além do mais, todas as atividades frenéticas e a radiante alegria da temporada, que de início a encantaram tanto, começavam a perder a graça. Na verdade, a emoção mais forte que ela sentiu, diante da notícia de Robert, foi alívio ao saber que seu casamento estava acertado.

— Mondevale pretende lhe fazer uma visita esta tarde — continuou Robert —, mas eu vou esperar uma ou duas semanas antes de lhe dar uma resposta. A espera servirá para reforçar sua decisão e, além disso, você merece ter mais alguns dias de liberdade antes de se tornar uma noiva.

Uma noiva, ela pensou, sentindo estranho desconforto e nítida inquietação, embora soubesse que era pura tolice de sua parte.

— Confesso que tive certo receio quando disse a ele que seu dote era de apenas 5 mil libras. Mas Mondevale não pareceu se importar com isso. Pelo contrário, disse que tudo o que interessava a ele era você e que pretende cobri-la de rubis do tamanho da palma de sua mão...

— Isso é... maravilhoso — disse Elizabeth, baixinho, esforçando-se para sentir algo além do alívio e da inexplicável apreensão que a invadiam.

— *Você* é maravilhosa — retrucou Robert, acariciando-lhe os cabelos. — Conseguiu tirar papai, a mim e Havenhurst do fundo do poço.

O Visconde Mondevale chegou às 15 horas, e Elizabeth recebeu-o no salão amarelo. Ele entrou, olhou ao redor, depois tomou-lhe as mãos entre as suas e sorriu ternamente, fitando-a nos olhos.

— A resposta é sim, não é? — falou, mas era mais uma afirmação do que uma pergunta.

— Já conversou com meu irmão? — respondeu Elizabeth, surpresa.

— Não, ainda não.

— Então, como sabe se a resposta é sim? — indagou ela, sorrindo.

— Porque a sempre presente Srta. Lucinda Throckmorton-Jones não está ao seu lado, com aqueles olhos de águia, pela primeira vez em um mês! — Pressionou um leve beijo na testa da jovem, o que a pegou desprevenida e a fez ruborizar. — Será que tem ideia de quanto é linda?

Elizabeth tinha uma vaga ideia, já que todos lhe diziam isso, e suprimiu o impulso de retrucar: Tem ideia de quanto sou *inteligente*? Não que fosse, nem de longe, do tipo intelectual, mas *realmente* gostava de ler, de pensar e até de debater assuntos que lhe interessavam, mas não tinha muita certeza de que Mondevale apreciaria tais atributos na futura esposa. Ele próprio jamais expressara uma opinião a respeito de nada, exceto sobre trivialidades, e nunca lhe pedira uma opinião.

— Você é encantadora — murmurou ele, e Elizabeth perguntou-se, muito seriamente, *por que* ele pensava assim.

Ele não sabia quanto ela adorava pescar, ou rir, ou que atirava tão bem que era quase perita em tiro ao alvo. Não sabia que, certa vez, ela participara de uma corrida de carruagens nos campos de Havenhurst, ou que as flores pareciam desabrochar de maneira especial para ela. Quanto a si mesma, não sabia se ele gostaria de ouvir as maravilhosas histórias de Havenhurst e de seus primeiros habitantes. Ele sabia pouco a seu respeito; ela sabia menos ainda sobre ele.

Desejava poder aconselhar-se com Lucinda, mas a dama de companhia encontrava-se adoentada, com febre alta, dor de garganta e má digestão, e não saíra do quarto desde o dia anterior.

Elizabeth ficou um pouco preocupada com todas essas questões até a tarde do dia seguinte, quando partiu para uma pequena viagem de fim de semana, a fim de participar da festa que a colocaria no caminho de Ian Thornton e mudaria o rumo de sua vida. A festa aconteceu na linda casa de campo da irmã mais velha de Valerie, Lady Charise Dumont. Quando Elizabeth chegou, a propriedade já estava repleta de convidados, que flertavam, riam e bebiam generosas quantidades do champanhe que fluía de fontes de cristal no jardim. Pelos padrões de Londres, havia poucas pessoas na festa — não mais de 150 convidados estavam presentes, e apenas 25, incluindo Elizabeth e suas três amigas, ficariam todo o final de semana. Se não tivesse sido tão protegida e tão ingênua, teria reconhecido imediatamente o ambiente indecoroso naquela noite. Teria percebido, num instante, que os convidados eram muito mais velhos, mais experientes e muito mais desimpedidos do que aqueles com quem ela estivera antes. E teria ido embora.

Agora, sentada no salão de Havenhurst, refletindo sobre sua desastrosa insensatez naquele fim de semana, admirava-se com a própria ingenuidade.

Recostando novamente a cabeça no sofá, fechou os olhos e engoliu em seco o nó de humilhação que se formara em sua garganta. Por que, perguntou-se em desespero, as lembranças felizes desaparecem e se apagam até que não se possa mais distingui-las, enquanto as lembranças horríveis parecem manter-se nítidas e dolorosas? Mesmo agora, era capaz de recordar-se daquela noite... Vê-la, ouvi-la, sentir os odores.

As flores brotavam em profusão no jardim austero quando ela saíra à procura das amigas. Rosas. Em toda parte, era possível sentir o inebriante perfume das rosas.

No salão de baile, a orquestra terminava a afinação dos instrumentos quando, subitamente, os primeiros acordes de uma linda valsa ressoaram lá fora, enchendo de música o ar. O crepúsculo cobria o céu, e os criados moviam-se pelo terraço e pelas trilhas do jardim, acendendo as tochas enfeitadas. Não que todas as trilhas ficassem iluminadas, naturalmente — aquelas que seguiam escadaria abaixo permaneciam sob conveniente escuridão, para os casais que, mais tarde, buscassem um pouco de intimidade por entre as sebes ou na estufa, mas Elizabeth só se deu conta disso bem depois.

Levou quase meia hora para encontrar as amigas, pois elas se haviam reunido para um animado mexerico no extremo oposto do jardim, onde ficavam parcialmente escondidas por um arbusto alto e denso. Ao se aproximar, Elizabeth percebeu que as moças não estavam apenas perto do arbusto, mas sim espiando através dele, tagarelando, alvoroçadas, sobre alguém a quem observavam — alguém que lhes parecia provocar delírios de excitação e curiosidade.

— Meu Deus! — suspirou Valerie, espiando pelo arbusto. — Isto é o que minha irmã chama de "charme masculino"!

Com um breve e reverente silêncio, as três jovens examinaram o exemplo de masculinidade que recebera tamanho elogio de Charise, a bela irmã sagaz de Valerie.

Elizabeth acabara de reparar numa mancha de terra em seu sapatinho cor de lavanda e calculava, com infelicidade, o custo exorbitante de um novo par — ao mesmo tempo que imaginava se seria possível comprar apenas *um* sapato.

— Ainda não acredito que seja ele! — cochichou Valerie. — Charise disse que talvez ele viesse, mas não lhe dei muita atenção. Não acham que todos em Londres vão morrer de inveja quando dissermos que o vimos? — acrescentou. Só então percebeu a presença de Elizabeth e fez um gesto para que se juntasse a elas, atrás da sebe. — Olhe, Elizabeth! Ele não é *divino*, de um modo meio misterioso, *depravado*?

Em vez de espreitar pelo arbusto, Elizabeth olhou pelo jardim, que estava repleto de homens e mulheres elegantes que riam e conversavam, enquanto encaminhavam-se lentamente para o salão onde se daria o baile, seguido pela ceia. Seu olhar perdido vagava por entre os homens que trajavam calções bufantes de cetim em tons pastel, casacas e coletes coloridos, o que os tornava tão extravagantes quanto pavões e araras.

— Quem eu deveria ver?

— O Sr. Ian Thornton, sua tolinha! Não, espere, não é possível vê-lo agora. Ele se afastou das tochas.

— Quem é Ian Thornton?

— Esta é a questão: ninguém sabe! — E, num tom de quem compartilha uma novidade suculenta, Valerie acrescentou: — Mas dizem que é neto do Duque de Stanhope. Como todas as jovens debutantes, Elizabeth fora obrigada a estudar o *Nobiliário de Debrett*, um livro que a aristocracia reverenciava com quase tanto fervor quanto um devoto presbiteriano apreciava a Bíblia.

— O Duque de Stanhope é um homem idoso — lembrou Elizabeth, depois de pensar um pouco. — E não tem herdeiros.

— Sim, todo mundo sabe disso. Mas comenta-se que Ian Thornton é seu... — a voz de Valerie tornou-se um sussurro — neto *ilegítimo*.

— A questão é que — intercedeu Penelope, autoritária — o Duque de Stanhope, na realidade, teve um filho, mas o deserdou anos atrás. Mamãe me contou tudo a respeito... Foi um escândalo e tanto.

Diante da palavra "escândalo", todas se viraram, muitíssimo interessadas, e ela prosseguiu:

— O filho do velho duque casou-se com a filha de um aldeão escocês, e ela, ainda por cima, tinha sangue irlandês! Era uma pessoa repugnante, sem importância alguma. E Ian Thornton pode ser o neto dele.

— As pessoas acreditam nisso apenas por causa do sobrenome — acrescentou Georgina, com seu típico espírito prático. — Porém, é um sobrenome bastante comum.

— Ouvi dizer que ele é tão rico — disse Valerie — que apostou 25 mil libras numa única rodada de cartas certa noite, num salão de jogos em Paris.

— Poupe-me! — exclamou Georgina, em escárnio. — Ele não fez isso por ser rico, mas sim porque é viciado em jogo! Meu irmão o conheceu e disse que Ian Thornton não passa de um *jogador* qualquer... Uma pessoa sem linhagem, educação, relações sociais e *muito menos* riqueza!

— Eu também ouvi isso — admitiu Valerie, tornando a espiar pela sebe. — Olhem! Dá para vê-lo agora. Lady Mary Watterly está praticamente atirando-se sobre ele!

As garotas inclinaram-se tanto para a frente que quase caíram sobre os arbustos.

— Acho que eu seria capaz de derreter se ele olhasse para mim.

— Ora, tenho certeza que não — disse Elizabeth, com um leve sorriso, sentindo que deveria dar alguma contribuição àquela conversa.

— Mas você ainda nem o viu!

Ela nem *precisava*, pois sabia exatamente o tipo de rapaz atraente que provocava suspiros em suas amigas: loiro, olhos azuis, físico atlético, entre 21 e 24 anos.

— Creio que Elizabeth já tem muitos admiradores com posses para se importar com um mero cavalheiro, não importa quão atraente ou misterioso ele seja — disse Valerie, enquanto Elizabeth mantinha um silêncio distante.

Aquele comentário lhe parecia ocultar uma boa dose de inveja e malícia, mas Elizabeth descartou rapidamente a suspeita, achando-a desagradável demais. Não fizera mal algum a Valerie ou a qualquer outra pessoa para merecer tamanha animosidade. Desde que fora para Londres, jamais pronunciara uma palavra indelicada a quem quer que fosse; na verdade, nunca participara da bisbilhotice maliciosa ou revelara algo que lhe fora confidenciado. Mesmo agora, sentia intenso desconforto diante das coisas que as amigas diziam a respeito do homem a quem observavam. Elizabeth achava que as pessoas tinham direito à dignidade, não importando suas origens. Mas essa, naturalmente, era uma opinião minoritária, que beirava a heresia aos olhos da sociedade. Por isso, Elizabeth tratava de mantê-la apenas para si.

Naquele instante, entretanto, ela sentia que tais pensamentos eram desleais em relação às suas amigas e, mais ainda, que provavelmente agia como uma desmancha-prazeres por não se juntar àquela diversão e tentar compartilhar o alvoroço em torno do Sr. Ian Thornton. Esforçando-se para entrar no espírito do momento, sorriu para Valerie e disse:

— Não tenho *tantos* admiradores assim e estou certa de que, se pudesse vê-lo, ficaria tão intrigada quanto vocês.

Por algum motivo, suas palavras provocaram uma conspiratória troca de olhares satisfeitos entre Valerie e Penelope. Mas Valerie apressou-se em lhe explicar o motivo:

— Ainda bem que concorda, Elizabeth, porque nós três estamos com um pequeno problema e contamos com sua ajuda para resolvê-lo.

— Que tipo de problema?

— Bem, você sabe... — começou Valerie, com uma exuberância ofegante que Elizabeth julgou ser causada pelas taças de vinho que os criados serviam incessantemente a todos os convidados, inclusive a elas. — Tive de implorar mil vezes para que Charise permitisse que viéssemos para cá neste fim de semana.

Uma vez que já sabia disso, Elizabeth assentiu e esperou.

— Acontece que, quando Charise comentou hoje cedo que Ian Thornton confirmara a presença na festa, quase morremos de curiosidade! No entanto, Charise garantiu que ele não nos daria a menor atenção, pois somos jovens demais e nem de longe o tipo dele...

— Provavelmente, ela está certa — falou Elizabeth, com um sorriso despreocupado.

— Ah, mas isso não pode acontecer! — Lançando um olhar para as outras, como se estivesse em busca de apoio, Valerie finalizou, enfática: — Ele não pode nos ignorar, Elizabeth, porque nós três apostamos nossas mesadas inteiras com Charise que ele iria convidar uma de nós para dançar esta noite. E é óbvio que ele não o fará, a não ser que seu interesse seja conquistado antes do baile.

— Suas mesadas inteiras? — repetiu Elizabeth, horrorizada com tamanha extravagância. — Mas você estava planejando usar a sua para comprar aquelas ametistas que vimos na joalheria da Rua Westpool.

— E eu pretendo usar a minha — acrescentou Penelope, virando-se para espreitar novamente pela sebe — para comprar aquele lindo potro que o papai me recusou.

— Eu... eu talvez saia da aposta — disse Georgina, parecendo nitidamente perturbada acerca de algo além do dinheiro. — Não acho que... — começou, mas Penelope a interrompeu bruscamente.

— Ele está vindo nesta direção e está sozinho! Não teremos oportunidade melhor de tentar atrair sua atenção a não ser agora. Isso se ele não se desviar do caminho.

De repente, aquela aposta absurda começou a tomar ares de diversão proibida, e Elizabeth riu.

— Neste caso — disse —, nomeio Valerie para a tarefa de despertar o interesse dele, uma vez que a ideia foi dela, e é ela quem o admira mais.

— Pois nós nomeamos *você* — retrucou Valerie num tom infantil e determinado.

— A mim? Mas por que teria de ser eu?

— Porque você foi a única que recebeu quatorze propostas, e é perfeitamente óbvio que tem mais chances de sucesso. Além disso — acrescentou Valerie ao ver que Elizabeth se esquivava —, o Visconde Mondevale ficará ainda mais impressionado se souber que Ian Thornton, o misterioso homem mais velho por quem Mary Jane Morrison se apaixonou em vão no ano passado, convidou *você* para dançar e dedicou-lhe atenção especial. Assim que Mondevale ouvir as notícias, vai subir pelas paredes!

De acordo com as regras da alta sociedade, Elizabeth jamais se permitiria demonstrar a menor parcialidade em relação ao visconde e ficou atônita ao descobrir que as amigas haviam adivinhado seus sentimentos secretos. Porém, naturalmente, não tinham como saber que o belo rapaz em questão já fizera o pedido, que estava prestes a ser aceito.

— Decida-se logo, Elizabeth, ele está quase chegando aqui! — implorou Penelope, em meio aos risinhos nervosos de Georgina.

— Então, vai fazer o que pedimos? — indagou Valerie com urgência, enquanto as outras duas moças começavam a se afastar, virando-se em direção à casa.

Elizabeth bebeu o primeiro gole de vinho da taça que recebera assim que pusera os pés no jardim. Hesitou um pouco antes de sorrir e dizer à amiga:

— Pois bem, acho que sim.

— Ótimo. Mas não esqueça que ele terá de dançar com você esta noite ou perderemos nossas mesadas! — Rindo, Valerie deu-lhe um encorajador tapinha antes de girar nos saltos dos sapatinhos de cetim e correr atrás das amigas risonhas.

O arbusto cerrado por onde as amigas estiveram espionando mantinha Elizabeth fora do campo de visão quando, com todo o cuidado, ela começou a descer os dois largos degraus que davam acesso ao gramado. Olhou em volta, então, tentando decidir se ficaria onde estava ou se iria sentar-se no pequeno banco de pedras brancas à sua esquerda. Decidiu-se pelo banco e sentou-se no instante em que o ruído de botas batendo contra a pedra ressoou no ar: uma vez, duas vezes... e lá estava ele.

Sem reparar na sua presença, Ian Thornton deu mais um passo à frente, parou próximo a uma das tochas iluminadas e retirou um charuto do bolso do colete. Elizabeth observava-o, tomada pelo temor e por uma excitação trepidante, desconhecida, causada tanto pela aparência dele como pela missão secreta dela.

Ele não se assemelhava *em nada* ao que ela esperava ver. Além de ser mais velho do que imaginara — parecia ter, *no mínimo*, 27 anos —, era surpreendentemente alto, com mais de um metro e oitenta, tinha ombros fortes e pernas longas, musculosas. Os cabelos volumosos não eram loiros, mas, sim, castanho-escuros, ondulados. Em vez de usar a roupa da moda como os outros homens — casaca colorida de cetim e calções brancos —, seus trajes eram negros, da cabeça aos pés, com exceção da camisa e da gravata imaculadas, tão brancas que pareciam brilhar em contraste com a casaca e o colete. Elizabeth foi invadida pela impressão perturbadora de que Ian Thornton parecia uma enorme águia predatória em meio a um bando de ruidosos pavões coloridos. Enquanto ela o contemplava, ele acendeu o charuto, inclinando levemente a cabeça e protegendo a chama com as mãos. O punho branco da camisa apareceu sob a manga da casaca e, à brilhante luz alaranjada da chama, Elizabeth pôde ver que ele tinha as mãos e o rosto bastante bronzeados.

Soltou o ar, que nem sequer percebera estar prendendo, e o leve som o fez erguer a cabeça bruscamente. Os olhos do homem estreitaram-se, com surpresa ou desprazer — Elizabeth não tinha certeza. Apanhada em flagrante, oculta entre as sombras observando-o, balbuciou a primeira tolice que lhe veio à mente:

— É a primeira vez que vejo um homem fumar um charuto. Eles... Vocês sempre se retiram para uma sala reservada...

As sobrancelhas escuras arquearam-se num questionamento despreocupado.

— Importa-se? — perguntou, terminando de acender o charuto.

Duas coisas nele logo chamaram a atenção de Elizabeth: os olhos penetrantes eram de uma cor estranha, como âmbar reluzente, enquanto a voz apresentava uma textura rica e grave. A combinação provocou-lhe um frio peculiar na espinha.

— Com o quê? — questionou tolamente.

— Com o charuto — disse ele.

— Ah... Não, não me importo — apressou-se em lhe assegurar. Porém, tinha a nítida impressão de que ele fora até ali em busca de privacidade para se deleitar com o charuto e que, se dissesse que sim, incomodava-se, ele lhe daria as costas e se afastaria, em vez de apagar o charuto e permanecer em sua companhia.

Alguns metros adiante, no lado oposto da estreita saliência gramada onde se encontravam, risinhos femininos ressoaram no ar. Elizabeth virou-se sem querer e teve um rápido vislumbre do vestido rosado de Valerie e do amarelo de Georgina sob a luz da tocha, antes que ambas corressem para as sebes espessas, longe de sua visão.

Sentiu o rubor subindo-lhe ao rosto diante do comportamento embaraçoso das amigas e, quando tornou a se virar, reparou que seu acompanhante a observava, com as mãos nos bolsos e o charuto preso entre os dentes tão alvos quanto a camisa. Com uma imperceptível inclinação de cabeça, ele indicou o lugar onde ocorrera a breve aparição.

— São suas amigas? — perguntou, e Elizabeth teve a terrível impressão de que, de alguma forma, ele já entendera todo o plano.

Sentiu-se tentada a lhe contar uma mentirinha, mas, além de não gostar de mentir, os olhos dele, penetrantes, fitavam-na atentamente.

— São, sim — respondeu. Fez uma pausa a fim de arrumar melhor as saias cor de lavanda e ergueu o rosto para ele, com um sorriso hesitante. Só então lhe ocorreu que não tinham sido apresentados e, como não havia ninguém ali para fazê-lo da maneira adequada, decidiu agir por si mesma, de maneira um tanto brusca e desajeitada.

— Meu nome é Elizabeth Cameron — anunciou.

Inclinando a cabeça, numa evidente imitação de reverência, ele a cumprimentou dizendo simplesmente:

— Srta. Cameron.

Sem alternativa, ela se viu obrigada a indagar:

— E o senhor?

— Ian Thornton.

— Como vai, Sr. Thornton? — Elizabeth estendeu a mão, num gesto formal.

Aquilo provocou nele um sorriso repentino, lento e absolutamente encantador, enquanto fazia a única coisa que poderia: deu um passo à frente e segurou-lhe a mão.

— Muito prazer — disse, embora a voz contivesse um leve tom de zombaria.

Começando a se arrepender de ter concordado com aquele plano, Elizabeth forçou-se a pensar, imaginando como iniciar uma conversa, tarefa que, no passado, deixara a cargo dos desesperados rapazes que desejavam entretê-la com algum assunto. Pessoas conhecidas eram um tópico muito bem-aceito na sociedade, e ela tratou de se agarrar a isso, aliviada. Fazendo um gesto com o leque na direção de onde suas amigas foram vistas, disse:

— A jovem de vestido rosa é a Srta. Valerie Jamison e a de amarelo, a Srta. Georgina Granger. — Quando ele não deu o menor sinal de reconhecimento, acrescentou, solícita: — A Srta. Jamison é filha de Lorde e Lady Jamison. — Ele continuava a encará-la, sem muito interesse. Elizabeth tentou mais uma vez, quase entrando em desespero: — São os Jamison, de Herfordshire. O senhor sabe, o conde e a condessa.

— *É mesmo?* — respondeu ele, com distraída complacência.

— É, sim — balbuciou ela, sentindo-se mais insegura a cada segundo. — E a Srta. Granger é filha dos Granger, de Wiltshire... O Barão e a Baronesa de Grangerley.

— É mesmo? — zombou ele, observando-a num silêncio curioso.

Só então Elizabeth lembrou-se do comentário das amigas sobre a ascendência questionável de Ian Thornton e sentiu-se gelar de vergonha pela maneira inconsequente como ficara falando de títulos de nobreza a alguém que, provavelmente, fora privado de seu próprio. As palmas de suas mãos ficaram úmidas e ela as esfregou na saia. Ao perceber o que estava fazendo, parou no mesmo instante. Depois, limpou a garganta e abanou-se com o leque.

— Nós estamos aqui por causa da temporada — finalizou, pouco convincente.

Os frios olhos cor de âmbar aqueceram-se de repente num misto de divertimento e simpatia, e havia uma sombra de sorriso na voz dele quando perguntou:

— E estão se divertindo?

— Sim, muito — respondeu ela, com um suspiro de alívio ao ver que, finalmente, ele decidira participar um pouco da conversa. — A Srta. Granger, embora o senhor não a tenha visto daqui, é belíssima, com os modos mais doces que alguém pode imaginar. Conta com dezenas de admiradores.

— Todos com títulos de nobreza, suponho.

Ainda imaginando que ele ansiava pelo título de duque que lhe fora negado, Elizabeth mordeu o lábio e assentiu, levemente constrangida.

— Receio que sim — admitiu, resignada, e, para sua surpresa, *aquilo* o fez sorrir. Um sorriso deslumbrante espalhou-se por seus traços bronzeados, e o efeito dramático que aquele sorriso proporcionara a seu rosto foi quase tão intenso quanto o que causou no sistema nervoso de Elizabeth. Com o coração aos saltos, ela se pôs de pé, tomada de extrema agitação.

— A Srta. Jamison também é adorável — continuou, retornando ao assunto de suas amigas e sorrindo, incerta.

— Quantos pretendentes competem pela mão *dela?*

Finalmente, Elizabeth deu-se conta de que ele estava brincando, e sua visão irreverente daquilo que todos consideravam questões de extrema gravidade provocou-lhe um riso espontâneo e aliviado.

— Fiquei sabendo por fonte segura — respondeu, tentando imitar aquele tom grave e brincalhão — que os pretendentes marcharam diante do pai de Valerie em número recorde.

Ele sorriu e, enquanto o fitava, sorrindo também, ela sentiu toda a tensão e o nervosismo evaporando-se. De forma súbita e inexplicável, sentia como se fossem velhos amigos, compartilhando a mesma irreverência secreta. Só que ele era bastante ousado para admitir os próprios sentimentos, enquanto ela ainda tentava reprimir os seus.

— E quanto à senhorita?

— Eu?

— Quantas propostas recebeu?

Um risinho de surpresa escapou-lhe dos lábios. Elizabeth balançou a cabeça. Comentar com orgulho sobre os atributos das amigas era aceitável, mas gabar-se dos próprios estava além de todos os limites, e ela estava certa de que ele sabia disso.

— Ora, ora — repreendeu-o, com risonha severidade. — Isso foi uma grande maldade de sua parte.

— Peço-lhe desculpas — disse ele, inclinando novamente a cabeça, com a mesma falsa reverência de antes e um leve sorriso nos lábios.

A escuridão da noite já cobria o jardim e, mesmo sabendo que deveria entrar, Elizabeth decidiu ficar mais um pouco, relutante em deixar aquela acolhedora intimidade. Cruzando as mãos levemente às costas, olhou para as estrelas, que começavam a reluzir no céu.

— Esta é a hora do dia que mais gosto — confessou num tom suave. Olhou-o de soslaio para ver se ele se aborrecia com o assunto, mas ele se virara e olhava para o céu, como se também se interessasse pelo que havia ali.

Elizabeth procurou as estrelas do Carro de David e as encontrou.

— Veja — disse, indicando a luz mais brilhante no céu —, ali está Vênus. Ou será Júpiter? Nunca tenho muita certeza.

— É Júpiter. E, mais adiante, está a Ursa Maior.

Ela riu, balançando a cabeça, e desviou os olhos do céu.

— Talvez pareça um grande urso para você e para todos — disse. — Mas, para mim, todas as constelações são apenas um punhado de estrelas dispersas. Na primavera, até posso encontrar Cassiopeia, mas não por achá-la semelhante a um leão. No inverno, consigo distinguir Arcturus, embora não entenda como alguém consegue ver um arqueiro em meio a todo aquele aglomerado de estrelas. Acha que pode existir vida em algum lugar lá em cima?

Ele virou o rosto, encarando-a com genuíno espanto.

— O que *você* acha?

— Acho que sim. Na verdade, creio que seja arrogância presumir que, dentre milhares de estrelas e planetas, sejamos os únicos a existir. Quase tão arrogante quanto a antiga crença de que a Terra era o centro do universo e de que tudo giraria em torno de nós. Embora as pessoas não tenham ficado exatamente *agradecidas* a Galileu quando ele provou o contrário, não é? Imagine ser arrastado diante da Inquisição e forçado a renunciar a algo que ele *sabia* ser verdadeiro, podendo até provar suas teorias!

— Desde quando debutantes estudam astronomia? — indagou Ian Thornton, quando Elizabeth se virou para pegar a taça que deixara sobre o banco.

— Tive muitos e muitos anos para me dedicar à leitura — admitiu ela, ingenuamente. Sem perceber a intensidade com que ele a fitava, pegou a taça e tornou a se virar. — Preciso entrar agora e me preparar para o baile.

Ele assentiu em silêncio, e Elizabeth começou a se afastar. Então, mudou de ideia e hesitou, lembrando-se da aposta das amigas e em quanto estavam contando com ela.

— Tenho um pedido estranho a lhe fazer... um favor que na verdade — disse, devagar, rezando para que ele tivesse apreciado, tanto quanto ela, o breve e agradável momento que haviam compartilhado. Sorrindo para aqueles olhos impenetráveis, acrescentou: — Será que o senhor poderia... por motivos que não posso explicar... — calou-se, extremamente embaraçada.

— Qual é o favor?

Ela falou de uma só vez:

— Será que poderia convidar-me para dançar esta noite?

A expressão dele não se modificou; não se mostrou chocado, nem lisonjeado com o pedido ousado. Porém, dos lábios saiu a resposta firme:

— Não.

Elizabeth ficou mortificada com a recusa, porém ainda mais atônita com o evidente pesar que percebeu na voz e no rosto dele. Fitou-o por um longo instante, querendo ler a resposta naqueles traços indecifráveis, até que o som de risos, vindo de algum lugar próximo, quebrou o encanto. Tentando escapar de uma encrenca em que nunca deveria ter-se metido, Elizabeth juntou as saias a fim de se retirar. Num esforço consciente para deixar a voz vazia de qualquer emoção, disse com tranquila dignidade:

— Boa noite, Sr. Thornton.

Atirando longe o charuto, ele assentiu:

— Boa noite, Srta. Cameron. — Deu-lhe as costas e se afastou.

As amigas de Elizabeth estavam no andar de cima, vestindo-se para o baile. Porém, no instante em que ela entrou num dos cômodos destinados a elas, a conversa e os risos interromperam-se abruptamente, deixando-a com uma leve e desconfortável impressão de que estavam rindo e falando... *dela*.

— Então? — perguntou Penelope, com uma risada ansiosa. — Não nos deixe nesse suspense! Conseguiu impressioná-lo?

A horrível sensação de ser o alvo de alguma brincadeira secreta desapareceu assim que Elizabeth fitou os rostos sorridentes e francos das amigas. Apenas Valerie permanecia um tanto fria e distante.

— Eu o impressionei, com certeza — respondeu, sorrindo timidamente.

— Mas não foi uma impressão muito favorável.

— Mas ficaram juntos por tanto tempo! — outra garota a espicaçou. — Ficamos observando dos fundos do jardim. Sobre o que conversaram?

Elizabeth sentiu um calor agradável perpassar-lhe o corpo e tingir as maçãs de seu rosto ao lembrar o rosto atraente e bronzeado e a maneira como o sorriso suavizara as feições dele.

— Para ser sincera, não me lembro do que conversamos — disse, e era a pura verdade. Tudo o que recordava era como seus joelhos tremiam e como seu coração disparava cada vez que ele a olhava.

— Bem, e como ele é?

— Bonito — respondeu Elizabeth, discretamente sonhadora, antes de se dar conta do que dizia. — Interessante. E tem uma linda voz.

— E, sem dúvida — intercedeu Valerie, sarcástica —, ele já está à procura de seu irmão a fim de pedir sua mão em casamento.

A ideia era tão absurda que Elizabeth teria gargalhado se não estivesse tão envergonhada e decepcionada pela forma como ele a deixara no jardim.

— Posso garantir-lhe que a noite de meu irmão não sofrerá interrupções, pelo menos nesse sentido — retrucou. Depois, com um sorriso pesaroso, acrescentou: — Mas receio que vocês tenham perdido suas mesadas, pois não existe a mínima chance de ele me convidar para dançar. — Com um aceno de desculpas, saiu e foi para seu quarto preparar-se para o baile, que, aliás, já animava o terceiro andar da mansão.

Porém, assim que se encontrou só em seu quarto, o sorriso desapareceu de seu rosto, dando lugar a uma expressão de incredulidade. Sentou-se na beirada da cama e distraidamente traçou, com a ponta do dedo, o desenho de uma rosa bordada na colcha de brocado, tentando compreender as emoções que experimentara na presença de Ian Thornton.

Ao lado dele, no jardim, sentira medo e contentamento ao mesmo tempo — fora como se, com o magnetismo que irradiava, ele a tivesse atraído para si. Naqueles poucos momentos, ansiara por ganhar-lhe a aprovação, alarmando-se quando falhava e alegrando-se ao conseguir. Mesmo agora, apenas a lembrança de seu sorriso, da intimidade de seu olhar, fazia com que sentisse frio e calor.

Ouvindo a música que ressoava do salão de baile, Elizabeth finalmente afastou os pensamentos e tocou a sineta para que Berta fosse ajudá-la a se vestir.

— O que acha? — perguntou a Berta, meia hora depois, fazendo uma pirueta diante do espelho.

Berta torceu as mãos gorduchas e deu um passo para trás, inspecionando nervosamente a aparência sofisticada da jovem patroa e incapaz de suprimir um sorriso de afeição. Os cabelos de Elizabeth estavam erguidos num elegante coque, com mechas suaves emoldurando-lhe o rosto. Os brincos de safira e diamante, que haviam pertencido à mãe dela, reluziam em suas orelhas delicadas.

Ao contrário dos outros vestidos de Elizabeth, quase todos em tom pastel e de cintura alta, aquele azul-safira era, de longe, o mais sedutor e incomum.

A seda azul drapeada caía de um laço em seu ombro esquerdo, indo até os pés e deixando o outro ombro nu. E, apesar de ter um corte reto, deslizava em seu corpo, realçando-lhe os seios e apenas sugerindo a estreita cintura.

— Eu acho — respondeu Berta, afinal — que é de se admirar que a Srta. Porter tenha encomendado um vestido deste para você. Não é nem um pouco parecido com os outros.

Elizabeth abriu-lhe um sorriso travesso enquanto puxava as luvas azuis até o cotovelo.

— Foi o único que a Srta. Porter não escolheu — confessou. — E Lucinda também não o viu ainda.

— Disso estou certa.

Elizabeth tornou a se virar para o espelho, franzindo a testa enquanto observava o próprio reflexo.

— As outras garotas mal completaram 17 anos, mas eu farei 18 daqui a alguns meses. Além disso — explicou, pegando o bracelete de diamantes e safiras que completava o conjunto com os brincos —, como tentei dizer à Srta. Porter, é um desperdício gastar tanto com vestidos que não serão mais adequados nos próximos anos. Pelo menos, poderei usar este aqui até os vinte anos.

Berta revirou os olhos e balançou a cabeça, começando a guardar as escovas de cabelo.

— Duvido que o seu Visconde Mondevale vá permitir que use a mesma roupa mais de uma vez — finalizou, abaixando-se para acertar a barra do vestido azul.

Capítulo 5

O fato de Berta tê-la lembrado de que estava praticamente noiva acalmou Elizabeth, e essa calma permaneceu enquanto ela se encaminhava para a escadaria que levava ao salão de baile. A perspectiva de um confronto com Ian Thornton já não lhe provocava mais a agitação de antes, e recusava-se a sentir-se decepcionada pela recusa que recebera, ou mesmo a pensar nele. Com sua graça natural, entrou no salão, onde vários pares já dançavam, embora a maioria dos convidados estivesse reunida em grupos, rindo e conversando.

Parou por um instante no final da escadaria e olhou em volta, à procura das amigas, perguntando-se onde estariam. Avistou-as alguns metros adiante e assentiu, sorrindo, quando Penelope acenou para ela.

Com o sorriso ainda preso aos lábios, desviou o olhar, mas gelou, de repente, ao deparar com um par de admirados olhos cor de âmbar. Parado junto a um grupo de homens ao pé da escada, Ian Thornton a fitava com intensidade, levando a taça de vinho aos lábios. Os olhos atrevidos deslizaram do topo dos sedosos cabelos loiros, pelos seios e quadris, até os sapatos azuis, antes de se erguerem de novo para o rosto de Elizabeth, com um brilho de franca admiração. Como se quisesse confirmar a presença dela, ergueu uma sobrancelha e o copo, num brinde sutil, antes de beber o vinho. Sem saber como, Elizabeth conseguiu manter a expressão serena enquanto descia graciosamente os últimos degraus, embora seu coração batesse descontroladamente e sua mente estivesse em total confusão. Se qualquer outro homem a olhasse ou se comportasse da maneira como Ian Thornton acabara de fazer, ela teria ficado indignada, espantada ou ambos. Mas, em vez disso, o sorriso nos olhos dele — e o brinde brincalhão — a fez sentir-se como se estivessem compartilhando algo particular, íntimo, e ela retribuíra o sorriso.

Lorde Howard, primo do Visconde Mondevale, a esperava no final da escadaria. Era um homem refinado, de maneiras agradáveis, e, em vez de se alistar no rol de pretendentes de Elizabeth, tornara-se quase um amigo, sempre incentivando o relacionamento entre ela e o visconde.

Ao lado dele estava Lorde Everly, que, além de ser um dos admiradores mais insistentes de Elizabeth, era um jovem ousado, atraente e que, como ela, herdara seus títulos e propriedades ainda criança. Só que, ao contrário de Elizabeth, herdara também uma fortuna.

— Ora, que surpresa! — exclamou Lorde Everly, oferecendo-lhe o braço.

— Ouvimos dizer que a senhorita viria para o fim de semana. Está deslumbrante esta noite.

— Deslumbrante! — ecoou Lorde Howard. Lançando um olhar significativo para o braço estendido de Thomas Everly, repreendeu-o: — Everly, costuma-se pedir à dama pela honra de escoltá-la, em vez de colocar o braço à frente dela dessa maneira. — Virando-se para Elizabeth, fez uma reverência e ofereceu-lhe o braço. — A senhorita me permite? — perguntou.

Ela riu e, agora que estava quase comprometida, permitiu-se quebrar uma pequena regra de decoro.

— É claro que sim, cavalheiros — respondeu e pousou a mão enluvada *em cada um* dos braços. — Espero que me agradeçam por evitar uma briga entre os dois — brincou, enquanto avançavam pelo salão. — Estou parecendo uma velhinha, fraca demais para andar sem que haja uma pessoa de cada lado para me manter de pé!

Os dois cavalheiros riram, e ela também — e essa foi a cena a que Ian Thornton assistiu quando o trio passou pelo grupo onde ele estava. Elizabeth conseguiu evitar olhar para ele, mas, quando estavam a apenas alguns passos de distância, alguém chamou Lorde Howard, que parou um instante para responder. Cedendo à tentação, Elizabeth lançou um rápido olhar para o homem alto de ombros largos que se encontrava no meio do grupo. Ele mantinha a cabeça baixa e parecia absorvido na conversa risonha da única mulher entre eles. Se percebera a proximidade de Elizabeth, não deu o menor sinal disso.

— Devo dizer que fiquei um pouco surpreso ao saber que a senhorita estaria aqui — disse Lorde Howard quando retomaram o passo.

— Por quê? — indagou ela, enquanto jurava mentalmente não pensar mais em Ian Thornton. Estava começando a ficar obcecada por um homem que não passava de um completo estranho e, acima de tudo, estava quase noiva!

— Porque as reuniões na casa de Charise Dumont são conhecidas por sua... informalidade — explicou o Lorde.

Perplexa, Elizabeth encarou o belo rapaz loiro.

— Mas a Srta. Throckmorton-Jones, minha dama de companhia, nunca apresentou a menor objeção às minhas visitas a qualquer membro da família em Londres. Além disso, a mãe de Charise era amiga de minha mãe.

Lorde Howard sorriu, parecendo preocupado, mas reconfortante.

— Em Londres — enfatizou ele —, Charise é uma anfitriã exemplar. Aqui no campo, entretanto, suas festas costumam ser, digamos, um pouco menos planejadas e restritas. — Fez uma pausa e parou o mordomo que carregava uma bandeja de prata com taças de champanhe, entregando uma a Elizabeth antes de continuar: — Longe de mim insinuar que sua reputação poderia arruinar-se pelo fato de estar aqui. Afinal — brincou —, Everly e eu também estamos, o que indica que, pelo menos, alguns poucos convidados pertencem à alta sociedade.

— Ao contrário de *outros* — Lorde Everly acrescentou com desprezo, apontando na direção de Ian Thornton —, que jamais seriam aceitos em qualquer salão respeitável de Londres!

Invadida por uma mescla de curiosidade e espanto, Elizabeth não pôde evitar perguntar:

— Por acaso estão se referindo ao Sr. Thornton?

— O próprio.

Ela bebeu um gole de champanhe, aproveitando a pausa para observar o homem alto e bronzeado que ocupara seus pensamentos desde o primeiro instante em que falara com ele. Em sua opinião, ele aparentava ser um cavalheiro elegante e discreto: o conjunto de calça e casaca vinho que trajava realçava seus ombros largos e suas pernas longas, caindo-lhe com tal perfeição que com certeza fora feito pelo melhor alfaiate de Londres. A larga gravata branca estava amarrada num laço impecável, e os cabelos escuros tinham um corte perfeito. Mesmo em postura descontraída, seu corpo alto denunciava a força muscular de um atleta, enquanto os traços estampavam a fria arrogância da nobreza.

— Ele... é assim tão mau? — indagou, afastando os olhos do perfil que parecia esculpido em pedra.

Mas estava tão envolvida nas próprias impressões a respeito da elegância de Ian Thornton que demorou um instante até que sua mente registrasse a resposta mordaz de Lorde Everly.

— Ele é ainda *pior*! O sujeito é um jogador barato, um embusteiro, patife... e coisa pior!

— Eu... não consigo acreditar! — murmurou Elizabeth, atônita e desapontada demais para ficar em silêncio.

Lorde Howard lançou um olhar de desaprovação para Everly e, depois, abriu um sorriso tranquilizador a Elizabeth, interpretando erroneamente o motivo de sua aflição.

— Não dê ouvidos a Lorde Everly, minha cara. Ele está furioso porque Thornton o aliviou do peso de 10 mil libras há duas semanas, num jogo de cartas entre cavalheiros. Já basta, Thomas! — acrescentou, quando o irado lorde começou a protestar. — Da maneira como fala, Lady Elizabeth terá medo de dormir aqui esta noite.

Com os pensamentos ainda voltados para Ian Thornton, Elizabeth mal ouviu o que as amigas conversavam ao se aproximar do grupo com seus dois acompanhantes.

— Não sei o que os homens veem nela — dizia Georgina. — Ela não é mais bonita do que qualquer uma de nós.

— Já perceberam — intercedeu Penelope, com expressão filosófica — como os rapazes se comportam como ovelhas? Aonde um vai os outros vão atrás.

— Eu só queria que ela escolhesse logo com quem vai se casar e deixasse o restante para nós — falou Georgina.

— Acho que ela se sentiu atraída por ele.

— Pois está perdendo tempo. — Valerie fez um muxoxo de desprezo, ajeitando com raiva as saias do vestido cor-de-rosa. — Como eu já disse, Charise assegurou-me de que ele não se interessa por "jovenzinhas inocentes" — suspirou, exasperada. — Ainda assim, seria divertido se ela realmente se afeiçoasse a ele... Uma ou duas danças juntos, uns poucos olhares insinuantes, e pronto: estaríamos livres dela assim que os rumores chegassem aos ouvidos de seu belo pretendente... Meu Deus, Elizabeth, que susto! — exclamou, só então reparando na presença de Elizabeth, que se posicionara um pouco atrás. — Pensamos que estava dançando com Lorde Howard.

— Uma excelente ideia — adiantou-se Lorde Howard. — Sei que lhe pedi a próxima dança, Lady Cameron, mas se não fizer objeção a esta...?

— Antes que você a roube por completo... — Lorde Everly interrompeu com um olhar grave na direção de Lorde Howard, a quem considerava, erroneamente, mais um rival à mão de Elizabeth. Depois, voltou-se para ela e completou: — Sairemos em uma pequena excursão ao vilarejo amanhã cedo, com retorno previsto para o fim da tarde. A senhorita me daria a honra de ser seu acompanhante?

Desconfortável com o tipo de intrigas maldosas a que suas amigas andavam se dedicando, Elizabeth aceitou o convite de Lorde Everly para o passeio e o convite de Lorde Howard para a dança.

Quando já estavam no meio do salão, o lorde dirigiu-lhe o olhar e disse:

— Pelo que sei, estamos prestes a nos tornar primos. — Percebendo a surpresa dela diante do comentário prematuro, explicou: — Mondevale confidenciou-me que a senhorita está prestes a transformá-lo no mais feliz dos homens. Isto é, se seu irmão não se opuser.

Como Robert deixara bem claro que pretendia manter Mondevale na expectativa por alguns dias, ela respondeu da única maneira que podia:

— A decisão está nas mãos do meu irmão.

— O que é perfeitamente adequado — aprovou ele.

Uma hora depois, Elizabeth acabou concluindo que a presença constante de Lorde Howard deixava evidente que ele se autonomeara seu guardião durante aquela festa, a qual, em sua opinião, não era muito adequada para moças puras. Também percebeu, no breve instante em que ele se afastou a fim de buscar um copo de ponche, que quase todos os homens presentes, bem como algumas das mulheres, encaminhavam-se para o salão de jogos. Normalmente, o salão de jogos era um aposento de uso exclusivo dos homens durante os bailes — um lugar que os anfitriões reservavam para homens (quase sempre casados ou com idade avançada) que eram forçados a comparecer ao baile, mas que se recusavam a passar a noite inteira envolvidos em conversas frívolas. Elizabeth sabia que Ian Thornton se havia retirado para lá logo no início da noite, onde permanecera. E, agora, até mesmo suas amigas olhavam com ansiedade naquela direção.

— Está acontecendo algo especial no salão de jogos? — perguntou assim que Lorde Howard retornou com o ponche e guiou-a até seu grupo de amigas.

Ele assentiu com um sorriso sardônico.

— Thornton está perdendo feio, e, tratando-se dele, é uma grande novidade.

Penelope e as outras ouviram o comentário com ávida curiosidade.

— Lorde Tilbury falou-nos que acredita que tudo o que o Sr. Thornton possui está sobre aquela mesa, em fichas ou em notas promissórias — disse a jovem.

Elizabeth sentiu o estômago se revirar.

— Ele... está apostando tudo? — perguntou a seu autoproclamado protetor. — Num jogo de cartas? Mas *por que* faria algo assim?

— Suponho que pela emoção. A maioria dos jogadores faz isso.

Ela não conseguia imaginar por que seu pai, seu irmão e tantos outros homens pareciam divertir-se arriscando enormes somas de dinheiro em algo tão sem sentido quanto um jogo de cartas. Porém, não teve a chance de fazer qualquer comentário, pois Penelope gesticulava para Georgina, Valerie e até para ela, dizendo com um sorriso gracioso:

— Nós gostaríamos muito de ir à sala de jogos observar um pouco, Lorde Howard. Se o senhor nos acompanhar, não vejo inconveniente. Isso é tão empolgante e, afinal, metade dos convidados já foi para lá.

Lorde Howard não ficou imune aos três rostinhos adoráveis que o olhavam com tanta expectativa, mas, ainda assim, hesitou. Lançou um olhar hesitante para Elizabeth, enquanto sua posição de guardião entrava em conflito com o desejo pessoal de agradar às jovens e, ao mesmo tempo, assistir ao acontecimento com seus próprios olhos.

— Não será nada impróprio — insistiu Valerie —, pois outras damas já se encontram lá.

— Muito bem — aquiesceu ele, com um sorriso resignado.

Levando Elizabeth pelo braço, escoltou o pequeno grupo através do salão até o sagrado confinamento masculino que era a sala de jogos.

Reprimindo o impulso de dizer que não queria testemunhar a desgraça financeira de Ian Thornton, Elizabeth forçou-se a manter uma expressão indiferente. Observou as pessoas agrupadas em volta da enorme mesa de carvalho, que a impediam de ver os jogadores que ali se sentavam.

Os painéis de madeira escura nas paredes e os tapetes cor de vinho tornavam a sala sombria em comparação com a luminosidade do salão de baile. Duas mesas de bilhar, lindamente esculpidas e iluminadas por enormes candelabros, estavam na parte da frente da sala, e outras oito mesas de jogos espalhavam-se pelo espaço restante. Embora estivessem desocupadas no momento, maços de baralho haviam sido deixados sobre elas, cuidadosamente virados para baixo, e pilhas de fichas permaneciam no centro de cada uma.

Elizabeth presumiu que os jogadores daquelas mesas haviam abandonado seus jogos e agora se juntavam aos espectadores reunidos ao redor da mesa principal, de onde vinha toda a agitação. E, mal o pensamento lhe ocorrera, um dos espectadores anunciou que era hora de retomarem o próprio jogo e quatro homens se afastaram dali. Lorde Howard guiou suas jovens damas para o lugar que ficara vago, e Elizabeth encontrou-se no último lugar em que desejaria estar: bem atrás de Ian Thornton, com uma visão clara e perfeita do cenário de seu massacre financeiro.

Quatro outros cavalheiros sentavam-se à mesa com ele, incluindo Lorde Everly, cujo rosto estava rubro de prazer pelo triunfo. Além de ser o mais jovem entre os jogadores, Lorde Everly era o único a trair, pela expressão e a postura, suas emoções. Num contraste marcante, Ian Thornton parecia descansar indiferentemente em sua cadeira, com a expressão vazia, as longas pernas estendidas sob a mesa e a casaca cor de vinho aberta na frente. Os outros três homens pareciam concentrados nas cartas que tinham nas mãos; os rostos, impenetráveis.

O Duque de Hammund, sentado no lado oposto ao de Elizabeth, rompeu o silêncio:

— Acho que você está blefando, Thorn — disse com um breve sorriso.
— Além do mais, parece que tirou esta noite para perder. Aumento a aposta para 500 libras — finalizou, deslizando cinco fichas para o centro da mesa.

Duas coisas atingiram Elizabeth ao mesmo tempo: evidentemente, o apelido de Ian era Thorn*, e o Duque de Hammund, um *premier* do reino, dirigira-se a ele como se fossem grandes amigos. Os outros jogadores, entretanto, continuaram encarando-o com frieza, quando, por sua vez, retiraram cinco de suas respectivas fichas e juntaram-nas à pilha que crescia no centro da mesa.

Ao chegar a vez de Ian, Elizabeth reparou, alarmada, que não havia uma pilha à frente dele — apenas cinco solitárias fichas brancas. Com o coração apertado, observou-o juntá-las e atirá-las ao centro da mesa, com as outras. Sem perceber, a jovem prendeu a respiração enquanto tentava imaginar, vagamente, por que alguém em sã consciência estaria tão ansioso em apostar tudo o que possuía em algo tão estúpido quanto um jogo de azar.

A última aposta fora feita e o Duque de Hammund mostrou suas cartas: um par de ases. Aparentemente, os outros dois jogadores estavam em desvantagem, pois recuaram.

---

* Thorn: espinho, flagelo, tormento. (N. da E.)

— Eu o derrotei! — dirigiu-se Lorde Everly ao duque, com um sorriso triunfante, e abriu o jogo, exibindo três reis.

Inclinando-se para a frente, começou a pegar as fichas da mesa, mas a voz tranquila de Ian o interrompeu.

— Creio que estas fichas me pertencem — disse e revelou as próprias cartas: três cartas nove e um par de quatro.

Involuntariamente, Elizabeth soltou um profundo suspiro de alívio, e os olhos de Ian voltaram-se para ela, registrando não só sua presença ali, como também o brilho de preocupação nos olhos verdes e o sorriso lívido. Um breve sorriso impessoal tocou-lhe os lábios antes que se virasse novamente para os companheiros de jogo e comentasse, distraído:

— Talvez a presença de damas tão encantadoras tenha, finalmente, mudado minha sorte.

Ele dissera "damas", mas Elizabeth sentia — *sabia* — que tais palavras referiam-se a ela.

Infelizmente, a previsão que fizera não se concretizou. Pela meia hora seguinte, Elizabeth permaneceu imobilizada enquanto observava, tensa e com o coração apertado, Ian Thornton perder quase todo o dinheiro que ganhara naquela rodada. E, durante todo esse tempo, ele continuara sentado confortavelmente, com a expressão neutra, sem trair a menor emoção. Ela, no entanto, não podia mais suportar vê-lo perder e decidiu esperar o fim da rodada para que pudesse sair sem incomodar os jogadores. Pouco depois, encerrada a partida, o Duque de Hammund anunciou:

— Acho que uma bebida viria a calhar. — Fez um gesto para um criado, que prontamente recolheu os copos vazios e tornou a servir os jogadores.

Elizabeth aproveitou a pausa e voltou-se rapidamente para Lorde Howard.

— Com licença — disse com a voz baixa e tensa, e preparou-se para sair.

Ian não olhou mais para ela desde a brincadeira que fizera sobre sua mudança de sorte e, ao que parecia, até se esquecera de sua presença. Porém, ao ouvir suas palavras, ergueu a cabeça e fitou-a.

— Está com medo de ficar até o amargo fim? — perguntou despreocupado, e três dos jogadores, que já haviam ganhado a maior parte do dinheiro dele, gargalharam.

Elizabeth hesitou, achando que estava enlouquecendo, pois, sinceramente, pressentia que ele a queria ao seu lado. Sem saber se isso não passava de sua imaginação, encheu-se de coragem e sorriu:

— Estava apenas saindo para tomar um pouco de vinho, senhor — retrucou, faltando com a verdade. — Tenho fé de que o senhor vai... — fez uma pausa, procurando as palavras certas — virar o jogo! — Declarou, lembrando-se dos comentários ocasionais de Robert sobre o pôquer.

Um criado que a ouviu correu para servir-lhe uma taça de vinho e, assim, Elizabeth viu-se obrigada a permanecer exatamente onde estava.

A anfitriã entrou na sala de jogos naquele instante e lançou um olhar de reprovação a todos os ocupantes da mesa. Então, voltou-se para Ian e dirigiu-lhe um sorriso encantador, apesar da severidade de suas palavras:

— Honestamente, Thorn, isto já foi longe demais. Trate de encerrar este jogo e voltar para o salão de baile. — Como se lhe custasse um grande esforço, olhou para os outros jogadores. — Cavalheiros — avisou, sorridente —, o suprimento de charutos e conhaque será interrompido em vinte minutos.

Vários espectadores a seguiram para fora da sala, sentindo-se culpados por haverem negligenciado as boas maneiras como convidados ou apenas cansados de assistir à derrocada de Ian.

— Creio que já joguei o bastante por uma noite — anunciou o Duque de Hammund.

— Eu também — repetiu outro.

— Só mais uma rodada — insistiu Lorde Everly. — Thornton ainda tem um pouco do meu dinheiro, e pretendo recuperá-lo na próxima mão.

Os jogadores, resignados, entreolharam-se e o duque, então, concordou:

— Está bem, Everly. Apenas mais uma rodada. Depois, retornaremos ao baile.

— Sem limites de aposta, já que é a última rodada? — indagou Lorde Everly, ansioso.

Todos assentiram, como se fosse um acerto costumeiro, e Ian distribuiu as cartas.

A aposta de abertura foi de mil libras. Nos cinco minutos que se seguiram, o total representado pela pilha de fichas na mesa era de 25 mil libras. Um a um, os jogadores foram desistindo, até que restaram apenas Lorde Everly e Ian Thornton, e só uma carta a ser retirada depois de feitas as apostas. Um silêncio tenso recaiu sobre a sala, e Elizabeth torcia as mãos nervosamente quando Lorde Everly pegou sua quarta carta.

Ele olhou para a carta, depois para Ian, e um brilho de triunfo surgiu em seus olhos. Com o coração apertado, Elizabeth ouviu-o dizer:

— Thornton, esta carta irá custar-lhe 10 mil libras se quiser permanecer no jogo para vê-la.

Ela teve ímpeto de esganar o jovem lorde endinheirado e de dar um chute na canela de Ian, que, aliás, estava ao alcance de seu pé quando ele aceitou a aposta e ainda a *aumentou* em 5 mil libras!

Não podia acreditar na falta de sensibilidade de Ian. Afinal, até ela era capaz de ler no rosto de Everly que ele tinha uma mão imbatível! Sem conseguir suportar a tensão por nem mais um segundo, olhou rapidamente por entre os convidados, que, reunidos em volta da mesa, esperavam a reação de Everly, e juntou as saias a fim de se retirar.

O leve movimento pareceu chamar a atenção de Ian. Pela terceira vez naquela noite, ele ergueu os olhos para ela — e, pela segunda, encarou-a. Enquanto Elizabeth o fitava um pouco atormentada, ele fez um gesto imperceptível com a mão e virou as cartas, de modo que ela pudesse vê-las.

Ian segurava dois pares de dez.

Um profundo alívio perpassou-a, seguido pelo horror imediato de que seu rosto pudesse traí-la. Virou-se subitamente, quase derrubando o pobre Lorde Howard em sua pressa de se afastar dali o mais rápido possível.

— Preciso de um pouco de ar — disse, mas Lorde Howard estava tão atento à expectativa do jogo que se limitou a assentir, deixando-a sair sem protestar.

Elizabeth deu-se conta de que, ao mostrar-lhe as cartas que tinha na mão a fim de tranquilizá-la, Ian correra o risco de ela dizer ou fazer alguma tolice que o prejudicasse, e não entendia a razão daquele gesto. No entanto, durante o tempo em que estivera ao lado dele na sala, de alguma forma, ela pressentira que Ian estava ciente de sua presença, tanto quanto ela estava da dele, e que havia apreciado sua proximidade.

Mas, agora que conseguira escapar, não sabia qual desculpa daria para seu súbito afastamento, nem por permanecer na sala de jogos. Assim, aproximou-se de um quadro que retratava uma cena de caça e ficou observando-o com fingido interesse.

— É sua vez de apostar, Everly — ouviu Ian dizer.

A resposta do lorde a fez estremecer:

— Vinte e cinco mil libras.

— Não seja estúpido! — advertiu o duque. — É uma aposta alta demais, mesmo para você.

Certa de que agora mantinha controle sobre a expressão de seu rosto, Elizabeth voltou para perto da mesa.

— Eu posso pagar — retrucou Everly, com calma. — O que me preocupa, Thornton, é se *você* será capaz de honrar a dívida quando perder.

Elizabeth enrijeceu, como se o insulto tivesse sido dirigido a ela, mas Ian apenas inclinou-se na cadeira e encarou o adversário com um silêncio gélido. Após um longo momento de tensão, falou num tom perigosamente suave:

— Posso aumentar a aposta em mais 10 mil libras.

— Você *não tem* mais 10 mil libras! — cuspiu Everly. — E eu não vou arriscar meu dinheiro em uma promissória sem valor assinada por você!

— Já basta! — disparou o Duque de Hammund. — Você já foi longe demais, Everly. Eu me coloco como fiador de Thornton. Agora, aceite a aposta ou desista.

Everly lançou um olhar furioso ao duque, antes de se voltar para Ian, com desprezo:

— Tudo bem, que sejam mais 10 mil libras. Agora, deixe-me ver o que tem na mão!

Em silêncio, Ian depositou as cartas na mesa, abrindo um perfeito leque de dois pares de dez.

Everly saltou da cadeira.

— Seu trapaceiro miserável! Eu vi quando retirou a última carta por baixo do baralho! Eu *sabia*, mas me recusei a acreditar em meus próprios olhos!

Um murmúrio ressoou pela sala diante do insulto imperdoável, mas, com exceção de um único músculo saltando na mandíbula, a expressão de Ian não se alterou.

— Indique seus padrinhos, bastardo! — sibilou Everly, batendo com os punhos cerrados na mesa enquanto encarava Ian com fúria.

— Na presente circunstância — retrucou Thornton num tom frio e entediado —, creio que sou *eu* quem tem o direito de decidir se quero ou não uma satisfação.

— Não seja imbecil, Everly — intercedeu alguém. — Ele vai derrubá-lo como a uma mosca.

Elizabeth mal ouviu o comentário; sabia apenas que um duelo despropositado estava prestes a acontecer.

— Isso tudo é um engano terrível! — desabafou ela, enfim, e a sala repleta de rostos masculinos, incrédulos e contrariados, voltou-se em sua direção. — O Sr. Thornton não trapaceou. — Depressa, tentou explicar-se: — Ele estava com aqueles dois pares de dez antes de pegar a última carta. Espiei a mão dele um pouco antes de me retirar, minutos atrás, e posso confirmar que é verdade.

Para sua surpresa, ninguém pareceu acreditar em suas palavras ou importar-se com elas, nem mesmo Lorde Everly, que tornou a bater na mesa e gritou:

— Maldito! Eu o chamei de trapaceiro e, agora, o chamo de co...

— Pelo amor de Deus! — interferiu Elizabeth novamente, impedindo-o de pronunciar a palavra "covarde", que forçaria qualquer homem honrado a um duelo. — Será que ninguém entende o que estou dizendo? — Implorou, dirigindo-se aos convidados que circundavam a mesa, imaginando que, uma vez que não estavam envolvidos, talvez pudessem recuperar a razão com mais rapidez do que Lorde Everly. — Acabei de dizer que o Sr. Thornton já segurava os dois pares de dez e...

Nem um dos rostos arrogantes sequer demonstrou qualquer mudança de expressão. Num instante de lucidez, Elizabeth viu o que estava acontecendo e soube por que ninguém iria interceder: numa sala repleta de lordes e cavaleiros extremamente conscientes de sua superioridade, Ian Thornton representava a minoria, sem título de nobreza. Era um intruso, ao passo que Everly era um deles, e jamais tomariam partido de um intruso contra seus iguais. E, acima de tudo, com sua recusa indiferente ao desafio de Everly, Ian sutilmente dava a entender que o jovem lorde não valia seu tempo e esforço, e todos se sentiam pessoalmente insultados com isso.

Lorde Everly também sabia disso e ficou ainda mais furioso e imprudente. Encarando Ian com ódio, disparou:

— Se não concordar em duelar comigo amanhã cedo, virei à sua procura, seu... seu miserável...

— O senhor não pode, milorde! — interrompeu Elizabeth.

Everly olhou-a com irada surpresa e, graças a uma presença de espírito que nem sequer imaginara possuir, ela dirigiu seus esforços ao único homem, naquela sala, passível de se tornar vulnerável aos seus desejos. Sorriu, então, falando com ele num divertido tom de flerte, contando com a admiração que o lorde sentia por ela para tentar dissuadi-lo:

— Que tolinho é o senhor, Lorde Everly, por estar planejando um duelo para amanhã... Será que já se esqueceu da promessa de me acompanhar na excursão ao vilarejo?

— Ora, por favor, Lady Elizabeth, este é um...

— Não, milorde, sinto muito, mas insisto — interrompeu ela com ar de estúpida inocência. — Não serei desprezada como se fosse uma... uma... Não serei! — concluiu, desesperada. — Considero muito ousado da sua parte tratar-me com tamanho desprezo e... estou *chocada* ao ver que pretende quebrar a *promessa* que me fez!

Everly sentia-se entre a cruz e a espada enquanto Elizabeth focava nele toda a força de seus sedutores olhos verdes e de seu sorriso arrebatador. Com a voz engasgada, conseguiu dizer:

— Eu a acompanharei ao vilarejo depois de duelar com este patife ao nascer do sol.

— *Ao nascer do sol?* — reclamou ela, com fingido desapontamento. — O senhor estará cansado demais para se mostrar uma companhia agradável se tiver de acordar tão cedo. Além disso, não haverá duelo algum, a não ser que o *Sr. Thornton* decida desafiá-lo, o que não me parece provável, porque — virando-se para Ian, concluiu, triunfante — ele não seria tão desagradável a ponto de atirar no senhor, sabendo que me privaria de sua companhia no passeio de amanhã!

Sem dar a Thornton a chance de argumentar, Elizabeth virou-se para os outros homens presentes e exclamou, entusiasmada:

— Então, está tudo acertado! Não houve trapaça e ninguém vai trocar tiros!

Como resultado de tanto esforço, Elizabeth recebeu olhares raivosos e repletos de censura de todos os homens presentes, exceto dois: do Duque de Hammund, que parecia tentar decidir se ela era uma completa imbecil ou uma diplomata nata, e de Ian, que a observava com uma expressão indecifrável e fria, como se esperasse para ver qual esquema absurdo ela tentaria em seguida. Como ninguém se retirou, Elizabeth arriscou seu último trunfo:

— Lorde Everly, creio que estão tocando uma valsa. E o senhor *prometeu* dançar comigo.

Gargalhadas masculinas ressoaram nos fundos da sala e, julgando que fosse ele, e não Elizabeth, o alvo das zombarias, Lorde Everly ficou rubro. Depois de dirigir à dama um olhar de furioso desdém, girou nos calcanhares e marchou para fora da sala, deixando-a parada ali, sentindo-se tão ridícula quanto aliviada. Lorde Howard, finalmente recobrando-se do choque, ofereceu-lhe o braço de forma galante:

— Permita-me tomar o lugar de Lorde Everly — disse.

Só quando chegaram ao salão de baile, Elizabeth permitiu-se algum tipo de reação e, mesmo assim, tudo o que pôde fazer foi permanecer de pé, sentindo as pernas tremerem.

— A senhorita é nova na cidade — falava Lorde Howard com toda a gentileza. — E espero que não se ofenda comigo se eu lhe disser que a maneira como agiu há pouco, interferindo em assuntos masculinos, não foi adequada.

— Eu sei — admitiu ela, suspirando. — Isto é, *agora* eu sei. Mas, naquele momento, não parei para pensar.

— Meu primo — prosseguiu o lorde, no mesmo tom educado, referindo-se ao Visconde Mondevale — tem uma natureza bastante compreensiva. Vou me certificar de que ele saiba a verdade por mim antes de rumores maldosos e exagerados lhe chegarem aos ouvidos.

Encerrada a dança, Elizabeth pediu licença para se retirar e foi para a saleta de repouso, esperando ficar sozinha por um instante. Infelizmente, o lugar já estava repleto de mulheres que tagarelavam sobre os acontecimentos na sala de jogos. Pensou em se retirar para a segurança de seu quarto, evitando a ceia que seria servida à meia-noite, mas a razão alertou-a de que o ato de se acovardar seria sua pior escolha. Sem alternativa, colocou um sereno sorriso no rosto e foi ao terraço respirar um pouco de ar puro.

O luar espalhava-se pelos degraus do terraço e pelo jardim, onde tochas reluziam. O cenário tranquilo serviu para acalmá-la e, descendo até o jardim, Elizabeth caminhou a esmo, cumprimentando os poucos casais que encontrava pelo caminho. Parou nos limites do jardim e, virando à direita, entrou no caramanchão, um mirante cercado de plantas. O som das vozes esvaía-se no ar, deixando apenas os acordes distantes da música. Permaneceu parada ali por alguns minutos, então, ouviu uma voz aveludada dizer atrás de si:

— Dance comigo, Elizabeth.

Assustada pela chegada silenciosa de Ian, virou-se e, deparando com ele, levou a mão automaticamente ao pescoço. Imaginou que ele ficara zangado com ela na sala de jogos, mas a expressão em seu rosto era calma e terna. As notas ritmadas da valsa flutuavam em torno deles, e Ian abriu os braços.

— Dance comigo — repetiu ele no mesmo tom suave.

Como se estivesse num sonho, ela caminhou até seus braços e sentiu-o enlaçar-lhe a cintura, puxando-a contra a firmeza de seu corpo. A mão esquerda de Ian fechou-se em torno de seus dedos, engolfando-os, e logo Elizabeth sentiu-se girando gentilmente nos braços de um homem que valsava com a tranquila graciosidade de quem fizera isso milhares de vezes.

Sob sua mão enluvada, o ombro dele era largo, rígido e musculoso, e o braço que lhe circundava a cintura mais parecia uma faixa de aço, prendendo-a contra si com mais força do que o decoro permitia. Ela deveria sentir-se ameaçada, subjugada — especialmente por estar envolta pela noite —, mas, ao contrário, sentia-se segura e protegida. Entretanto, começou a ficar um pouco constrangida e decidiu que seria adequado iniciar uma conversa.

— Pensei que estivesse zangado com a minha intromissão — falou por sobre o ombro dele.

Havia a sombra de um sorriso em sua voz quando ele respondeu:

— Zangado, não. Perplexo.

— Bem, eu não poderia permitir que o acusassem de trapaça, sabendo que não era verdade.

— Creio que já fui acusado de coisas bem piores — falou ele, indiferente. — Especialmente por aquele seu jovem amigo temperamental, Lorde Everly.

Elizabeth tentou imaginar o que seria pior do que ser acusado de trapaça, mas as boas maneiras impediram-na de perguntar. Levantando a cabeça, fitou-o nos olhos e indagou:

— O senhor não pretende exigir satisfações de Lorde Everly em outra ocasião, não é?

Ele sorriu e respondeu em tom de brincadeira:

— Espero não ser tão ingrato a ponto de estragar todo o trabalho que você teve na sala de jogos com uma atitude dessas. Além disso, matá-lo seria uma grande grosseria da minha parte, pois a senhorita deixou bem claro que ele já se comprometera a levá-la ao passeio de amanhã.

Elizabeth riu, sentindo o rosto arder de embaraço.

— Sei que soei muito tola, mas foi a única coisa que me ocorreu na hora. Sabe, meu irmão também tem um temperamento forte. E, há muito tempo, descobri que, sempre que ele está prestes a perder a cabeça, se eu distraí-lo ou agradá-lo, recupera o bom humor com muito mais facilidade do que se eu tentar argumentar com ele.

— Mesmo assim — falou Ian —, receio que a senhorita ficará sem a companhia de Everly amanhã.

— Porque ele se zangou demais com minha interferência?

— Porque, a essa hora, é bem provável que o criado de Lorde Everly tenha tido o sono interrompido e sido obrigado a arrumar as malas do patrão. Ele não vai querer ficar aqui, Elizabeth, depois do que aconteceu na sala de jogos.

Receio que você o tenha humilhado em seus esforços para salvar-lhe a vida, e eu ajudei, recusando-me a duelar com ele.

Uma sombra cobriu os olhos verdes de Elizabeth, e Ian acrescentou, tranquilizando-a:

— Mas, a não ser por isso, é melhor que ele esteja humilhado e vivo do que morto e honrado.

Aquela, Elizabeth pensou, talvez fosse a maior diferença entre um cavalheiro por nascimento, como Lorde Everly, e um cavalheiro que se fizera por si mesmo, como Ian Thornton. Um verdadeiro cavalheiro preferia a morte à desonra — pelo menos de acordo com Robert, que estava sempre apontando os fatores que distinguiam os de sua própria classe.

— Você discorda?

Imersa demais em seus pensamentos para calcular a maneira como as palavras soariam, ela assentiu, dizendo:

— Lorde Everly é um cavalheiro e um nobre. Como tal, é bem provável que prefira morrer a ser desonrado.

— Lorde Everly — contradisse ele com toda a calma — é um rapaz tolo e irresponsável, disposto a arriscar a vida por um jogo de cartas. A vida é preciosa demais para ser desperdiçada dessa forma. Algum dia, ele vai me agradecer por ter recusado o duelo.

— É um código de honra entre cavalheiros — repetiu Elizabeth.

— Morrer por causa de uma discussão não é honra, é desperdício. Um homem pode dispor-se a morrer por uma causa em que acredita ou para proteger quem ama. Qualquer outro motivo não passa de estupidez.

— Se eu não me intrometesse, o senhor teria aceitado o desafio?

— Não.

— Não? Quer dizer que teria permitido que ele o acusasse de trapaça sem levantar um dedo para defender sua honra e seu bom nome?

— Não acredito que minha "honra" estivesse em jogo e, mesmo que estivesse, não consigo ver como assassinar um garoto poderia redimi-la. E, quanto ao meu "bom nome", este também já foi questionado mais de uma vez.

— Se é assim, por que o Duque de Hammund advoga em seu favor na sociedade, o que ele obviamente fez esta noite?

Os olhos dele perderam a suavidade e o sorriso esvaiu-se.

— Isso importa?

Mergulhada nos sedutores olhos cor de âmbar, sentindo os braços dele em torno de si, Elizabeth não conseguia pensar com muita clareza. Não tinha certeza se algo importava naquele momento além do som profundo e envolvente da voz dele.

— Acho que não — respondeu, trêmula.

— Se for para assegurar-lhe que não sou um covarde, talvez eu possa dar um jeito no rosto de Everly. — Num tom mais baixo, ele acrescentou: — A música terminou.

Só então, Elizabeth deu-se conta de que não estavam mais valsando, mas apenas movendo-se levemente no mesmo lugar. Sem outra desculpa para permanecer nos braços dele, tentou ignorar a frustração e afastou-se um pouco. Porém, naquele exato instante, a orquestra iniciou outra melodia, e seus corpos retomaram o movimento em perfeita harmonia.

— Já que a privei de seu acompanhante para o passeio de amanhã — disse ele após um momento —, será que consideraria uma alternativa?

Elizabeth sentiu o coração mais leve, imaginando que ele iria oferecer-se para acompanhá-la. Mas, como se fosse capaz de ler seus pensamentos, ele logo descartou a ideia:

— Não posso acompanhá-la ao vilarejo.

O sorriso dela desapareceu.

— Por que não?

— Ora, não seja ingênua. Ser vista em minha companhia não é o tipo de situação que favorece a reputação de uma debutante.

Ela sentia a cabeça girar enquanto tentava encontrar um argumento contra aquela afirmação. Afinal, ele parecia ser muito amigo do Duque de Hammund... Mas, embora o duque fosse um excelente partido, sua reputação de libertino fazia com que as mães o temessem quase tanto quanto o cobiçavam como genro. Por outro lado, Charise Dumont era considerada uma viúva respeitável pela sociedade e, igualmente, aquela reunião de fim de semana estava acima de quaisquer reprovações. Só que, de acordo com Lorde Howard, as coisas não eram o que pareciam...

— Foi por isso que se recusou a dançar comigo quando lhe pedi?

— Essa foi uma das razões.

— E quais são as outras? — indagou ela, curiosa.

Ele riu sem humor.

— Creio que pode chamar de instinto de autopreservação bem desenvolvido.

— O quê?

— Seus olhos são mais letais do que pistolas de duelo, minha querida.
— disse ele suavemente. — São capazes de fazer até um santo esquecer sua santidade.

Elizabeth já ouvira os mais floreados elogios à sua beleza e suportava-os com educado desinteresse. Mas a súbita e quase relutante lisonja de Ian a fez rir discretamente. Mais tarde, ela perceberia que fora naquele momento que cometera seu maior erro: fora manipulada a ponto de enxergá-lo como um cavalheiro, uma pessoa de princípios com quem poderia ficar à vontade e até mesmo em quem poderia confiar.

— Então, que tipo de alternativa o senhor me sugere para amanhã?

— Um almoço — disse ele. — Num lugar tranquilo, onde poderemos conversar e onde ninguém nos verá juntos.

Um piquenique a dois na hora do almoço não estava, definitivamente, na lista de passatempos aceitáveis de Lucinda no que se referia a debutantes de Londres, mas, assim mesmo, Elizabeth mostrou-se relutante em recusar.

— Ao ar livre... perto do lago? — arriscou, tentando justificar a ideia ao torná-la pública.

— Acho que vai chover amanhã e, além disso, nos arriscaremos a ser vistos juntos.

— Onde, então?

— No bosque. Eu a encontrarei no chalé dos lenhadores, que fica no limite sul da propriedade, perto do riacho, por volta das 11 horas. Há uma trilha que leva até lá por fora da estrada principal, saindo do portão.

Atônita demais diante daquela sugestão, Elizabeth não parou para pensar em como Ian Thornton estava tão familiarizado com a propriedade de Charise Dumont e seus secretos arredores.

— Absolutamente não! — disse com a voz trêmula e ofegante.

Nem mesmo ela era tão ingênua a ponto de considerar ficar sozinha com um homem num chalé, e sentia-se terrivelmente desapontada pela insinuação. Cavalheiros jamais faziam tais sugestões e damas bem-nascidas nunca as aceitavam. Os avisos de Lucinda sobre tais questões haviam sido eloquentes e, Elizabeth pressentia, muito sensatos. Deu um passo rápido para trás, tentando desvencilhar-se dele.

Porém, Ian aumentou a pressão em seus braços, apenas o suficiente para mantê-la próxima, e quase lhe tocou os cabelos com os lábios ao dizer com ironia:

— Será que não lhe ensinaram que uma dama não deve abandonar seu par antes do término da música?

— A música já terminou! — retrucou ela num sussurro abafado, e ambos sabiam que ela se referia a algo muito além de uma simples dança. — Não sou tão tola quanto o senhor parece acreditar — avisou-o, mantendo os olhos fixos na larga gravata branca, onde um delicado rubi cintilava.

— Dou-lhe minha palavra — disse ele baixinho — de que não a forçarei a nada que não queira fazer amanhã.

Estranhamente, Elizabeth acreditava nele. Mas sabia que jamais poderia aceitar tal convite.

— Dou-lhe minha palavra de cavalheiro — insistiu ele.

— Se o senhor fosse um cavalheiro, não faria tal proposta — retrucou ela, tentando ignorar a pontada de decepção em seu peito.

— Bem, aí está uma lógica com a qual não se pode argumentar — respondeu Ian, soturno. — Por outro lado, é a única opção que nos resta.

— Não é opção alguma. Nem mesmo devíamos estar aqui fora.

— Vou esperá-la no chalé amanhã até o meio-dia.

— Eu não irei.

— Até o meio-dia — repetiu ele.

— Pois estará perdendo seu tempo. Agora, deixe-me ir, por favor. Tudo isso foi um grande erro!

— Então quem sabe possamos errar novamente — disse ele, soando severo. Depois, puxou-a abruptamente contra si, segurando-a com força. — Olhe para mim, Elizabeth — murmurou, e seu hálito quente provocou nela um súbito arrepio.

Sinais de alerta ressoavam na mente de Elizabeth. Se levantasse a cabeça, ele iria beijá-la.

— Não quero que o senhor me beije — avisou-o, embora isso não fosse verdade.

— Então, despeça-se de mim agora.

Elizabeth ergueu o olhar, deparando com lábios belamente esculpidos e, finalmente, com seus olhos.

— Adeus — disse, admirada com a firmeza da própria voz.

Os olhos dele deslizaram por seu rosto como se quisessem memorizá-lo, até se fixarem nos lábios. As mãos escorregaram pelos braços dela e, de repente, a soltaram. Ian deu um passo para trás.

— Adeus, Elizabeth.

Ela se virou e começou a se afastar, mas a tristeza contida naquela voz a fez retornar. Talvez tivesse sido seu próprio coração que se partira, como se ela estivesse abandonando algo... precioso. Separados por apenas alguns metros e por um abismo, ambos trocaram um olhar silencioso.

— É provável que tenham reparado em nossa ausência — disse ela, sem saber se estava inventando desculpas por deixá-lo ou esperando que ele a convencesse a ficar.

— É bem provável. — A expressão de Ian era impassível; a voz, friamente educada, como se já tivesse se colocado fora de alcance.

— Preciso mesmo voltar para o salão.

— É claro.

— Você compreende que... — As palavras ficaram no ar enquanto ela olhava para aquele homem alto e atraente a quem a sociedade rotulava de inadequado apenas por não ter "sangue azul".

Subitamente, odiou todas as restrições do estúpido sistema social que tentava escravizá-la. Engolindo em seco, tentou falar novamente, desejando que ele ou a expulsasse dali ou lhe abrisse os braços, como fizera quando a convidara para dançar.

— Você compreende que será impossível encontrá-lo amanhã...

— Elizabeth — interrompeu ele num sussurro rouco, e, de repente, seus olhos ardiam outra vez. Estendeu-lhe as mãos, pressentindo a vitória antes mesmo de Elizabeth perceber que fora vencida. — Venha aqui.

Quase involuntariamente, ela estendeu-lhe a mão, e ele a tomou entre seus dedos firmes. Puxou-a para si, então, prendendo-a com força em seus braços enquanto os lábios quentes e ansiosos pousavam sobre os dela. Entreabertos, ternos e insistentes, aqueles lábios moldaram os dela, sentindo-lhes a forma e o calor, até que o beijo se aprofundou e as mãos possessivas de Ian pressionaram suas costas delicadas. Um gemido suave rompeu o silêncio, mas Elizabeth não se deu conta de que ela mesma o emitira; ela erguia o corpo, as mãos agarrando-se aos ombros largos, como se precisasse do apoio deles para enfrentar um mundo que, de repente, tornara-se escuro e deliciosamente sensual, onde nada mais importava, exceto o corpo e a boca faminta colada à sua.

Quando finalmente afastou os lábios dos dela, Ian a manteve junto de si, e Elizabeth descansou o rosto contra o tecido engomado de sua camisa, sentindo-o beijar seus cabelos.

— Esse foi um erro ainda maior do que eu temia — disse ele e, quase vagamente, acrescentou: — Que Deus nos ajude!

Por mais estranho que parecesse, foram essas últimas palavras que fizeram Elizabeth recobrar a razão. O fato de Ian pensar que haviam ido tão longe a ponto de precisar de algum tipo de interferência divina caiu sobre ela como um balde de água fria. Afastou-se, então, e dedicou um longo instante a ajeitar as saias. Quando se sentiu capaz, levantou o rosto para ele e disse com uma seriedade nascida do mais puro terror:

— Nada disso deveria ter acontecido. Entretanto, se voltarmos para o baile e passarmos algum tempo com os outros convidados, talvez ninguém perceba que estivemos juntos. Adeus, Sr. Thornton.

— *Boa noite*, Srta. Cameron.

Elizabeth estava desesperada demais para reparar na ênfase que ele dera às palavras "boa noite", que usara de propósito em vez de "adeus". Também não percebeu, naquele momento, que ele não parecia saber que a forma correta de se dirigir a ela era *Lady* Cameron, e não *Srta*. Cameron.

Preferindo entrar por uma das portas laterais do terraço a passar por uma daquelas que davam direto no salão de baile, Elizabeth girou a maçaneta e suspirou aliviada ao ver que estava aberta. Entrou no que parecia ser uma saleta, com uma porta no lado oposto, que levaria, assim esperava, a um corredor vazio. Depois do relativo silêncio do jardim, a casa parecia reverberar numa cacofonia de risos, vozes e música que lhe feriam os nervos enquanto caminhava na direção do salão.

A sorte parecia lhe sorrir, pois o corredor estava deserto. Ali, ela mudou de ideia e decidiu ir até seu quarto, onde teria a chance de se recuperar. Subiu as escadas quase correndo e acabara de chegar ao vestíbulo superior quando ouviu Penelope perguntar, intrigada, no andar de baixo:

— Alguém viu Elizabeth? A ceia será servida em breve, e Lorde Howard deseja acompanhá-la.

Com uma súbita inspiração, Elizabeth ajeitou os cabelos apressadamente, alisou as saias e fez uma prece silenciosa, esperando não aparentar que voltava de um encontro proibido.

— Creio que ela foi vista no jardim — disse Valerie friamente. — E parece que o Sr. Thornton também desapareceu... — interrompeu-se, atônita, ao ver Elizabeth descendo as escadas tranquilamente... a mesma escadaria que ela subira, tão rápido, instantes atrás.

— Meu Deus! — exclamou Elizabeth com ar de inocência, sorrindo para Penelope e Valerie. — Não sei por que estou sentindo tanto calor esta noite. Dei uma volta no jardim, mas, como não adiantou, fui deitar-me um pouco em meu quarto.

Juntas, as três jovens atravessaram o salão de baile, passando pelo salão de jogos, onde vários cavalheiros se entretinham na mesa de bilhar. O coração de Elizabeth deu um salto quando avistou Ian Thornton inclinado sobre uma das mesas perto da porta, empunhando o taco de bilhar. Ele ergueu os olhos e deparou com as três damas, das quais apenas duas o encararam de volta. Cumprimentou-as de longe, com fria polidez, e fez uma jogada certeira com o taco. Elizabeth ouviu o ruído das bolas voando contra a madeira e caindo em suas respectivas caçapas, seguido pelo riso admirado do Duque de Hammund.

— Ele é *mesmo* terrivelmente atraente, de um jeito sombrio e assustador — cochichou Georgina. — Existe uma aura de perigo em torno dele — acrescentou com um leve estremecer.

— É verdade — concordou Valerie, encolhendo os ombros —, mas você estava certa: ele não tem linhagem, nem berço, tampouco laços importantes.

Elizabeth ouvia a conversa sussurrada sem prestar muita atenção. Sua miraculosa boa sorte dos últimos minutos convenceu-a de que *realmente* havia um Deus que a ajudava de vez em quando, e rezou mentalmente em agradecimento, prometendo que nunca mais se colocaria numa situação tão comprometedora. Acabara de dizer um "amém" silencioso quando lhe ocorreu que ouvira quatro bolas de bilhar caindo nas caçapas quando Ian jogara. Quatro! Quando ela jogava com Robert, o máximo que ele conseguia acertar eram três, e ele se considerava um excelente jogador.

A reconfortante sensação de alívio permaneceu com ela enquanto seguia para a sala de jantar de braços dados com Lorde Howard. Porém, estranhamente, a sensação começou a se desvanecer enquanto conversava com as damas e os cavalheiros sentados em torno da mesa. Apesar da conversa animada, Elizabeth precisou de todo o autocontrole possível para evitar que seus olhos vagassem pelo cômodo luxuosamente decorado, procurando, pelas mesas cobertas por toalhas de linho azul, aquela em que Ian estaria. Um lacaio parou ao seu lado, oferecendo-lhe um prato de lagostas, e ela assentiu. Incapaz de suportar o suspense por mais tempo, aproveitou aquele instante como desculpa para examinar o salão. Perscrutou o mar de penteados e joias, de cabeças que se moviam, de taças que eram erguidas e baixadas, até que finalmente o avistou — sentado à cabeceira de uma mesa, entre o Duque de Hammund e a bela irmã de Valerie, Charise. O duque conversava com uma loira encantadora, que, segundo rumores, era sua atual amante; Ian ouvia atentamente o tagarelar animado de Charise com um sorriso modorrento no rosto bronzeado, enquanto a mão dela pousava possessivamente sobre a manga de sua casaca. Ele riu de algo que ela disse, e Elizabeth desviou os olhos do par, sentindo como se acabasse de levar um soco no estômago. Eles pareciam perfeitos juntos: ambos sofisticados, com deslumbrantes cabelos castanhos. Não havia dúvida de que teriam muito em comum, pensou, pegando os talheres e voltando a atenção para a lagosta.

Ao seu lado, Lorde Howard aproximou-se um pouco e brincou:

— Ela está morta, sabia?

Elizabeth encarou-o, sem entender, e o lorde apontou para a lagosta em seu prato.

— Já está morta — repetiu. — Não precisa tentar matá-la de novo.

Extremamente envergonhada, ela sorriu e exalou um profundo suspiro. Dali em diante, fez um grande esforço para participar da conversa de seus companheiros de mesa. Como Lorde Howard avisara, os cavalheiros, que haviam presenciado ou ouvido comentários a respeito de sua atuação na sala de jogos, tratavam-na com visível frieza, e ela tentou mostrar-se ainda mais simpática. Aquela era a segunda vez, em toda a sua vida, que lançava mão de seus encantos femininos para atingir um objetivo — a primeira vez fora no jardim, no primeiro encontro com Ian Thornton —, e estava um tanto perplexa com o rápido sucesso. Um a um, os cavalheiros presentes iam se rendendo e passavam a rir e conversar com ela.

Durante o longo e penoso jantar, Elizabeth teve, várias vezes, a estranha sensação de que Ian a observava e, quase no final, quando já não podia mais suportar, olhou de relance para o lugar onde ele estava sentado. Os olhos cor de âmbar a fitavam, e ela não soube definir se desaprovavam o clima de flerte que a rodeava ou se estavam admirados.

— A senhorita me permitiria representar meu primo e acompanhá-la no passeio de amanhã? — ofereceu Lorde Howard quando a interminável refeição chegou ao fim e os convidados começaram a se levantar.

Aquele era o momento em que Elizabeth teria de decidir se iria ou não se encontrar com Ian no chalé. Na verdade, não havia uma decisão a ser tomada, e ela sabia. Com um encantador sorriso forçado, virou-se para o lorde:

— Sim, obrigada.

— Deveremos sair às dez e meia e, pelo que sei, haverá todas aquelas diversões habituais: compras e, depois, almoço na hospedaria local, seguido de um passeio a cavalo pelos arredores.

Naquele momento, a perspectiva era entediante para ela.

— Parece adorável! — exclamou com tamanho fervor que Lorde Howard enviou-lhe um olhar assustado.

— A senhorita está se sentindo bem? — perguntou, preocupado, reparando nas faces coradas e nos olhos excessivamente brilhantes.

— Nunca me senti melhor! — assegurou ela, pensando apenas em fugir dali, o mais depressa possível, para a segurança e a tranquilidade de seu quarto. — E, agora, se me der licença, estou com um pouco de dor de cabeça e gostaria de me retirar — acrescentou, deixando o atônito lorde para trás.

Estava a meio caminho das escadas quando se deu conta do que acabara de dizer. Parou por um instante, balançou a cabeça e continuou subindo os degraus lentamente. Não se importava muito com o que o primo do futuro noivo pudesse pensar. E estava se sentindo desolada demais para considerar quanto isso era estranho.

— Por favor, Berta, acorde-me às oito horas — disse enquanto a criada a ajudava a se despir.

Sem responder, Berta agitava-se ao redor do quarto, derrubando objetos na penteadeira e no chão, num evidente sinal de que estava nervosa.

— O que há de errado? — indagou Elizabeth, parando de escovar os cabelos.

— Toda a criadagem está comentando sobre sua atitude na sala de jogos, e aquela sua dama de companhia empertigada vai me culpar por isso, espere só para ver — respondeu Berta, desconsolada. — Ela vai dizer que, na primeira vez que a deixou longe de suas vistas e aos meus cuidados, a senhorita se meteu em encrenca!

— Vou explicar a ela tudo o que aconteceu, Berta — prometeu Elizabeth.

— Bem, mas *o que* aconteceu? — choramingou a criada, torcendo as mãos em nervosa antecipação ao formidável sermão que ouviria da Srta. Throckmorton-Jones.

Cansada, Elizabeth relatou o ocorrido, e a expressão de Berta foi suavizando aos poucos. Retirou a colcha de brocado da cama e ajudou a jovem patroa a se deitar.

— Então, como vê — finalizou Elizabeth, bocejando —, eu não podia silenciar-me e permitir que todos pensassem que ele havia trapaceado, o que fariam, pois o Sr. Thornton não é um deles.

Um relâmpago rasgou o céu, iluminando o quarto, e foi logo seguido por um trovão, que reverberou a ponto de sacudir as janelas. Elizabeth fechou os olhos e rezou para que o passeio ao vilarejo não fosse cancelado, porque a ideia de passar o dia inteiro na mesma casa que Ian Thornton — sem poder olhá-lo ou falar com ele — era insuportável. Estou quase obcecada, pensou antes de ser vencida pelo cansaço.

Sonhou com furiosas tempestades e com um par de fortes braços estendidos em seu socorro para, depois, atirá-la no mar revolto...

Capítulo 6

Pálidos raios de sol penetravam no quarto e, relutante, Elizabeth virou-se na cama. Não importava quanto dormisse, sempre acordava aturdida e desorientada. Enquanto Robert pulava da cama sentindo-se desperto e bem-disposto, ela primeiro tinha de se recostar nos travesseiros e permanecer sentada por meia hora até despertar por completo.

Por outro lado, Robert começava a bocejar às dez da noite, horário em que Elizabeth estava mais desperta do que nunca, pronta para jogar cartas ou bilhar, ou ler por mais algumas horas. Assim, adequou-se perfeitamente à temporada de Londres, quando as pessoas dormiam, pelo menos, até o meio-dia, e ficavam acordadas madrugada afora. A noite anterior fora uma rara exceção.

Ela sentia a cabeça como um peso morto sobre os travesseiros, quando se obrigou a abrir os olhos. Na mesinha de cabeceira, havia uma bandeja com seu desjejum habitual: um pequeno bule com chocolate quente e uma fatia de torrada com manteiga. Suspirando, Elizabeth forçou-se a prosseguir com o ritual do despertar. Agarrando-se à lateral da cama, impulsionou o corpo para cima até se recostar nos travesseiros; depois, lançou um olhar vago para as próprias mãos, como se desejasse que ganhassem vida própria e alcançassem o bule com o chocolate quente e restaurador.

Naquela manhã, precisou de mais força de vontade do que de costume, pois sentia uma desconfortável dor de cabeça, além da incômoda impressão de que algo perturbador havia acontecido.

Ainda presa entre o sono e o despertar, removeu a toalhinha de crochê que cobria o bule de porcelana e encheu a delicada xícara ao lado. Só então lembrou-se e sentiu o estômago se revirar: naquele dia, um homem atraente de cabelos castanhos estaria à sua espera no chalé dos lenhadores. Esperaria por uma hora e, depois, partiria... porque ela não iria aparecer. Não podia. Definitivamente, não podia!

As mãos tremeram um pouco quando levou a xícara aos lábios. Naquele instante, Berta irrompeu no quarto, com uma expressão preocupada, que logo transformou-se num sorriso aliviado.

— Ah, ainda bem... Já começava a imaginar se a senhorita estava doente!

— Por quê? — quis saber Elizabeth antes de tomar um gole do chocolate Estava *frio*!

— Porque não consegui acordá-la e...

— Que *horas* são, Berta?

— Quase 11.

— Onze horas! Mas eu lhe disse para me acordar às oito! Como pôde me deixar dormir tanto? — Ainda zonza de sono, Elizabeth tentava pensar numa solução. Poderia vestir-se bem depressa e alcançar o grupo. Ou...

— Eu *tentei*! — exclamou Berta, ressentida com a rispidez pouco característica na voz da patroa. — Mas a senhorita não queria acordar.

— Eu *nunca* quero acordar, Berta. Você sabe muito bem disso!

— Mas, esta manhã, estava ainda pior do que o normal. Disse que estava com dor de cabeça.

— Eu *sempre* digo coisas assim. Não sei o que falo quando estou dormindo e sou capaz de qualquer coisa para ganhar mais alguns minutos de sono. Você me conhece há anos e sempre conseguiu me despertar.

— Mas, desta vez, você disse — insistiu Berta, torcendo a barra do avental com um ar infeliz — que choveu muito ontem à noite e que certamente o passeio seria cancelado. E, por isso, não precisava levantar.

— Berta, pelo amor de Deus! — gemeu Elizabeth, afastando as cobertas e pulando da cama com uma energia que jamais demonstrara logo depois de acordar. — Já cheguei a lhe dizer que estava morrendo de difteria para obrigá-la a me deixar dormir mais um pouco!

— Bem — retrucou a criada, marchando na direção da sineta para que trouxessem água para preparar o banho —, naquela ocasião, você não estava pálida, nem seu rosto estava quente quando o toquei. E você também não havia se arrastado para a cama depois da uma da manhã!

Arrependida da explosão, Elizabeth sentou-se novamente na cama.

— Não é sua culpa se durmo como uma pedra. Além disso, se o passeio foi mesmo cancelado, não fará diferença alguma se perdi a hora.

Tentava resignar-se com a ideia de passar o dia inteiro presa naquela casa, perto de um homem capaz de fazer seu coração disparar com um único olhar, quando Berta falou:

— Mas eles foram ao vilarejo. A tempestade de ontem à noite foi apenas barulhenta, com pouca chuva.

Cerrando os olhos por um instante, Elizabeth soltou um longo suspiro. Eram 11 horas, o que significava que Ian já iniciara a espera inútil no chalé.

— Muito bem, então irei a cavalo até o vilarejo e me encontrarei com o grupo. Não é preciso ter tanta pressa — acrescentou quando Berta correu para abrir a porta e duas criadas entraram carregando baldes de água quente para o banho.

Passava de meio-dia e meia quando Elizabeth desceu as escadas, trajando um alegre conjunto de montaria cor de pêssego. Um delicado chapéu, com uma pluma no lado direito, escondia-lhe os cabelos, e as luvas de couro cobriam-lhe as mãos e os pulsos. O som de vozes masculinas vinha da sala de jogos, atestando o fato de que nem todos os convidados haviam optado pelo passeio. Ela hesitou um pouco ao chegar ao vestíbulo, sem saber se deveria ou não espiar na sala de jogos para verificar se Ian retornara do chalé. Porém, certa de que isso acontecera, e não desejando vê-lo, virou-se na direção oposta e saiu da casa pela porta da frente.

Esperou alguns minutos no estábulo, enquanto os criados selavam um cavalo, mas seu coração parecia bater mais depressa a cada segundo, enquanto sua mente a atormentava com a imagem de um homem solitário esperando no chalé por uma mulher que não chegaria.

— A senhorita vai precisar da companhia de um cavalariço, milady? — indagou um dos criados. — Não há nenhum aqui no momento, pois todos foram acompanhar a excursão ao vilarejo. Mas alguns deles devem voltar em uma hora, se a senhorita quiser esperar. Caso contrário, a estrada é completamente segura. A senhoria sempre cavalga sozinha até a vila.

O que Elizabeth mais queria era galopar em seu alazão por uma longa estrada e deixar todo o resto para trás.

— Não é necessário, irei sozinha — disse, sorrindo ao cavalariço com a mesma doçura que dedicava aos criados de Havenhurst. — Passamos pelo vilarejo quando chegamos. Fica no final da estrada principal, a cerca de oito quilômetros daqui, não é?

— Isso mesmo — concordou o serviçal.

Naquele instante, um relâmpago iluminou o céu pálido e Elizabeth ergueu os olhos, ansiosa. Embora não quisesse ficar na propriedade, a perspectiva de ser apanhada no meio do caminho por uma tempestade de verão também não era das mais animadoras.

— Duvido que chova antes do anoitecer — afirmou o criado ao vê-la hesitar. — Nesta época do ano, esses relâmpagos são muito comuns. A senhora não viu ontem à noite? Muitos relâmpagos e trovões, mas não caiu nem uma gota de chuva.

Era daquele incentivo que Elizabeth precisava.

AS PRIMEIRAS GOTAS de chuva começaram a cair após a jovem percorrer dois quilômetros na estrada.

— Ah, que ótimo... — desabafou, obrigando o cavalo a parar, e examinou o céu.

Bateu com as esporas no lombo do animal e seguiu em frente, num rápido galope, em direção ao vilarejo. Minutos depois, percebeu que o vento, que até pouco tempo atrás não passava de uma brisa por entre as árvores, subitamente soprava com força suficiente para vergar os galhos, enquanto a temperatura caía com vertiginosa rapidez. A chuva ficou mais forte, caindo em grandes gotas que logo se transformaram numa torrente contínua. Quando avistou a trilha que saía da estrada principal em direção ao bosque, Elizabeth já estava praticamente ensopada. Procurando um abrigo por entre as árvores, guiou o cavalo pela trilha. Ali, pelo menos, as árvores lhe dariam uma pequena, embora precária, proteção.

Relâmpagos rasgavam o céu, seguidos por trovões ensurdecedores e, a despeito da previsão do criado, ela concluiu que uma desastrosa tempestade estava prestes a desabar. O animal pressentia o mesmo, mas, embora se assustasse a cada trovoada, permanecia dócil e obediente.

— Que cavalo bonzinho você é... — disse Elizabeth com suavidade, afagando o pescoço aveludado do animal. Mas seus pensamentos dirigiam-se ao chalé, que ela sabia ficar no final daquela trilha.

Mordeu o lábio, indecisa, tentando calcular a hora: certamente, passava da uma da tarde; portanto, Ian Thornton há muito já teria partido.

Nos poucos instantes que permaneceu parada sob as árvores, tentando analisar suas alternativas, chegou à óbvia conclusão de que estava dando importância demais ao significado que aquele encontro teria para Ian. Na noite anterior, vira com seus próprios olhos a maneira como ele flertava com Charise apenas uma hora depois de tê-la beijado no jardim. Não tinha dúvida de que representara apenas um rápido passatempo para ele. E como fora melodramática e estúpida ao imaginá-lo andando de um lado para outro no chalé, esperando a porta se abrir! Afinal, ele não passava de um jogador e, provavelmente, de um conquistador inveterado. Não duvidava de que ele tivesse desistido da espera ao meio-dia e voltado para a casa em busca de uma companhia menos relutante, que encontraria sem grande dificuldade. Por outro lado, na remota possibilidade de ele ainda estar no chalé, ela veria seu cavalo. Então, simplesmente, daria meia-volta e retornaria à mansão.

Avistou o chalé alguns minutos depois. Encravado no bosque úmido, era uma visão acolhedora. Elizabeth apertou os olhos, tentando enxergar através das árvores densas e da neblina que as encobria, em busca de sinais da montaria de Ian. Com o coração disparando de expectativa e temor, examinou a frente do pequeno chalé coberto de sapê, mas logo percebeu que não havia motivo para tanto alarme. O lugar estava deserto. Ali estava o resultado do súbito e profundo carinho que ele sentira por ela, pensou com sarcasmo, recusando-se a analisar a estranha sensação dolorosa que a invadia.

Desmontou do cavalo e levou-o para os fundos, onde encontrou um abrigo no qual poderia amarrá-lo.

— Já percebeu como os homens são imprevisíveis? — falou ao animal. — E como as mulheres ficam caidinhas por eles? — acrescentou, ciente de seu inexplicável desapontamento.

Sabia muito bem que estava sendo completamente irracional — não pretendera ir até ali, não quisera que ele a estivesse esperando e, agora, estava prestes a chorar por não tê-lo encontrado!

Com um gesto impaciente, desamarrou o laço que prendia o chapéu e tirou-o ao mesmo tempo que abria a porta do chalé. Entrou e... ficou gelada!

Parado no lado oposto da pequena sala, de costas para ela, estava Ian Thornton. Ele observava o fogo crepitando na lareira, mantendo a cabeça levemente inclinada, as mãos apoiadas na cintura da calça de montaria cinza, um pé apoiado no gradil. Havia tirado a casaca, e, sob o tecido leve da camisa, seus músculos moveram-se quando ele levantou o braço direito e passou a mão pelos cabelos. O olhar de Elizabeth seguia cada movimento, reparando na beleza máscula dos ombros largos, das costas musculosas, da cintura estreita.

Algo na maneira sombria como Ian se postava — além do fato de esperá-la por mais de duas horas — levou-a a refletir sobre a importância do encontro para ele. Fez isso antes de olhar para o lado e ver a mesa: com um aperto no peito, percebeu todo o trabalho que ele tivera. Uma toalha de linho creme cobria o tampo rústico e dois lugares haviam sido arrumados, com peças de porcelana azul e dourada, evidentemente emprestadas da casa de Charise. No centro da mesa, uma vela fora acesa, e uma garrafa de vinho pela metade jazia ao lado de um prato com carne e queijos.

Em toda a sua vida, Elizabeth nunca imaginara que um homem pudesse arrumar uma mesa e preparar um almoço. Essa tarefa cabia às mulheres. Às mulheres e aos criados, mas nunca a homens tão belos que eram capazes de fazer a pulsação de uma mulher acelerar. Pareceu-lhe que estava ali por muito tempo, e não apenas por alguns segundos, quando Ian finalmente enrijeceu o corpo, pressentindo sua presença. Ele se virou e o rosto sombrio suavizou-se com um sorriso amargo.

— Você não é muito pontual.

— Não tinha a intenção de vir — admitiu ela, lutando para se recobrar e ignorar a sensação que os olhos e a voz dele despertavam nela. — Começou a chover quando eu estava a caminho do vilarejo.

— Está toda molhada.

— Eu sei.

— Venha para perto do fogo.

Vendo-a permanecer onde estava, fitando-o com um olhar cauteloso, Ian resolveu aproximar-se. Elizabeth parecia colada ao chão, ouvindo o ressoar de todos os terríveis avisos de Lucinda sobre ficar a sós com um homem.

— O que quer? — perguntou, ofegante, encolhendo-se sob a sombra dele.

— Seu casaco.

— Não... Acho que prefiro ficar com ele.

— Tire — insistiu Ian. — Está molhado.

— Não se aproxime! — gritou ela, correndo para a porta ainda aberta e prendendo o casaco em torno de si.

— Elizabeth — disse ele, tranquilizando-a —, eu lhe dei minha palavra de que você estaria segura se viesse ao meu encontro.

Ela fechou os olhos e assentiu.

— Eu sei. Também sei que não deveria estar aqui. Preciso ir embora neste instante. É o que devo fazer, não é? — Abriu os olhos, fitando-o, em súplica. A seduzida pedindo conselhos ao sedutor.

— Nestas circunstâncias, não creio que eu seja a pessoa mais adequada a responder.

— Vou ficar — afirmou ela após um momento, e percebeu a tensão dele se atenuar.

Desabotoou o casaco e entregou-o a ele, juntamente com o chapéu. Ian levou-os para perto do fogo e pendurou-os nos ganchos na parede.

— Fique junto à lareira — ordenou, encaminhando-se para a mesa e servindo duas taças de vinho enquanto verificava se ela obedeceria.

A parte da frente dos cabelos de Elizabeth estava molhada, pois não fora protegida pelo chapéu. Num gesto automático, ela levantou os braços e, retirando os grampos que prendiam as mechas nas laterais do rosto, sacudiu a massa dourada de cabelos. Inconsciente de quanto seus gestos eram sedutores, penteou os cabelos com os dedos e tornou a prendê-los.

Voltou a olhar para Ian, reparando que ele parecia estar paralisado ao lado da mesa, observando-a. Algo na expressão dele fez com que ela abaixasse os braços depressa, quebrando a magia de imediato, mas o efeito daquele olhar, acolhedor e íntimo, era vibrante, incrivelmente vivo, e a dimensão do risco a que se expunha fez Elizabeth estremecer por dentro. Afinal, não conhecia aquele homem, encontrara-o pela primeira vez havia apenas algumas horas. E, ainda assim, ele a fitava de maneira... íntima demais. E possessiva.

Ian entregou-lhe o vinho e apontou para o sofá surrado que ocupava quase toda a minúscula sala.

— Se já está aquecida, sente-se um pouco. O sofá está limpo. — Forrado com um tecido listrado de verde e branco, agora transformado numa mescla de tons acinzentados, o móvel era, sem dúvida, um refugo da casa principal.

Elizabeth sentou-se o mais longe possível de Ian e encolheu as pernas sob a saia do traje de montaria a fim de aquecê-las. Ian prometera-lhe que ela estaria "segura" — agora, percebia que a promessa poderia ser interpretada de diversas formas.

— Se eu vou ficar aqui — disse, apreensiva —, acho que devemos resguardar as convenções e os comportamentos adequados.

— Tais como?

— Bem, para começar, o senhor não deveria me chamar pelo primeiro nome.

— Considerando o beijo que trocamos ontem à noite, parece-me absurdo chamá-la de Srta. Cameron.

Era um bom momento para informá-lo de que era Lady Cameron, mas estava perturbada demais com a lembrança dos inesquecíveis — e proibidos — momentos que passara nos braços dele para se preocupar com esse detalhe.

— Isso não vem ao caso — disse ela com firmeza. — A questão é que não podemos permitir que o que aconteceu ontem à noite influencie nosso comportamento de hoje. Hoje, devemos nos comportar com o *dobro* de decoro — completou um tanto desesperada e ilógica — para compensar nosso comportamento de ontem!

— É *assim* que se faz? — indagou ele com um brilho divertido no olhar. — Por algum motivo, não imaginei que você permitisse que as convenções comandassem cada um de seus atos.

Para um jogador sem vínculos nem responsabilidades, as regras de etiqueta e as convenções sociais deviam ser extremamente cansativas. Então, Elizabeth concluiu que era *imperativo* convencê-lo da importância de seu ponto de vista.

— Ah, mas eu sou assim — mentiu, evasiva. — Os Cameron são a família mais convencional deste mundo! Como já lhe disse ontem, acredito que a morte seja preferível à desonra. Também acreditamos em Deus, em nossa pátria, na maternidade, no rei e... e em todas as outras convenções decentes. Na verdade, nossa atitude quanto a essas questões chega a ser tediosa.

— Entendo — disse ele, curvando os lábios de leve. — Diga-me uma coisa: como uma pessoa assim, tão convencional, foi capaz de enfrentar uma sala repleta de homens apenas para proteger a reputação de um estranho?

— Ah, aquilo... Bem, aquilo foi apenas... uma demonstração do meu senso de justiça *convencional*. Além do mais — acrescentou, sentindo a raiva renovar-se ao lembrar a cena na sala de jogos —, fiquei muito zangada ao perceber que o único motivo que impediu aqueles homens de dissuadirem Lorde Everly de duelar foi o fato de o senhor não pertencer ao mesmo nível social deles, como acontece com Everly.

— Está falando de igualdade social? — Ele abriu um sorriso largo e devastador. — Mas que ideia estranha, vinda de alguém tão convencional como você!

Elizabeth sabia que caíra na armadilha.

— Para dizer a verdade — confessou, trêmula —, estou *morrendo* de medo por estar aqui.

— Eu sei — disse ele, rapidamente sério. — Mas eu sou a última pessoa no mundo a quem deve temer.

Aquelas palavras, e o tom em que foram ditas, fizeram o coração de Elizabeth disparar novamente. Ela bebeu um bom gole de vinho, rezando para que a bebida pudesse acalmá-la. Percebendo sua tensão, Ian mudou de assunto.

— Tem pensado muito a respeito da injustiça cometida contra Galileu?

Ela balançou a cabeça.

— Devo ter parecido uma tola ontem à noite, falando em como foi errado julgá-lo diante da Inquisição. Foi um tópico absurdo para ser abordado em uma conversa, especialmente com um cavalheiro.

— Pois, para mim, foi uma alternativa alentadora às costumeiras e insípidas trivialidades.

— Foi *mesmo*? — perguntou ela, os olhos procurando os dele num misto de incredulidade e esperança, sem perceber que era levada a esquecer seus temores e engajar-se numa conversa bem mais amena.

— É claro que sim.

— Eu gostaria *tanto* que a sociedade pensasse assim...

Ele sorriu, solidário:

— Há quanto tempo é obrigada a esconder o fato de que possui um cérebro?

— Quatro semanas — admitiu ela, rindo um pouco daquelas palavras. — Não imagina como é horrível ter de conversar apenas sobre trivialidades quando o que deseja é indagar as pessoas sobre coisas que viram ou que conhecem. E, se forem homens, eles não responderiam, ainda que eu lhes perguntasse...

— E o que diriam? — encorajou Ian.

— Diriam que a resposta está muito além da compreensão feminina ou que temem ofender minha sensibilidade.

— Que tipo de perguntas você andou fazendo?

Os olhos de Elizabeth mostravam uma mescla de riso e frustração.

— Perguntei a Sir Elston Greeley, que acabara de retornar de uma longa viagem, se fora até as colônias, e ele respondeu que sim. Porém, quando lhe pedi para me descrever os nativos e seu modo de vida, ele tossiu, gaguejou e disse que não era "apropriado" conversar sobre "selvagens" com uma dama, e que eu seria capaz de desmaiar se ele o fizesse.

— A aparência e o modo de vida deles dependem de cada tribo — Ian começou a falar, em resposta àquela pergunta. — Algumas tribos podem ser consideradas "selvagens" para os nossos padrões; outras são pacíficas, qualquer que seja o padrão...

Duas horas voaram enquanto Elizabeth o enchia de perguntas, ouvindo, fascinada, as histórias sobre os lugares que ele conhecera. Nem uma vez sequer Ian recusou-se a responder ou fez pouco-caso de seus comentários. Tratava-a como a um igual e parecia gostar quando ela discordava de algumas de suas opiniões.

Acabaram de almoçar e retornaram ao sofá, e embora soubesse que já passara da hora de partir, Elizabeth relutava em pôr um fim àqueles momentos roubados.

— Não posso deixar de pensar — confidenciou quando ele acabou de responder a uma pergunta sobre as mulheres das Índias, que eram obrigadas a cobrir os rostos e cabelos em público — em quanto é injusto eu ter nascido mulher e que, portanto, jamais terei a chance de viver tais aventuras, ou de conhecer pelo menos alguns desses lugares. Se eu partisse numa viagem para as Índias, por exemplo, só me permitiriam ir a locais tão civilizados quanto... quanto Londres!

— Realmente, parece que existe um caso de extrema discriminação de privilégios no que se refere aos sexos — concordou Ian.

— Ainda assim, cada um de nós tem de cumprir sua obrigação — declarou ela com grande solenidade. — E dizem que há uma grande satisfação nisso.

— O que você considera sua... obrigação? — perguntou ele, retribuindo seu tom cortante com um sorriso cândido.

— Ora, isso é fácil. É obrigação da mulher ser uma boa esposa para o marido em todos os sentidos. E é obrigação do homem fazer tudo o que quiser, quando quiser, contanto que esteja preparado para defender seu país, caso necessário, o que raramente acontece. Os homens — informou — adquirem a honra pelo seu sacrifício nos campos de batalha; enquanto *nós*, mulheres, nos sacrificamos no altar do matrimônio.

Ele gargalhou e ela sorriu-lhe de volta, divertindo-se imensamente.

— E, pesando todos os prós e os contras — concluiu ela —, é possível provar que nosso sacrifício é, de longe, maior e muito mais nobre.

— Como? — indagou ele, ainda rindo.

— É bastante óbvio: as batalhas duram apenas alguns dias ou semanas; meses, no máximo. Já o *matrimônio* dura uma vida inteira! Isso me faz lembrar de algo em que sempre pensei... — prosseguiu ela alegremente, expondo-lhe suas mais íntimas reflexões.

— O quê? — incentivou ele, fitando-a, embevecido.

— Afinal, por que será que nos chamam de sexo frágil? — Seus olhares sorridentes se encontraram, e, só então, Elizabeth percebeu como seus comentários poderiam parecer ousados aos olhos dele. — Não costumo me perder em tamanhas divagações — disse ela, pesarosa. — Deve me achar terrivelmente mal-educada.

— Eu a acho magnífica — disse ele suavemente.

A sinceridade contida naquela voz grave tirou o fôlego de Elizabeth. Ela abriu a boca, tentando encontrar algo divertido para falar, algo que restaurasse a fácil camaradagem de um minuto atrás, mas tudo o que conseguiu foi aspirar o ar, longa e profundamente.

— E — continuou ele, baixinho — acho que você sabe disso.

Aquele *não* era o tipo de comentário lisonjeiro que ela estava acostumada a ouvir dos rapazes de Londres. E o brilho sensual que agora transparecia nos olhos de Ian deixou-a totalmente aterrorizada. Encolhendo-se um pouco mais contra o braço do sofá, tentou convencer-se de que estava apenas exagerando ao que não passava de um elogio fútil.

— Pois eu creio — conseguiu falar, afinal, com um risinho forçado — que você considera magnífica qualquer mulher que esteja ao seu lado.

— Por que diz isto?

Ela deu de ombros.

— A ceia ontem à noite, por exemplo. — Quando ele franziu a testa, sem entender, ela explicou: — Lembra-se de Lady Charise Dumont, nossa anfitriã, uma adorável jovem senhora de cabelos castanhos? Você parecia embevecido a cada palavra que ela pronunciava.

Ele sorriu.

— Está com ciúmes?

Elizabeth ergueu o delicado queixo com elegância e balançou a cabeça.

— Tanto quanto você tem ciúmes de Lorde Howard — afirmou, sentindo uma pontinha de satisfação ao notar que o divertimento dele desaparecera.

— O sujeito que parecia incapaz de falar com você sem tocar seu braço? — indagou Ian com a voz sedosa. — *Aquele* Lorde Howard? Para ser franco, querida, passei a maior parte do jantar decidindo se preferia enfiar o nariz dele embaixo da orelha direita ou da esquerda.

Ela rompeu num riso tão espontâneo que não pôde conter.

— Ora, você jamais faria uma coisa dessas. Além do mais, se não aceitou duelar com Lorde Everly quando *ele* o acusou de *trapaça*, certamente não faria mal algum ao pobre Lorde Howard apenas por ele ter tocado meu braço.

— Será que não? — perguntou ele com suavidade. — São duas questões bem diferentes.

Não era a primeira vez que Elizabeth não conseguia compreendê-lo. De repente, a presença dele tornou a representar uma ameaça. Sempre que Ian parava de agir com a divertida galanteria, transformava-se num estranho sombrio e misterioso. Afastando os cabelos da testa, ela olhou pela janela.

— Já deve ser mais de três horas. Preciso ir embora. — E levantou-se, ajeitando a saia. — Obrigada por uma tarde tão agradável. Não sei por que permaneci, não devia, mas estou contente por ter ficado...

Sem mais o que dizer, Elizabeth olhou-o vagamente alarmada quando ele também se levantou.

— Não sabe mesmo? — perguntou ele.

— O quê?

— Não sabe por que ainda está aqui comigo?

— Nem mesmo sei *quem* é você! Sei sobre os lugares onde esteve, mas nada sobre sua família. Sei que aposta enormes somas de dinheiro nas cartas, e isso é algo que eu desaprovo.

— Também aposto muito dinheiro em navios e cargas... Será que este fato melhora seu julgamento sobre meu caráter?

— E eu sei — prosseguiu ela, quase em desespero, observando o olhar dele se tornar mais caloroso e sensual —, aliás, tenho *certeza* de que você me deixa muito constrangida quando me olha da maneira como está fazendo agora.

— Elizabeth — disse ele, carinhoso —, você está aqui porque nós dois estamos um pouco apaixonados um pelo outro.

— *O quê?* — ofegou ela.

— E, quanto à necessidade de saber quem eu sou, a resposta é muito simples. — As mãos dele acariciaram seu rosto pálido e, depois, deslizaram até a nuca, segurando-a com delicadeza. — Eu sou o homem com quem você vai se casar.

— Meu Deus!

— Creio que é tarde demais para começar a rezar — brincou ele.

— Você... deve estar louco! — murmurou ela, trêmula.

— Sim, é exatamente o que eu penso — sussurrou Ian e, inclinando a cabeça, pressionou os lábios em sua testa. Puxou-a contra o peito, abraçando-a, como se soubesse que ela iria resistir se ele tentasse avançar mais. — Não estava nos meus planos, Srta. Cameron.

— Ah, por favor... — implorou ela, transtornada. — Não faça isso comigo. Eu não entendo nada disso... Não sei o que você quer...

— Quero você. — Segurando-lhe o queixo entre os dedos, Ian obrigou-a a erguer o rosto e encarar seu olhar firme. — E você também me quer.

Elizabeth sentiu o corpo todo estremecer quando os lábios dele aproximaram-se dos seus e tentou adiar o que sabia ser inevitável.

— Uma inglesa bem-criada não sente nada além de afeição — argumentou, citando uma das frases de Lucinda. — Nós *nunca* nos apaixonamos.

Os lábios quentes de Ian tocaram os dela.

— Eu sou escocês — murmurou ele. — *Nós* nos apaixonamos.

— Um *escocês*! — ofegou quando ele afastou os lábios.

Ele riu, diante daquela expressão horrorizada.

— Eu disse escocês, não assassino.

Um escocês que, ainda por cima, era um jogador inveterado! Havenhurst seria entregue aos credores, os criados seriam despedidos e todo o seu mundo ruiria em pedaços.

— Não posso, *não posso* me casar com você.

— Pode, Elizabeth — sussurrou ele, e seu hálito quente chegou à orelha dela. — Você pode, sim.

Os lábios dele roçaram a orelha de Elizabeth, e, com a ponta da língua, Ian tocou-lhe o lóbulo, antes de traçar delicadamente cada curva, cada reentrância, até que Elizabeth estremecesse, sentindo ondas de tensão cobrirem seu corpo. Assim que sentiu seus tremores, Ian abraçou-a com mais força, apertando-a contra si enquanto colocava a língua em sua orelha. As mãos acariciavam a nuca com sensualidade, e ele passou a beijá-la desde o pescoço até os ombros. Com o calor de sua respiração contra os cabelos dela, ele sussurrou:

— Não tenha medo... Paro quando você quiser que eu pare.

Aprisionada no abraço protetor, tranquilizada pela promessa e seduzida pela boca e pelas mãos que a acariciavam, Elizabeth colou-se a ele, deslizando em direção ao abismo do desejo para onde ele a arrastava.

Ele tocava cada centímetro de seu rosto, e, quando seus lábios tocaram o canto dos dela, Elizabeth inclinou a cabeça, entregando-se por completo ao beijo. A doce rendição daqueles lábios fez com que ele gemesse baixinho, numa mescla de felicidade e prazer, e a beijou com um desejo avassalador que beirava a loucura.

De repente, ele a tomou no colo e a carregou até o sofá, mantendo os lábios colados aos dela enquanto se inclinava sobre ela. A língua traçava uma linha ardente sobre seus lábios, insistindo para que ela os entreabrisse, e, no instante em que ela cedeu, penetrou em sua boca, agressiva e suavemente ao mesmo tempo. Elizabeth arqueou-se; sensações primitivas tomavam conta de seu corpo, e, sem pensar, rendeu-se ao esplendor tempestuoso daquele beijo herege. Acariciou as costas musculosas enquanto seus lábios se moviam contra os dele num abandono crescente que o alimentava e incitava.

Uma eternidade se passou antes de ele finalmente afastar o rosto. Ambos respiravam ofegantes. Quase desfalecida, Elizabeth retornou à realidade após aquele mergulho em um paraíso sensual. Com alguma dificuldade, abriu os olhos para encará-lo.

Estendido ao seu lado no sofá, Ian permanecia inclinado, com o rosto tenso de paixão, os olhos, ardentes. Erguendo a mão, afastou ternamente uma mecha dos cabelos dourados da face de Elizabeth. Tentou sorrir, mas sua respiração ainda estava tão pesada quanto a dela.

Sem ter ideia do esforço que ele fazia para manter a paixão de ambos sob controle, Elizabeth baixou os olhos para seus lábios perfeitamente esculpidos e viu-o soltar um suspiro.

— Não faça isso — avisou ele com a voz enrouquecida. — Não olhe para minha boca a não ser que a queira outra vez sobre a sua.

Ingênua demais para reprimir seus sentimentos, ela o encarou com aqueles belos olhos verdes, que revelavam seu desejo pelos beijos dele. Ian respirou fundo e, cedendo à tentação, com delicadeza instruiu-a a como demonstrar o que queria:

— Coloque as mãos em torno do meu pescoço — murmurou.

Seus longos dedos envolveram o pescoço dele enquanto ele aproximava seus lábios dos dela, tão próximos que os suspiros de ambos uniram-se e ela pressionou a nuca dele. Mesmo ansiando pelo beijo, Elizabeth sentiu um choque quando ele recomeçou a carícia que lhe provocava uma sensação doce e indescritível. Dessa vez, foi ela quem tocou-lhe a boca com a língua; ao senti-lo estremecer, seus instintos disseram-lhe que havia provocado nele um grande prazer.

Mas Ian afastou-se bruscamente.

— Não faça isso, Elizabeth — pediu.

Em resposta, ela aumentou a pressão das mãos, colando o corpo contra o dele. Ian beijou-a com mais intensidade; porém, em vez de lutar, Elizabeth arqueou o corpo e guiou a língua dele para dentro dela. Podia sentir o coração dele disparando contra seus seios, e Ian passou a beijá-la com uma paixão ainda maior. Suas línguas se entrelaçaram, tocando-se e afastando-se num ritmo excitante que a fazia sentir-se prestes a explodir. A mão de Ian deslizou até um de seus seios, agarrando-o possessivamente. Elizabeth protestou com um susto.

— Não... — murmurou ele contra seus lábios. — Por Deus, ainda não...

Ela ficou paralisada, assustada com o tom urgente na voz dele, e Ian ergueu o rosto, olhando com ansiedade o corpete dela. Apesar do protesto sussurrado, sua mão permaneceu onde estava. Mesmo imersa numa onda de sensações conflitantes, Elizabeth percebeu que ele honrava a promessa que lhe fizera de parar quando ela pedisse. Incapaz ela mesma de parar, ou de encorajá-lo, baixou os olhos para as mãos firmes e bronzeadas antes de tornar a mergulhar nos olhos cor de âmbar. Sentiu o calor intenso com que ardiam. Com um gemido inaudível, ela voltou a pressionar a nuca dele e aproximou ainda mais seus corpos.

Era o encorajamento de que Ian precisava. Seus dedos moveram-se sobre os seios de Elizabeth, embora continuasse fitando-a, observando a maneira como aquele lindo rosto refletia primeiro o medo e, depois, o prazer. Para Elizabeth, os seios, até agora, eram como as pernas: tinham uma função prática. As pernas eram para andar e os seios para erguer e preencher o corpete de um vestido. Jamais imaginara que pudessem lhe provocar tais sensações e, enquanto era beijada, limitou-se a ficar prostrada, inebriada, enquanto Ian desamarrava sua delicada blusa, puxava o corpete para baixo e desnudava-lhe os seios diante de seu olhar ardente. Num gesto automático, ela tentou cobri-los, mas Ian baixou o rosto devagar, distraindo-a enquanto lhe beijava as mãos e, depois, levando um de seus dedos à boca e sugando-o. Ela enrijeceu, temerosa, e puxou a mão, mas Ian já encontrara o seio e fazia o mesmo com seu mamilo. Uma onda selvagem de prazer a invadiu, e ela gemeu, agarrando-se à maciez dos cabelos dele, sentindo o coração aos saltos e o aviso urgente para fazê-lo *parar*.

Ian passou a beijar o outro seio, com os lábios fechando-se em torno do mamilo rígido, e Elizabeth arqueou o corpo, pressionando-lhe a nuca com mais força. Subitamente, ele levantou o rosto, admirando com carinho os seios rosados, e suspirou.

— Elizabeth, nós temos de parar.

Os sentidos transtornados começaram a voltar à tona, lentamente no início e, depois, com dolorosa violência. A paixão deu lugar ao medo e, em seguida, à vergonha angustiante ao perceber que estava deitada nos braços de um homem, com a parte superior do vestido aberta, o corpo exposto ao seu olhar e ao seu toque. Fechando os olhos, tentou lutar contra as lágrimas e afastou a mão dele, erguendo-se para se sentar.

— Deixe-me levantar, por favor — sussurrou, sentindo a voz embargada, com nojo de si mesma.

Sentia a pele arder quando Ian começou a fechar o corpete, e, no instante em que ele se afastou um pouco, ela se levantou em um salto.

Virando-se de costas para ele, abotoou a blusa com as mãos trêmulas e pegou o casaco, que estava pendurado ao lado da lareira. Ian movia-se tão silenciosamente que ela sequer percebera que também se levantara, até que as mãos dele pousaram em seus ombros tensos.

— Não tenha medo do que existe entre nós, Elizabeth. Eu cuidarei de você...

Toda a angústia e confusão que ela sentia explodiram numa fúria que, embora dirigida a si mesma, foi lançada contra ele. Desvencilhando-se, virou-se para encará-lo.

— Cuidar de mim? — gritou. — Cuidar como? Vai atirar-me numa choupana na Escócia, onde eu ficarei prisioneira enquanto você se faz de cavalheiro inglês e perde no jogo tudo o que...

— Se tudo correr como espero — interrompeu ele com calma firmeza —, serei um dos homens mais ricos da Inglaterra dentro de um ou dois anos, no máximo. E, mesmo que isso não aconteça, ainda assim cuidarei muito bem de você.

Elizabeth pegou o chapéu e afastou-se dele, tomada de um pavor que era em parte por ele, em parte por sua própria fraqueza.

— Isso é loucura. É completa loucura. — Virando-se, caminhou até a porta.

— Eu sei. — Elizabeth abriu a porta, mas parou quando ele voltou a falar: — Se mudar de ideia depois de partirmos amanhã, poderá me encontrar na casa de Hammund, na Rua Upper Brook, em Londres. Estarei lá até quarta-feira, quando devo, então, partir para uma viagem à Índia. Ficarei fora até o inverno.

— Eu... espero que faça boa viagem — disse ela, abalada demais para pensar no aperto que sentiu no peito diante da simples ideia de perdê-lo.

— Se mudar de ideia a tempo — brincou ele —, eu a levarei comigo.

Ela saiu correndo, aterrorizada com a doce segurança que ouviu naquela voz sorridente. Enquanto galopava através da densa neblina e sobre a grama molhada, já não era mais a jovem confiante e sensata que fora antes; ao contrário, era uma garotinha assustada, sucumbindo sob uma montanha de responsabilidades e convenções que a haviam convencido de que a louca atração que sentia por Ian Thornton era algo sórdido e imperdoável.

Quando deixou o cavalo na estrebaria e viu, com grande horror, que o grupo de convidados já retornara do passeio ao vilarejo, não pensou em mais nada, exceto enviar um recado a Robert, implorando para que fosse buscá-la ainda naquela noite, e não no dia seguinte.

Elizabeth ceou em seu quarto, enquanto Berta arrumava suas malas, e teve bastante cuidado em evitar a janela, de onde avistava o jardim. Nas duas vezes que olhara para fora, deparou com Ian. Na primeira, ele estava parado, sozinho, no terraço, com um charuto preso entre os dentes e o olhar perdido no horizonte, e aquela postura solitária lhe provocara um aperto doloroso no coração. Na segunda vez, ele estava cercado de mulheres que haviam participado do baile na noite anterior — convidadas recém-chegadas, ela supôs —, e todas as cinco pareciam achá-lo irresistível. Disse a si mesma que não se importava com ele, não *podia* importar-se. Tinha suas obrigações para com Robert e Havenhurst, que sempre viriam em primeiro lugar. Apesar do que Ian achava, não podia unir seu futuro ao de um jogador imprudente, mesmo que fosse o escocês mais atraente que já existira — e talvez o mais gentil.

Cerrou os olhos com força, tentando afastar tais pensamentos. Era uma grande tolice pensar em Ian, e um grande perigo também — Valerie e alguns dos outros convidados pareciam desconfiar de seu interlúdio à tarde. Cruzando os braços, Elizabeth estremeceu ao se lembrar de como quase fora denunciada pelo seu próprio sentimento de culpa quando entrara na casa.

— Meu Deus, você está toda molhada! — exclamara Valerie ao vê-la. — O cavalariço disse que você ficou fora a tarde inteira. Não vá dizer que esteve perdida na chuva durante todo esse tempo!

— Não, eu... encontrei um chalé no meio do bosque, onde me abriguei até a chuva parar, há pouco. — A resposta parecera-lhe a mais acertada, pois, enquanto o cavalo de Ian estivera fora do campo de visão, o seu permanecera perfeitamente visível, se alguém tivesse se dado ao trabalho de verificar.

— E a que horas foi isso?

— Creio que em torno de uma hora.

— Por acaso, encontrou o Sr. Thornton enquanto esteve fora? — indagara Valerie com um sorriso malicioso, e todos os convidados presentes no salão se viraram para ouvir a resposta. Sem se abalar, ela acrescentou: — Um dos cavalariços disse que viu um homem alto e de cabelos escuros, montado num belo garanhão negro, indo na direção do chalé dos lenhadores. Presumiu que fosse um convidado e, por isso, não questionou sua presença naqueles arredores.

— Eu... não o vi — respondeu Elizabeth. — Havia... muita neblina. Espero que não tenha ocorrido nenhum contratempo com ele.

— Bem, não temos muita certeza, pois ele ainda não voltou. Charise está preocupada, embora eu tenha lhe assegurado de que não há razão. — Valerie a observava com atenção antes de prosseguir: — Soube que as criadas da cozinha prepararam um almoço para dois, que ele levou quando saiu.

Afastando-se um pouco para dar passagem a um casal, Elizabeth explicou a Valerie que decidira partir já naquela noite, e não no dia seguinte, e, sem lhe dar a chance de questionar seus motivos, logo pedira licença, retirando-se em seguida para seu quarto.

Com um único olhar em direção ao rosto pálido de Elizabeth, Berta adivinhara que algo muito errado acontecera. E teve confirmada a intuição quando a jovem insistira para que um mensageiro levasse o recado para Robert buscá-la ainda naquela noite. No momento em que Elizabeth enviara o recado ao irmão, Berta já conseguira arrancar-lhe boa parte da história. E Elizabeth foi forçada a passar o restante da tarde e o início da noite tentando acalmar a criada.

Capítulo 7

— De nada vai adiantar tapar o sol com a peneira — aconselhou Berta. — E comece a se preparar para o sermão que a Srta. Throckmorton-Jones vai nos passar assim que souber o que você andou aprontando.

— Ela não vai saber de nada — retrucou Elizabeth, muito mais enfática do que convicta.

A jovem afundou numa poltrona, arrumando com nervosismo as pregas da saia verde de seu traje de viagem. O chapéu e as luvas estavam sobre a cama, ao lado das malas prontas, aguardando para serem levadas para baixo no instante em que Robert chegasse.

Mesmo atenta à porta, Elizabeth quase deu um pulo ao ouvir as batidas. Porém, em vez de avisar que seu irmão chegara, o lacaio viera entregar-lhe um bilhete.

Elizabeth desdobrou-o com as mãos trêmulas, rezando para que não fosse um recado enviado de Londres, dizendo que Robert não poderia vir buscá-la. Por um instante, franziu a testa, sem entender a caligrafia apressada e quase ilegível que dizia: *"Encontre-me na istufa do jardim. Preciso falar com você."*

O lacaio já se afastara pelo corredor quando Elizabeth chamou-o de longe:

— Quem lhe entregou este bilhete?

— A Srta. Valerie, milady.

O alívio que sentiu ao saber que a mensagem não viera de Ian foi imediatamente substituído pelo medo de que Valerie, de alguma forma, soubesse algo mais sobre seu desaparecimento naquela tarde.

— Valerie quer encontrar-se comigo na estufa agora mesmo — informou a Berta.

A criada empalideceu.

— Ela sabe de tudo, não é? É por isso que quer vê-la. Sei que não cabe a mim dizer, mas não consigo gostar daquela garota. Ela tem maldade no olhar.

Em toda a sua vida, Elizabeth jamais se envolvera em intrigas ou bisbilhotices, e tudo o que estava acontecendo parecia-lhe insuportavelmente complicado e salpicado de malícia. Sem responder ao comentário de Berta, consultou o relógio e viu que eram apenas seis horas.

— Robert só deverá chegar daqui a pelo menos uma hora — disse. — Enquanto isso, vou descobrir por que Valerie precisa tanto falar comigo.

Aproximando-se da janela, entreabriu as cortinas e observou os convidados que se reuniam no terraço ou passeavam pelo jardim. A última coisa que queria era que Ian a visse ir em direção à estufa e a seguisse até lá. Era uma possibilidade muito remota, mas, ainda assim, talvez fosse melhor não arriscar.

Quase engasgou de alívio ao avistar a imponente silhueta dele no terraço. Iluminado por um par de tochas, estava cercado por três mulheres que flertavam com ele abertamente, enquanto um lacaio circulava em torno do grupo, esperando que alguém lhe desse atenção. Elizabeth viu quando Ian virou-se para o criado, que, então, entregou-lhe algo, que ela supôs ser uma bebida.

Ignorando a aguda sensação que a invadia apenas por estar observando-o de longe, ela se afastou da janela. E, em vez de sair da casa pela porta dos fundos, que se abria para o terraço onde Ian encontrava-se, escolheu as portas laterais e manteve-se afastada da luz das tochas.

Na soleira da porta da estufa, ela hesitou um pouco.

— Valerie? — chamou, em voz baixa, olhando em volta.

O luar penetrava através da claraboia, e, como não obtivera resposta, Elizabeth entrou na estufa. Havia vasos de flores por toda parte, alinhados em fileiras sobre mesas e prateleiras. As espécies mais delicadas adornavam tábuas sob as mesas, protegidas dos raios diretos do sol, que incidiam sobre a cobertura de vidro durante o dia. Tentando acalmar os nervos, ela vagueou pelos corredores, examinando as plantas e mudas.

Era maior do que a estufa de Havenhurst, reparou, e uma parte devia ser utilizada como um tipo de solário, pois havia árvores plantadas em vasos e, ao lado destes, bancos de pedra esculpida, cobertos com almofadas coloridas.

Seguiu devagar pelo corredor, sem perceber a sombra escura que surgira na soleira da porta e que se movia silenciosamente atrás dela. Com as mãos cruzadas nas costas, inclinou-se para aspirar o perfume de uma gardênia.

— Elizabeth? — chamou Ian num tom contido.

Ela se virou de repente, o coração disparado, e levou as mãos ao pescoço, sentindo as pernas trêmulas.

— O que há de errado? — perguntou ele.

— Você... você me assustou — balbuciou ela em resposta. — Não esperava encontrá-lo aqui — acrescentou, nervosa.

— Não? — zombou ele. — E quem esperava ver depois daquele bilhete? O Príncipe de Gales?

O bilhete! Parecia loucura, mas seu primeiro pensamento, depois de descobrir que fora ele, e não Valerie, quem escrevera aquela nota, foi para a horrível caligrafia. Para um homem tão articulado e culto, ele escrevia quase como um analfabeto, pensou. Depois, reparou que parecia zangado com alguma coisa, mas ele não demorou muito em lhe dizer o motivo:

— Que tal me explicar por que, durante toda a tarde que passamos juntos, você se esqueceu de mencionar que é *Lady* Elizabeth?

Um tanto agitada, ela imaginou o que ele diria se soubesse que era também a Condessa de Havenhurst, e não só a filha mais velha de um nobre ou cavaleiro de menor importância.

— Pode começar a falar, meu amor. Estou escutando.

Ela deu um passo para trás.

— Já que não quer falar — disparou ele, tentando segurá-la pelos braços —, então será que isso é tudo que queria de mim?

— Não! — apressou-se ela em dizer, afastando-se de seu alcance. — Prefiro conversar.

Ele se adiantou um pouco, e Elizabeth deu mais um passo para trás, dizendo:

— Existem tantos assuntos interessantes para conversarmos, não acha?

— É mesmo? — Ele se aproximou mais.

— É! — exclamou ela, recuando dois passos dessa vez. Agarrando-se ao primeiro pensamento que lhe surgiu à mente, apontou para a mesa repleta de vasos ao seu lado. — E-estes jacintos não são lindos?

— Adoráveis — concordou Ian sem sequer olhá-los. Finalmente, segurou-a pelos ombros, com a firme intenção de abraçá-la.

Elizabeth desvencilhou-se com tamanha rapidez que os dedos dele mal tocaram o fino tecido de sua roupa.

— Os jacintos — começou a recitar, enquanto ele a seguia passo a passo através do corredor cercado pelas mesas cobertas com vasos de margaridas e lírios, sempre encarando-a com firmeza — fazem parte da família dos *Hyacinthus*, embora sejam de uma variedade cultivada. Esta que vemos aqui é do tipo conhecido como jacinto holandês, que pertence à *H. orientalis* e...

— Elizabeth — interrompeu ele, com a voz enrouquecida. — Não estou nem um pouco interessado em flores.

Tornou a estender os braços para tocá-la e, numa tentativa frenética de escapar, ela agarrou um vaso de jacintos e praticamente jogou-o em suas mãos abertas.

— Existe toda uma *mitologia* em torno dos jacintos, que talvez você ache mais interessante do que as flores — continuou, enfática, e uma indescritível expressão de incredulidade, divertimento e fascinação começou a surgir no rosto de Ian. — Sabe, os jacintos receberam este nome por causa de um belo jovem espartano, Jacinto, que era admirado por Apolo e por Zéfiro, o deus do vento do oeste. Certo dia, Zéfiro ensinava Jacinto a lançar discos e o matou acidentalmente. Diz-se que o sangue de Jacinto fez brotar uma flor e que, em cada pétala, havia uma inscrição em grego com um clamor de mágoa. — Sua voz estremeceu um pouco ao ver Ian depositar o vaso novamente na mesa. — N-na realidade, a flor da lenda deve ser a íris, ou a esporinha, e não o jacinto que conhecemos hoje. Mas foi assim que o nome surgiu.

— Fascinante. — Os olhos de Ian, densos, fixaram-se nos dela.

Elizabeth sabia que ele se referia a ela, não à história dos jacintos, e, embora seu cérebro comandasse as pernas para que se movessem, estas se recusavam a obedecer.

— Absolutamente fascinante — repetiu ele, e, como em câmera lenta, Elizabeth observou as mãos dele se erguerem e segurarem seus ombros, acariciando-os de leve. — Ontem à noite, você estava disposta a lutar com um bando de homens que se atreveram a acreditar que eu trapaceara. Mas, agora, está com *medo*. É de mim que tem medo, querida? Ou de outra coisa?

A ternura com que tais palavras foram ditas provocou em Elizabeth o mesmo efeito alucinante que o toque daqueles lábios.

— Tenho medo das coisas que você me faz sentir — confessou em desespero, tentando recuperar o autocontrole. — Entendo que isso não passa de um mero... flerte de fim de semana e...

— Mentirosa — brincou ele antes de tocar seus lábios com um beijo doce e breve.

Porém, embora breve, foi capaz de deixá-la sem fala por alguns instantes. Assim que ele se afastou, no entanto, ela voltou a tagarelar, tensa:

— Obrigada. Bem, os jacintos não são as únicas flores com uma história interessante. Os lírios também, que fazem parte da família dos...

Um sorriso lento e sedutor abriu-se no rosto de Ian e, para horror de Elizabeth, os olhos dela fixaram-se na boca dele. Ela não conseguiu evitar o tremor de excitação que a invadiu quando ele inclinou a cabeça para beijá--la novamente. Sua mente alertava-a contra aquela loucura, mas seu coração sabia que aquele era o verdadeiro momento do adeus. Ergueu-se na ponta dos pés e retribuiu o beijo com todo o indefeso e confuso desejo que sentia.

A doçura daquela entrega, combinada com a maneira como ela desliza-ra a mão sobre o peito de Ian, pousando-a no coração, enquanto a outra se curvava em torno de sua nuca, dariam a qualquer homem a impressão de serem gestos vindos de uma mulher apaixonada ou de uma conquistadora experiente. Porém, Elizabeth — ingênua, inexperiente e jovem demais — agia movida por puro instinto, inconsciente de que tudo o que fazia convencia-o disso.

Entretanto, ela não estava tão perdida quanto às implicações de seus atos a ponto de esquecer a chegada iminente de Robert. Só que, infelizmente, jamais imaginara que o irmão já estava a caminho antes mesmo de receber seu recado.

— Por favor, escute — pediu num sussurro desesperado. — Meu irmão deve chegar a qualquer momento para me levar de volta para casa.

— Então, eu vou falar com ele. Talvez seu pai faça algumas objeções mesmo depois de saber que serei capaz de garantir seu futuro, mas...

— Meu futuro! — interrompeu ela, com genuíno terror pela maneira como ele aceitava o desafio... Um jogador, como seu pai.

Pensou nos cômodos de Havenhurst, quase totalmente despidos de seus objetos de valor, nos criados que dependiam dela, em seus *ancestrais*, que contavam com ela. Naquele momento, seria capaz de dizer *qualquer* coisa que o fizesse parar de atormentá-la antes de perder todo o controle e se entregar à louca e insensata fraqueza que Ian provocava nela. Inclinou-se um pouco, ainda em seus braços, tentando manter a voz calma e descontraída.

— E como poderá garantir meu futuro? Pode me prometer um rubi do tamanho da palma de minha mão, como fez o Visconde Mondevale? Ou peles de zibelina para cobrir os meus ombros e *vison* para os tapetes, como Lorde Seabury prometeu?

— É isso que você quer?

— É claro — respondeu ela com um risinho frívolo, embora engolisse um soluço. — Não é o que todas as mulheres querem e todos os cavalheiros prometem?

O rosto dele transformou-se numa máscara inexpressiva, mas os olhos penetrantes examinavam os dela, em busca de uma resposta, como se não pudesse acreditar que joias e peles importassem mais para ela do que sentimentos.

— Ah, por favor, deixe-me ir! — pediu ela num soluço incontido, batendo com força em seu peito.

Estavam tão envolvidos naquela explosão de emoções que nem sequer perceberam que um homem se aproximava rapidamente pelo corredor.

— Seu *bastardo miserável!* — trovejou Robert. — Ouviu o que ela disse! Tire suas mãos sujas de cima da minha irmã!

Os braços de Ian pressionaram-na com mais força, protegendo-a, mas Elizabeth desvencilhou-se e correu até Robert, as lágrimas escorrendo-lhe pelo rosto.

— Robert, escute! Não é o que você está pensando! — Robert enlaçou os ombros da irmã e ela disparou a falar, tentando explicar-se: — Este é o Sr. Ian Thornton — começou —, e...

— E apesar do que parece — interrompeu Ian com uma calma impressionante —, minhas intenções para com a Srta. Cameron são as mais honradas possíveis.

— Seu *filho da puta* arrogante! — explodiu Robert, a voz vibrando de fúria e desprezo. — Minha irmã é *Condessa de Cameron,* para gentalha como você! E eu não preciso de apresentações, pois sei tudo sobre você. E, quanto às suas intenções, ou melhor, *pretensões,* eu não permitiria que ela se casasse com um patife como você, nem mesmo se *já* não estivesse comprometida!

Ao ouvir aquelas palavras, Ian disparou um olhar na direção de Elizabeth. Viu a verdade estampada em seu rosto cheio de culpa, e ela quase gritou sob o cínico desprezo que recebeu em resposta daqueles olhos.

— Você manchou a honra de minha irmã, seu porco infame, e vai pagar por isso!

Desviando os olhos de Elizabeth, Ian fixou-os em Robert, agora sem qualquer expressão. Aceitando o desafio para um duelo, assentiu secamente e disse, em tom educado:

— É claro. — Depois, fez menção de se afastar.

— Não! — protestou Elizabeth em desespero, agarrando-se ao braço de Robert e, pela segunda vez em 24 horas, viu-se tentando impedir que alguém derramasse o sangue de Ian Thornton. — Não vou permitir que isto aconteça, Robert! Está me ouvindo? Não foi apenas ele que...

— Nada disso é assunto seu, Elizabeth! — interrompeu Robert, furioso demais para ouvi-la. Retirando a mão da irmã de seu braço, completou: — Berta já está esperando na carruagem. Dê a volta pelos fundos da casa e vá encontrar-se com ela. Este *homem* — pronunciou as palavras com profundo sarcasmo — e eu temos um assunto para discutir.

— Você não pode... — tentou ela novamente, mas a violência na voz de Ian a congelou.

— Saia daqui! — disse ele por entre os dentes e, mesmo disposta a ignorar a ordem de Robert, aquele tom de fúria a fez estremecer.

Com a respiração descontrolada, Elizabeth olhou para o rosto rígido de Ian, para a tensão que pulsava em sua mandíbula e, depois, para Robert. Sem saber se sua presença apenas piorava as coisas ou se adiava uma tragédia, tentou fazer um novo apelo ao irmão:

— Por favor, Robert, prometa-me que não fará nada até amanhã, quando tiver esfriado a cabeça e nós dois tivermos conversado.

Assim, viu o esforço hercúleo que ele fez para não atemorizá-la ainda mais e para concordar com seu pedido.

— Está bem — disse ele afinal. — Vou encontrá-la em seguida — prometeu. — Agora, vá para a carruagem antes que a multidão que está lá fora, observando toda esta cena, decida entrar para *ouvir* o que estamos falando.

Elizabeth chegou a sentir um mal-estar físico quando saiu da estufa e reparou que muitos dos convidados haviam saído do salão de baile e estavam reunidos no terraço. Lá estavam Penelope, Georgina e as outras, e as expressões de seus rostos variavam de divertimento, entre os mais velhos, à fria condenação, por parte dos jovens.

Pouco tempo depois, Robert entrou na carruagem, um pouco mais controlado.

— Está tudo acertado — disse, porém, por mais que Elizabeth implorasse, não lhe deu mais detalhes.

Num infeliz desamparo, ela se recostou no assento e ouviu Berta choramingar, antecipando a culpa que, mais cedo ou mais tarde, Lucinda Throckmorton-Jones atiraria sobre seus ombros.

— Deve ter recebido meu recado há apenas duas horas — falou baixinho a jovem, passados alguns minutos. — Como conseguiu chegar aqui tão depressa?

— Não recebi seu recado — respondeu ele, frio. — Esta tarde, Lucinda sentiu-se melhor e saiu um pouco do quarto. Quando contei para onde você fora passar o fim de semana, ela me deu algumas informações alarmantes sobre o tipo de festas que sua amiga Charise costuma promover aqui. Saí de Londres três horas atrás, a fim de levar você e Berta mais cedo para casa. Infelizmente, cheguei tarde.

— Não é tão grave quanto você está pensando — mentiu ela descaradamente.

— Vamos conversar sobre isso amanhã! — cortou Robert, e ela suspirou aliviada, imaginando que ele não pretendia fazer nada, pelo menos até o dia seguinte. — Elizabeth, como pôde ser tão tola? Até uma jovem ingênua como você deveria ter percebido que aquele sujeito é um patife! Não é adequado a... — Calou-se de repente e respirou fundo, tentando controlar a raiva. Quando voltou a falar, parecia mais calmo. — Quaisquer que tenham sido os danos, não há mais o que fazer. E a culpa é toda minha... Você é jovem e inexperiente demais para ir a qualquer lugar sem a proteção de Lucinda. Só me resta rezar para que seu pretendente seja igualmente compreensivo.

Só então Elizabeth se deu conta de que era a segunda vez, naquela noite, que Robert falava abertamente de seu noivado, como se já estivesse estabelecido.

— Como meu compromisso ainda não foi acertado, nem anunciado, não vejo por que meus atos possam interferir na decisão do Visconde Mondevale — disse com mais esperança do que convicção. — Se houver um pequeno escândalo, talvez ele queira adiar o anúncio do noivado por algum tempo, Robert, mas não creio que fique tão constrangido assim.

— Assinamos o contrato hoje — informou Robert, direto. — Mondevale e eu não tivemos dificuldades em acertar o seu dote. Aliás, ele foi muito generoso. O orgulhoso noivo estava ansioso para enviar o anúncio aos jornais, e não vi motivos para discordar. Será publicado no *Gazette* de amanhã.

A alarmante novidade levou Berta a soluçar, desolada, antes de voltar a fungar e assoar o nariz. Elizabeth fechou os olhos com força, contendo as próprias lágrimas, enquanto a mente atormentava-a com problemas mais urgentes do que seu jovem noivo atraente.

Já em sua cama, permaneceu horas e horas acordada, torturando-se com as lembranças daquele fim de semana e com o medo de ser incapaz de dissuadir Robert de duelar com Ian Thornton, o que, tinha certeza, ele ainda pretendia fazer. Com os olhos presos ao teto, temia por Robert e por Ian. Segundo o que ouvira de Lorde Howard, Ian era um exímio duelista. No entanto, ele se recusara a defender a própria honra quando Lorde Everly acusara-o de trapaça — um gesto que muitos considerariam covardia. Talvez os rumores sobre a perícia de Ian fossem exagerados... Robert, por sua vez, era um bom atirador, e Elizabeth sentiu um gélido arrepio ao pensar em Ian, orgulhoso e solitário, sendo abatido por uma bala da pistola de Robert. Não, pensou, tentando convencer-se de que seus pensamentos beiravam a histeria. A possibilidade de um deles realmente atirar no outro era inimaginável.

Duelar era uma prática ilegal e, nesse caso, o código de honra exigia que Ian comparecesse — o que ele já concordara em fazer, na estufa — e que Robert se limitasse a dar um tiro no ar. Dessa forma, Ian estaria admitindo sua culpa ao colocar a vida nas mãos de Robert, dando-lhe a satisfação de um duelo sem derramamento de sangue; assim, Robert poderia declinar. Essa era a maneira como os cavalheiros geralmente lidavam com suas divergências naqueles tempos.

Na maioria das vezes, ela pensou, aterrorizada, mas Robert tinha um temperamento explosivo. E estava tão furioso naquela noite que, em vez de brigar com ela, mergulhara num silêncio frio e sombrio — o que a assustava mais do que suas costumeiras explosões.

Pouco antes do amanhecer, ela caiu em um sono agitado, apenas para despertar minutos depois com o ruído de alguém caminhando no andar de baixo. Talvez fosse um criado, pensou, olhando pela janela, de onde podia ver pálidos raios acinzentados tingindo o céu escuro como breu. Estava quase adormecendo novamente quando ouviu a porta da frente abrir-se e, depois, fechar.

Madrugada — duelos. Robert *prometera* conversar com ela antes de fazer qualquer coisa, pensou, quase histérica, e, por uma única vez, Elizabeth não teve a menor dificuldade em se levantar. O medo a fez pular para fora das cobertas e, ainda de robe, descer as escadas correndo. Abriu a porta da frente a tempo de ver a carruagem de Robert virando a esquina.

— Ah, meu *Deus*! — gemeu para o vestíbulo vazio. E, como estava agitada demais para esperar sozinha, voltou para o andar de cima para acordar a única pessoa em cujo julgamento poderia confiar, não importava o caos em que se encontrasse.

Lucinda estivera à sua espera, na noite anterior, e tinha conhecimento da maior parte dos acontecimentos do último fim de semana, com exceção, evidentemente, do interlúdio no chalé dos lenhadores.

— Lucinda — chamou ela baixinho, e os olhos da senhora grisalha abriram-se, com as pupilas castanhas, pálidas, bem atentas. — Robert acabou de sair. Tenho certeza de que pretende duelar com o Sr. Thornton.

A Srta. Throckmorton-Jones, cuja carreira como dama de companhia incluía a impecável tutela das filhas de três duques, onze condes e seis viscondes, sentou-se ereta contra os travesseiros e estreitou os olhos para a jovem dama que acabara de destruir seu brilhante recorde.

— Considerando-se que Robert não costuma acordar cedo, essa parece ser uma conclusão óbvia.

— Mas o que devo *fazer*?

— Para começar, sugiro que pare de torcer as mãos dessa maneira inconveniente e, depois, vá para a cozinha fazer um chá.

— Não quero chá.

— Pois creio que um pouco de chá seria recomendável se formos ficar lá embaixo à espera de seu irmão. E, pelo que vejo, é exatamente o que você deseja fazer.

— Ah, Lucy... — disse Elizabeth, olhando para a mal-humorada solteirona com amor e gratidão. — O que eu faria sem você?

— Iria meter-se em grandes problemas, o que, aliás, já fez. — Vendo o rosto atormentado de Elizabeth, suavizou um pouco a expressão ao se levantar da cama. — Os bons costumes exigem que Thornton compareça ao local do duelo e que seu irmão tenha a satisfação de vê-lo humilhar-se antes de ele se recusar. Nada além disso *poderá* acontecer.

Aquela foi a primeira vez, desde que Elizabeth a conhecera, que a resoluta acompanhante estava errada.

O relógio acabara de bater oito horas da manhã quando Robert entrou em casa acompanhado por Lorde Howard. Marchou através da sala de estar, viu Elizabeth encolhida no sofá diante da poltrona onde Lucinda bordava, parou e voltou-se.

— O que estão fazendo acordadas tão cedo? — perguntou, sucinto.

— Esperando por você — respondeu Elizabeth, pulando do sofá. A presença de Lorde Howard a deixou confusa por um instante, até que compreendeu: Robert precisava de um padrinho para acompanhá-lo no duelo. — Você duelou com ele, não foi?

— Sim!

A voz dela transformou-se num sussurro estrangulado:

— Ele está *ferido*?

Pisando duro, Robert aproximou-se de uma mesinha lateral e serviu-se de uísque.

— Robert! — gritou ela, agarrando-lhe o pulso. — O que *aconteceu*?

— Acertei-o no braço — respondeu ele, furioso. — Mirei naquele coração putrefato e errei! Foi isso que aconteceu. — Desvencilhando-se das mãos de Elizabeth, engoliu todo o conteúdo do copo de um só gole e tornou a enchê-lo.

Pressentindo que havia algo mais grave, ela examinou com atenção o rosto do irmão.

— E isso foi tudo?

— Não, não foi tudo! — explodiu Robert. — Depois que eu o feri, o bastardo ergueu a pistola e ficou ali, fazendo-me suar. Depois, deu um tiro e arrancou a borla da minha maldita bota!

— Ele... o quê? — indagou Elizabeth, reconhecendo a fúria incandescente do irmão, mas incapaz de compreendê-la. — Certamente, você não está tão zangado porque ele *errou*!

— Diabos, Elizabeth, você não entende nada? Ele *não* errou! Foi um insulto! Ficou parado ali, com o sangue escorrendo pelo braço, a arma apontada direto para meu peito e, então, mudou de alvo no último segundo, atirando na minha bota. Quis me mostrar que poderia ter me matado se quisesse, e todos os que estavam ali presenciaram a cena! Foi o último insulto, maldito seja aquele desgraçado!

— Mas *você* não só se recusou a desistir — intercedeu Lorde Howard, tão irritado quanto Robert —, como também atirou antes de ser dado o aviso. Desgraçou a si mesmo *e* a mim! Além do mais, se a notícia desse duelo se espalhar, fará com que muitos de nós acabemos na cadeia por participação. Thornton já lhe dera satisfação, comparecendo ao duelo e recusando-se a levantar a arma. Ele admitiu a culpa. O que mais você queria?

Como se não pudesse suportar a presença de Robert, Lorde Howard girou nos calcanhares e marchou em direção à porta. Elizabeth seguiu-o até o vestíbulo, sentindo-se impotente e desesperada, tentando encontrar algo eloquente para dizer em defesa do irmão.

— O senhor deve estar cansado e com frio — começou, a fim de ganhar tempo. — Não gostaria de tomar pelo menos um chá?

Lord Howard balançou a cabeça e continuou andando.

— Só voltei para pegar minha carruagem.

— Então eu o acompanho até a porta — insistiu ela.

Foi com ele até a porta e, por um instante, teve a impressão de que o lorde partiria sem sequer dar-lhe um bom-dia. Parado na soleira, ele hesitou um pouco e voltou-se para ela.

— Adeus, Lady Elizabeth — disse num estranho tom de mágoa antes de sair.

Porém, ela mal reparou naquele tom, nem se importou com sua partida. Pela primeira vez, pensou que, naquela manhã — e, talvez, naquele exato minuto —, um cirurgião, em algum lugar, estaria extraindo uma bala do braço de Ian. Recostando-se na porta, engoliu com dificuldade, lutando contra a súbita náusea que a atingira diante da ideia do sofrimento que ela lhe causara. Na noite anterior, aterrorizada demais com a perspectiva de um duelo, sequer pensara no que Ian teria sentido ao ouvir de Robert a notícia de que ela estava noiva. E, agora, atingida por esse pensamento, sentiu o estômago contrair-se. Ian falara em se casar com ela, beijara-a e abraçara-a com ternura e ardente possessividade, e dissera estar apaixonando-se por ela. Em troca, Robert o ofendera e insultara, afirmando que ela estava muito além de seu alcance e, ainda por cima, comprometida com outro. E, naquela manhã, atirou nele por seu atrevimento em desejar mais do que lhe cabia possuir.

Com a cabeça encostada no batente da porta, ela conteve um gemido de arrependimento. Embora Ian não possuísse título de nobreza nem o direito de ser um cavalheiro — de acordo com a interpretação da corte —, os instintos de Elizabeth diziam que ele era um homem digno. O orgulho estava estampado em cada traço de seu rosto bronzeado, na maneira como se comportava, em todos os seus movimentos. E ela e Robert o haviam destruído. Haviam-no feito de tolo na noite anterior e o forçado a concordar com o duelo daquela manhã.

Naquele momento, se ela soubesse onde encontrá-lo, teria ido até ele, enfrentaria sua fúria e tentaria explicar sobre Havenhurst e todas as suas responsabilidades. Tentaria explicar que eram essas coisas, e não a ausência de títulos, que tornavam impossível cogitar casar-se com ele.

Afastando-se da porta, atravessou o vestíbulo a passos lentos. Entrou na sala de estar, onde encontrou Robert sentado, a cabeça apoiada entre as mãos.

— Isto ainda não acabou — murmurou ele por entre os dentes, levantando o rosto para encará-la. — Ainda vou matá-lo por tudo o que fez!

— Não, Robert, *não* vai! — retrucou ela com a voz trêmula de medo. — Bobby, escute, você não compreende o que aconteceu com Ian Thornton. Ele não fez nada de errado. Ele... — Calou-se por um instante e concluiu, sentindo-se sufocar: — Ele pensou que estava se apaixonando por mim. Queria *casar-se* comigo...

O riso agudo e sarcástico de Robert ressoou pela sala.

— Foi *isso* o que ele disse? — zombou com desprezo, o rosto tornando-se rubro de fúria diante da falta de lealdade de Elizabeth. — Muito bem, então deixe-me explicar direitinho o que ele queria, sua burrinha! Para ficar bem claro, e repetindo as palavras dele, tudo o que o canalha pretendia era levá-la para baixo dos lençóis!

Ela empalideceu e balançou a cabeça, lentamente.

— Não, você está enganado. Quando nos encontrou na estufa, ele afirmou que suas intenções eram honradas, lembra-se?

— Pois mudou de ideia bem depressa quando lhe contei que você não tinha um tostão — disparou Robert, fitando-a com um misto de piedade e desprezo.

Exaurida demais para permanecer de pé, Elizabeth afundou no sofá, ao lado do irmão, esmagada pelo peso da responsabilidade de sua própria estupidez, de sua ingenuidade.

— Sinto muito — murmurou, indefesa. — Desculpe-me, Robert. Você arriscou sua vida por mim esta manhã, e ainda nem lhe agradeci por importar-se comigo a esse ponto. — Incapaz de pensar no que mais poderia dizer, pousou a mão no ombro encurvado do irmão. — Vamos dar um jeito, Robert... Sempre damos — prometeu sem a menor convicção.

— Não desta vez — disse ele, com os olhos turvos de desespero. — Acho que estamos arruinados, Elizabeth.

— Não posso acreditar que seja assim tão ruim. Há uma chance de que nada disso se torne público — continuou ela, embora não acreditasse nas próprias palavras. — E creio que o Visconde Mondevale gosta de mim. Certamente, dará ouvidos à razão.

— Nesse ínterim — pronunciou-se Lucinda, afinal, com seu típico senso prático —, Elizabeth deve comportar-se como sempre, como se nada de excepcional tivesse acontecido. Se ela se esconder em casa, os rumores vão aumentar. E o senhor terá de acompanhá-la.

— Nada disso importa mais, eu lhes digo! — retrucou ele. — Estamos arruinados!

Robert estava certo. Naquela noite, quando, munida de muita coragem, Elizabeth compareceu a um baile em companhia do noivo, que se mantinha em abençoada ignorância a respeito de seu desastroso fim de semana, as mais fantásticas versões sobre suas atitudes já se espalhavam como um incêndio por toda a sociedade. A história do episódio na estufa circulava, acrescida da calúnia de que ela supostamente enviara um bilhete a Ian *convidando-o* para tal encontro. Porém, muito mais destrutivo era o chocante rumor de que ela passara uma tarde inteira sozinha com Ian Thornton num chalé isolado.

— É aquele bastardo quem está espalhando estas histórias — rugira Robert no dia seguinte, quando os relatos chegaram aos seus ouvidos. — Está tentando eximir-se de culpa, dizendo que foi você quem lhe mandou o bilhete marcando um encontro na estufa, e que estava tentando conquistá-lo. Aliás, você não é a primeira mulher que perde a cabeça por ele, como deve saber. É apenas a mais jovem e mais ingênua. Só neste ano, houve Charise Dumont e muitas outras cujos nomes estão ligados ao dele. Nenhuma, entretanto, foi tão pouco sofisticada a ponto de se comportar com tamanha indiscrição.

Elizabeth sentia-se humilhada demais para argumentar ou protestar. Agora que já não se encontrava mais sob a influência do magnetismo sensual de Ian Thornton, percebia que ele agira como um canalha inescrupuloso, disposto apenas a seduzi-la. Algumas horas depois de conhecê-la, ele já afirmava estar "meio" apaixonado por ela e pretendendo se casar — um exemplo típico de mentira deslavada que um libertino diria à sua vítima. Graças aos muitos romances que lera, Elizabeth sabia que caça-dotes e libertinos dissolutos sempre juravam amor a suas vítimas, quando tudo o que queriam era uma nova conquista. Como uma grande tola, ela julgara que Ian fosse a vítima de um injusto preconceito social.

Só então, dava-se conta — um pouco tarde demais — de que os preconceitos sociais que o haviam excluído das atividades respeitáveis da sociedade existiam exatamente para protegê-la de homens como ele.

Entretanto, não havia muito tempo para se devotar à sua infelicidade. Amigos do Visconde Mondevale, ao tomarem conhecimento de seu noivado por intermédio dos jornais, finalmente sentiram-se na obrigação de relatar ao inocente noivo os rumores a respeito da jovem a quem ele oferecera sua mão.

Na manhã seguinte, ele apareceu na residência que os Cameron haviam alugado na Rua Ripple e retirou a oferta de casamento. Como Robert não estava em casa, Elizabeth o recebeu na sala de estar. Ao ver a postura rígida e a expressão grave no rosto dele, sentiu o chão desaparecer sob seus pés.

— Acredito que seja desnecessária qualquer cena desagradável por causa disso — disse ele, sem preâmbulos.

Incapaz de falar devido às lágrimas de vergonha e pesar que a sufocavam, Elizabeth limitou-se a assentir. O visconde virou-se em direção à porta, mas, quando passou por ela, virou-se e agarrou-a pelos ombros.

— Por quê, Elizabeth? — perguntou, o belo rosto transtornado pela raiva e a tristeza. — Pelo menos, diga-me *por quê.*

— Por quê? — repetiu ela, tomada pelo ímpeto absurdo de se atirar nos braços dele e implorar seu perdão.

— Posso entender que você o tenha encontrado por acidente, em algum chalé no bosque, ao se abrigar da tempestade. É o que meu primo, Lorde Howard, afirma acreditar que aconteceu. Mas *por que* tinha de lhe enviar um bilhete, convidando-o para um encontro a sós na estufa?

— Eu não fiz isso! — gritou ela, e apenas seu orgulho teimoso a impediu de cair em prantos aos pés dele.

— Está mentindo — afirmou ele, categórico, enquanto baixava as mãos. — Valerie viu o bilhete depois que Thornton o jogou fora, antes de ir ao seu encontro.

— Valerie está enganada! — insistiu ela, mas Mondevale já se retirava da sala.

Elizabeth imaginava que nunca mais se sentiria tão humilhada quanto naquele momento, mas logo descobriu que estava errada. A deserção do Visconde Mondevale foi considerada prova de sua culpa e, daquele dia em diante, nenhum convite ou visitante chegou à casa da Rua Ripple. Diante da insistência de Lucinda, ela finalmente reuniu coragem para comparecer à única festa para a qual fora convidada *antes* de o escândalo se tornar público: um baile na casa de Lorde e Lady Hinton. Ficou por quinze minutos e saiu — porque ninguém, à exceção dos anfitriões, que não tinham alternativa, falou com ela ou sequer a cumprimentou.

Aos olhos da sociedade, ela era uma leviana desavergonhada, usada e desonrada, uma companhia inapropriada para jovens damas imaculadas e para herdeiros de reputação ilibada. Inadequada para pertencer à aristocracia, rompera as regras que governavam a conduta moral, não com alguém de sua própria classe, mas, o que era pior, com um homem de reputação desprezível e sem posição social. Elizabeth não apenas quebrara as regras, como também atirara os cacos em seus rostos.

Uma semana após o duelo, Robert desapareceu sem qualquer palavra ou aviso. Elizabeth temia pela segurança do irmão, recusando-se a acreditar que ele a abandonara devido a seus erros, embora não pudesse encontrar outra explicação menos torturante. Porém, o verdadeiro motivo não tardou a ser revelado. Enquanto Elizabeth sentava-se sozinha na sala de estar, esperando e rezando pelo retorno do irmão, a notícia de seu desaparecimento espalhava-se por Londres. Os credores começaram a bater à sua porta, exigindo pagamento para as imensas dívidas que se haviam acumulado, não apenas durante seu *début*, como também durante os muitos e muitos anos de jogatina de Robert, e até mesmo de seu pai.

Três semanas após a festa de Charise Dumont, numa luminosa e ensolarada tarde, Elizabeth e Lucinda fecharam as portas da casa alugada pela última vez e subiram na carruagem. À medida que iam cruzando o parque, as mesmas pessoas que tanto a haviam lisonjeado e cortejado viravam as costas friamente ao vê-la. Através das lágrimas de humilhação que lhe nublavam os olhos, Elizabeth avistou um atraente cavalheiro acompanhado por uma bela moça numa carruagem: o Visconde Mondevale levava Valerie para um passeio. A jovem lançou a Elizabeth um olhar que simulava piedade, mas era de triunfo. Seu temor de que Robert pudesse estar correndo algum perigo já dera lugar à preocupação, muito mais provável, de que ele fugira para evitar ser preso por suas dívidas.

Elizabeth voltou a Havenhurst e vendeu cada um dos objetos de valor que possuía para pagar as dívidas de jogo de Robert, de seu pai e aquelas contraídas por ocasião de seu *début*. Depois, tomou as rédeas de sua vida. Com coragem e determinação, devotou-se a preservar Havenhurst e o bem-estar dos 18 empregados que haviam decidido permanecer em seus postos em troca de um teto, comida e uma nova libré por ano.

Aos poucos, ela voltou a sorrir e as culpas e mágoas foram suavizando. Aprendeu a descartar as lembranças dos terríveis erros que cometera durante a temporada, evitando, assim, a dor que lhe causavam. Aos 17 anos, era dona de si mesma e voltou para a casa em que sempre vivera. Retomou os jogos de xadrez com Bentner e a prática de tiro ao alvo com Aaron; entregava todo seu amor àquela pequena e peculiar família e a Havenhurst — e era retribuída. Estava satisfeita e ocupada, recusando-se terminantemente a pensar em Ian Thornton ou nos acontecimentos que a haviam conduzido àquele exílio voluntário.

Agora, os atos de seu tio a obrigavam não apenas a pensar em Ian, como também a revê-lo. Sem a modesta ajuda financeira dele durante mais de dois anos, Elizabeth não seria capaz de manter Havenhurst longe dos credores. E, até que conseguisse economizar o suficiente para sustentar adequadamente a propriedade, como deveria ter ocorrido havia muito tempo, esta não seria bastante produtiva para atrair arrendatários e manter-se por si só.

Com um suspiro, Elizabeth abriu os olhos e observou vagamente a sala deserta. Depois, levantou-se. Já havia enfrentado problemas *muito* mais graves do que este, disse a si mesma, confiante. Onde havia um problema, havia uma solução: bastava apenas procurar a melhor. Além do mais, contava com a companhia de Alex agora, e, juntas, poderiam pensar numa maneira de driblar o tio Julius.

Encararia tudo aquilo como um desafio, decidiu com firmeza, enquanto saía da sala à procura de Alex. Aos 19 anos, ela ainda gostava de desafios, e a vida em Havenhurst estava mesmo se tornando um pouco monótona. Algumas daquelas curtas viagens — duas entre as três, pelo menos — até que seriam estimulantes.

Quando, finalmente, encontrou Alex no jardim, Elizabeth quase se convencera de todas aquelas coisas.

Capítulo 8

A falsa tranquilidade de Elizabeth e seu sorriso fixo não enganaram Alexandra nem por um instante; tampouco convenceram Bentner, que lhe fazia companhia no jardim, e mostrava o resultado dos esforços da jovem patroa com as roseiras. Ambos viraram-se quando ela se aproximou, olhando-a com preocupação.

— O que há de errado? — perguntou Alex, ansiosa, levantando-se do banco onde estava.

— Nem sei como lhe contar — admitiu Elizabeth com franqueza, puxando a amiga para se sentar ao seu lado.

Bentner permaneceu rondando as duas, fingindo podar as rosas enquanto tentava entreouvir a conversa para oferecer ajuda e conselho, caso fosse necessário. Quanto mais Elizabeth pensava no que iria dizer a Alex, mais bizarro — e quase cômico — tudo aquilo lhe parecia.

— Meu tio — explicou finalmente — está se empenhando em encontrar um bom marido para mim.

— É mesmo? — Alex examinou o rosto transtornado da amiga.

— Sim. Na verdade, creio que é seguro afirmar que ele tomou algumas medidas *extraordinárias* para alcançar esse objetivo.

— O que está querendo dizer, Elizabeth?

Ela conteve um inesperado acesso de riso histérico.

— Meu tio Julius enviou cartas a todos os meus quinze antigos pretendentes, indagando se ainda estariam interessados em se casar comigo...

— Ah, meu Deus! — ofegou Alex.

— E, se por acaso estivessem, ele propôs que eu fosse visitá-los por alguns dias, devidamente acompanhada por Lucinda — continuou Elizabeth, quase em transe —, para que verificássemos se a possibilidade de casamento ainda seria adequada.

— *Meu Deus!*

— Doze recusaram — prosseguiu ela, vendo a amiga franzir a testa, solidária. — Mas três aceitaram a oferta, e, agora, devo visitá-los. E, já que Lucinda só poderá retornar de Devon a tempo de acompanhar-me na visita ao terceiro *pretendente*, que está na Escócia — quase engasgou ao se referir dessa maneira a Ian Thornton —, serei obrigada a fingir que Berta é minha tia diante dos dois primeiros.

— Berta! — intrometeu-se Bentner, angustiado. — Sua tia? A pobre coitada tem medo da própria sombra!

Tentando controlar uma nova onda de riso, Elizabeth olhou para os dois amigos.

— Berta é o que menos me preocupa — disse. — De qualquer forma, Alex, é melhor continuar invocando o nome de Deus, pois será preciso um milagre para que eu sobreviva a tudo isso.

— Quem são os pretendentes? — perguntou Alex, sentindo um temor crescente ao reparar no estranho sorriso da amiga.

— Sequer me lembro de dois deles. Impressionante, não é mesmo? — respondeu Elizabeth, mantendo o vago sorriso. — Não acha absurdo que dois homens adultos tenham conhecido uma jovem debutante, corrido para pedir a mão dela ao irmão e *ela* não consiga se lembrar de nada a respeito deles, exceto um de seus nomes?

— Não — tornou Alex, cautelosa —, não é nada absurdo. Você era, ainda é, uma jovem linda, e é assim que as coisas funcionam. A dama faz seu *début* aos 17 anos, os cavalheiros a avaliam, geralmente de maneira bastante superficial, e decidem se a querem ou não. Em caso afirmativo, fazem uma proposta de casamento. Não acho justo ou racional exigir que uma jovem fique noiva de alguém que mal conhece e esperar que se afeiçoe ao marido *depois* das núpcias, mas a sociedade considera que essa é a maneira civilizada de promover casamentos.

— Na verdade, é o contrário... É um costume quase bárbaro, se você pensar bem — afirmou Elizabeth, ansiosa para esquecer sua tragédia pessoal discutindo qualquer outro assunto.

— Mas, diga-me, quem são os pretendentes? — insistiu Alex. — Talvez eu os conheça e possa ajudá-la a se lembrar.

Elizabeth suspirou.

— O primeiro é Sir Francis Belhaven...

— Você deve estar brincando! — exclamou Alex, lançando um olhar alarmado para Bentner. Quando Elizabeth limitou-se a erguer a delicada sobrancelha e aguardar as informações, ela continuou, exaltada: — Ora, ele é... é um velho horroroso e devasso! Não há forma mais gentil de descrevê--lo. E robusto, careca, e sua libertinagem é motivo de risos na corte, por ser tão tola e flagrante. Além disso, é um sovina de marca maior... um avarento!

— Bem, pelo menos isso nós temos em comum — tentou brincar Elizabeth, mas olhava para Bentner, que, em seu nervosismo, estava cortando a roseira inteira. — Bentner — disse, então, preocupada com a planta —, acho que já está bom assim.

— Quem é o segundo? — indagou Alex, mais preocupada.

— Lorde John Marchman. — Ao ver que a amiga não reconhecera o nome, explicou: — O Duque de Canford.

Alex assentiu devagar.

— Não o conheço pessoalmente, mas já ouvi falar — disse.

— Bem, então acabe logo com esse suspense — pediu Elizabeth, segurando o riso novamente, pois tudo aquilo parecia mais ridículo a cada momento. — O que sabe sobre ele?

— Há alguma coisa que não consigo lembrar, mas... Espere, já sei! —Alex lançou-lhe um olhar desolado. — Ele é um esportista inveterado, que detesta a vida em Londres. Dizem que as paredes da casa dele são cobertas de cabeças empalhadas dos animais que caçou e de peixes que pescou. Lembro-me de ouvir alguém comentar, de brincadeira, que o motivo de ele nunca ter se casado é que não consegue ficar afastado dos esportes por tempo suficiente para procurar uma esposa. Não me parece o tipo adequado para você, Elizabeth, nem de longe — acrescentou, examinando, com ar infeliz, a ponta de seu sapato vermelho.

— Adequação não tem a menor importância, já que não tenho a intenção de me casar com ninguém enquanto puder evitar. Se conseguir adiar essa história por mais dois anos, receberei a herança da minha avó e, com o dinheiro, serei capaz de me sustentar sozinha por um longo tempo. O problema é que não chegarei até lá sem a ajuda financeira do tio Julius, que, pelo menos uma vez por semana, faz ameaças de suspendê-la. E, se eu não fingir que concordo com esse esquema maluco que ele inventou, não tenho dúvida de que não me dará nem mais um tostão.

— Elizabeth, eu poderia ajudá-la se você permitisse — arriscou Alex, cautelosa. — Meu marido...

— Não, por favor — interrompeu ela. — Sabe que jamais aceitaria dinheiro de você. Entre outras coisas, talvez não pudesse lhe pagar de volta. A herança deverá ao menos cobrir as despesas de Havenhurst. Por enquanto, meu problema mais urgente é descobrir uma maneira de escapar dessa confusão que meu tio criou.

— O que não entendo é como seu tio pôde considerar qualquer um desses homens apropriado para você. Eles não são, nem um pouco!

— *Nós* sabemos disso — retrucou Elizabeth, abaixando-se para arrancar uma folha de grama que nascia por entre as lajotas sob o banco. — Mas é evidente que meus "pretendentes" não sabem.

Mal acabara de pronunciar essas palavras, uma ideia começou a tomar forma em sua mente. Seus dedos tocaram a grama, e ela permaneceu imóvel por um instante. Sentada ao seu lado no banco, Alex tomou fôlego, como se fosse dizer alguma coisa, mas parou abruptamente. No silêncio que se seguiu, a mesma ideia nascia na imaginação fértil de ambas.

— Alex — sussurrou Elizabeth —, tudo o que tenho de fazer é...

— Elizabeth — cochichou a outra —, não é tão ruim quanto parece. Tudo o que você tem de fazer é...

Elizabeth endireitou o corpo devagar e virou-se.

Naquele prolongado momento de silêncio, duas grandes amigas, sentadas no jardim de roseiras, olharam-se extasiadas enquanto pareciam voltar ao passado e eram crianças novamente — acordadas de madrugada, confidenciando seus sonhos e problemas, e formulando planos para resolvê-los, que sempre começavam com "*se* ao menos..."

— Se ao menos — disse Elizabeth enquanto um largo sorriso surgia no rosto de ambas — eu pudesse convencê-los de que *não* combinamos...

— O que não seria muito difícil — exclamou Alex, entusiasmada —, porque essa é a verdade!

O delicioso alívio de ter um plano, de ser capaz de controlar uma situação que, minutos antes, ameaçara toda a sua vida, fez com que Elizabeth se pusesse de pé, o rosto iluminado pelo riso.

— Pobre Sir Francis! — riu, olhando de Bentner para Alex, que lhe sorriam de volta. — Receio que ele terá a surpresa mais desagradável de sua vida quando souber que... — hesitou, calculando o que um velho libertino mais detestaria na futura esposa — que eu sou a maior puritana da Inglaterra!

— E também — acrescentou Alex — a mais *esbanjadora*!

— Isso mesmo! — concordou Elizabeth, quase rodopiando de alegria. Os raios do sol dançavam em seus cabelos dourados e iluminavam-lhe os olhos quando se dirigiu aos amigos. — Farei de tudo para lhe dar as mais claras evidências de que sou as duas coisas. Agora, quanto ao Conde de Canford...

— Que pena... — disse Alex num tom de exagerada tristeza. — Você não terá a chance de demonstrar a ele sua perícia com uma vara de pesca.

— *Peixes?* — disse Elizabeth com fingido estremecimento. — Ora, só de pensar nessas criaturas asquerosas, sinto que vou *desmaiar*!

— Sim, exceto por aquele de primeira qualidade que pescou ontem — intercedeu Bentner, irônico.

— Tem razão. — Ela se voltou com um sorriso caloroso para o homem que lhe ensinara a pescar: — Será que pode procurar Berta e contar-lhe as novidades sobre a nossa viagem, Bentner? Quando voltarmos para dentro, ela já estará histérica, então conversarei com ela. — O mordomo assentiu e afastou-se, com as abas da casaca preta esvoaçando atrás de si.

— Bem, resta-nos apenas desencorajar o terceiro pretendente — falou Alex, animada. — Quem é ele e o que sabemos a seu respeito? Eu o conheço?

Aquele era o momento que Elizabeth estivera adiando.

— Você nunca ouviu nada sobre ele, até poucas semanas atrás, quando retornou da viagem — disse.

— O quê? — indagou Alex, sem entender.

Elizabeth respirou fundo e, nervosa, esfregou as mãos na saia azul.

— Acho — disse, devagar — que preciso lhe contar exatamente o que aconteceu um ano e meio atrás... com Ian Thornton.

— Não precisa me contar nada se o assunto a deixa infeliz. Agora, creio que devemos nos concentrar no terceiro...

— O terceiro — interrompeu Elizabeth — é Ian Thornton.

— Meu bom Deus! — ofegou Aîex, horrorizada. — Por quê? Isto é, eu...

— Não sei por quê — admitiu ela, confusa e irritada. — Mas ele aceitou a proposta de meu tio. Portanto, ou se trata de um enorme mal-entendido ou de uma piada de péssimo gosto, o que também não faz muito sentido...

— Uma piada! Aquele homem a arruinou, Elizabeth! Deve ser um monstro para achar isso engraçado.

— Na última vez que o vi, ele não achava graça nenhuma na situação, acredite — disse Elizabeth e, tornando a sentar-se, relatou toda a história. Enquanto falava, tentava desesperadamente manter as emoções sob controle, para que ainda fosse capaz de pensar com clareza quando ela e Alex finalizassem os planos.

Capítulo 9

— Berta, já chegamos — disse Elizabeth assim que a carruagem em que viajavam parou diante da imensa propriedade de sir Francis Belhaven.

Os olhos de Berta permaneceram fortemente fechados durante a última hora, mas Elizabeth percebeu, graças à respiração rápida e agitada da criada, que ela não estivera realmente dormindo. Berta estava aterrorizada diante da perspectiva de desempenhar o papel de tia de Elizabeth, e nenhuma das promessas da jovem ou das tentativas de acalmá-la surtiu efeito. Ela não queria ter vindo e, agora que estava ali, ainda rezava por um milagre.

— Tia Berta! — chamou Elizabeth, zangada, quando a porta da frente da imponente mansão foi aberta. O mordomo deu passagem aos lacaios, que correram em direção à carruagem. — Tia Berta! — repetiu, com urgência. Em franco desespero, virou-se para a criada e obrigou-a a abrir os olhos que mantinha fechados, fitando diretamente as pupilas arregaladas de terror. — Berta, por favor, não faça isso comigo. Estou contando com você para agir como se fosse minha tia, e não um ratinho assustado. Eles já estão chegando!

Berta assentiu, engoliu em seco e endireitou-se no assento. Depois, ajeitou as saias de bombazina preta.

— Como estou? — perguntou Elizabeth, apressada.

— Horrível — respondeu Berta, deslizando os olhos pelo severo vestido de linho preto fechado até o pescoço, que Elizabeth escolhera cuidadosamente para usar em seu primeiro encontro com o pretendente que Alexandra descrevera como um "velho horroroso e devasso". Para dar um toque a mais àquela aparência de freira, os cabelos de Elizabeth estavam puxados para trás, presos num coque "à Lucinda", e cobertos com um véu curto. No pescoço, ela trazia a única "joia" que pretendia usar enquanto estivesse ali: um grande e feio crucifixo de ferro, que pegara emprestado da capela de Havenhurst.

— Absolutamente horrível, milady — acrescentou Berta, um pouco mais enfática. Desde o desaparecimento de Robert, Berta decidira dirigir-se à jovem patroa de maneira mais formal, em vez de usar o tratamento mais familiar de antes.

— Excelente — Elizabeth sorriu, animada. — Você também está.

O lacaio abriu a porta e baixou os degraus da carruagem. Elizabeth saiu primeiro, seguida por sua "tia". Fez com que Berta passasse à sua frente e, depois, virou-se e olhou para Aaron, que guiava o coche. Tio Julius permitira-lhe levar seis criados de Havenhurst, e ela os escolhera com todo o cuidado.

— Não se esqueça — avisou ao cocheiro, embora nem fosse necessário —, espalhe os rumores a meu respeito com qualquer criado que esteja interessado em ouvir. Você já sabe o que dizer.

— Sim, milady — assentiu Aaron, um sorrisinho diabólico acrescido às palavras. — Mostrarei a eles a megera puritana que a senhorita é! Tanto que é capaz de convencer o próprio demônio a seguir uma vida religiosa!

Elizabeth balançou a cabeça e virou-se, relutante, na direção da casa. O destino lhe pregara aquela peça e, agora, teria de lidar com a situação da melhor maneira possível. De cabeça erguida e joelhos tremendo violentamente, adiantou-se até alcançar Berta. O mordomo continuava parado à porta, observando-a com insistente interesse, dando-lhe a incrível impressão de que, na verdade, tentava localizar os seios sob o vestido negro e reto que ela usava. Quando se aproximaram da porta, ele deu um passo para trás, permitindo que entrassem.

— Meu amo está com convidados neste momento. Mas vai recebê-las em breve — avisou. — Enquanto isso, Curbes as levará até seus aposentos. — Seus olhos desviaram-se para Berta e reluziram com apreciação ao pousarem no colo bem formado. Depois, virou-se e fez um sinal para o lacaio.

Levando uma pálida e tensa Berta ao seu lado, Elizabeth subiu o longo lance de escadas, analisando com curiosidade o vestíbulo sombrio e o tapete carmesim que cobria os degraus. A peça era espessa e macia nas laterais, denunciando seu alto valor, mas fina e gasta sob seus pés, indicando que precisava ser trocada imediatamente. Arandelas douradas estavam presas às paredes, com suas respectivas velas, que não haviam sido acesas, deixando a escadaria e o vestíbulo superior mergulhados na escuridão. Assim que o lacaio abriu-lhes a porta e as fez entrar, Elizabeth descobriu que o dormitório que lhe fora designado se encontrava na mesma situação.

— O quarto de Lady Berta fica do outro lado desta porta — avisou o lacaio.

Elizabeth apertou os olhos, tentando enxergar no escuro, e viu-o atravessar o cômodo em direção ao que lhe pareceu ser uma parede. Dobradiças rangeram, dando a entender que o lacaio abrira uma porta.

— Está escuro como um túmulo aqui dentro — disse ela, incapaz de enxergar através das sombras. — Poderia acender as velas, por favor? — Olhou em volta. — Ou seja, presumindo-se que haja alguma vela por aqui.

— Sim, milady. As velas estão bem ao lado da cama.

A sombra do homem passou diante dela, e Elizabeth focalizou um objeto grande, com um formato estranho, que, devido ao tamanho, imaginou tratar-se da cama.

— Poderia acendê-las, por favor? — insistiu. — Eu... não estou conseguindo enxergar nada!

— Sua senhoria não permite acender mais do que uma vela por quarto — informou o lacaio. — Diz que é desperdício de cera.

Elizabeth piscou na escuridão, sem saber se ria ou chorava diante daquele apuro.

— Ah... — murmurou, desconcertada.

O criado acendeu uma pequena vela num dos extremos do quarto e saiu, fechando a porta atrás de si.

— Milady? — cochichou Berta, perscrutando a escuridão. — Onde está a senhorita?

— Aqui — respondeu ela, adiantando-se com todo o cuidado de braços estendidos e mãos espalmadas, tateando qualquer possível obstrução em seu caminho até o lado oposto do quarto, onde esperava encontrar janelas cobertas por cortinas.

— Onde? — indagou Berta, num sussurro amedrontado, e Elizabeth pôde ouvir, de longe, os dentes da criada tiritando.

— Aqui, à sua esquerda.

Berta seguiu o som da voz da patroa e deixou escapar um gritinho ofegante de susto ao deparar com a figura fantasmagórica movendo-se por entre as trevas, com os braços estendidos.

— Levante um braço — pediu, com urgência —, para que eu saiba que é a senhorita.

Conhecendo a natureza medrosa da criada, ela obedeceu. Porém, embora tranquilizasse a pobre Berta, no momento em que ergueu o braço, Elizabeth foi direto de encontro a um pilar estreito e comprido, sobre o qual havia um busto de mármore, e os dois objetos ameaçaram vir abaixo.

— Meu Deus! — gritou ela, abraçando o pilar e o objeto de mármore a fim de protegê-los da queda. — Berta, não há tempo para ficar com medo do escuro! Ajude-me, rápido! Esbarrei em alguma coisa. Um busto e seu pedestal, acho, e não me atrevo a soltá-los antes de ver se estão bem firmes. Posso ver cortinas à minha frente; você só precisa seguir o som da minha voz e abri-las. Assim que o fizer, aqui dentro ficará claro como o dia.

— Estou indo, milady — falou Berta, cheia de coragem, e Elizabeth suspirou de alívio. — Achei as cortinas! — gritou Berta, instantes depois. — Elas são pesadas, de veludo, com um forro por baixo. — Puxou o pesado painel para um dos lados da parede e, depois, com vigor e determinação renovados, fez o mesmo no lado oposto.

— Luz, finalmente! — exclamou Elizabeth, aliviada. A forte luminosidade do sol do fim da tarde penetrou em cheio pela janela, cegando-a por alguns segundos. — Assim está muito melhor — disse, piscando.

Satisfeita em perceber que o pilar era firme o suficiente para ficar de pé sem a sua ajuda, ela estava prestes a colocar o busto no lugar quando o grito de Berta a fez parar no ato.

— Os santos nos protejam!

Com o frágil busto protegido no colo, Elizabeth virou-se abruptamente. E viu, diante de seus olhos, todo mobiliado em vermelho e dourado, o quarto mais assustador que jamais tivera a chance de conhecer. Seis enormes cupidos de ouro pareciam sobrevoar a cama gigantesca, segurando as cortinas de veludo vermelho numa das mãozinhas gorduchas e, na outra, carregando arcos e flechas, enquanto vários outros adornavam a cabeceira. Elizabeth arregalou os olhos, primeiro com incredulidade e, depois, achando muita graça em tudo aquilo.

— Berta — ofegou por entre o riso —, dê uma olhada neste lugar!

Perplexa com a aparência horrenda do cômodo, ela se virou devagar, observando os detalhes. Sob a lareira, havia um quadro com moldura dourada de uma dama vestida apenas com uma faixa de seda vermelha quase transparente, amarrada em seus quadris. Elizabeth afastou rapidamente os olhos daquela chocante demonstração de nudez e deparou com um verdadeiro exército de cupidos brincalhões, que repousavam em áureo esplendor nos adornos de ouro da lareira e das mesinhas de cabeceira. Um grupo deles segurava os altos castiçais ao lado da cama, com doze velas — apenas uma delas fora acesa pelo lacaio —, e mais cupidos cercavam um imenso espelho.

— É... — murmurou Berta, examinando tudo com olhos arregalados. — Isto aqui é... Não encontro palavras para descrever — gaguejou, mas Elizabeth já havia superado o espanto inicial e estava bem próxima de um ataque de risos.

— Indescritível? — sugeriu enquanto uma onda de riso subia-lhe pela garganta. — Inacreditável? — acrescentou, sentindo os joelhos enfraquecerem pelas risadas.

Berta emitiu um som estrangulado e, de repente, aquilo foi demais para as duas. A tensão que ficara contida havia dias explodiu e ambas entregaram-se a uma gargalhada solta e espontânea. Como um vulcão em erupção, elas compartilharam o riso delicioso, enquanto lágrimas escorriam por suas faces. Berta procurou a ponta do avental para enxugá-las e, quando não encontrou a peça, lembrou-se de sua nova posição social e retirou um lencinho de dentro da manga do vestido, pressionando-o delicadamente contra os cantos dos olhos. Elizabeth levou as mãos ao quase esquecido busto, encostando-o contra o queixo, e riu até se dobrar de dor. Estavam tão absorvidas naquele breve instante de relaxamento que nenhuma delas percebeu que Sir Francis entrara no quarto, até que ele as saudou com entusiasmo:

— Lady Elizabeth e Lady Berta!

Berta deixou escapar um gritinho de susto e, rapidamente, cobriu a boca com o lenço.

Elizabeth lançou um olhar para a figura envolta em cetins, cuja semelhança com os cupidos tão idolatrados ali era impressionante. A dura realidade de seu destino a atingiu como um balde de água fria, acabando com qualquer divertimento. Baixou os olhos para o chão, tentando lembrar-se de seu plano e acreditando firmemente que conseguiria pô-lo em prática. *Tinha* de fazê-lo funcionar, pensou, pois, se falhasse, aquele velho libertino admirador de cupidos dourados poderia acabar se tornando seu marido.

— Minhas caríssimas damas — cumprimentou Sir Francis, efusivo, entrando no quarto —, que prazer tão aguardado é recebê-las! — A cortesia exigia que cumprimentasse primeiro a senhora mais velha, e ele se virou para Berta, tomando-lhe a mão e pressionando-a contra os lábios. — Permita que me apresente: Sir Francis Belhaven, a seu dispor.

Lady Berta fez uma leve mesura, mantendo os olhos arregalados e o lenço comprimindo os lábios. Para a surpresa dele, ela não retribuiu o cumprimento; não disse que estava encantada em conhecê-lo, nem perguntou sobre sua saúde. Em vez disso, fez uma nova mesura. E, depois, outra.

— Ora, essa formalidade não é necessária — disse ele, disfarçando a estranheza com forçada jovialidade. — Afinal, sou apenas um cavaleiro, como bem sabe. Não sou nem duque, nem conde.

Lady Berta tornou a fazer uma reverência, e Elizabeth deu-lhe um rápido cutucão no braço.

— Como vai? — falou Berta finalmente, num só fôlego.

— Minha tia é um pouquinho... tímida diante de estranhos. — Elizabeth apressou-se em se desculpar.

O som musical e suave da voz de Elizabeth Cameron fez o sangue de Sir Francis correr com mais vigor. Voltou-se para sua futura noiva com escancarada avidez e reparou que era o *seu* busto esculpido em mármore que Elizabeth apertava contra o peito de maneira tão protetora e carinhosa. Mal pôde conter o entusiasmo.

— Eu sabia que seria assim entre nós dois. Nada de fingimentos, nem de falsos pudores! — exclamou, observando-lhe a expressão vaga e confusa enquanto tomava o próprio busto dos braços dela. — Porém, minha querida, não é preciso acariciar um frio bloco de pedra, quando estou aqui em *carne e osso*.

Atônita, Elizabeth manteve os olhos fixos na escultura, que ele depositou no pedestal com toda a delicadeza. Depois, virou-se novamente para ela com um ar de expectativa, deixando-a com a horrível — e nítida — impressão de que, agora, esperava que ela estendesse os braços e aconchegasse sua cabeça calva entre os seios. Elizabeth encarou-o, paralisada, com a mente tomada pelo caos.

— Eu... gostaria de pedir-lhe um favor, Sir Francis — disse afinal.

— O que desejar, minha querida — respondeu ele num tom enrouquecido.

— Eu gostaria de... descansar um pouco antes do jantar.

Sir Francis deu um passo para trás, parecendo um pouco desapontado, mas, recobrando a postura cavalheiresca, assentiu, embora um pouco relutante.

— Não seguimos os horários do campo. O jantar é servido às oito e meia. — Pela primeira vez, examinou-a com atenção por um momento. As lembranças daquele rosto admirável e do corpo delicioso eram tão poderosas e tão claras que, até então, visualizava a Lady Cameron que conhecera tempos atrás. Agora, perplexo, reparava no vestido rigoroso e sem graça que ela usava e na maneira severa com que seus cabelos estavam penteados. Seu olhar deparou com a horrenda cruz de ferro que ela trazia ao pescoço, e ele retraiu-se, espantado. — Ah, e mais uma coisa, minha cara: estou com alguns convidados — acrescentou com os olhos presos ao vestido preto. — Pensei que gostaria de saber, a fim de se arrumar um pouco mais de acordo.

Elizabeth engoliu o insulto com a mesma imobilidade entorpecida que a atingira desde que o vira entrar no quarto. E, apenas quando a porta se fechou atrás dele, foi capaz de se mover.

— Berta — desabafou, desconsolada, atirando-se numa poltrona. — Como pôde ficar fazendo uma reverência atrás da outra daquele jeito? Ele vai descobrir que você é uma criada antes do fim da noite! Jamais conseguiremos enganá-lo!

— Bem! — exclamou Berta num misto de mágoa e indignação. — Pelo menos *eu* não estava agarrando a cabeça dele contra os seios quando ele entrou.

— Vamos nos sair melhor daqui em diante — prometeu Elizabeth, lançando um olhar de desculpas para a criada. Então, todo temor desapareceu de sua voz, sendo substituído por uma urgente determinação: — Nós *temos* de nos sair melhor, Berta, pois eu quero ir embora ainda amanhã. Ou depois de amanhã, no máximo!

— O mordomo ficou olhando para meus seios — queixou-se Berta. — Eu *percebi*!

Elizabeth sorriu, resignada.

— E o lacaio olhou para os meus — disse. — Nenhuma mulher está segura neste lugar. O que estamos sentindo agora é um pouco de ansiedade. Somos atrizes amadoras, mas, esta noite, vou dar o meu melhor. Não importa quanto me custe, eu vou conseguir.

QUANDO ELIZABETH FINALMENTE desceu as escadas em direção à sala de jantar, estava duas horas atrasada. De propósito.

— Bom Deus, como demorou, minha querida! — disse Sir Francis, levantando-se rapidamente da cadeira para recebê-la na porta, onde ela se mantinha estática, tentando reunir coragem para fazer o que tinha de ser feito. — Venha conhecer meus convidados — acrescentou ele, fazendo-a adiantar-se depois de um rápido olhar de decepção para o vestido sem graça e o penteado severo.

— Fizemos como sugeriu em seu recado e já começamos a jantar. O que a reteve lá em cima por tanto tempo?

— Eu estava rezando — respondeu ela, conseguindo encará-lo.

Sir Francis recobrou-se da surpresa a tempo de apresentá-la às outras três pessoas à mesa — um homem, que se assemelhava a ele tanto na idade como no físico, e duas mulheres com cerca de 35 anos, que usavam os vestidos mais escandalosos e reveladores que Elizabeth já vira.

Ela aceitou uma porção de carne a fim de acalmar o estômago, que protestava de fome, enquanto as duas mulheres a analisavam com evidente escárnio.

— É um traje bastante incomum, este que está usando — comentou a mulher chamada Eloise. — É costume, de onde você vem, vestir-se assim com tanta... simplicidade?

Elizabeth mordiscou um pedaço minúsculo de carne.

— Na verdade, não — respondeu. —Sou eu que desaprovo adornos excessivos. — Virou-se para Sir Francis com um ar inocente: — Vestidos de festa custam caro. Considero-os um grande desperdício de dinheiro.

Sir Francis ficou repentinamente inclinado a concordar, ainda mais considerando que pretendia mantê-la nua a maior parte do tempo.

— Tem toda a razão! — exclamou, encarando as outras damas com mordaz reprovação. — Não faz sentido gastar tanto dinheiro com vestimenta. Aliás, não faz sentido gastar dinheiro com nada!

— Exatamente o que eu penso — assentiu Elizabeth. — Prefiro doar cada tostão possível à caridade.

— *Doar*? — rugiu Sir Francis, quase levantando-se da cadeira.

Depois, forçou-se a sentar novamente e a reconsiderar os motivos que tinha para se casar com ela. Elizabeth Cameron era adorável — o rosto um pouco mais maduro do que se lembrava, mas nem mesmo o véu negro e os cabelos esticados para trás diminuíam a beleza dos olhos cor de esmeralda, emoldurados por cílios longos e negros. Sob esses mesmos olhos, havia escuras olheiras, que ele não se recordava de ter visto mais cedo, mas tomou--as pela seriedade excessiva com que ela se apresentava. Porém, seu dote era razoável, e o corpo sob aquele vestido sem forma... Bem que gostaria de, pelo menos, poder ver-lhe as curvas. Talvez estas também tivessem se modificado, e não para melhor, no decorrer daqueles poucos anos.

— Eu esperava, minha cara — disse, cobrindo-lhe a mão e apertando-a carinhosamente —, vê-la usando algo mais alegre no jantar, conforme lhe sugeri.

Elizabeth lançou-lhe um olhar angelical.

— Eu só trouxe este vestido.

— Só este? — ofegou ele. — Mas eu vi perfeitamente meus lacaios carregando várias malas para seus aposentos.

— Ah, elas pertencem à minha tia; apenas uma é minha — apressou-se em mentir, antecipando sua próxima pergunta e pensando desesperadamente nas possíveis respostas.

— É mesmo? — Sir Francis continuou encarando o vestido com imenso desgosto e, então, fez exatamente a pergunta que ela esperava: — O que, se me permite saber, sua mala contém se não roupas?

Inspirada, ela sorriu, radiante:

— Algo de grande valor, de valor inestimável, na verdade — confidenciou.

Todos os rostos encararam-na com súbito interesse — especialmente o avaro Sir Francis.

— Bem, não nos deixe neste suspense, minha querida. O que é?

— Os restos mortais de São Jacó.

Lady Eloise e Lady Mortand gritaram em uníssono. Sir William engasgou-se com o vinho e Sir Francis fitou-a horrorizado, mas Elizabeth não havia terminado. Guardou a cereja do bolo para o final da refeição e, assim que todos se levantaram, insistiu para que tornassem a se sentar, a fim de se unirem numa oração de graças. Erguendo as mãos para o alto, transformou uma simples oração num veemente discurso contra os pecados da luxúria e da promiscuidade, inflamando-se a ponto de clamar a vingança do Apocalipse para todos os transgressores, culminando com uma terrível e vívida descrição dos horrores que aguardavam todos aqueles que trilhavam os caminhos da lascívia — horrores que misturavam lendas de dragões com mitologia, uma pitada de religião e uma boa dose de sua própria imaginação. Depois que terminou, ela baixou os olhos e rezou, sinceramente, para que aquele fosse o fim de sua visita a Sir Francis. Não havia mais nada que pudesse fazer; havia apostado tudo ali e dera o melhor de si.

E fora o bastante. Após o jantar, Sir Francis acompanhou-a até seus aposentos e, com uma desastrosa tentativa de se mostrar condoído, anunciou recear que um noivado entre eles não daria certo. De maneira alguma.

Elizabeth e Berta partiram ao nascer do sol na manhã seguinte, uma hora antes de os criados acordarem. Da janela de seu quarto, enrolado num robe de seda, Sir Francis observou a rápida retirada, enquanto o cocheiro de Elizabeth guardava a bagagem na carruagem. Estava prestes a voltar para a cama quando uma súbita rajada de vento ergueu a barra do vestido negro da jovem, expondo a seus olhos cobiçosos uma longa perna bem torneada. Ele imobilizou-se no lugar e continuou olhando até que a carruagem contornou a frente da casa e começou a se afastar. E, através da pequena janela aberta, viu quando Elizabeth riu e levantou as mãos, retirando os grampos dos cabelos. Uma cascata dourada esvoaçou pela janela, obscurecendo-lhe seu belo rosto, e Sir Francis umedeceu os lábios, pensativo.

Capítulo 10

A propriedade rural de Lorde John Marchman, Conde de Canford, ficava numa região de beleza tão pura, selvagem e intocada que, por alguns instantes, olhando pela janela da carruagem, Elizabeth chegou a esquecer o propósito de sua visita. A mansão era a maior que ela já vira — em estilo Tudor, majestosa e com detalhes em madeira —, mas foram os campos que a cercavam que deixaram Elizabeth encantada. Salgueiros-chorões ladeavam um riacho que corria através do parque defronte à propriedade, e lilases floresciam livremente por entre as árvores, suas cores suaves mesclando-se com natural esplendor às aquilégias azuis e aos lírios selvagens.

Antes mesmo de a carruagem parar, as portas da mansão já estavam escancaradas, e a figura alta e forte de um homem apressava-se em descer os degraus.

— Ao que parece, a recepção aqui será bem mais entusiasmada do que a que tivemos em nossa última parada — comentou Elizabeth em tom resoluto enquanto tirava as luvas e preparava-se corajosamente para enfrentar e vencer o novo obstáculo à sua felicidade e independência.

A porta do coche abriu-se com força capaz de arrancá-la de suas dobradiças, e um rosto masculino espiou lá dentro.

— Lady Elizabeth! — saudou Lorde Marchman, rubro de contentamento... ou excesso de bebida, ela não teve certeza. — Esta *é* realmente uma surpresa ansiosamente aguardada! — Então, como se percebesse a tolice de seu comentário, ele balançou a cabeça e corrigiu-se: — Isto é, um *prazer* muito aguardado! A *surpresa* deve-se ao fato de a senhorita ter chegado mais cedo.

Elizabeth reprimiu com firmeza uma onda de compaixão pelo óbvio embaraço do lorde, além da ideia de que poderia acabar simpatizando com ele.

— Espero que isso não lhe cause muito incômodo — disse.

— Não muito. Isto é — tornou ele a corrigir-se, fitando-a nos olhos e sentindo-se afogar dentro deles —, de maneira *alguma*.

Ela sorriu e apresentou "tia Berta". Depois, permitiu que o exuberante anfitrião as acompanhasse pelos degraus da frente, enquanto Berta cochichava, satisfeita:

— Acho que ele está tão nervoso quanto eu.

O interior da casa parecia sombrio e sem vida, em contraste com a luminosidade de fora. Seguindo o lorde, Elizabeth viu, num rápido relance, a mobília do salão e da saleta de estar — toda revestida em couro de tons escuros que, aparentemente, algum dia haviam sido pretos ou marrons. Lorde Marchman, que a observava com esperançosa atenção, olhou ao redor e, de repente, viu como a própria casa deveria parecer aos olhos dela. Tentando desculpar-se por seus móveis pouco luxuosos, disse, apressado:

— Esta casa precisa de um toque feminino. Sou um velho solteirão, como deve saber, exatamente como foi meu pai.

Berta arregalou os olhos, fulminando-o:

— Minha nossa — exclamou em uma reação ultrajada à aparente admissão dele em ser um bastardo.

— Não quis dizer — apressou-se Lorde Marchman em explicar — que meu pai *nunca* se casou. Quis dizer — fez uma pausa, ajeitando nervosamente a gravata de laço, como se ansiasse por soltá-la — que minha mãe faleceu quando eu ainda era criança, e meu pai não tornou a se casar. Nós dois morávamos aqui, sozinhos.

Na junção entre os dois corredores e a escadaria, o lorde virou-se para elas novamente.

— Gostariam de tomar um refresco ou preferem ir direto para a cama?

Elizabeth realmente precisava descansar e, acima de tudo, queria passar menos tempo possível na companhia dele.

— Prefiro a última sugestão, se não se importa — respondeu.

— Neste caso — disse ele, fazendo um largo gesto na direção da escada —, vamos.

Berta bufou de indignação diante do que entendeu como uma insinuação de que, claramente, ele não era muito melhor do que Sir Francis.

— Agora, escute aqui, milorde! Sou eu quem leva esta jovem para a cama desde que ela nasceu e não preciso da ajuda de tipos como o senhor! — disparou. Depois, percebendo o que acabara de dizer, arruinou o magnífico efeito fazendo uma reverência e acrescentando num sussurro servil: — Se me der sua licença, senhor.

— Licença? Não, eu... — Finalmente, Lorde Marchman registrou as palavras de Berta e uma onda de rubor cobriu até as raízes de seus cabelos. — Eu apenas pretendia lhes mostrar como... — recomeçou, inclinando a cabeça e fechando os olhos por um instante, como se rezasse por ajuda — ... como encontrar o *caminho* para seus aposentos — finalizou com um profundo suspiro de alívio.

Elizabeth estava secretamente comovida com aquela demonstração de sinceridade e timidez. E se sua situação não fosse tão ameaçadora, teria se esforçado para deixá-lo à vontade.

ABRINDO OS OLHOS com relutância, Elizabeth virou-se na cama. A luz do sol escoava através das cortinas e ela esboçou um leve sorriso enquanto se espreguiçava e se lembrava do jantar da noite anterior. Lorde Marchman se revelara tão desajeitado e tão ansioso em agradá-la quanto ela havia julgado, logo que chegara.

Berta irrompeu no quarto, mantendo a aparência de criada, apesar do vestido elegante que usava.

— Aquele homem — anunciou, ressentida, referindo-se ao anfitrião — não consegue pronunciar duas palavras sem se atrapalhar! — Era óbvio que Berta esperava mais dos patrões enquanto lhe era permitido misturar-se a eles...

— Acho que ele tem medo de nós — respondeu Elizabeth, saindo da cama. — Sabe que horas são? Ele queria que eu o acompanhasse numa pescaria às sete da manhã.

— São dez e meia — respondeu Berta, abrindo os armários e virando-se para que Elizabeth decidisse qual roupa iria vestir. — Esperou por você até alguns minutos atrás, depois saiu, levando duas varas de pesca. Disse que você poderia juntar-se a ele quando acordasse.

— Nesse caso, creio que vou vestir aquele, de musselina rosa — decidiu ela com um sorrisinho travesso.

O Conde de Marchman mal pôde acreditar em seus olhos quando finalmente avistou sua pretendida encaminhando-se para ele. Trajando um esvoaçante vestido cor-de-rosa, com um guarda-sol e um delicado chapeuzinho combinando, ela se aproximava nas pontas dos pés pela margem do riacho. Perplexo com as excentricidades da mente feminina, voltou rapidamente a atenção para a velha truta que tentava pescar havia cinco anos. Moveu a vara de pesca com todo o cuidado, esperando atiçar ou mesmo convencer o peixe a aceitar sua isca. A gigantesca truta nadou em torno do anzol, como se soubesse que aquilo não passava de um truque, mas abocanhou-o de repente, quase arrancando a vara das mãos de John. O peixe saltou na água, irrompendo pela superfície num imenso e reluzente arco, no exato instante em que a futura noiva de John escolheu para emitir um grito agudo:

— *Uma cobra!*

Assustado, John virou de repente a cabeça na direção dela, a tempo de vê-la pulando como se o próprio demônio estivesse agarrado em seus tornozelos enquanto se esgoelava:

— Uma cobra! Uma cobra! *Uma coooobra!*

Numa fração de segundo, ele perdeu a concentração, deixou a linha correr e o peixe abocanhou a isca, escapando do anzol, exatamente como Elizabeth esperava que acontecesse.

— Eu vi uma cobra! — mentiu, correndo para ele com passinhos miúdos e parando ao alcançar os braços que ele estendia para ampará-la. Ou estrangulá-la, pensou, ocultando um sorriso.

Olhou de relance para a água, esperando avistar a truta magnífica que ele *quase* pescara, e conteve o impulso de apanhar a vara de pesca e tentar a própria sorte.

A pergunta resmungada de Lorde Marchman a fez voltar-se novamente para ele.

— A senhorita gostaria de pescar ou prefere sentar-se para se recuperar de sua fuga da serpente?

Elizabeth olhou em volta e fingiu espanto.

— Ora, senhor, eu não sei pescar!

— Mas sabe sentar-se? — indagou ele com o que *poderia* ter sido sarcasmo.

Ela baixou o rosto a fim de ocultar um sorriso diante da evidente impaciência que ele procurava disfarçar.

— É claro que eu sei me sentar — respondeu, orgulhosa. — Aliás, *sentar* é uma ocupação bastante feminina, enquanto *pescar*, em minha opinião, é o extremo oposto. Entretanto, eu *adoraria* ficar aqui, observando-o.

Nas duas horas seguintes, ela permaneceu sentada na rocha ao lado dele, reclamando do desconforto, da claridade do sol, da umidade do ar e, quando esgotaram-se as queixas, dedicou-se a estragar completamente a manhã, tagarelando sobre todos os tópicos frívolos em que pôde pensar, ao mesmo tempo que atirava pedras no riacho a fim de assustar os peixes.

Quando ele finalmente conseguiu apanhar um, a despeito de todos os esforços contrários de Elizabeth, ela se levantou e deu um passo para a frente.

— O senhor está... está machucando o pobrezinho! — gritou ao vê-lo arrancar o anzol da boca do peixe.

— O quê? Está se referindo ao peixe? — perguntou ele, incrédulo.

— Sim!

— Ora, que tolice — retrucou ele, encarando-a como se ela fosse uma imbecil. Depois, jogou o peixe na margem.

— Ele não consegue respirar! — gemeu Elizabeth com os olhos fixos no peixe, que se debatia.

— Ele não *precisa* respirar — retrucou John. — Nós vamos comê-lo no almoço.

— *Eu* não! — bradou ela, conseguindo olhar para ele como se estivesse diante de um assassino desalmado.

— Lady Cameron — começou ele, paciente —, quer que eu acredite que nunca comeu peixe?

— Ora, é evidente que já comi.

— E *de onde* acha que vêm os peixes que come? — prosseguiu ele, com uma lógica colérica.

— Vêm em pacotes, limpos e embrulhados — respondeu ela, lançando--lhe um olhar abobalhado.

— Pois eles não nasceram nesses pacotes — retrucou John, e Elizabeth teve dificuldade para disfarçar sua admiração pela paciência que ele demons-trava, bem como pelo tom firme que, finalmente, começava a empregar com ela. Ao contrário do que imaginara antes, ele não era nenhum tolo desajei-tado. — Antes disso — persistiu ele—, onde estavam os peixes? Como acha que *chegaram* ao mercado?

Ela inclinou a cabeça para o lado, olhou com piedade para o peixe, que continuava se debatendo e, depois, para Lorde Marchman, com insolente condenação.

— Presumo que os pescadores tenham usado redes, ou qualquer outra coisa — disse. — Mas tenho certeza de que não os pegam desse jeito.

— Que jeito? — indagou ele.

— Ora, como o senhor fez, arrancando o pobre peixe de sua casinha sob a água, enganando-o ao esconder o anzol sob a isca e, depois, jogando o coitadinho na margem para morrer, longe de sua família. Isso é desumano! — exclamou, mexendo as saias num gesto irritado.

Lorde Marchman a encarava, franzindo a testa com incredulidade, e balançou a cabeça, como se tentasse clarear o pensamento. Minutos mais tarde, acompanhou-a de volta para casa.

Elizabeth obrigou-o a carregar a cesta com o peixe pelo lado oposto de onde ela caminhava. E, como isso aparentemente não foi o bastante para deixá-lo desconcertado, exigiu que ele estendesse o braço, mantendo a cesta o mais distante possível.

Não ficou surpresa quando ele pediu licença e se retirou para seus aposentos até a hora do jantar, nem com o fato de ter ficado calado e pensativo durante toda a desconfortável refeição. Ela, no entanto, dedicou-se a preencher o silêncio, tagarelando sobre as diferenças entre as modas francesa e inglesa e sobre a importância de se usarem apenas luvas da melhor qualidade, além de deleitá-lo com a descrição detalhada de cada vestido de que se lembrava. No final do jantar, Lorde Marchman parecia confuso e irritado; Elizabeth estava um pouco rouca e bastante motivada.

— Eu acho — comentou Berta, com um sorrisinho orgulhoso, quando se encontrava a sós na sala de estar com Elizabeth — que ele está começando a reconsiderar a possibilidade de um pedido de casamento, milady.

— Acho que ele passou todo o jantar calculando qual seria a maneira mais fácil de cometer um assassinato — retrucou ela, rindo.

Estava prestes a dizer mais alguma coisa quando o mordomo as interrompeu, informando que Lorde Marchman desejava ter uma conversa particular com Lady Cameron em seu escritório.

Elizabeth preparou-se para mais uma batalha de perspicácia — ou de *falta* de perspicácia, pensou, sorrindo por dentro — e seguiu o mordomo por um vestíbulo sombrio, todo em tons de marrom, até um espaçoso escritório no qual o conde se encontrava sentado numa poltrona de couro bordô, atrás de uma escrivaninha.

— O senhor queria falar... — começou ela ao entrar no escritório, mas algo na parede ao lado roçou em seus cabelos.

Elizabeth virou a cabeça, esperando encontrar um quadro pendurado, mas viu-se frente a frente com uma imensa cabeça de urso. O guincho agudo que emitiu foi bastante real dessa vez, embora se devesse mais ao susto do que ao medo.

— Ele está bem morto — informou o conde num tom de cansada resignação, vendo-a afastar-se de um de seus mais caros troféus cobrindo a boca com as mãos.

Ela se recobrou no mesmo instante, enquanto passava os olhos pelas paredes cobertas de troféus de caça, e, depois, tornou a se virar para ele.

— Pode tirar a mão da boca — falou ele.

Elizabeth enviou-lhe mais um olhar de acusação e mordeu o lábio, a fim de esconder o sorriso. Teria adorado ouvi-lo contar sobre como abatera aquele urso, ou sobre onde encontrara aquele javali descomunal, mas sabia que era melhor não perguntar.

— Por favor, senhor — pediu, então —, diga-me que estas pobres criaturas não morreram pelas suas mãos.

— Pois receio que a resposta seja sim. Ou melhor, morreram pela mira da minha arma. Sente-se, por favor. — O conde apontou uma grande e confortável poltrona à sua frente, e ela obedeceu.

— Responda-me, se puder — inquiriu ele com os olhos se suavizando ao fitá-la. — Se por acaso nos casarmos, como a senhorita imagina nossa vida juntos?

Ela não se preparara para uma abordagem direta, e essa atitude inspirou-lhe respeito por ele, além de deixá-la um tanto sem jeito. Respirando fundo, tentou descrever o tipo de vida que, tinha certeza, ele odiaria:

— Naturalmente, iríamos morar em Londres — começou, inclinando-se para a frente, fingindo entusiasmo. — Eu *adoro* a cidade e seus atrativos!

Ele franziu a testa diante da menção de morar em Londres.

— Que tipo de atrativos a senhorita aprecia?

— Ora, todo tipo! — respondeu ela enquanto apressava-se em pensar. — Os bailes, as óperas, a agitação... Adoro organizar bailes, e também ser convidada a participar deles. Na verdade, simplesmente não suporto a ideia de perder um baile. Durante a minha temporada, havia noites em que eu conseguia comparecer a quinze bailes diferentes! E gosto muito de jogar também — acrescentou, tentando fazê-lo pensar que ela lhe custaria bem mais caro do que o dote que fora oferecido. — Mas não tenho muita sorte e estou sempre pedindo dinheiro emprestado.

— Entendo — murmurou ele. — Mais alguma coisa?

Ela hesitou, sentindo que precisava pensar em mais alguma coisa, porém a maneira firme e inquisidora com que ele a encarava começou a deixá-la nervosa.

— O que mais pode haver na vida — disse, então, com alegria forçada — além de bailes, jogos e companhias sofisticadas?

A expressão dele tornara-se tão pensativa que Elizabeth pressentiu que estaria reunindo coragem para dispensá-la e esperou num silêncio ansioso, temendo distraí-lo. No momento em que ele começou a falar, ela soube qual seria o discurso, pois mostrava-se vacilante e desajeitado, como sempre ficava quando considerava o assunto de suma importância.

— Lady... ahn... — gaguejou o lorde, ajeitando a gravata de laço.

— Cameron — completou ela, ajudando-o.

— Sim... Cameron — concordou ele e calou-se por um instante, recompondo as ideias. — Lady Cameron — recomeçou —, sou um simples senhorio rural, sem quaisquer aspirações de passar temporadas em Londres ou de fazer sucesso na corte. Na verdade, viajo para Londres o mais raramente possível. Posso ver que isso a deixa desapontada.

Ela assentiu, com tristeza.

— Receio imensamente — prosseguiu ele, ruborizando — que um casamento entre nós não daria certo, Lady... ahn... — Perdeu-se novamente, irritado com a própria falta de jeito.

— Cameron — correu Elizabeth em seu auxílio, ansiosa para que terminasse logo o discurso.

— Sim, é claro, Cameron. Eu sabia. O que estava tentando dizer é que... ahn...

— Nosso casamento não daria certo? — sugeriu ela.

— Exatamente! — Interpretando as palavras de Elizabeth como expressão do pensamento *dela*, e não seu, ele suspirou aliviado e assentiu, enfático. — Devo dizer que fico contente em saber que a senhorita concorda comigo.

— É evidente que lamento por isso — disse ela com gentileza, sentindo que devia a ele algum tipo de compensação pelo tormento que lhe impusera durante a pescaria. — Meu tio também ficará muito decepcionado — acrescentou, fazendo um esforço para não pular da cadeira e colocar a pena de escrever entre os dedos dele. — O senhor gostaria de escrever-lhe uma carta agora, explicando sua decisão?

— *Nossa* decisão — corrigiu ele com elegância.

— Sim, mas... — hesitou Elizabeth, formulando a resposta com todo o cuidado. — Meu tio ficará tão decepcionado e eu não gostaria que me culpasse por isso — finalizou.

Com toda a certeza, Sir Francis jogara toda a culpa sobre ela em sua inevitável carta ao tio Julius, e Elizabeth não queria correr o risco de que o conde fizesse o mesmo. Afinal, seu tio não era nenhum tolo, e ela não pretendia arriscar-se a receber o troco caso ele descobrisse o esquema que ela armara para desencorajar seus pretendentes e frustrar seus planos.

— Entendo — disse o conde, examinando-a com uma atenção perturbadora. Depois, pegou a pena e molhou-a no tinteiro. Elizabeth exalou um suspiro de alívio quando ele começou a escrever a carta. — Agora que este assunto desagradável está encerrado, será que posso lhe fazer uma pergunta? — acrescentou ele, empurrando a carta para o lado.

Ela assentiu, toda contente.

— Por que a senhorita veio até aqui? Ou seja, por que concordou em reconsiderar meu pedido de casamento?

A pergunta apanhou-a de surpresa. Agora que o reencontrara, uma fugaz — e, possivelmente, errônea — lembrança de tê-lo conhecido durante algum baile surgira em sua mente. Além do mais, não poderia confessar-lhe que estava em dificuldades financeiras e dependia de seu tio, pois seria humilhante demais.

Ele aguardava a resposta e, ao perceber que ela parecia incapaz de falar, foi em seu auxílio:

— Será que eu disse ou fiz algo, durante nossos breves encontros no ano passado, que talvez a tenha levado a imaginar que eu poderia gostar da vida na cidade?

— É difícil dizer — respondeu ela, com absoluta sinceridade.

— Lady Cameron, será que a senhorita se lembra de ter-me conhecido?

— Ah, sim, claro. Com toda a certeza — afirmou ela, lembrando-se vagamente de alguém muito parecido com ele que lhe fora apresentado durante uma festa na casa de Lady Markham. Era isso! — Nós nos conhecemos no baile de Lady Markham.

Ele manteve os olhos fixos no rosto dela.

— Nós nos conhecemos no parque.

— No parque? — repetiu ela, com supremo embaraço.

— A senhorita parou para admirar as flores e o jovem cavalheiro que a acompanhava naquele dia nos apresentou.

— Ah... — murmurou ela, afastando rapidamente o olhar.

— Gostaria de saber sobre o que conversamos naquele dia e no dia seguinte, quando eu a acompanhei num passeio pelo mesmo parque?

Curiosidade e vergonha travaram uma batalha dentro dela, e a curiosidade venceu:

— Sim, eu gostaria muito.

— Sobre pescaria.

— P-pescaria?

Ele fez que sim.

— Minutos depois de sermos apresentados, mencionei que não havia ido a Londres para a temporada, como a senhorita imaginara, mas estava a caminho da Escócia, para uma pescaria, e que partiria no dia seguinte.

Um desagradável presságio invadiu-a quando algo agitou-se em sua memória.

— Tivemos uma conversa muito agradável — continuou o conde. — E a senhorita contou-me, com grande entusiasmo, sobre o desafio que enfrentou certa vez ao pescar uma truta particularmente difícil.

Elizabeth sentiu o rosto arder como brasa enquanto o ouvia prosseguir:

— Quase nos esquecemos do tempo, e de seu pobre acompanhante, ao compartilharmos nossas histórias de pescarias.

Ele se calou, esperando, e, quando não suportou mais o silêncio, Elizabeth falou:

— E houve... mais alguma coisa?

— Muito pouco. Acabei desistindo de viajar para a Escócia no dia seguinte e fiquei em Londres a fim de lhe fazer uma visita. A senhorita abandonou a meia dúzia de rapazes que iriam acompanhá-la a um evento vesperal e preferiu minha companhia em mais um passeio improvisado ao parque.

Ela engoliu em seco, encarando-o.

— Gostaria de saber sobre o que conversamos naquele dia?

— Não, acho que não.

Ele riu, ignorando-lhe a resposta.

— A senhorita confessou-se cansada de toda a agitação social e afirmou que preferiria estar no campo, e por isso fomos ao parque. Passamos horas muito agradáveis juntos; pelo menos, foi o que pensei.

Quando ele se calou novamente, Elizabeth obrigou-se a fitá-lo e indagou, resignada:

— E conversamos sobre pescaria?

— Não. Sobre caçadas... de javali.

Ela fechou os olhos, querendo morrer de vergonha.

— A senhorita fez um relato muito interessante sobre um javali selvagem que seu pai caçara anos atrás e sobre como acompanhara tudo escondida bem em cima da árvore sob a qual o animal fora abatido. Se bem me lembro

— finalizou, num tom gentil —, contou-me que foi sua comemoração impulsiva que revelou seu esconderijo aos caçadores e, em consequência, recebeu uma severa repreensão de seu pai.

Ela reparou no brilho divertido dos olhos dele e, de repente, ambos começaram a rir.

— Recordo-me de seu riso, também — falou ele, ainda sorrindo. — Achei que era o som mais adorável que já ouvira. Tanto que, graças a ele e à sua conversa encantadora, senti-me muito à vontade em sua companhia. — Percebendo que acabara de lhe fazer um elogio, o conde ruborizou, remexeu a gravata e desviou os olhos.

Percebendo seu desconforto, Elizabeth esperou que ele se refizesse e tornasse a encará-la.

— Eu também me lembro de você — disse, inclinando a cabeça para o lado quando ele começou a desviar novamente o olhar. — É verdade — insistiu, sincera. — Havia me esquecido, mas só... até alguns momentos atrás.

Com uma expressão satisfeita, embora ainda confuso, reclinou-se na cadeira e encarou-a, incisivo.

— Por que decidiu reconsiderar minha proposta, quando é óbvio que não lhe chamei a atenção?

Ele era tão gentil, tão bondoso, que Elizabeth sentiu que lhe devia uma resposta sincera. Além do mais, sua opinião a respeito da perspicácia de Lorde Marchman sofrera uma rápida mudança. Agora que a possibilidade de um envolvimento romântico desaparecera, ele se mostrava muito mais direto, com uma percepção extremamente acurada.

— A senhorita pode confiar em mim — encorajou ele, como se fosse capaz de ler seus pensamentos. — Não sou tão simplório quanto devo ter parecido a princípio. Apenas não... não me sinto muito confortável ao cortejar as damas. Porém, como a possibilidade de me tornar seu marido não existe mais — acrescentou com um toque de tristeza —, talvez pudéssemos ser amigos.

Quase por instinto, Elizabeth soube que o conde não zombaria de sua situação, se lhe explicasse tudo, e que ele continuaria insistindo até que ela o fizesse.

— Foi uma decisão do meu tio — disse, com um sorriso envergonhado, e tentou amenizar um pouco os fatos. — Tio Julius não tem filhos e está determinado... está preocupado em me ver bem casada. Ele soube que alguns cavalheiros haviam pedido minha mão e decidiu que... quero dizer, ele... — Calou-se, desanimada. Não era tão fácil quanto parecia.

— Ele me escolheu? — ajudou ele.

Elizabeth assentiu.

— Estranho... — comentou ele, pensativo. — Lembro-me perfeitamente de ouvir que a senhorita recebera várias... não, *muitas* ofertas de casamento durante a temporada em que nos conhecemos. Ainda assim, seu tio me escolheu. Devo dizer que me sinto lisonjeado e muito surpreso. Considerando-se a diferença considerável entre nossas idades, sem mencionar nossos interesses, eu imaginaria que um homem mais jovem fosse mais adequado. Peço-lhe desculpas por estar me intrometendo — acrescentou, fitando-a com intensidade.

Ela quase caiu da cadeira em sua aflição quando ele indagou:

— Quem *mais* ele escolheu?

Mordendo o lábio, Elizabeth afastou os olhos, sem perceber que Lorde Marchman era capaz de ver, pela sua expressão contida, que, embora a pergunta a deixasse constrangida, a resposta a perturbava terrivelmente.

— Seja lá quem for, deve ser bem menos adequado do que eu, pela maneira como está reagindo — disse ele, encarando-a. — Será que posso adivinhar? Ou será que devo lhe dizer, francamente, que cerca de uma hora atrás entreouvi uma conversa de sua tia com seu cocheiro, que riam sobre algo ocorrido na casa de Sir Belhaven? O outro pretendente é Belhaven? — insistiu ele com delicadeza.

O súbito empalidecer de Elizabeth foi a resposta que procurava.

— Maldito! — praguejou o conde, com um esgar de nojo. — Só de pensar em uma jovem inocente como a senhorita sendo oferecida àquele velho...

— Eu consegui dissuadi-lo — apressou-se em assegurar, mas estava profundamente tocada pelo conde, que a conhecia tão pouco, ter ficado a seu favor.

— Tem certeza?

— Creio que sim.

Após um momento de hesitação, ele se recostou na cadeira, lançando-lhe um olhar astuto ao mesmo tempo que um lento sorriso surgia em seu rosto.

— Posso lhe perguntar como conseguiu?

— Com toda a franqueza, prefiro que não o faça.

Ele assentiu, mas seu sorriso alargou-se e seus olhos azuis brilhavam, divertidos.

— Mas será que estarei muito longe da verdade se presumir que a senhorita usou com ele as mesmas táticas que utilizou comigo?

— Eu... não tenho certeza se entendi a pergunta — retrucou ela vagamente, mas o sorriso dele era contagiante e logo ela se viu mordendo o lábio para se impedir de sorrir também.

— Bem, ou o interesse que a senhorita demonstrou pela pescaria foi sincero, dois anos atrás, ou tratava-se de mera cortesia de sua parte, a fim de me deixar à vontade e fazer com que eu falasse sobre assuntos do meu interesse. Se a primeira hipótese for verdadeira, então só posso presumir que a aversão pelos peixes que a senhorita demonstrou esta manhã não foi tão... tão profunda quanto quis me fazer acreditar.

Trocaram um olhar e, enquanto ele esboçava um sábio sorriso, Elizabeth estava prestes a cair na gargalhada.

— Talvez não seja assim *tão* profunda, milorde.

Os olhos dele reluziram.

— Gostaria de fazer uma nova tentativa com aquela truta que a senhorita me deixou escapar? Algum dia, ainda irei apanhá-la.

Ela começou a rir, e o conde a imitou. Quando o ataque de risos cessou, Elizabeth encarou-o, sentindo como se fossem grandes amigos. Teria sido tão agradável sentar-se ao lado dele junto ao riacho, sem sapatos, esperando para testar sua própria perícia com a linha e a vara de pescar. Por outro lado, não queria forçá-lo ao inconveniente de mantê-las ali como hóspedes, nem correr o risco de que ele mudasse de ideia quanto ao casamento.

— Considerando tudo — falou, devagar —, creio que é melhor minha tia e eu partirmos amanhã cedo para nosso último... para nosso destino.

O DIA SEGUINTE amanheceu claro e lindo, com pássaros cantando nas árvores e o sol brilhando num céu muito azul. Infelizmente, era um daqueles dias em que as soluções dos problemas do dia anterior não apareceram durante a noite, e, quando Lorde Marchman a acompanhou até a carruagem, Elizabeth ainda não havia resolvido seu dilema. Não poderia continuar ali, agora que sua tarefa fora concluída; no entanto, a perspectiva de chegar à casa de Ian Thornton, na Escócia, com quase uma semana de antecedência e com Berta no lugar de Lucinda, era completamente impensável. Para confrontar *aquele* homem, ela precisava de Lucinda ao seu lado — Lucinda, que não se acovardava diante de ninguém e que seria capaz de lhe dar conselhos quando precisasse. A solução mais óbvia, portanto, seria seguir direto para a hospedaria na qual o encontro com Lucinda fora combinado e ali permanecer até que ela chegasse. Tio Julius, com sua típica preocupação com cada centavo gasto, preparara o que chamou de "orçamento", e o dinheiro extra que lhe dera serviria apenas para cobrir emergências. Dizendo a si mesma que aquilo *era* uma emergência, decidiu gastar o dinheiro e pensar nas explicações depois.

Aaron aguardava as instruções quando Elizabeth tomou a decisão:

— Vamos para Carlington, Aaron. Ficaremos à espera de Lucinda na hospedaria.

Virando-se, sorriu para Lorde Marchman com genuína afeição e ofereceu-lhe a mão através da janela aberta da carruagem.

— Obrigada — disse um tanto envergonhada, mas com toda a sinceridade. — Obrigada por ser como é, meu senhor.

Com o rosto rubro de satisfação diante do elogio, John Marchman afastou-se e ficou observando até que a carruagem tomasse o rumo da estrada. Depois, entrou em casa e foi direto para o escritório, onde sentou-se à escrivaninha e examinou a carta que escrevera ao tio de Elizabeth. Distraído, tamborilou os dedos no tampo da mesa, lembrando-se da perturbadora resposta de Elizabeth quando lhe perguntou se conseguira dissuadir o velho Belhaven da proposta de casamento. *"Creio que sim"*, dissera ela. E, então, John tomou uma decisão.

Sentindo-se quase como o insensato cavaleiro numa armadura reluzente, galopando para salvar a donzela indefesa de um futuro sombrio, pegou uma nova folha de papel e escreveu outra carta a Julius Cameron. Como sempre acontecia nesses momentos que diziam respeito a assuntos do coração, Lorde Marchman perdeu toda a capacidade de articulação. Seu bilhete limitou-se ao seguinte:

Se Belhaven decidir-se pela mão dela, avise-me, por favor. Farei o pedido antes dele.

Capítulo 11

Ian Thornton estava parado no meio da sala do espaçoso chalé na Escócia, onde ele nascera e crescera. Agora, usava-o apenas como uma espécie de abrigo durante as caçadas, mas o lugar tinha um significado muito maior para ele: ali, sempre encontraria paz; era o único refúgio para onde poderia ir, mesmo que por pouco tempo, do ritmo frenético de sua vida.

Percorreu os olhos pela casa com as mãos enfiadas nos bolsos, tornando a vê-la como adulto.

— Cada vez que volto, a casa parece-me ainda menor do que antes — disse ao homem de meia-idade e rosto avermelhado que se arrastava porta adentro, carregando nas costas os pesados sacos com provisões.

— As coisas sempre parecem maiores quando somos pequenos — observou Jake, jogando os sacos no empoeirado aparador sem a menor cerimônia.

— Pronto, está tudo aqui; menos uma coisa — avisou. Então, retirou a pistola do cinto e deixou-a sobre a mesa. — Vou guardar os cavalos.

Ian assentiu, distraído, mas sua atenção continuava no chalé. Uma dolorosa nostalgia o invadiu ao se lembrar dos anos que ali vivera quando criança. Em seu coração, ainda podia ouvir a voz grave do pai e os risos da mãe em resposta. À sua direita, ficava a lareira onde a mãe costumava preparar as refeições, antes da chegada do fogão. Nos dois lados da lareira, estavam dispostas as duas cadeiras de balanço de encosto alto nas quais seus pais passavam longas noites aconchegantes junto ao fogo, conversando em voz baixa para que Ian e sua irmã mais nova não fossem incomodados em seus quartos, no andar de cima. No lado oposto, havia um sofá forrado com um tecido em xadrez creme e marrom.

Tudo continuava exatamente como ele se lembrava. Virando-se, olhou para a mesa coberta de poeira ao seu lado e tocou a superfície, sorrindo, os longos dedos examinando a madeira em busca de uma marca específica. Levou alguns segundos esfregando, mas, aos poucos, começou a visualizar o que procurava: quatro letras um tanto desajeitadas esculpidas na madeira: I.G.B.T. — suas iniciais. Ele próprio as entalhara ali, quando tinha pouco mais de três anos, e a pequena travessura quase lhe rendera uma boa surra, até sua mãe perceber que ele estava aprendendo a escrever seu próprio nome sem qualquer ajuda.

Suas aulas começaram no dia seguinte, e, quando o considerável conhecimento da mãe se esgotara, coube ao pai ensinar-lhe geometria, física e tudo mais que aprendera em Eton e Cambridge. Quando Ian estava com 14 anos, Jake Wiley fora contratado como uma espécie de "faz-tudo" da casa. Com ele, Ian aprendeu sobre o mar, navios e as terras misteriosas que existiam do outro lado do mundo. Anos mais tarde, partira com Jake para conhecer tais lugares pessoalmente, a fim de colocar em prática os ensinamentos que recebera.

Retornara ao lar três anos depois, ansioso por rever a família, apenas para descobrir que, poucos dias antes, todos haviam morrido num incêndio na hospedaria, onde aguardavam sua chegada iminente. Mesmo agora, Ian ainda era capaz de sentir a dor lancinante pela morte da mãe e do pai, o homem orgulhoso que desprezara sua herança de nobreza e casara-se com a irmã de um pobre vigário escocês. Tal ato causara-lhe a perda de um ducado, mas ele jamais dera a menor importância a isso. Ou, pelo menos, era o que dizia.

A emoção de estar ali agora, depois de dois longos anos, foi quase insuportável, e Ian jogou a cabeça para trás, tentando afastar o gosto amargo da dor. Viu o pai sorrindo e apertando-lhe a mão na hora do adeus em sua primeira viagem com Jake.

— Cuide-se — dissera ele. — Lembre-se de que, não importa para quão longe você vá, sempre estaremos com você.

Ian partira naquele dia, o filho pobre de um lorde inglês deserdado, cuja fortuna limitava-se a uma pequena bolsa com as moedas de ouro que ganhara do pai ao completar 16 anos. Agora, 14 anos depois, frotas inteiras navegavam com a bandeira de Ian, levando suas cargas; havia minas repletas com prata e cobre que pertenciam a ele, depósitos lotados com as mercadorias preciosas que ele possuía. Mas fora a terra que o tornara rico — um grande lote de terra de aparência improdutiva, que ele ganhara num jogo de cartas, de um proprietário colonial. O homem lhe jurara que havia ouro na velha mina que existia naquelas terras e estava certo. O ouro comprara outras minas, além de navios e casas palacianas na Itália e na Índia.

Apostando tudo numa série de investimentos, Ian ganhava cada vez mais. Certa vez, a sociedade o chamara de mero jogador; agora, ele era conhecido como o Rei Midas inglês, capaz de transformar em ouro tudo o que tocava. Rumores vicejavam e preços disparavam nas bolsas de valores sempre que ele comprava uma ação. Não podia sequer pisar num baile sem que o mordomo corresse para anunciar seu nome. Nos mesmos locais onde, um dia, fora considerado um pária, aquelas mesmas pessoas que o desprezavam agora cortejavam seus favores — ou, mais precisamente, seus conselhos financeiros, ou seu dinheiro para as filhas. A riqueza proporcionara muitos confortos a Ian, mas nenhuma alegria em especial. O que ele mais amava era o jogo — o desafio de escolher o empreendimento certo e a excitação de apostar uma fortuna nele. Entretanto, o sucesso custara-lhe um alto preço: sua privacidade. E isso era algo de que ele se ressentia.

As atitudes de seu avô contribuíam para essa indesejada notoriedade. Era óbvio que a morte do pai de Ian causara no velho duque um profundo arrependimento pela antiga desavença e, durante 12 anos, ele escreveu a Ian periodicamente. No início, implorara para que Ian fosse visitá-lo em Stanhope. Quando Ian ignorara suas cartas, tentou suborná-lo com promessas de nomeá-lo seu legítimo herdeiro. Todas as cartas ficaram sem resposta, e, nos últimos dois anos, o silêncio do duque fez com que Ian acreditasse que, finalmente, ele desistira. Entretanto, quatro meses atrás, uma nova carta com o selo ducal de Stanhope chegara às mãos de Ian e conseguira deixá-lo furioso.

O velho duque, imperiosamente, dera a Ian um prazo de quatro meses para aparecer em Stanhope e discutir com ele os acertos para a transferência de seis propriedades — propriedades que teriam sido a herança do pai de Ian se o duque não o tivesse deserdado. De acordo com a carta, se Ian não comparecesse no prazo estipulado, o duque planejava seguir em frente com o processo, nomeando-o publicamente seu herdeiro.

Ian respondera ao avô pela primeira vez na vida: uma nota simples, curta e rude. Era também uma prova eloquente de que Ian Thornton era tão duro quanto o avô, que rejeitara o próprio filho por duas décadas.

Tente fazer o que pretende, e passará por um tolo. Negarei qualquer relacionamento com o senhor e, caso insista nisso, deixarei que seu título e suas propriedades apodreçam no esquecimento.

Os quatro meses se esgotaram e não houve mais qualquer notícia do duque, embora os rumores de Londres informassem que Stanhope estava prestes a nomear seu herdeiro. E que o herdeiro seria seu neto, Ian Thornton. A partir de então, os convites para bailes e vesperais chegavam em ondas descomunais, vindos daquelas mesmas pessoas que, tempos atrás, o rotulavam de indesejável. Tal hipocrisia divertia e enojava Ian.

— Aquele cavalo preto que usamos para carregar as provisões até aqui é o animal mais birrento que existe na face da Terra — resmungou Jake, esfregando o braço.

Ian ergueu os olhos das iniciais no tampo da mesa e virou-se para Jake, sem esconder o divertimento.

— Mordeu você, não foi?

— Com mil demônios, se ele me mordeu! — disparou o velho marinheiro, irritado. — Aliás, é o que tenta fazer desde que deixamos a carruagem em Hayborn e o trouxemos com todos aqueles sacos até aqui.

— Eu o avisei de que ele morde tudo o que estiver ao seu alcance. Mantenha o braço longe dele quando for colocar a sela.

— Não era o meu braço que ele queria, mas, sim, o meu traseiro! Abriu a boca e quase deu um bote, só que espiei com o canto do olho, me virei bem rápido e ele errou o alvo. — Jake franziu a testa ao ver que Ian achava graça de tudo aquilo. — Não entendo por que você se deu ao trabalho de alimentá-lo durante todos esses anos. Ele nem merece ficar no mesmo estábulo com os outros cavalos. São todos umas belezuras, à exceção dele.

— Pois experimente colocar sacos de carga no lombo de alguma dessas "belezuras" e verá *por que* eu o escolhi. Ele é como um burro de carga, e nenhum dos meus outros animais suporta tanto peso quanto ele — disse Ian, olhando em volta e torcendo o nariz ao reparar na quantidade de poeira que se acumulara durante meses.

— Porém, é *mais lerdo* que um burro de carga — argumentou Jake. — Birrento, teimoso e lerdo — concluiu, e também fez uma careta ao ver as camadas de poeira sobre os móveis. — Pensei que você contrataria algumas moças da aldeia para limpar e cozinhar. Este lugar está uma bagunça.

— Assim o fiz. Ditei uma carta a Peters, para ser enviada ao caseiro, pedindo-lhe que providenciasse um estoque de comida e contratasse duas mulheres para limpar e cozinhar. A comida está aqui, e há galinhas no celeiro. Talvez ele tenha achado difícil encontrar mulheres dispostas a ficar aqui.

— Mulheres graciosas, espero — disse Jake. — Você o avisou para escolher duas moças formosas?

Ian fez uma pausa enquanto observava as teias de aranha espalhadas pelo teto e lançou-lhe um olhar divertido.

— Queria que eu dissesse a um caseiro de setenta anos, que é quase cego, para se certificar de que as criadas fossem graciosas?

— Ora, não custava nada mencionar — resmungou Jake, um tanto ofendido.

— O vilarejo fica a menos de vinte quilômetros. Você pode muito bem dar um passeio até lá, se tiver tamanha necessidade de mulheres enquanto estivermos aqui. Mas é claro que a viagem de volta poderá matá-lo — brincou, referindo-se ao caminho tortuoso montanha acima, que parecia ser quase vertical.

— Esqueça as mulheres — falou Jake, mudando abruptamente de humor, enquanto o rosto bronzeado e rude iluminava-se com um largo sorriso. — Vim aqui para uma semana de pesca e descanso, e isso é o bastante para qualquer homem. Será como nos velhos tempos, Ian: paz e sossego, nada mais. Nada de criados bisbilhoteiros ouvindo cada palavra que se diz, nada de carruagens ou caleças, nem de mães casamenteiras batendo à porta. Vou lhe dizer uma coisa, meu rapaz: apesar de nunca reclamar da maneira como você tem vivido neste último ano, não gosto daqueles seus criados de nariz empinado. É por isso que não o tenho visitado com muita frequência. Aquele seu mordomo em Montayne empina tanto o nariz que é de se admirar que consiga alcançar um pouco de oxigênio. E o cozinheiro francês? Quase me jogou para fora da cozinha dele! É assim que ele fala: "minha cozinha". E... — calou-se de repente, a expressão irritada sendo substituída por uma cabisbaixa. — Ian — disse, ansioso —, por acaso aprendeu a cozinhar nesse tempo em que ficamos afastados?

— Não, e você?

— Também não, raios me partam! — exclamou Jake, aterrorizado com a ideia de ser obrigado a comer qualquer coisa que ele próprio cozinhasse.

— Lucinda — disse Elizabeth pela terceira vez em uma hora —, nem sei lhe dizer quanto lamento por tudo isso.

Cinco dias atrás, Lucinda chegara à hospedaria na fronteira com a Escócia, onde se encontrou com Elizabeth para a viagem à casa de Ian Thornton. Naquela manhã, um eixo da carruagem que haviam alugado se quebrara e, agora, ambas se encontravam vergonhosamente empoleiradas na traseira de uma carroça de feno, cujo dono era um fazendeiro. Suas valises e baús equilibravam-se de maneira precária, indo para frente e para trás à medida que iam avançando na esburacada trilha que, era evidente, os escoceses julgavam ser uma estrada. A ideia de chegar à casa de Ian Thornton a bordo de uma carroça de feno era tão humilhante que Elizabeth *preferia* concentrar-se em sua culpa a pensar no iminente encontro com o monstro que arruinara sua vida.

— Como já lhe disse na última vez que pediu desculpas, Elizabeth — respondeu Lucinda —, você não tem culpa nenhuma. Portanto, não lhe cabe desculpar-se pela deplorável falta de estradas e por outros desconfortos deste país selvagem.

— Sim, mas você não estaria aqui se não fosse por minha causa.

Lucinda suspirou, impaciente, agarrando-se à lateral da carroça quando esta deu um solavanco particularmente abrupto.

— E, como já admiti, se *eu* não tivesse sido ludibriada a mencionar o nome do Sr. Thornton ao seu tio, *nenhuma* de nós estaria aqui. Você está apenas nervosa diante da desagradável perspectiva de se confrontar com aquele homem, e não há razão alguma neste mundo para... — A carroça deu um sacolejo súbito, e ambas seguraram-se nas laterais, equilibrando-se — ... razão alguma para continuar se desculpando. Seria melhor ocupar seu tempo preparando-se para uma ocasião tão infeliz.

— Você está certa, é claro.

— É claro — concordou Lucinda, sem hesitar. — Estou sempre certa, como sabe. Ou *quase* sempre — corrigiu-se, obviamente lembrando-se de como fora influenciada por Julius Cameron a declarar o nome de Ian Thornton como um dos antigos pretendentes de Elizabeth.

Conforme explicou à jovem tão logo chegara à hospedaria, ela revelara o nome do Sr. Thornton como um de seus pretendentes apenas porque Julius começara a questioná-la a respeito da reputação de Elizabeth durante a temporada em Londres, querendo saber se ela fora popular ou não. Acreditando que ele ouvira alguns dos maldosos mexericos sobre o envolvimento de Elizabeth com Ian Thornton, Lucinda tentara amenizar as coisas e incluíra o nome dele entre os muitos pretendentes.

— Eu preferia encarar o diabo em pessoa a voltar a ver aquele homem — disse Elizabeth, reprimindo um arrepio.

— Eu acredito — concordou Lucinda, agarrando-se ao guarda-chuva com uma mão e à lateral da carroça com a outra.

Quanto mais o tempo passava, mais nervosa e confusa Elizabeth se sentia em relação ao temeroso encontro. Nos primeiros quatro dias de viagem, boa parte da tensão fora apaziguada pela grandeza da paisagem da Escócia, com suas colinas ondulantes e vales profundos, cobertos por um tapete de flores azuis e amarelas. Agora, no entanto, quando a hora do confronto se aproximava, nem mesmo a visão das montanhas revestidas de flores primaveris ou dos lagos azuis abaixo era capaz de aplacar seu crescente nervosismo.

— Além do mais, não posso acreditar que ele tenha o menor desejo de me ver.

— Logo descobriremos.

No alto de uma das colinas que rodeavam a tortuosa trilha que se fazia passar por estrada, um pastor de ovelhas parou e olhou, embasbacado, a velha carroça de madeira que se arrastava com grande dificuldade lá embaixo.

— Venha aqui, Will! — chamou o irmão. — Está vendo o que estou vendo?

O outro olhou para baixo, boquiaberto, e logo a surpresa se transformou num largo sorriso desdentado diante da visão de duas damas — de chapéu, luvas e tudo — afetadas e precariamente encarapitadas na carroça de feno de Sean MacLaesh, mantendo as costas eretas e os pezinhos balançando para fora, na beirada da traseira.

— Isso não é demais? — riu Will e, assim que a carroça passou, tirou a boina e fez uma reverência zombeteira, saudando as damas. — Ouvi falar no vilarejo que Ian Thornton estava voltando para casa. Aposto que já chegou, e aquelas duas são as belas contratadas para aquecer sua cama e cuidar de todos os seus confortos.

Numa abençoada ignorância das conjecturas dos dois espectadores na colina, a irritada Srta. Throckmorton-Jones tentou espanar a poeira que grudava às suas saias pretas, sem o menor sucesso.

— *Nunca*, em toda a minha vida, fui *submetida* a tal tratamento! — sibilou, furiosa, quando a carroça deu mais um solavanco violento, atirando-a de encontro ao ombro de Elizabeth. — Esteja certa de uma coisa: direi ao Sr. Thornton *exatamente* o que acho do convite a duas damas para este buraco esquecido por Deus, sem sequer *mencionar* que uma carruagem é larga demais para seguir pelas estradas!

Elizabeth abriu a boca para dizer alguma coisa que a tranquilizasse, mas, naquele instante, a carroça deu mais um solavanco, fazendo seus dentes se chocarem, e ela se agarrou à lateral de madeira.

— Pelo pouco que conheço dele, Lucy — conseguiu falar quando a carroça se endireitou —, não dará a mínima importância para o que estamos passando. Ele é grosseiro e descortês, e isso é *elogio*...

— *Oaa, oaa...!* — gritou o fazendeiro, puxando as rédeas e fazendo a carroça parar com um rangido. — A casa dos Thornton fica ali, em cima daquele morro — anunciou, apontando.

Os olhos de Lucinda voltaram-se, com uma fúria crescente, para o grande, porém pouco imponente, chalé, que mal se avistava por trás das árvores espessas. Depois, ela dirigiu ao indefeso fazendeiro toda a força de sua autoridade.

— Creio que está enganado, meu bom homem — disse com firmeza. — Nenhum cavalheiro de importância ou com um mínimo de bom senso seria capaz de morar num lugar miserável destes. Faça a gentileza de dar a meia-volta com este veículo decrépito e levar-nos de volta ao vilarejo, para que possamos pedir novamente informações. É evidente que houve algum engano.

Àquela altura, tanto o homem como seu cavalo viraram as cabeças. Até parecia que o animal também as encarava com a mesma expressão de perplexo ressentimento de seu dono.

O fazendeiro, que estivera ouvindo as furiosas reclamações de Lucinda pelos últimos vinte quilômetros, já não aguentava mais.

— Escute aqui, minha senhora... — começou, mas Lucinda o interrompeu.

— Não se dirija a mim como "minha senhora". É "Srta. Throckmorton-Jones".

— É... Está bem, seja lá o que for, este é o ponto final da viagem e aquele é o chalé dos Thornton.

— O senhor não pretende nos abandonar aqui! — exclamou ela enquanto o velho fazendeiro cansado exibia um ímpeto de renovada energia, obviamente causado pela perspectiva de se livrar daquelas convidadas indesejadas. Desceu da carroça e começou a retirar os baús, malas e chapeleiras da traseira, arrastando-os para o acostamento da estreita trilha que se fazia passar por estrada.

— E se não houver ninguém na casa? — ofegou ela, quando Elizabeth, apiedando-se do velho homem, começou a ajudá-lo a descarregar a bagagem.

— Voltaremos para cá e esperaremos até que outro fazendeiro gentil nos leve de volta ao vilarejo — respondeu Elizabeth com uma coragem que de fato não sentia.

— Eu não contaria com isso — disse o homem, recebendo a moeda que Elizabeth lhe colocava na mão. — Obrigado, *milady*, muito obrigado. — Tocou a aba da boina e sorriu de leve para a linda jovem de reluzentes cabelos loiros.

— Por que não podemos contar com isso? — inquiriu Lucinda.

O velho tornou a subir na carroça antes de responder:

— Porque é muito pouco provável que alguém volte a passar por aqui antes de uma ou duas semanas. Vem chuva por aí amanhã, acho, ou depois de amanhã. É impossível conduzir uma carroça por aqui quando chove forte. Mas não se preocupem — acrescentou, com pena da jovem dama, que empalidecera —, vejo fumaça saindo da chaminé, o que significa que tem gente lá.

Pondo a carroça em movimento com um estalar das rédeas, ele se afastou. Por um minuto, Elizabeth e Lucinda permaneceram imóveis no meio da estrada, envoltas por uma nuvem de poeira. Finalmente, Elizabeth voltou à realidade e tentou recolher a bagagem.

— Lucy, se você segurar uma alça do baú, eu seguro a outra, e nós a carregamos até a casa.

— De jeito nenhum! — gritou Lucinda, irada. — Deixaremos tudo aqui mesmo. Thornton é quem deve mandar os criados buscarem nossas malas.

— Nós conseguiríamos carregá-las — disse Elizabeth. — Apesar de ser uma subida íngreme, o baú não está pesado e não será necessário incomodarmos ninguém. Por favor, Lucy, estou cansada demais para discutir.

Lucinda lançou um rápido olhar para o rosto pálido e apreensivo de Elizabeth e engoliu seus argumentos.

— Você tem toda a razão — disse, ríspida.

Porém, Elizabeth não tinha assim *tanta* razão. A subida era realmente íngreme, mas o baú, que antes parecera leve, ganhava um quilo a cada passo que davam. A poucos metros da casa, depois de uma nova pausa para o descanso, Elizabeth agarrou a alça que estava do seu lado com um ar resoluto.

— Vá na frente e bata à porta, Lucy — disse, ofegante, preocupada com a saúde da senhora se a obrigasse a carregar aquele peso por mais tempo. — Arrastarei o baú até lá.

A Srta. Throckmorton-Jones deu uma olhada em sua infeliz e empoeirada protegida, e uma onda de fúria explodiu em seu peito por terem chegado tão baixo. Como um raivoso general, tirou as luvas com um puxão irritado, girou nos calcanhares e marchou colina acima. Usando o cabo do guarda-chuva, bateu à porta com toda a força.

Atrás dela, Elizabeth arrastava o baú obstinadamente.

— Será que não tem ninguém em casa? — ofegou, puxando sua carga pelos poucos metros que faltavam.

— Se tiver, com certeza é completamente surdo! — retrucou Lucinda. Tornou a erguer o guarda-chuva e começou a bater à porta de tal forma que, dentro da casa, parecia que ressoavam trovões. — Abram a porta! — gritou, e, quando bateu o objeto pela terceira vez, a porta escancarou-se de repente, revelando um assustado homem de meia-idade, que levou uma pancada na cabeça com o cabo do guarda-chuva.

— Pelo amor de Deus! — exclamou Jake, levando as mãos à cabeça e arregalando os olhos para a mulher insossa que o encarava de volta e parecia meio louca, com um chapéu preto torto equilibrando-se sobre os cabelos grisalhos.

— Pela *audição* de Deus; é dela que você precisa! — retrucou a mulher azeda enquanto agarrava Elizabeth pela manga do vestido e empurrava-a para dentro da casa. — Somos aguardadas — informou a Jake.

Compreensivelmente perplexo, Jake examinou as duas desgrenhadas e empoeiradas damas e, cometendo um erro grave, imaginou que fossem as mulheres do vilarejo contratadas para cozinhar e arrumar a casa. Todo o seu semblante se modificou, então, e um largo sorriso abriu-se no rosto corado. O galo que crescia em sua cabeça já fora esquecido e perdoado, e ele deu um passo para trás.

— Bem-vindas, bem-vindas — disse, expansivo, fazendo um largo gesto, abrangendo a sala coberta de pó. — Por onde querem começar?

— Por um banho quente — respondeu Lucinda. — Seguido por um bom chá e uma refeição.

Com o canto dos olhos, Elizabeth avistou o homem alto que surgiu na soleira de uma porta que dava para um cômodo ao lado daquele onde se encontravam, e um tremor incontrolável se apossou de seu corpo.

— Não sei se quero tomar banho agora — disse Jake.

— O banho não é para você, seu pateta, e sim para Lady Cameron.

Elizabeth podia jurar que Ian se enrijecera pelo choque ao ouvir seu nome. Ele moveu a cabeça na direção dela, como se tentasse enxergar através da aba do chapéu que ela usava, mas, absolutamente paralisada pela covardia, ela manteve o rosto baixo.

— *Você* quer tomar banho? — repetiu Jake, pasmo, olhando para Lucinda.

— Sim, eu também quero, mas Lady Cameron em primeiro lugar. Vamos, não fique aí parado! — apressou-o, ameaçando-o com o guarda-chuva.

— Mande os criados recolherem nossa bagagem lá fora imediatamente! — Apontou o guarda-chuva na direção da porta, enfatizando a ordem, e depois tornou a apontá-lo para o pobre homem, cutucando-o na barriga. — Mas, antes, avise a seu patrão que nós chegamos.

— O patrão dele já sabe — disse uma voz cortante que veio dos fundos da sala.

Elizabeth virou-se ao som daquela voz mordaz, e a fantasia que acalentara, de vê-lo cair de joelhos pedindo-lhe perdão no momento em que pousasse os olhos nela, desvaneceu-se tão logo deparou com seu rosto, duro e impenetrável como o de uma estátua de granito. Ele não fez menção de se aproximar; ao contrário, permaneceu onde estava, o ombro negligentemente recostado no batente da porta, os braços cruzados no peito, examinando-a com os olhos estreitos. Até então, Elizabeth julgara recordar-se *exatamente* da aparência dele, mas estava enganada. Muito enganada. A jaqueta de camurça que ele usava colava-se aos ombros, que eram bem mais largos do que ela se lembrava, e os cabelos volumosos eram quase negros. Seu rosto continha uma sensualidade reprimida e uma beleza arrogante, com os lábios perfeitamente esculpidos e os olhos penetrantes. Então, reparou no cinismo daqueles olhos dourados e na implacável dureza dos contornos daquele rosto, detalhes que, obviamente, era jovem demais para perceber tempos atrás. Tudo nele exalava força bruta, fazendo-a sentir-se ainda mais indefesa enquanto examinava seus traços em busca de algum sinal de que aquele homem arredio tivesse, num passado distante, abraçado seu corpo e beijado seus lábios com sedutora ternura.

— Já me examinou o bastante, condessa? — disparou ele e, antes que Elizabeth se recobrasse do choque pelo rude cumprimento, as palavras seguintes a emudeceram: — A senhorita é uma mulher notável, Lady Cameron. Deve possuir os instintos de um cão de caça para seguir minha trilha até aqui. Porém, agora que conseguiu, a porta da rua é a serventia da casa.

O espanto momentâneo de Elizabeth deu lugar a uma súbita e quase incontrolável onda de indignação.

— Perdão, o que disse? — perguntou com uma fúria que mal conseguia disfarçar.

— A senhorita ouviu muito bem.

— Eu fui *convidada* a vir aqui.

— Ah, claro que sim — ironizou ele e, num lampejo de surpresa, deu-se conta de que a carta que recebera do tio dela talvez não fosse uma brincadeira e que Julius Cameron certamente decidira aceitar a ausência de resposta como consentimento, o que não era nada menos do que um absurdo detestável.

Nos últimos meses, desde que as notícias sobre sua riqueza e possível ligação com o Duque de Stanhope se haviam tornado públicas, Ian acostumara-se a ser perseguido pelas mesmas *socialites* que antes o desprezavam. Em geral, achava irritante; porém, vindo de Elizabeth Cameron, era revoltante.

Ficou encarando-a num silêncio insolente, incapaz de acreditar que a jovem fascinante e impulsiva da qual se lembrava se transformara naquela mulher fria, distante e convencida. Mesmo com as roupas amassadas e cobertas de poeira, e com a manchinha de terra no rosto, Elizabeth Cameron era de uma beleza admirável, mas havia mudado tanto que — exceto pelos olhos — ele quase não a reconhecera. Mas uma coisa não se modificara: ela ainda era ardilosa e mentirosa.

Endireitando-se subitamente, Ian adiantou-se para dentro da sala.

— Acho que já cansei desta farsa, Srta. Cameron. Ninguém a convidou a vir aqui, e a senhorita muito bem disso.

Cega pela ira e humilhação, Elizabeth enfiou a mão na bolsinha e retirou a mensagem manuscrita que seu tio recebera, convidando-a para se reunir a Ian naquela casa. Marchando ao encontro dele, atirou o convite contra seu peito. Instintivamente, ele a pegou, mas não abriu.

— Pois então explique isto — ordenou ela. Deu um passo para trás e esperou.

— Outro bilhete, aposto — zombou ele, sarcástico, pensando naquela noite em que fora encontrá-la na estufa e recordando-se do papel de tolo que fizera por causa dela.

Elizabeth manteve-se imóvel ao lado da mesa, determinada a ter a satisfação de ouvir-lhe as explicações antes de ir embora — pois nada do que ele dissesse a faria permanecer naquela casa. Quando ele não deu sinal de abrir a carta, ela se virou furiosa para Jake, que parecia muito frustrado por Ian estar, deliberadamente, despachando aquelas duas mulheres que ainda poderiam ser persuadidas a cozinhar se ficassem.

— Mande-o ler a carta em voz alta! — ordenou ela ao atônito Jake.

— Ora, Ian — começou Jake, pensando no estômago vazio e no futuro sombrio que se estendia à sua frente se as damas fossem embora. — Por que simplesmente não lê a cartinha, como a senhorita aqui pediu?

Mas Ian ignorou o apelo, fazendo com que Elizabeth perdesse o controle. Sem pensar nas consequências de seu gesto, ela estendeu o braço e apanhou a pistola que se encontrava sobre a mesa, engatilhou-a e apontou-a na direção do largo peitoral de Ian.

— Leia a carta!

Jake, cuja preocupação continuava sendo o estômago, levantou as mãos como se a arma estivesse apontada para ele.

— Ian, tudo isso pode ser um mal-entendido, e não é bonito da sua parte ser tão grosseiro com duas damas. Por que não lê a bendita carta e, depois, todos poderemos nos sentar e desfrutar... — Fez um gesto de cabeça na direção do saco de provisões sobre a mesa —... de um bom *jantar*.

— Não preciso ler nada — disparou Ian. — Na última vez que li um bilhete de Lady Cameron e fui ao encontro dela, levei um tiro no braço.

— Por acaso, está insinuando que fui *eu* que o convidei para aquele encontro? — escarneceu Elizabeth, furiosa.

Com um suspiro impaciente, Ian respondeu:

— Já que, obviamente, a senhorita está disposta a encenar uma tragédia, vamos acabar logo com isso antes que se retirem daqui.

— O senhor nega que tenha me mandado um bilhete? — inquiriu ela, ríspida.

— Ora, é claro que eu nego.

— Então, *o que* estava fazendo naquela estufa? — disparou Elizabeth.

— Fui encontrá-la graças ao recado quase ilegível que a senhorita me enviou — retrucou Ian com a voz arrastada e entediada, ofendendo-a com seu tom. — Será que me permite sugerir que, no futuro, a senhorita dedique menos tempo às artes dramáticas e ocupe-se mais em melhorar a caligrafia? — Seu olhar desviou-se para a pistola. — Abaixe esta arma antes que se machuque.

Elizabeth levantou-a ainda mais alto, com as mãos trêmulas.

— O senhor me insulta e me avilta todas as vezes que está em minha presença. Se meu irmão estivesse aqui, ele o desafiaria novamente! E, como não está — prosseguiu, quase insana —, eu mesma exijo uma satisfação! Se eu fosse homem, teria o direito a um desagravo pela minha honra ofendida, e, como mulher, recuso-me a ter este direito negado!

— Ora, está sendo ridícula.

— Talvez — retrucou ela suavemente —, mas acontece que sou uma ótima atiradora. Posso mostrar-me uma oponente à sua altura num duelo, muito mais do que foi o meu irmão. Agora, quer encontrar-se comigo lá fora ou devo terminar tudo aqui mesmo? — ameaçou, tão cega pela fúria que não parou para pensar em quanto sua ameaça soava vazia e inconsequente. Aaron insistira que ela aprendesse a atirar para se proteger, mas, embora tivesse uma pontaria perfeita ao praticar o tiro ao alvo, Elizabeth jamais atirara num ser vivo.

— Não vou fazer uma idiotice destas.

Ela segurou a arma com mais firmeza.

— Então quero ouvir suas desculpas agora.

— Por que tenho de me desculpar? — indagou ele com uma calma enfurecedora.

— Pode começar desculpando-se por ter me atraído para aquela estufa com o seu bilhete.

— Não escrevi bilhete algum. *Eu* recebi um recado da senhorita.

— Parece que o senhor tem certa dificuldade em discernir quais recados manda ou não, não é? — disse ela e, sem esperar resposta, continuou: — Depois, pode pedir desculpas por tentar me seduzir na Inglaterra e por arruinar minha reputação...

— Ian! — intercedeu Jake, estupefato. — Uma coisa é insultar a caligrafia de uma dama; arruinar-lhe a reputação é outra. Algo *assim* poderia destruir toda a vida dela!

Ian enviou um olhar irônico ao companheiro.

— Obrigado, Jake, por contribuir com tão inflamada defesa. Será que não gostaria de ajudá-la a puxar o gatilho?

As emoções de Elizabeth subitamente foram da fúria ao riso quando o absurdo daquela cena extravagante a atingiu em cheio: ali estava ela, apontando uma arma para um homem em sua própria casa, enquanto a pobre Lucinda fazia o mesmo com outro homem — só que usando o guarda-chuva —, que tentava amenizar os fatos, sem o menor sucesso, colocando ainda mais lenha naquela ardente fogueira sem se dar conta disso. Só então, reconheceu a estúpida futilidade de tudo aquilo, e tal compreensão fez desaparecer de uma vez a súbita vontade de rir. Novamente, aquele homem desprezível a obrigara a fazer papel de tola, e, com os olhos reluzindo com renovada fúria, Elizabeth tornou a encará-lo.

Apesar da aparente indiferença, Ian estivera observando-a com atenção e se enrijeceu, pressentindo que ela estava ainda mais irada do que antes, embora não soubesse explicar por quê. Fez um gesto de cabeça na direção da pistola e, quando falou, não havia mais sinal de zombaria em sua voz, que, agora, soava cuidadosamente neutra:

— Creio que existem uns poucos fatos que deve considerar antes de usar esta arma.

Embora não tivesse a menor intenção de usar a pistola, Elizabeth ouvia atenta, e ele continuou no mesmo tom cauteloso:

— Em primeiro lugar, a senhorita terá de ser muito rápida e controlada se realmente pretende atirar em mim e recarregar a pistola antes que Jake a desarme. Segundo, creio que é justo avisá-la de que haverá uma boa quantidade de sangue espalhando-se por toda parte. Não estou me queixando, mas acho que devo alertá-la de que nunca mais poderá usar este seu vestido encantador. — Elizabeth sentiu o estômago contorcer-se. — Será condenada à forca, claro — prosseguiu ele num tom casual —, mas isso será o de menos, comparado ao *escândalo* que terá de enfrentar antes.

Desgostosa demais, tanto consigo quanto com ele, para reagir àquele último comentário sarcástico, Elizabeth ergueu o queixo e conseguiu dizer com toda a dignidade:

— Já ouvi o bastante, Sr. Thornton. Pensei que nada do que o senhor fizesse poderia igualar-se ao seu comportamento desprezível em nossos encontros anteriores, mas enganei-me. Infelizmente, não tive a mesma criação que o senhor e, portanto, tenho meus escrúpulos acerca de atacar alguém mais fraco, o que estaria fazendo se atirasse num homem desarmado. Lucinda, vamos embora — disse e encarou de novo seu silencioso adversário, que dera um passo ameaçador à frente. Então, Elizabeth balançou a cabeça e acrescentou, com uma cortesia zombeteira: — Não, por favor. Não se incomode em nos acompanhar até a porta, senhor, não é necessário. Além do mais, gostaria de levar comigo uma lembrança de como o senhor está neste momento: indefeso e contrariado.

Era estranho, mas, naquele ponto mais crítico de sua vida, Elizabeth sentia-se quase exultante, pois finalmente estava fazendo *alguma coisa* para vingar a honra ferida, em vez de apenas aceitar o destino.

Lucinda já havia marchado para a varanda, e Elizabeth tentou imaginar uma forma de impedir que Ian recuperasse a arma depois que ela a abandonasse lá fora. Decidiu repetir o conselho que ele mesmo lhe dera, enquanto andava de costas na direção da porta:

— Sei quanto o senhor lamenta ver-nos partir assim — disse, e a mão estendida, segurando a arma, traiu um leve estremecimento. — Entretanto, antes que pense em nos seguir, imploro que aceite seu próprio conselho: pare e pense se vale a pena morrer na forca por minha causa.

Girando nos calcanhares, ela deu o primeiro passo para iniciar uma corrida, mas gritou, em dolorida surpresa, ao ser subitamente alçada no ar enquanto uma mão poderosa segurava-lhe o braço, fazendo com que a arma voasse ao chão, ao mesmo tempo que o torcia e puxava para trás de suas costas.

— Sim — disse a voz terrível, próxima ao seu ouvido —, **eu** acho que valeria a pena.

Justamente quando Elizabeth pensou que seu braço iria quebrar-se pela pressão que ele fazia, seu captor deu-lhe um forte empurrão, atirando-a aos tropeços para fora, e bateu a porta com toda a força atrás dela.

— Deus! Jamais vi uma coisa destas! — disse Lucinda, o peito arfando de indignação enquanto olhava para a porta fechada.

— Nem eu — disse Elizabeth. Limpou a poeira da barra da saia e decidiu bater em retirada com o máximo de dignidade possível. — Mas vamos deixar para falar deste louco varrido quando estivermos na estrada, bem longe desta casa. Assim sendo, quer fazer o favor de pegar a outra alça do baú?

Com um olhar furibundo, Lucinda obedeceu, e ambas retomaram a trilha tortuosa, concentrando-se ao máximo em manter a compostura.

DENTRO DA CASA, Jake enfiou as mãos nos bolsos e postou-se diante da janela, observando as duas mulheres com uma expressão que mesclava estupefação e ira.

— Raios me partam! — praguejou, lançando um olhar para Ian, que fitava pensativo a carta fechada que tinha nas mãos. — As mulheres já estão lhe seguindo até a Escócia! Mas isso vai acabar assim que as notícias de seu noivado se espalharem. — Tirou a mão do bolso, coçou a cabeça ruiva e, virando-se novamente para a janela, espiou pela trilha abaixo e reparou que as duas damas haviam desaparecido do campo de visão. Incapaz de conter a admiração, acrescentou: — Uma coisa eu lhe digo: aquela loirinha tem muita coragem, você tem de admitir. Com o maior sangue frio, permaneceu firme o tempo todo, rebatendo cada palavra sua e ainda tratando-o feito um porco! Não conheço nenhum homem que ousasse fazer isso com você.

— Ela ousaria qualquer coisa — disse Ian, lembrando-se da jovem ousada que conhecera.

Enquanto a maioria das moças da idade dela se dedicava a ruborizar-se e sorrir de maneira afetada, Elizabeth Cameron convidara-o para dançar em seu primeiro encontro. Naquela mesma noite, desafiara um bando de homens na sala de jogos; no dia seguinte, arriscara a própria reputação ao ir encontrá-lo num chalé encravado no meio do bosque — e tudo isso apenas para desfrutar daquilo que ela descrevera, em seu último encontro na estufa, como um "flerte de fim de semana". Desde então, ela certamente desfrutou de outros flertes — vários e indiscriminados —, ou seu tio não estaria distribuindo cartas oferecendo-a em casamento a qualquer estranho. Talvez aquela fosse a única explicação possível para a atitude de Julius Cameron, uma atitude sem precedentes para Ian, em sua flagrante falta de tato e bom gosto. Outra explicação plausível poderia ser a necessidade de um marido endinheirado, mas Ian descartou-a. Elizabeth apresentara-se vestindo roupas caras e elegantes na temporada em que se conheceram e, além do mais, aquela reunião na casa de campo contara quase exclusivamente com membros da elite social. E os poucos comentários que ele ouvira a respeito dela, depois do fim de semana fatídico, indicavam que ela se movia por entre os círculos mais altos da sociedade, condizentes com sua origem nobre.

— Fico pensando para onde será que elas vão — murmurou Jake, franzindo a testa. — Há lobos por aí, e todo tipo de feras...

— Nenhum lobo com um mínimo de juízo se atreveria a enfrentar aquela dama de companhia, principalmente com aquele guarda-chuva que ela empunhava — retrucou Ian, embora também se sentisse um pouco apreensivo.

— Aha! — exclamou Jake, com uma gostosa gargalhada. — Então é isso que ela é? Pensei que as duas tivessem vindo cortejá-lo juntas. Pessoalmente, eu teria medo de fechar os olhos com aquela bruxa de cabelos grisalhos ao meu lado na cama.

Mas Ian não estava ouvindo. Distraído, desdobrava a carta, sabendo que Elizabeth não seria tola a ponto de escrevê-la com seus ilegíveis garranchos femininos. Seu primeiro pensamento, ao passar os olhos pela caligrafia firme e caprichada, foi que ela parecia ter pedido a alguém que a escrevesse em seu lugar. Mas, depois, começou a reconhecer as palavras, que lhe soaram estranhamente familiares... porque ele próprio as ditara:

Sua sugestão é interessante. Porém, estou de partida para a Escócia no primeiro dia do próximo mês, e será impossível adiar a viagem novamente. De qualquer forma, preferiria que o encontro se desse lá. Em anexo, envio um mapa com instruções para se chegar ao chalé. Cordialmente, Ian.

— Que Deus ajude aquele estúpido bastardo se ele atravessar de novo meu caminho! — explodiu Ian, furioso.

— De quem está falando?

— Peters!

— Peters? — ecoou Jake, engasgando. — Seu secretário? Aquele que você despediu por ter misturado toda a sua correspondência?

— Eu deveria tê-lo *esganado*, isso sim! Esta carta era para ser enviada a Dickinson Verley. E ele a mandou para Julius Cameron.

Com uma raiva descontrolada, Ian passou as mãos pelos cabelos. Por mais que quisesse Elizabeth Cameron longe de suas vistas e de sua vida, não poderia permitir que duas mulheres passassem a noite numa carruagem, ou qualquer que fosse o veículo que as levara até ali — especialmente quando ele era o responsável por sua vinda. Fez um breve sinal para Jake.

— Vá buscá-las — disse.

— Eu? Por que eu?

— Em primeiro lugar — respondeu Ian, ríspido, encaminhando-se para um armário e guardando a pistola —, porque está começando a chover. Em segundo lugar, se você não as trouxer de volta, ficará encarregado da cozinha.

— Se tiver de ir atrás daquela mulher, antes preciso de um gole de bebida forte. Mas não devem ter ido muito longe, pois estavam carregando um baú.

— A pé? — indagou Ian, surpreso.

— Como pensa que vieram até aqui em cima?

— Eu estava furioso demais para pensar.

AO CHEGAREM AO fim da travessa, Elizabeth largou a alça do baú e desabou, ao lado de Lucinda, sobre o tampo de madeira, emocionalmente exausta. Um riso teimoso sacudia seu corpo, causado por cansaço, medo, fracasso, e pelo que restara da sensação de triunfo por enfrentar, pelo menos um pouco, o homem que arruinara sua vida. A única explicação para o comportamento de Ian Thornton naquele dia era ele ser completamente louco.

Balançando a cabeça, obrigou-se a parar de pensar nele. Naquele momento, tinha tantas novas preocupações que mal sabia por onde começar. Olhou de relance para sua leal dama de companhia e um sorriso divertido surgiu-lhe nos lábios ao se lembrar dos feitos de Lucinda no chalé. Por um lado, Lucinda rejeitava quaisquer demonstrações de emoção, tomando-as por inadequadas. Porém, ela mesma possuía o temperamento mais formidável que Elizabeth já testemunhara, mas era como se Lucinda não considerasse suas próprias explosões como algo emocional. Sem a menor hesitação ou remorso, ela era capaz de deixar um malfeitor em cacos para, em seguida, esmagá-lo no chão e espremê-lo sob o salto de seus pesados sapatos.

Por outro lado, se, naquele momento, Elizabeth exibisse a menor demonstração de medo a respeito da atemorizante situação em que se encontravam, Lucinda iria endurecer imediatamente em desaprovação e lhe dedicaria mais uma de suas cortantes repreensões.

Ciente disso, Elizabeth olhou preocupada para o céu, onde nuvens negras se juntavam, prenunciando uma tempestade. Mas, quando falou, foi num tom de absurda e deliberada casualidade.

— Creio que começou a chover, Lucinda — comentou enquanto pingos gelados batiam contra as folhas da árvore sob a qual estavam abrigadas.

— É o que parece — concordou a outra, e abriu seu guarda-chuva com um gesto rápido.

— Ainda bem que você trouxe o guarda-chuva.

— Sempre carrego meu guarda-chuva.

— Não vamos nos afogar por causa de uma chuvinha.

— Eu nem pensaria nisso.

Elizabeth respirou fundo e olhou ao redor, para as íngremes colinas escocesas. Num tom de quem pedia uma opinião retórica a alguém, indagou:

— Acha que há lobos por aqui?

— Acredito que, no presente momento, eles representem uma ameaça bem maior à nossa integridade física do que a chuva.

Com a chegada do entardecer, o ar frio do início de primavera começou a envolvê-las. Elizabeth tinha certeza de que, ao cair da noite, ambas estariam congeladas.

— Está um friozinho...

— Sim, um pouco.

— Nesse caso, não ficaremos tão desconfortáveis.

O voluntarioso senso de humor de Elizabeth escolheu aquele momento improvável para se manifestar:

— Tem razão. E ficaremos ainda mais quentinhas quando os lobos começarem a nos rodear.

— Certamente.

O nervosismo, a fome e o cansaço — combinados com a calma impassível de Lucinda e a lembrança de sua anterior, e sem precedentes, entrada triunfal no chalé empunhando o guarda-chuva — contribuíram para que Elizabeth começasse a beirar a insanidade.

— Mas é claro que, se os lobos souberem como *nós* estamos famintas, há uma grande chance de que fiquem bem longe.

— É uma possibilidade reconfortante.

— Vamos acender uma fogueira — sugeriu Elizabeth, os lábios trêmulos.

— Isso os manterá afastados... eu acho.

Quando Lucinda permaneceu em silêncio por um longo tempo, ocupada com os próprios pensamentos, ela acrescentou num súbito ímpeto de alegria:

— Sabe de uma coisa, Lucinda? Eu não perderia o dia de hoje por *nada* neste mundo!

As finas sobrancelhas da dama ergueram-se e ela lançou um olhar desconfiado para Elizabeth.

— Sei que deve parecer extremamente peculiar, mas será que pode imaginar quão maravilhosa foi a sensação de apontar uma arma para aquele homem, mesmo que por alguns minutos? Acha isso... estranho? — indagou Elizabeth quando Lucinda manteve os olhos fixos à sua frente, num silêncio zangado e pensativo.

— O que acho estranho — falou ela, afinal, num tom de gélida repreensão com uma pontinha de surpresa — é o fato de você despertar tanta animosidade naquele homem.

— Tenho certeza de que ele é louco.

— Pois eu diria que parece amargurado.

— Amargurado com o quê?

— Essa é uma boa pergunta.

Elizabeth suspirou. Quando Lucinda decidia resolver um problema que a intrigava, não sossegava enquanto não o solucionasse. Não admitia qualquer tipo de comportamento que não compreendesse. Porém, em vez de se preocupar com os motivos de Ian Thornton, Elizabeth achou melhor concentrar-se no que teriam de fazer pelas próximas horas.

Seu tio recusara-se terminantemente a permitir que uma carruagem e um cocheiro ficassem ociosos durante a temporada na Escócia. Seguindo as instruções de Julius, elas mandaram Aaron de volta à Inglaterra assim que chegaram à fronteira e alugaram uma carruagem na hospedaria de Wakeley, deixando acertado que, após uma semana, Aaron voltaria para buscá-las. Podiam, evidentemente, retornar à hospedaria e esperar a volta do cocheiro, mas o dinheiro de Elizabeth não era suficiente para pagar um quarto para as duas no período que ainda lhes restava.

Talvez fosse possível alugar um coche na hospedaria e pagar somente quando chegassem a Havenhurst, porém o custo talvez fosse muito maior do que ela poderia pagar, mesmo que empregasse seus mais brilhantes métodos de pechincha.

E o pior era o problema com tio Julius. Não tinha dúvida de que ele ficaria furioso caso ela voltasse duas semanas antes do prazo determinado — isso, admitindo que conseguisse voltar. E, uma vez em casa, o que diria?

Entretanto, naquele momento, Elizabeth tinha um problema bem maior para enfrentar: o que fazer agora, quando duas mulheres indefesas estavam completamente perdidas nos confins da Escócia, à noite, à mercê da chuva e do frio?

Um ruído abafado de passos ressoou na trilha de cascalho. As duas endireitaram-se, reprimindo a esperança que lhes crescia no peito e mantendo as expressões cuidadosamente neutras.

— Ora, ora — soltou Jake. — Ainda bem que as encontrei e... — Quase se esqueceu do que iria dizer ao deparar com aquela cena cômica: duas mulheres sentadas num baú, as costas eretas e muito empertigadas, abrigadas sob um guarda-chuva preto, no meio do nada. — Ahn... Onde estão seus cavalos?

— Não temos cavalos — informou Lucinda, em tom de desdém, insinuando que tais animais teriam sido uma desagradável intromissão em seu *tête-à-tête* com Elizabeth.

— Não? E como chegaram até aqui?

— Um veículo de transporte nos trouxe até este maldito lugar.

— Entendo... — Jake mergulhou num silêncio assombrado.

Elizabeth estava prestes a dizer alguma coisa pelo menos um pouco gentil quando Lucinda perdeu a paciência.

— Presumo que veio aqui para nos convencer a voltar.

— Ahn... Sim. Sim, é isso.

— Bem, então fale de uma vez. Não temos a noite inteira. — As palavras de Lucinda atingiram Elizabeth como uma mentira deslavada.

Quando Jake mostrou-se incerto sobre como tocar no assunto, Lucinda levantou-se e foi em seu auxílio.

— Suponho que o Sr. Thornton esteja profundamente arrependido de ter-se comportado de maneira tão repreensível e imperdoável?

— Bem, sim, acho que é isso. De certa forma.

— E, sem dúvida, é o que ele pretende nos dizer quando voltarmos?

Jake hesitou, avaliando que Ian não tinha a menor intenção de dizer nada daquilo, com a certeza de que, se as mulheres não retornassem à casa, ele teria de comer a própria comida e dormir com a consciência e o estômago pesados.

— Por que não deixamos que ele mesmo lhes peça desculpas? — sugeriu, saindo pela tangente.

Lucinda girou na direção da trilha que levava ao chalé e assentiu com elegância:

— Traga a bagagem. Venha, Elizabeth.

Quando chegaram à casa, Elizabeth estava dividida entre saborear o pedido de desculpas ou fugir correndo dali. A lareira fora acesa e ela ficou profundamente aliviada ao ver que o relutante anfitrião não estava presente.

No entanto, ele reapareceu momentos depois, sem a jaqueta, carregando um feixe de lenha, que jogou ao lado da lareira.

Endireitando o corpo, virou-se para Elizabeth, que o encarava com uma expressão de planejada indiferença.

— Parece que houve um engano — disse ele brevemente.

— Isso significa que o senhor lembrou-se de ter mandado a carta?

— A carta foi enviada por engano. Convidei um cavalheiro para reunir-se a nós, aqui no chalé. Infelizmente, quem recebeu o convite foi o seu tio.

Até aquele momento, Elizabeth não acreditaria se alguém lhe dissesse que ainda se sentiria mais humilhada do que já fora. Lesada até mesmo no direito de indignar-se, encarou o fato de que era a hóspede indesejada de alguém que a fizera de tola não uma, mas duas vezes.

— Como chegaram até aqui? Não ouvi barulho de cavalos e, certamente, uma carruagem não sobe esta colina.

— Um veículo de transporte nos trouxe por boa parte do caminho — respondeu ela, evasiva, aproveitando a explicação anterior de Lucinda. — Só que já se foi.

Viu os olhos dele se estreitarem com irritada contrariedade ao perceber que teria de suportar a presença delas, a não ser que se dispusesse a perder vários dias acompanhando-as de volta à hospedaria. Aterrorizada com a possibilidade de as lágrimas que se acumulavam nos cantos de seus olhos começarem a rolar, Elizabeth ergueu a cabeça e fingiu inspecionar o forro, as escadas, as paredes... qualquer coisa. Através da névoa de lágrimas, reparou, pela primeira vez, que o lugar não era limpo havia anos.

Ao seu lado, Lucinda também examinava os arredores e, franzindo a testa, chegou à mesma conclusão.

Antecipando que a senhora estava prestes a fazer algum comentário depreciativo sobre a casa de Ian, Jake aproveitou a brecha com forçada jovialidade.

— Pois muito bem! — disse, esfregando as mãos e aproximando-se do fogo. — Agora que está tudo acertado, será que podemos todos nos apresentar devidamente? Depois, vamos pensar no jantar.

Lançou um olhar de expectativa para Ian, esperando que ele iniciasse as apresentações, mas, em vez de agir com adequação, ele se limitou a fazer um gesto na direção da linda jovem loira, dizendo:

— Elizabeth Cameron... Jake Wiley.

— Muito prazer, Sr. Wiley — falou Elizabeth.

— Ora, pode me chamar de Jake — disse ele, todo animado, e virou-se para a dama de companhia. — E a senhora é...?

Temendo que Lucinda se atracasse com Ian pela sua falta de cavalheirismo durante as apresentações, Elizabeth adiantou-se:

— Esta é minha dama de companhia, Srta. Lucinda Throckmorton-Jones.

— Bom Deus! Dois sobrenomes... Bem, não vejo necessidade de nos prendermos a formalidades, já que ficaremos confinados aqui por alguns dias! Pode me chamar de Jake. E eu, como devo chamá-la?

— De Srta. Throckmorton-Jones — respondeu ela, empinando ainda mais o nariz.

— Bem, está certo — assentiu Jake, enviando um silencioso pedido de socorro a Ian, que parecia divertir-se assistindo àqueles inúteis esforços de criar uma atmosfera de cordialidade.

Desconcertado, Jake passou a mão pelos cabelos desgrenhados e forçou um sorriso. Depois, fez um gesto nervoso, abrangendo toda a sala.

— Bem, se soubéssemos que iríamos receber visitas tão... ilustres, teríamos...

— Tirado a poeira das cadeiras? — sugeriu Lucinda, azeda. — Limpado o chão?

— Lucinda! — ralhou Elizabeth, desesperada. — Eles não sabiam que viríamos!

— Nenhuma pessoa de respeito seria capaz de passar uma noite que fosse num lugar destes — disparou ela.

Admirada e aflita, Elizabeth viu a formidável dama virar-se e dirigir seu ataque ao anfitrião de má vontade.

— A responsabilidade por nossa presença aqui *é* toda sua, Sr. Thornton, seja ou não por engano! Espero que o senhor desencave seus criados dos buracos onde estão escondidos e ordene que nos tragam roupas de cama e banho limpas imediatamente. Também espero que esta imundície esteja resolvida amanhã cedo! Parece-me óbvio, pelo seu comportamento, que o senhor não é um cavalheiro; *nós*, entretanto, somos damas e esperamos ser tratadas como tal.

Pelo canto do olho, Elizabeth observava a reação de Ian, que ouvia tudo calado, apertando a mandíbula, com um músculo que já começava a pulsar perigosamente em seu pescoço.

Lucinda, contudo, ou não percebia ou não se preocupava com nada daquilo, pois, quando juntou as saias e virou-se para a escada, dirigiu-se a Jake:

— Acompanhe-nos até nossos aposentos. Vamos nos recolher.

— *Recolher?!* — gritou Jake, abalado. — Mas... mas e quanto ao jantar?

— Pode levá-lo até nós.

Elizabeth reparou na expressão desarvorada de Jake e apressou-se em traduzir, com um pouco mais de delicadeza, as palavras furiosas de Lucinda ao pobre homem atônito.

— O que a Srta. Throckmorton-Jones quis dizer é que estamos cansadas da viagem e talvez não nos mostremos uma companhia muito agradável. Por isso, preferimos jantar em nossos aposentos.

— As senhoras só vão jantar — intercedeu Ian num tom que fez Elizabeth gelar — se prepararem a *própria* comida, madame. Se querem lençóis limpos, peguem-nos no armário. Se quiserem a casa limpa, podem limpá-la sozinhas! Será que estou sendo claro?

— Perfeitamente... — começou Elizabeth, furiosa.

Mas Lucinda interrompeu-a com a voz trêmula de indignação:

— Por acaso está sugerindo, *senhor*, que façamos o trabalho dos criados?

A experiência de Ian com a aristocracia — e com Elizabeth — causara-lhe profundo desprezo por jovens ambiciosas, fúteis e egoístas, cujo único objetivo na vida era possuir a maior quantidade possível de vestidos e joias com o menor esforço possível. Assim, ele direcionou seu ataque a Elizabeth:

— O que estou sugerindo é que a senhorita cuide de si mesma pela primeira vez nesta sua vida fútil e sem sentido. Em troca, estou disposto a oferecer um teto sobre sua cabeça e nossa comida até que eu possa levá-la de volta ao vilarejo. Se a tarefa lhe parece impraticável, meu convite inicial continua de pé: a porta para a rua continua no mesmo lugar.

Sabendo que aquele homem era irracional, Elizabeth não se deu ao trabalho de retrucar. Em vez disso, virou-se para a dama de companhia.

— Lucinda — falou, cansada e resignada —, não se aborreça mais tentando fazer o Sr. Thornton entender que foi um erro *dele* que causou tantos incômodos a *nós*, e não o contrário. Apenas perderá seu tempo. Um cavalheiro de boa educação seria perfeitamente capaz de compreender que deveria nos pedir desculpas, em vez de reclamar e esbravejar. Entretanto, como já havia alertado antes de virmos para cá, o Sr. Thornton não é um cavalheiro. A verdade, pura e simples, é que ele gosta de humilhar as pessoas e vai continuar tentando nos humilhar por todo o tempo que permanecermos aqui.

Lançando a Ian um olhar do mais profundo desprezo, concluiu:

— Boa noite, Sr. Thornton. — Virando-se, suavizou um pouco a voz: — Boa noite, Sr. Wiley.

Depois que as damas se retiraram para seus aposentos, Jake foi até a mesa e vasculhou as provisões. Enquanto pegava um pão e um pedaço de queijo, ouviu o som dos passos das duas no andar de cima, enquanto abriam armários e arrumavam suas camas. Quando terminou de comer e de beber dois copos de vinho madeira, olhou de relance para Ian.

— Você deveria comer alguma coisa — disse.

— Não estou com fome — respondeu Ian, ríspido.

Intrigado, Jake observou o homem enigmático, que olhava pela janela, direto para a escuridão, com o perfil impassível.

Embora não houvesse mais nenhum ruído vindo dos quartos acima durante a última meia hora, ele se sentiu culpado pelo fato de as duas damas ainda não terem comido. Hesitante, sugeriu:

— Devo levar um pouco de pão e queijo para elas?

— Não — disse Ian. — Se quiserem comer, que desçam e sirvam-se.

— Não estamos sendo muito hospitaleiros, Ian.

— Hospitaleiros? — repetiu ele, sarcástico, olhando por cima do ombro.

— Caso não tenha reparado, elas ocuparam dois quartos, o que significa que um de nós terá de dormir no sofá esta noite.

— O sofá é muito pequeno. Vou dormir no celeiro, como costumava fazer. Não me incomodo nem um pouco. O feno é macio, e até gosto do cheiro. A propósito, o caseiro trouxe uma vaca e algumas galinhas, como disse que faria, então teremos leite e ovos frescos pela manhã. Parece que a única coisa que ele não fez foi arrumar alguém para limpar a casa.

Ian não retrucou e permaneceu com o olhar fixo na escuridão. Jake acrescentou, cuidadoso:

— Estaria disposto a me contar por que essas damas apareceram por aqui? Aliás, quem são elas?

Ian soltou um longo e impaciente suspiro, inclinou a cabeça para trás e, distraído, massageou os músculos da nuca.

— Conheci Elizabeth um ano e meio atrás, numa festa. Ela acabara de fazer seu *début* na sociedade, estava noiva de algum nobre infeliz e ansiosa para testar seus encantos comigo.

— Testar seus encantos com você? Mas não acabou de dizer que ela estava noiva?

Com um gesto irritado diante da ingenuidade do velho marinheiro, Ian respondeu:

— As debutantes são uma espécie diferente de qualquer mulher que já tenha conhecido, Jake. Duas vezes por ano, suas mamães as levam para as temporadas em Londres. Elas se exibem por lá, como cavalos num leilão, então seus pais as vendem como esposas a qualquer sujeito que ofereça o lance mais alto. O arrematante vencedor é aquele que possui o título mais importante e a maior quantidade de dinheiro.

— Mas isso é uma barbaridade! — exclamou Jake, indignado.

Ian enviou-lhe um olhar irônico.

— Não desperdice sua piedade. Tudo isso convém a elas perfeitamente. O que esperam do casamento são joias, vestidos e liberdade para ter relacionamentos discretos com quem lhes aprouver, assim que produzirem o tão necessário herdeiro. Não têm nenhuma noção de fidelidade ou de sentimentos honestos.

Jake franziu a testa.

— Não posso afirmar que você tenha demonstrado muita aversão a esse tipo de moça — lembrou, pensando na enorme variedade de mulheres que aqueceram o leito de Ian naqueles últimos dois anos, algumas delas com seus próprios títulos de nobreza.

Ian continuou em silêncio, e ele prosseguiu, cauteloso:

— Por falar em debutantes, e quanto àquela que está lá em cima? Tem algo em particular contra ela ou está só generalizando?

Ian aproximou-se da mesa e serviu-se de um copo de uísque. Bebeu um gole, estremeceu de leve, e falou:

— A Srta. Cameron foi mais criativa do que algumas de suas monótonas amiguinhas. Foi ela quem me abordou no jardim durante a tal festa.

— Ora, não vejo aborrecimento algum — brincou Jake — no fato de uma linda jovem, com um rosto que só se vê em sonhos, tentar seduzi-lo, usando seus encantos em você. E eles funcionaram?

Batendo o copo contra o tampo da mesa, Ian respondeu:

— Funcionaram, sim. — Afastando a imagem de Elizabeth da mente, abriu a pasta de couro que deixara sobre a mesa, retirou alguns papéis que precisava examinar e foi sentar-se diante do fogo.

Tentando controlar a ávida curiosidade, Jake esperou alguns minutos antes de retomar o interrogatório:

— E depois, o que aconteceu?

Mergulhado na leitura dos documentos, Ian respondeu distraído, sem erguer os olhos:

— Eu a pedi em casamento; ela enviou-me um bilhete, convidando-me a encontrá-la numa estufa no jardim. Eu fui, e o irmão dela nos apanhou em flagrante, clamando que ela era uma condessa e que já estava noiva.

Esquecendo-se imediatamente do assunto, Ian pegou a pena na mesinha ao lado da cadeira e fez uma anotação na margem do contrato que lia.

— *Então...?* — inquiriu Jake, ansioso.

— Então o quê?

— O *que* aconteceu... depois que o irmão dela os pegou em flagrante?

— Ele se opôs à minha pretensão de casar com alguém tão superior a mim e desafiou-me a um duelo — respondeu em tom de preocupação enquanto fazia outra anotação no contrato.

— Mas, então, o que a moça está fazendo aqui agora? — indagou Jake, coçando a cabeça, intrigado com o estranho comportamento da alta sociedade.

— Quem lá sabe? — murmurou Ian, irritado. — Porém, com base na maneira como ela se comportou comigo, só posso supor que finalmente foi apanhada num relacionamento sórdido qualquer e está com a reputação arruinada.

— E o que isso tem a ver com você?

Bufando, Ian olhou para Jake com uma expressão que deixava bem claro que, depois daquela pergunta, o interrogatório estaria encerrado.

— Presumo — disse, ríspido — que a família dela, lembrando-se da minha absurda obsessão por ela dois anos atrás, esperava que eu tivesse uma recaída e a aceitasse.

— Acha que tem alguma relação com o falatório do velho duque a respeito de você ser seu neto e de sua vontade de transformá-lo em herdeiro legítimo?

Ansioso, Jake aguardou maiores informações, mas Ian ignorou-o, retomando a leitura de seus papéis. Sem outra escolha e sem perspectiva de mais confidências, o velho pegou uma vela, juntou alguns cobertores e decidiu retirar-se para o celeiro. Antes de sair, parou na porta por um instante, atingido por um súbito pensamento.

— Ela disse que não lhe havia mandado nenhum bilhete marcando encontro naquela estufa.

— Ela é uma mentirosa e excelente atriz — retrucou Ian num tom gélido, sem afastar os olhos dos documentos. — Amanhã, vou pensar numa maneira de tirá-las daqui.

Algo na expressão do patrão fez com que Jake indagasse:

— Por que a pressa? Tem medo de ser envolvido pelos encantos dela outra vez?

— Nem um pouco.

— Então, você deve ser feito de pedra — provocou Jake. — Aquela moça é tão bonita que seduziria qualquer homem que ficasse a sós com ela por uma hora... incluindo a mim, e você sabe que não gosto de dondocas.

— Então, tome cuidado para que ela não o apanhe sozinho — retrucou Ian, evasivo.

— Acho que eu não me importaria — riu Jake enquanto saía.

No andar de cima, num quarto que ficava no final do corredor e sobre a cozinha, Elizabeth havia tirado as roupas, deitado na cama e caído num sono exausto.

No dormitório ao lado, que se abria para o vestíbulo acima da sala onde os dois homens conversavam, Lucinda Throckmorton-Jones não viu razão para modificar seu ritual rotineiro antes de se deitar. Recusando-se a se entregar ao cansaço apenas porque fora sacudida na traseira de uma carroça, vergonhosamente expulsa de um chalé imundo, obrigada a enfrentar a chuva e a contemplar os hábitos alimentares de feras predadoras e, depois, ter sido rudemente forçada a recolher-se sem sequer um naco de pão como alimento, preparou-se para o sono da mesma forma que faria se tivesse passado o dia bordando. Depois de tirar e dobrar o vestido de bombazina preta, soltou os cabelos, escovou-os devagar por cem vezes e, em seguida, enrolou-os sob a imaculada touca de dormir.

Duas coisas, entretanto, incomodavam-na tanto que, depois de se deitar na cama e puxar as cobertas ásperas até o queixo, não conseguiu dormir. A primeira, e principal, era o fato de não haver sequer uma bacia e um jarro com água naquele quarto tosco para que pudesse lavar o rosto e o corpo, como costumava fazer todas as noites. A segunda, o colchão no qual seu esqueleto exausto esperava repousar era cheio de protuberâncias.

Em consequência desses dois problemas, ela ainda estava acordada quando os dois homens começaram a conversar no pavimento de baixo, e suas vozes flutuavam através das tábuas do chão, abafadas, mas audíveis. E, por isso, ela foi forçada a entreouvir a conversa. Em todos os seus 56 anos, Lucinda Throckmorton-Jones jamais se rebaixara a ouvir uma conversa alheia. Na verdade, ela *deplorava* quem tinha tal hábito, algo que os criados de todas as casas em que trabalhara conheciam muito bem. Sem a menor piedade, denunciava qualquer criado, não importava qual fosse seu grau de importância na hierarquia doméstica, se o apanhasse ouvindo atrás das portas ou espiando por fechaduras.

Agora, no entanto, via-se relegada ao baixo nível deles, pois era obrigada a escutar.

E ela escutou.

Encerrada a conversa, continuou acordada, analisando cada palavra que Ian Thornton dissera, procurando a verdade, pesando cada uma das coisas que ele respondera àquele inepto social que a confundira com uma serviçal. A despeito de seu turbilhão emocional, deitada em seu catre, Lucinda permanecia perfeitamente composta e imóvel. Seus olhos estavam fechados, as mãos brancas e macias cruzadas sobre o peito achatado, por cima do cobertor. Ela não remexia as cobertas, não se virava de um lado para outro, não mantinha os olhos fixos no teto. Tão imóvel se encontrava que, se alguém espiasse no quarto iluminado pelo luar e a visse deitada ali, poderia esperar ver também velas acesas aos seus pés e um crucifixo em suas mãos.

Tal impressão, no entanto, não refletia a atividade de sua mente. Com precisão científica, ela analisava tudo que ouvira e considerava o que, se existisse a possibilidade, poderia ou deveria ser feito. Conhecia a possibilidade de Ian Thornton mentir para Jake Wiley — ao confessar que gostara de Elizabeth e pretendera casar-se com ela — apenas para colocar-se sob um prisma mais favorável. Afinal, Robert Cameron insistira que Thornton não passava de um caça-dotes dissoluto, um libertino imoral; também deixara bem claro que Thornton admitira tentar seduzir Elizabeth apenas por diversão. Nesse caso, contudo, Lucinda estava inclinada a acreditar que Robert havia mentido, levado pelo desejo de justificar seus atos vergonhosos no duelo. Além do mais, embora ela tivesse testemunhado certa devoção fraternal na atitude de Robert para com Elizabeth, seu desaparecimento da Inglaterra servira apenas para provar que era um covarde.

Lucinda permaneceu acordada por mais de uma hora, meditando sobre tudo o que ouvira, à procura da verdade. A única coisa que aceitava, sem dúvida, era aquilo que outras pessoas, com menor conhecimento e intuição, se perguntaram muitas vezes, recusando-se a acreditar durante anos: não duvidava, nem por um instante, de que Ian Thornton tivesse parentesco direto com o Duque de Stanhope. Como se costumava dizer, um impostor podia ser capaz de se fazer passar por nobre diante de outro cavalheiro num clube exclusivo, mas seria melhor não se apresentar na casa do mesmo cavalheiro — pois um mordomo observador descobriria a farsa com um único olhar.

A mesma habilidade estendia-se a damas de companhia experientes, cujo trabalho era proteger suas meninas de impostores sociais. Naturalmente, Lucinda teve a vantagem de ser, no início de sua carreira, a guardiã da sobrinha do Duque de Stanhope, e era por isso que, depois de dar uma única olhada em Ian Thornton naquela tarde, classificou-o de imediato como descendente direto do velho duque, com quem compartilhava impressionante semelhança. Baseada na idade de Ian e em suas lembranças do escândalo que cercara o rompimento do Marquês de Kensington com a família, devido ao seu casamento nada adequado com uma escocesa, Lucinda adivinhara que Ian era neto do duque trinta segundos depois de pousar os olhos nele. Na verdade, a única coisa que não pudera deduzir, após conhecê-lo, era se ele seria ou não ilegítimo — isso porque não estivera presente no momento de sua concepção e, portanto, não teria como saber se ele fora concebido antes ou depois do casamento proibido dos pais, trinta anos atrás. Porém, se Stanhope estava desejoso para tornar Ian oficialmente seu herdeiro, conforme os rumores que ela ouvia vez ou outra, então não havia dúvida quanto ao parentesco de Thornton.

Estabelecido isso, Lucinda ainda tinha duas outras questões para analisar. A primeira era se Elizabeth se beneficiaria com um casamento com um futuro par do reino — não um mero cavaleiro ou conde, mas um homem que ostentaria, algum dia, o título de duque, o mais elevado de todos os títulos de nobreza. E, já que Lucinda dedicara o trabalho de toda uma vida a assegurar-se de que suas protegidas conseguissem o melhor casamento possível, levou menos de dois segundos para decidir que a resposta a essa questão só poderia ser uma enfática afirmativa.

O segundo problema trouxe-lhe um pouco mais de dificuldade. No pé em que estavam as coisas, ela era a *única* favorável àquele casamento. E o tempo era seu inimigo. A não ser que estivesse enganada — e Lucinda *nunca* se enganava nessas questões —, Ian Thornton estava prestes a se tornar o solteiro mais cobiçado de toda a Europa. Embora tivesse passado um bom tempo isolada em Havenhurst, cuidando da pobre Elizabeth, Lucinda correspondia-se com outras duas damas de companhia. As cartas que recebia das amigas frequentemente mencionavam a presença dele em diversos acontecimentos sociais. Sua conveniência como marido, que parecia crescer rapidamente com as notícias de sua riqueza, aumentaria mil vezes depois que ele recebesse o título que fora de seu pai: Marquês de Kensington. Tal título era seu por direito, e, considerando todos os desgostos que causara à sua protegida, Lucinda sentia que ele devia a Elizabeth a concessão de uma grinalda e um anel de casamento sem mais delongas.

Tomada a decisão, Lucinda enfrentou seu último problema, que mais lhe pareceu um dilema moral. Após uma vida dedicada a manter afastadas pessoas solteiras de sexos opostos, ela agora considerava a possibilidade de reuni-las. Lembrou-se do último comentário de Jake Wiley sobre Elizabeth: "Aquela moça é tão bonita que seduziria qualquer homem que ficasse a sós com ela por uma hora." E, tanto quanto Lucinda sabia, Ian Thornton já fora "seduzido" por Elizabeth, que, embora não fosse mais a jovenzinha ingênua de antes, estava ainda mais bela. Elizabeth estava também mais sábia e, portanto, não seria tola a ponto de permitir que ele fosse longe demais se e — quando — fossem deixados a sós por algumas horas. Disso Lucinda tinha certeza. Na verdade, as únicas coisas de que Lucinda *não tinha* certeza eram se Ian Thornton estava, agora, imune aos encantos de Elizabeth, conforme afirmara, e o que ela iria fazer para conseguir que ambos ficassem algum tempo sozinhos. Confiou aquelas duas últimas dificuldades às mãos capazes do Criador e mergulhou em seu habitual sono pacífico.

Capítulo 12

Jake abriu um olho e piscou, confuso, sob a luz do sol que penetrava pela janela alta. Desorientado, rolou na cama estranha e desconfortável e viu-se encarando um enorme animal negro, que retesou as orelhas, mostrou os dentes e tentou mordê-lo através da cerca do estábulo.

— Seu maldito carnívoro! — praguejou, mal-humorado, contra o cavalo. — Filho do diabo! — acrescentou e, enfatizando as palavras, chutou as tábuas com toda força, em retaliação à tentativa de ataque. — Ai, maldição! — gritou em seguida, quando o pé descalço atingiu a madeira dura.

Sentou-se na cama improvisada e passou a mão pelos grossos cabelos vermelhos, fazendo uma careta ao perceber o feno grudado em seus dedos. O pé doía e a cabeça latejava, devido à garrafa de vinho que bebera na noite anterior.

Depois de levantar, calçou as botas e espanou a camisa de lã, estremecendo com o frio úmido. Quinze anos antes, quando começara a trabalhar na pequena fazenda, dormia no celeiro toda noite. Agora, com as bem--sucedidas aplicações que Ian fazia do dinheiro que Jake ganhara quando ambos navegaram juntos, ele aprendera a apreciar os confortos dos colchões de penas e das cobertas de cetim, e sentia enorme falta deles.

— Dos palacetes a um maldito estábulo — resmungou, saindo da baia desocupada na qual dormira.

Ao passar pela baia de Átila, o animal escoiceou o ar, com mira letal, quase atingindo a coxa de Jake.

— Só por causa disto vai ser o último a comer, seu maldito projeto de cavalo! — disparou. Depois, obteve um prazer especial em alimentar os outros dois animais, enquanto Átila observava, ciumento. — Você me tirou do sério — disse ele, alegre, quando o cavalo arisco começou a se mover de um lado para o outro. — Se meu humor melhorar, quem sabe mais tarde lhe dou comida e... — calou-se, alarmado, ao reparar que o esplêndido cavalo castanho de Ian estava com a perna direita levemente dobrada, mantendo a pata afastada do chão. — Aqui, Mayhem — chamou suavemente, afagando o pescoço acetinado do animal —, vamos dar uma olhada neste casco.

O cavalo bem treinado, que vencera todas as corridas de que já participara e gerara o ganhador das últimas corridas de Heathton, não apresentou resistência quando Jake levantou-lhe a pata e inclinou-se para examiná-la.

— Você pisou numa pedra — explicou Jake ao animal, que o observava, erguendo as orelhas e os olhos castanhos, brilhantes e espertos.

Jake olhou em volta, procurando um objeto que pudesse usar como pinça, e encontrou algo numa das antigas prateleiras de madeira.

— Parece que está bem fundo — murmurou. Abaixou-se, pegou a pata do animal e a apoiou entre os joelhos. Em seguida, começou a extrair a pedra, recostando-se na cerca da baia para se equilibrar. — Aí está! — exclamou ao conseguir retirar a pedra, mas a satisfação foi logo substituída por um grito de dor quando uma poderosa dentadura, vinda da baia contígua, abocanhou seu vasto traseiro. — Seu maldito saco de ossos! — gritou, pulando e ficando em pé para se atirar contra a cerca, numa tentativa de socar o corpo de Átila.

Como se antecipasse a reação, o cavalo recolheu-se para os fundos da baia e ficou espiando Jake com o canto dos olhos, numa expressão de complacente satisfação.

— Você ainda vai me pagar por isso — prometeu Jake, cerrando o punho, até que se deu conta do absurdo que era ficar ali ameaçando um animal estúpido.

Esfregando o traseiro ferido, virou-se para Mayhem, tendo antes o cuidado de se manter bem longe da baia de Átila. Examinou-lhe o casco, certificando-se de que estava limpo, mas, no instante em que seus dedos tocaram o lugar onde a pedra estivera alojada, o pobre animal castanho deu uma guinada de dor.

— Machucou você, não foi? — falou Jake, condoído. — Não é de se admirar, pelo tamanho e o formato da pedra. Mas ontem você nem deu sinal de que estava com dor — continuou. Depois, ergueu um pouco a voz e, infundindo um tom de exagerada admiração, afagou o lombo acastanhado do animal enquanto olhava com desprezo para Átila. — Isso é porque é um verdadeiro aristocrata, um animal belo e corajoso... e não uma mula miserável, indigna até mesmo de ficar no mesmo estábulo que você!

Se Átila se importava com a opinião de Jake, não demonstrou, e o desapontamento levou o velho homem a sair do celeiro e dirigir-se à casa principal com um humor bastante piorado.

Ian estava sentado à mesa, segurando uma caneca de café quente entre as mãos.

— Bom dia — cumprimentou, examinando a expressão furibunda do companheiro.

— Talvez seja para você, pois não vejo nada de bom. Mas é claro, tive de passar a noite congelando, lá fora, deitado ao lado de um cavalo que quer me devorar e que já começou tentando arrancar um pedaço do meu traseiro como aperitivo. E... — finalizou, furioso, servindo-se de café e enviando um olhar irritado ao homem, que o encarava divertindo-se — seu cavalo está machucado!

Atirando-se na cadeira ao lado de Ian, engoliu um bom gole do café escaldante, sem sequer pensar no que estava fazendo; seus olhos arregalaram-se e uma camada de suor surgiu na testa avermelhada.

O sorriso de Ian desapareceu.

— O que foi que disse?

— Mayhem pisou numa pedra e está forçando a pata direita.

Ian arrastou a cadeira no chão de madeira e se levantou de um salto, correndo para o estábulo.

— Não precisa exagerar! Foi só um arranhão.

QUANDO ACABOU DE SE LAVAR, Elizabeth ouviu o murmúrio indistinto de vozes masculinas no andar de baixo. Enrolada numa fina toalha, aproximou-se da bagagem que seu relutante anfitrião carregara para cima e deixara do lado de fora de sua porta, juntamente com dois grandes jarros de água. Mesmo antes de puxá-la para dentro do quarto, ela sabia que os vestidos delicados que trouxera eram elegantes e frágeis demais para um lugar como aquele. Escolheu o menos vistoso — de algodão branco, cintura alta, com uma larga faixa de flores cor-de-rosa e folhas bordadas na barra e nas beiradas das mangas bufantes. Uma fita de cetim branco, bordada com o mesmo motivo, estava dobrada sobre o vestido e ela pegou-a, indecisa quanto à oportunidade e ao modo de usá-la.

Enfiou-se no vestido, ajeitou-o na cintura e passou vários minutos brigando para fechar a fileira de minúsculos botões nas costas. Depois, virou-se para analisar seu reflexo no pequeno espelho sobre a cômoda e mordeu os lábios, nervosa. O decote arredondado, que antes lhe parecia recatado demais, agora colava-se, justo, ao busto mais maduro.

— Ótimo — exclamou em voz alta, fazendo uma careta enquanto tentava arrumar o corpete. Porém, por mais que o puxasse para cima, o decote persistia em descer assim que ela o soltava. Finalmente, desistiu de lutar. — Usavam decotes mais ousados na temporada — explicou ao espelho em sua defesa.

Aproximou-se da cama e pegou a fita de cabelo, tentando decidir o que fazer. Em Londres, na última vez que usara aquele vestido, Berta entrelaçara a fita em seus cachos. Em Havenhurst, no entanto, ela não se preocupava em fazer penteados elaborados e elegantes, deixando os cabelos presos apenas na frente e soltos nas costas, descendo em ondas volumosas.

Encolhendo os ombros, pegou o pente e repartiu os cabelos ao meio. Depois, juntou-os na altura da nuca e amarrou-os com a fita bordada, fazendo um laço simples, e jogou duas mechas soltas sobre as faces, para dar um efeito mais suave. Olhou novamente no espelho e suspirou, resignada. Alheia aos grandes olhos verdes que a encaravam de volta, do frescor da pele ou dos traços que haviam feito Jake declarar que ela possuía o rosto dos sonhos de qualquer homem, Elizabeth procurou algum defeito mais evidente na própria aparência e, não encontrando, perdeu o interesse. Saiu de perto do espelho e sentou-se na cama, recordando os acontecimentos da noite anterior, como fizera por toda a manhã. O que mais a incomodava era algo insignificante: a alegação de Ian de que recebera um bilhete dela para ir ao seu encontro naquela estufa. Era perfeitamente possível que ele estivesse mentindo, num esforço para se inocentar diante dos olhos do Sr. Wiley. Porém, como ela bem sabia, Ian Thornton era grosseiro e franco por natureza e, portanto, não conseguia imaginá-lo dando-se ao trabalho de mentir apenas por causa do amigo. Fechando os olhos, tentou lembrar-se do que ele dissera quando entrara na estufa naquela noite longínqua. Fora algo como: "Quem você esperava depois daquele bilhete? O príncipe-regente?"

Na época, ela pensara que ele se referia ao recado que ele lhe mandara. Mas, agora, Ian afirmava ter *recebido* um bilhete. Até fizera ironias a respeito de sua caligrafia, que seus tutores já haviam descrito como "precisa e erudita, um mérito aos olhos de um cavalheiro de Oxford!". Por que Ian acharia que conhecia sua caligrafia a não ser que acreditasse ter recebido um recado escrito por ela? Bem, talvez ele fosse *realmente* louco, embora Elizabeth achasse que não. No entanto, lembrou a si mesma, com uma pontada de impaciência, que ela nunca fora capaz de enxergar o verdadeiro Ian Thornton. O que não era de se admirar! Mesmo agora, mais velha, e talvez um pouco mais sábia, não fora fácil pensar com clareza no dia anterior, quando aqueles olhos dourados a examinaram de cima a baixo. Por tudo o que lhe era mais sagrado, *não* conseguia entender a atitude dele. A única explicação possível seria o fato de Ian ainda se ressentir com Robert, que transgredira as regras do duelo ao atirar nele. Só podia ser isso, decidiu, voltando seus pensamentos para um problema mais complicado.

Ela e Lucinda estavam encurraladas naquela casa, embora seu anfitrião ainda não soubesse disso, e ela não suportava a vergonha de ter de lhe explicar. Portanto, precisava encontrar alguma forma de permanecer ali, em relativa harmonia, pela semana seguinte. A fim de sobreviver a tamanha provação, teria de ignorar o inexplicável antagonismo de Ian e aceitar cada momento como lhe fosse apresentado, sem olhar para trás ou para frente. Depois que o prazo se esgotasse, ela e Lucinda poderiam partir. Porém, ela jurou, fosse lá o que acontecesse nos próximos sete dias, que jamais permitiria que ele a fizesse perder a cabeça outra vez, como na noite anterior. Na última vez que estiveram juntos, ele a confundira tanto que ela mal soubera distinguir o certo do errado.

Daquele momento em diante, prometeu a si mesma, as coisas seriam diferentes. Iria manter-se polida, equilibrada e imperturbável, não importava quão rude ou ofensivo ele se mostrasse. Não era mais a garotinha apaixonada que ele podia seduzir, magoar ou enfurecer a seu bel-prazer. Iria provar isso a ele e, também, dar-lhe um excelente exemplo de como as pessoas de boa criação se comportavam. Decididas as regras do jogo, Elizabeth levantou-se e foi para o quarto de Lucinda.

A dama de companhia estava quase pronta, com o vestido preto escovado e livre do menor grão de poeira do dia anterior e os cabelos presos num coque impecável. Encontrava-se sentada numa cadeira junto à janela, com as costas tão eretas que nem precisavam do encosto de madeira. Sua expressão era pensativa e preocupada.

— Bom dia — disse Elizabeth, fechando a porta com cuidado atrás de si.

— Humm? Ah, bom dia, Elizabeth.

— Eu queria lhe dizer — começou Elizabeth, apressada — quanto lamento por tê-la obrigado a vir até aqui e submetê-la a tamanha humilhação. O comportamento do Sr. Thornton é absolutamente imperdoável.

— Pois eu diria que ele ficou surpreso com a nossa chegada inesperada.

— *Surpreso?* — ecoou ela, lançando um olhar atônito a Lucinda. — Ele estava *ensandecido!* Sei que deve estar tentando imaginar o que me levou a ter qualquer ligação com alguém como ele. Honestamente, não posso lhe explicar o que eu tinha na cabeça naquela época.

— Ora, não creio que isto seja assim tão misterioso — retrucou Lucinda. — Afinal, ele é um homem muito atraente.

Elizabeth não ficaria mais chocada se Lucinda o chamasse de "poço de gentileza".

— Atraente! — repetiu e balançou a cabeça, tentando clarear os pensamentos. — Devo dizer que está se mostrando muito gentil e tolerante a respeito de tudo isso, Lucinda.

A senhora levantou-se e lançou um olhar perscrutador à protegida.

— Eu não descreveria minha atitude como gentil — disse, pensativa. — Ao contrário, creio que estou sendo prática. A propósito, o corpete de seu vestido está um pouco justo, mas bonito assim mesmo. Vamos descer para o desjejum?

Capítulo 13

— Bom dia! — saudou Jake assim que Elizabeth e Lucinda desceram as escadas.

— Bom dia, Sr. Wiley — respondeu Elizabeth, sorrindo, graciosa. E, por não conseguir pensar em mais nada para dizer, logo acrescentou: — Estou sentindo um cheiro delicioso. O que é?

— Café — respondeu Ian, abrupto, dirigindo-lhe o olhar. Com os longos cabelos cor de mel amarrados por uma fita, ela parecia linda e muito jovem.

— Sentem-se, sentem-se! — prosseguiu Jake com a mesma jovialidade de antes.

Alguém limpara as cadeiras, desde a noite anterior; ainda assim, ele pegou um lenço quando Elizabeth se aproximou e tirou o pó antes que ela se sentasse.

— Obrigada — disse ela, enviando-lhe outro sorriso. — Não precisava incomodar-se. — Virou-se para o homem carrancudo do outro lado da mesa e falou: — Bom dia, Sr. Thornton.

Em resposta, Ian ergueu a sobrancelha, como se questionasse a súbita mudança de atitude.

— A senhorita dormiu bem, pelo que vejo.

— Muito bem, obrigada.

— Que tal um pouco de café? — ofereceu Jake, correndo para pegar o bule no fogão e enchendo uma caneca com o que restava da bebida. Quando se aproximou da mesa, no entanto, parou e olhou indeciso para Lucinda e Elizabeth, obviamente sem ter certeza de quem deveria ser servida primeiro.

— Café — informou Lucinda, quando, hesitante, ele deu um passo em sua direção — é uma bebida inadequada para pessoas civilizadas. Prefiro chá.

— Pois eu vou tomar café — apressou-se Elizabeth.

Jake lançou-lhe um sorriso grato, pousou a caneca diante dela e, depois, retornou ao fogão. Evitando olhar para Ian, Elizabeth manteve os olhos fixos nas costas de Jake, como se estivesse fascinada, enquanto bebericava o café.

O velho marinheiro ficou parado diante do fogão à lenha por alguns instantes, esfregando as palmas das mãos contra as pernas, nervoso. Olhou para os ovos, o pedaço de toucinho e a pesada frigideira de ferro que já começava a levantar fumaça, sem ter a menor ideia de por onde começar.

— Bem, é melhor andar logo com isso — murmurou. Estendeu os braços para a frente, cruzou os dedos das duas mãos e estalou-os, produzindo um ruído alto e desagradável. Então, pegou a faca e começou a fatiar o toucinho.

Enquanto Elizabeth observava com curioso interesse, ele atirava enormes pedaços de toucinho na frigideira até enchê-la. Pouco depois, o delicioso aroma do toucinho frito espalhou-se pelo cômodo, e Elizabeth sentiu água na boca, antecipando o saboroso desjejum. Antes de a ideia se formar por completo em sua mente faminta, viu Jake pegar dois ovos, quebrá-los na beirada do fogão e jogá-los na frigideira cheia de toucinho cru. Outros seis ovos foram acrescidos, em rápida sucessão, antes que ele virasse a cabeça e olhasse por cima do ombro.

— Acha que eu deveria ter deixado o toucinho cozinhar mais um pouco antes de juntar os ovos, Lady Elizabeth? — perguntou.

— Eu... não tenho muita certeza — admitiu ela, cuidadosamente ignorando o sorrisinho satisfeito no rosto bronzeado de Ian.

— Não quer dar uma espiada e me dizer o que acha? — pediu Jake, começando a cortar fatias de pão.

Entre oferecer sua opinião sobre algo de que não tinha o menor conhecimento e submeter-se ao olhar zombeteiro de Ian, ela escolheu a primeira opção. Levantou-se e foi olhar a frigideira sobre o ombro do Sr. Wiley.

— Que tal lhe parece?

Para ela, pareciam enormes gemas de ovos endurecendo sobre uma asquerosa gordura de toucinho.

— Delicioso.

Jake resmungou de satisfação e voltou-se para a frigideira, dessa vez com as mãos cheias de pedaços de pão os quais, era evidente, ele pretendia adicionar àquela gororoba.

— O que acha? — perguntou com as mãos hesitantes sobre a mistura na frigideira. — Devo jogar isso aqui?

— Não! — respondeu Elizabeth, depressa. — Creio que o pão deva ser servido... bem...

— Sozinho — intercedeu Ian, e sua voz revelava que estava se divertindo.

Num gesto automático, Elizabeth voltou-se para o som de sua voz e descobriu que ele se virara na cadeira para observá-la.

— Não *completamente* sozinho — corrigiu ela, sentindo que deveria contribuir com algum conselho na preparação da comida, em vez de se mostrar tão ignorante em matéria de culinária, o que, de fato, era. — O pão deve ser servido com... com manteiga...

— É claro! Eu devia ter pensado nisso — concordou Jake com um sorriso encabulado. — Se a senhorita não se importar de ficar aqui um instante, de olho no que está acontecendo na frigideira, vou buscar a manteiga no barril gelado.

— Não me importo nem um pouco — assegurou Elizabeth, recusando-se a reconhecer que o insistente olhar de Ian parecia penetrar em suas costas.

Como nada de muito importante parecia estar prestes a acontecer com o conteúdo da frigideira, ela encarou o fato de que não podia mais evitar Ian Thornton — principalmente se quisesse amenizar a situação e convencê-lo a permitir que ela e Lucinda ficassem até o final do prazo combinado com seu tio.

Endireitando o corpo, passou a vagar pelo cômodo com um ar de forçada despreocupação, as mãos cruzadas nas costas, olhando, sem realmente ver, as teias de aranha nos cantos do teto, tentando pensar no que dizer. Então, surgiu uma inspiração. A solução era degradante, mas prática, e, se apresentada com jeito, poderia até soar como um gentil favor.

Parou por um instante, concentrando-se em aparentar uma expressão que esperava ser de entusiasmo e compaixão, e girou o corpo para ele de repente.

— Sr. Thornton! — A voz dela pareceu explodir no cômodo, ao mesmo tempo que o olhar surpreso de Ian atingiu-lhe o rosto e, depois, desceu até o colo, deslizando casualmente pelas curvas de seu corpo. Nervosa, mas determinada, ela prosseguiu: — Parece que esta casa permaneceu vazia por muito tempo.

— Cumprimento-a pela astuta observação, Lady Cameron — zombou ele, observando a tensão crescer no rosto expressivo de Elizabeth.

Por mais que tentasse, Ian não conseguia compreender o que ela estava fazendo ali ou por que demonstrava tanta boa vontade naquela manhã. A explicação que ele dera a Jake na noite anterior até que fizera sentido; agora, no entanto, olhando para ela, era difícil acreditar nas próprias palavras. Porém,

180

logo lembrou-se de que Elizabeth Cameron sempre lhe furtara a capacidade de pensar com objetividade.

— As casas têm uma tendência a sucumbir à poeira quando ninguém cuida delas — afirmou Elizabeth com um brilho no olhar.

— Outra observação acertada. A senhorita é realmente muito perspicaz.

— O senhor precisa mesmo dificultar tanto as coisas? — explodiu ela.

— Peço-lhe sinceras desculpas — tornou ele com fingida gravidade. — Continue, por favor. O que estava dizendo?

— Bem, estive pensando... Já que Lucinda e eu estaremos, bem, retidas aqui pelos próximos dias sem *nada* para fazer, talvez pudéssemos dar a esta casa um toque feminino.

— Que ótima ideia! — exclamou Jake, retornando da missão de localizar a manteiga e enviando um olhar cheio de esperança na direção de Lucinda.

Em troca, recebeu dela um olhar feroz capaz de pulverizar pedras.

— Seria de bom uso uma equipe de criados, carregando pás e usando máscaras — retrucou a dama de companhia, ríspida.

— Não vai precisar me ajudar, Lucinda — explicou Elizabeth, perplexa.

— Não foi isso que sugeri. Eu poderia... — calou-se de repente e virou-se quando Ian levantou e segurou-a pelo braço, com um toque não muito delicado.

— Lady Cameron — disse ele —, creio que precisamos ter uma conversa. Em particular, de preferência. Permite-me?

Fez um gesto na direção da porta e praticamente arrastou-a em seu encalço. Lá fora, marchou por alguns passos e soltou o braço dela.

— Muito bem, estou pronto para ouvir — falou.

— Ouvir o quê? — indagou ela, nervosa.

— Uma explicação, a verdade, se for capaz. Ontem, a senhorita me apontou uma arma e, agora, parece vibrar diante da ideia de limpar a minha casa. Quero saber por quê.

— Bem — disparou Elizabeth em defesa de seu gesto com a arma —, ontem o senhor mostrou-se *extremamente* desagradável!

— *Continuo* sendo desagradável — argumentou ele, ignorando-lhe o franzir de testa. — Eu não mudei. E não sou eu que estou com uma súbita boa vontade esta manhã.

Elizabeth desviou o rosto e, quase em desespero, tentou encontrar uma explicação que não revelasse a ele sua humilhante situação.

— Seu silêncio é ensurdecedor, Lady Cameron, e, de algum modo, surpreendente. Se bem me lembro, na última vez que nos encontramos, a senhorita mal conseguia conter todas as edificantes informações que tentava impingir a mim.

Elizabeth sabia que ele se referia ao seu monólogo sobre a história dos jacintos, na estufa.

— Apenas não sei por onde começar — admitiu.

— Pois vamos nos ater aos pontos importantes. O que está fazendo aqui?

— É um pouco difícil de explicar — disse ela. Estava tão desconcertada diante da referência dele ao que acontecera na estufa tempos atrás, que sua mente esvaziou-se. Assim, começou, um tanto desarticulada: — Meu tio encarrega-se de minha guarda agora. Ele não tem descendentes e, por isso, tudo o que possui deverá ser herdado pelo meu filho. Mas não posso ter filhos antes de me casar, e ele quer ver tudo acertado com a menor despes... Isto é — apressou-se em corrigir —, no menor período de *tempo* possível. Ele é um homem impaciente e acredita que já demorei demais para, bem, me acomodar. Não consegue entender que não é possível simplesmente selecionar umas poucas pessoas e forçar alguém — a mim, no caso — a escolher entre elas.

— Posso perguntar por que diabos ele pensa que tenho qualquer interesse em me casar com a senhorita?

Elizabeth quis que um buraco se abrisse no chão para que ela desaparecesse dali.

— Acho — disse, escolhendo as palavras com todo o cuidado, na esperança de preservar o pouco que restava de seu orgulho — que foi por causa do duelo. Ele ficou sabendo e interpretou mal os fatos que o causaram. Tentei convencê-lo de que o que houve entre nós foi apenas um... um flerte de fim de semana, o que claramente foi, mas ele não quis me ouvir. É um tanto teimoso e, bem, é *velho* — finalizou, pouco convincente. — De qualquer forma, quando recebeu sua carta convidando-nos para o encontrarmos aqui, ele me obrigou a vir.

— É uma pena que tenha desperdiçado a viagem, mas não chega a ser uma tragédia. A senhorita pode simplesmente virar as costas e ir embora.

Elizabeth abaixou-se, fingindo-se absorvida ao pegar um pequeno graveto no chão.

— Eu tinha esperança de que, se não fosse muito incômodo, Lucinda e eu pudéssemos ficar até o final do prazo estipulado.

— Isso está fora de cogitação — retrucou ele de pronto, e Elizabeth sentiu um aperto no peito. — Além do mais, lembro que a senhorita já estava noiva, quando nos conhecemos, de alguém de seu nível social, se não me engano.

Mesmo com a raiva, o medo e a vergonha que sentia, Elizabeth conseguiu erguer o rosto e encará-lo.

— Ele... Nós decidimos que não éramos adequados um ao outro.

— Tenho certeza de que está melhor sem ele — zombou Ian. — Os maridos podem ser um empecilho muito desagradável para esposas que gostam de se distrair com "flertes de fim de semana", visitas clandestinas a chalés isolados e estufas escuras.

Ela cerrou os punhos e seus olhos lançaram faíscas de fúria.

— Não fui *eu* quem o convidou para aquele encontro na estufa, e o senhor sabe muito bem disso!

Ian fitou-a num misto de tédio e desgosto.

— Muito bem, vamos fingir que seja verdade. Se a senhorita não me mandou o bilhete, será que pode me dizer o que estava fazendo lá?

— Já lhe disse, eu *recebi* um bilhete! Pensei que fosse da minha amiga Valerie e fui à estufa para descobrir o que ela queria comigo. Não lhe enviei recado algum para me encontrar lá; eu *recebi* um! Bom Deus! — explodiu, quase batendo o pé de frustração quando ele continuou a encará-la com visível incredulidade. — Eu estava com pavor do senhor naquela noite!

Uma comovente lembrança, tão vívida quanto no momento em que acontecera, envolveu Ian: a bela jovem encantadora atirando-lhe um vaso de flores para impedir que ele a beijasse e, momentos depois, desmanchando-se em seus braços.

— Acredita em mim agora?

Por mais que tentasse, Ian não conseguia culpá-la ou inocentá-la completamente. Seus instintos o alertavam para o fato de que ela mentia ou ocultava alguma coisa. Além do mais, havia algo muito estranho e descabido na maneira como ela se mostrava ansiosa em ficar. Por outro lado, ele sabia reconhecer o desespero quando o via de frente, e, por algum motivo incompreensível, Elizabeth Cameron estava prestes a entrar em pânico.

— Em que acredito ou deixo de acreditar não tem a menor importância — começou ele, mas calou-se ao sentir o cheiro de fumaça espalhar-se pelo quintal, vindo da janela aberta. — O quê...? — murmurou, virando-se para entrar na casa, com Elizabeth logo atrás dele.

Ian abriu a porta da frente no mesmo instante em que Jake entrou correndo pela porta dos fundos.

— Peguei um pouco de leite e... — dizia Jake quando parou abruptamente ao sentir o cheiro de queimado. Seu olhar voou de Ian e Elizabeth, que acabavam de entrar, para Lucinda, que permanecia sentada exatamente como antes, exibindo uma serena indiferença ao odor de toucinho queimado e ovos incinerados, abanando-se com um leque de seda preta.

— Tomei a liberdade de remover o utensílio do fogão — informou ela. — Entretanto, não o fiz a tempo de salvar o que havia dentro dele, que, sinceramente, duvido que valesse a pena salvar.

— Será que não podia ter retirado a frigideira do fogo *antes* que queimasse tudo? — explodiu Jake.

— Não sei cozinhar, senhor.

— Mas será que sabe *cheirar*? — inquiriu Ian.

— Ian, não adianta. Precisarei ir até o vilarejo contratar duas mocinhas para deixar este lugar em ordem ou acabaremos morrendo de fome.

— É exatamente o que penso. — concordou Lucinda, de imediato, já se levantando. — Vou com o senhor.

— O *quê*? — gritou Elizabeth.

— O quê? Por quê? — ecoava Jake, atônito.

— Porque a tarefa de selecionar criadas é reservada às mulheres — respondeu Lucinda. — Quanto tempo levaremos?

Se não estivesse tão estarrecida, Elizabeth riria da expressão de Jake Wiley.

— Bem, estaremos de volta no fim da tarde, presumindo que encontraremos alguém para contratar. Mas eu...

— Então, é melhor nos apressarmos. — Lucinda virou-se para Ian e examinou-o como se o estivesse pesando; depois, lançou um olhar para Elizabeth, como se dissesse "*Confie em mim e não discuta*", e falou: — Elizabeth, se nos der licença, gostaria de ter uma palavra a sós com o Sr. Thornton.

Sem outra escolha senão concordar, Elizabeth retirou-se e ficou olhando para as árvores do quintal, em total confusão, imaginando qual esquema extravagante Lucinda arquitetara para resolver seus problemas.

Dentro do chalé, Ian estreitava os olhos enquanto a harpia de cabelos grisalhos preparava-se para atacá-lo.

— Sr. Thornton — disse ela, afinal —, *decidi* que o senhor é um cavalheiro.

Fez o pronunciamento como se fosse a rainha concedendo o título da ordem de cavalaria a um vassalo desmerecedor. Ao mesmo tempo fascinado e irritado, Ian recostou-se na mesa, esperando para descobrir o que ela estaria armando ao se dispor a deixar Elizabeth ali, desacompanhada.

— Não faça tanto suspense — disse ele com frieza. — O que fiz para merecer tão elevada opinião?

— Nada — respondeu Lucinda, sem hesitar. — Minha decisão foi baseada em meus excelentes poderes intuitivos e no fato de o senhor ser nobre de nascimento.

— E o que lhe deu esta ideia? — inquiriu Ian, entediado.

— Não sou nenhuma tola, Sr. Thornton. Conheci seu avô, o Duque de Stanhope, quando fui dama de companhia da sobrinha dele. Na época, a notícia de que seus pais se casaram sem o consentimento do duque causou grande furor. Os menos informados talvez precisem conjecturar sobre suas origens, mas eu, não. Está escrito em seu rosto, sua altura, sua voz e até em seus maneirismos. O senhor é neto dele.

Ian acostumara-se a ter os ingleses analisando seus traços com circunspecção e, em raras ocasiões, fazendo-lhe uma ou duas perguntas indiscretas; sabia que imaginavam, debatiam e murmuravam entre si, mas era a primeira vez que alguém tivera a audácia de lhe dizer diretamente quem ele era. Controlando sua fúria crescente, retrucou num tom que insinuava que ela estava enganada:

— Se a senhora diz, então deve ser verdade.

— Este é *exatamente* o tom condescendente que seu avô usaria — informou Lucinda, com evidente triunfo. — Entretanto, essa não é a questão.

— Então, será que posso saber qual *é* a questão? — disparou ele, impaciente.

— Sim, é claro que sim — tornou Lucinda, procurando uma maneira de evocar-lhe as lembranças do antigo desejo que sentira por Elizabeth e atiçar sua consciência. — A questão é que estou muito bem informada sobre tudo o que se passou entre o senhor e Elizabeth na última vez que estiveram juntos. Contudo — decretou, magnânima —, inclino-me a considerar que seu comportamento de então foi causado não por falta de caráter, mas por falta de bom senso. — Ian ergueu as sobrancelhas sem nada dizer. Tomando o silêncio como concordância, ela concluiu, muito séria: — Falta de bom senso de *ambas* as partes.

— *É mesmo?* — ironizou ele.

— Sim, é evidente — disse ela, abaixando-se para limpar a poeira do encosto de uma cadeira e, depois, esfregando os dedos e torcendo o nariz em desaprovação. — O que mais, além da falta de bom senso, levaria uma jovem de 17 anos a correr em defesa de um notório jogador e receber um mar de censura sobre si mesma como consequência?

— De fato, o que mais? — indagou ele, cada vez mais impaciente.

Lucinda limpou as mãos, evitando encará-lo.

— Quem pode saber a resposta, exceto o senhor e ela? Não há dúvida de que foi a mesma coisa que a fez permanecer naquele chalé, em vez de sair no instante em que descobriu sua presença lá. — Satisfeita por ter feito o melhor que podia àquela altura, retomou o tom ríspido, uma atitude que era mais normal e, portanto, mais convincente. — De qualquer forma, são águas passadas. Elizabeth pagou bem caro pela falta de discernimento dela, o que é muito justo, apesar de enfrentar a mais completa penúria atualmente por tais acontecimentos, o que também não deixa de ser a mão da justiça.

Sorriu consigo mesma ao ver os olhos de Ian estreitarem-se com o que esperava ser culpa ou, pelo menos, preocupação. Mas as palavras dele destruíram toda aquela esperança.

— Senhora, infelizmente, não tenho o dia inteiro para perder com conversa fiada. Se tem algo a me dizer, é melhor que diga logo!

— Pois muito bem — concedeu Lucinda, apertando os dentes para manter o controle antes de prosseguir. — A questão é que tenho a obrigação de zelar pelo bem-estar físico de Lady Elizabeth, tanto quanto de acompanhá-la. Nesse caso, dadas as presentes condições de sua residência, a primeira obrigação parece-me mais urgente do que a última, especialmente quando me parece óbvio que os dois não têm a menor necessidade de uma acompanhante para impedi-los de se comportar de maneira imprópria. Talvez precisem mais de um juiz que os impeça de matar um ao outro, mas uma acompanhante é completamente supérflua. Assim, sinto-me responsável em assegurar que criados adequados sejam trazidos para cá o mais depressa possível. Finalizando, gostaria de sua palavra de cavalheiro de que não vai molestar minha protegida, seja fisicamente ou com palavras, enquanto eu estiver fora. Ela já sofre muito nas mãos do tio, e não vou permitir que ninguém torne este terrível período da vida dela ainda mais difícil do que já é.

— O que exatamente a senhora quer dizer com "terrível período"? — indagou Ian, contrariado.

— Não tenho a liberdade de discutir este assunto, é evidente — respondeu ela, lutando para disfarçar a satisfação vitoriana voz. — Minha única preocupação refere-se ao seu comportamento, o qual espero ser de um cavalheiro. Tenho sua palavra?

Como Ian não tinha intenção de encostar um dedo sequer em Elizabeth, nem mesmo de passar tempo com ela, não hesitou em concordar.

— Ela estará perfeitamente a salvo.

— *Exatamente* o que eu queria ouvir — mentiu Lucinda descaradamente.

Poucos minutos depois, Elizabeth viu Lucinda sair do chalé na companhia de Ian, mas não havia como adivinhar pelas suas expressões qual fora o assunto da conversa.

Na verdade, a única pessoa ali que traía as próprias emoções era Jake Wiley enquanto puxava dois cavalos para a frente da casa. E Elizabeth reparou, confusa, que o rosto *dele* — que estivera transtornado quando saíra para selar os cavalos — enrugava-se agora com um sorriso de alegria incontida. Com uma larga reverência, indicou o cavalo negro com lordose, no qual fora colocada uma velha sela gasta.

— Aqui está sua montaria, madame — disse para Lucinda com um amplo sorriso. — O nome dele é Átila.

Lucinda enviou um olhar de desprezo para o animal, mudando o guarda-chuva para a mão direita e puxando as luvas pretas.

— Não tem nada melhor?

— Não, madame. O cavalo de Ian está com a pata machucada.

— Ah, está bem — concedeu Lucinda, adiantando-se com passinhos rápidos. Assim que chegou ao alcance da boca de Átila, ele arreganhou os dentes e investiu contra ela, mas Lucinda simplesmente bateu com o cabo do guarda-chuva na cabeça do cavalo, sem sequer perder o passo. — Quieto! — ordenou e, ignorando o grunhido atônito do animal, deu a volta pelo outro lado, para montar. — Foi você mesmo que pediu — acrescentou enquanto Ian a ajudava a subir na sela e Jake segurava a cabeça do cavalo.

Os olhos de Átila arregalaram-se, indefesos, no momento em que Lucinda sentou-se em sua sela e acomodou-se. Assim que Jake entregou a ela as rédeas, o cavalo começou a dar passos para o lado e a girar, em uma evidente demonstração de desagrado.

— Não admito animais temperamentais — advertiu ela em seu tom mais severo, e, quando ele se recusou a obedecer e continuou com os movimentos ameaçadores, Lucinda deu um firme puxão nas rédeas, ao mesmo tempo que batia em seu flanco com o guarda-chuva. Átila deixou escapar um relincho de revolta, disparou num trote rápido e animado e seguiu, obediente, para a estrada.

— Era só o que faltava! — resmungou Jake, furioso, olhando Lucinda afastar-se em sua montaria. — Aquele animal não sabe o significado da palavra lealdade! — Sem esperar qualquer resposta, fez girar seu próprio cavalo e desembestou pela trilha atrás da dama de companhia.

Completamente aturdida diante do estranho comportamento de todos naquela manhã, Elizabeth lançou, de soslaio, um olhar intrigado para o homem silencioso ao seu lado, depois balançou a cabeça, atônita. O imprevisível Ian Thornton observava Lucinda desaparecer pela trilha, as mãos nos bolsos, um charuto preso entre os dentes alvos, o rosto transformado por um largo sorriso. Chegando à óbvia conclusão de que tais reações estranhas se deviam à habilidade de Lucinda em lidar com um cavalo obstinado, ela comentou:

— O tio de Lucinda criava cavalos, se não me engano.

Quase relutante, Ian transferiu o olhar de admiração das costas eretas de Lucinda para o rosto de Elizabeth e franziu a testa.

— Uma mulher notável, sem dúvida — declarou. — Existe alguma situação que ela não consiga administrar?

— Não que eu saiba — respondeu Elizabeth com um leve riso. Porém, o instante de descontração durou pouco; o sorriso dele desapareceu e seus modos tornaram a ficar frios e distantes.

Respirando fundo, Elizabeth cruzou as mãos trêmulas atrás das costas e decidiu tentar uma trégua.

— Sr. Thornton — começou em voz baixa —, será que precisamos agir como inimigos? Reconheço que minha presença em sua casa é uma... inconveniência para o senhor, mas foi por sua culpa, isto é, foi um engano seu — corrigiu-se, cautelosa — que nos trouxe até aqui. E creio que perceba que estamos ainda mais incomodadas que o senhor. — Encorajada pelo silêncio dele, concluiu: — Assim, a solução mais racional é que ambos façamos o possível para nos entender.

— A solução mais racional — retrucou ele — é que eu deveria pedir-lhe desculpas por "incomodá-las" e, depois, a senhorita deveria partir assim que uma carruagem ou carroça fosse providenciada.

— Eu não posso! — exclamou ela, lutando para recobrar a calma.

— Mas por que não?

— Porque, bem, meu tio é um homem muito severo e não vai gostar de saber que desobedeci às suas ordens. Eu deveria ficar aqui por uma semana.

— Posso escrever-lhe uma carta e explicar.

— Não! — disparou ela, imaginando a reação do tio se o terceiro pretendente também a despachasse direto para casa. Ele não era nenhum tolo e não tardaria a desconfiar de alguma coisa. — Tio Julius lançará toda a culpa em mim, entende?

Apesar de sua resolução de não dar um vintém pelos problemas dela, Ian ficou perturbado diante do seu visível temor e da descrição de seu tio como "muito severo". Baseando-se no comportamento dela de dois anos atrás, não tinha dúvidas de que Elizabeth fizera de tudo para merecer uma surra do seu infeliz guardião. Mesmo assim, não gostaria de ser a causa de uma possível desavença, e a ideia de o velho tio dando chibatadas na pele clara e macia de Elizabeth não era nada agradável. O que houve entre eles foi uma grande tolice de sua parte, mas ficou no passado. Ele estava prestes a se casar com uma jovem linda e sensual, que o desejava e adequava-se a ele com perfeição. Por que deveria tratar Elizabeth como se ainda nutrisse sentimentos por ela, incluindo o rancor?

Elizabeth pressentiu que ele começava a ceder e insistiu mais um pouco:

— Certamente, nada do que aconteceu entre nós deveria fazer com que nos comportássemos mal um com o outro. Quero dizer, quando se analisa depois de algum tempo, conclui-se que tudo não passou de um flerte de fim de semana, não é?

— É claro.

— Nenhum de nós foi realmente magoado, não é?

— Não.

— Bem, então não vejo motivos para que não nos comportemos com cordialidade, certo? — inquiriu ela com um sorriso luminoso. — Nossa, se todos os flertes terminassem em inimizade, ninguém na corte se falaria mais!

De maneira muito hábil, Elizabeth conseguira colocá-lo numa posição em que Ian ou concordava com ela ou, caso discordasse, admitiria que ela representara mais do que um simples flerte. Ele percebeu a manobra. Adivinhara aonde pretendia chegar com seus tranquilos argumentos, mas, ainda assim, estava impressionado com a habilidade dela em levá-lo a concordar.

— Acontece que "flertes" nem sempre acabam em duelos — lembrou ele num tom suave.

— Eu sei. E *sinto muito* por meu irmão ter atirado no senhor.

Ian não estava imune ao apelo daqueles grandes olhos verdes.

— Esqueça — disse com um suspiro de irritação e concordou com tudo o que ela lhe pedia. — Fique aqui pelos sete dias previstos.

Suprimindo o impulso de pular de alívio, ela sorriu, fitando-o.

— Então, podemos estabelecer uma trégua enquanto eu estiver aqui?

— Depende.

— De quê?

Ele uniu as sobrancelhas, desafiando-a com graça.

— De a senhorita saber ou não preparar um desjejum decente.

— Vamos entrar e ver o que ainda temos.

Com Ian ao seu lado, Elizabeth analisou os ovos, o queijo e o pão e, depois, o fogão à lenha.

— Vou preparar algo num instante — prometeu com um sorriso que disfarçava sua incerteza.

— Acha mesmo que pode encarar esse desafio? — indagou ele, mas, diante da animação e do sorriso de Elizabeth, quase acreditou que ela realmente sabia cozinhar.

— Vou provar-lhe que sim, o senhor verá — afirmou ela, pegando um enorme avental branco e tentando amarrá-lo na cintura estreita.

A visão era tão encantadora que Ian obrigou-se a desviar o olhar para não sorrir. Era evidente que ela estava determinada a enfrentar aquela tarefa com vigor, e ele estava igualmente determinado a não desencorajá-la.

— Então prove — disse, deixando-a a sós com o fogão.

Uma hora mais tarde, com a testa úmida de suor, Elizabeth pegou a frigideira, queimou a mão e sufocou um gritinho enquanto procurava um pano para proteger a mão do cabo da panela. Arrumou os pedaços de toucinho num prato e hesitou sobre o que fazer com o pão enorme, resultado da massa de quatro pequenos pãezinhos quando os colocara no forno. Decidindo não cortá-lo em pedaços, colocou-o no meio das fatias de toucinho e levou o prato para a mesa, à qual Ian acabara de sentar. Voltando para o fogão, tentou retirar os ovos da frigideira com uma espátula, mas, como não se soltavam, carregou tudo para a mesa.

— E-eu imaginei que o senhor gostaria de se servir — ofereceu com cerimônia, tentando esconder o crescente temor pelo resultado de sua experiência culinária.

— É claro — respondeu Ian, aceitando a honra com a mesma formalidade com que ela a oferecera. Então, olhou para a frigideira e questionou, sociável:

— O que temos aqui?

Mantendo os olhos baixos, Elizabeth sentou-se diante dele.

— Ovos — respondeu, demorando-se bastante para abrir o guardanapo e pousá-lo sobre o colo. — Receio que as gemas tenham se rompido.

— Não faz mal.

Quando Ian pegou a espátula, Elizabeth pregou um sorriso otimista no rosto e observou os primeiros esforços dele para retirar os ovos e, em seguida, para tentar desgrudá-los do fundo da frigideira.

— Estão um pouco grudados — explicou ela, desnecessariamente.

— Não, eles estão *colados* — corrigiu Ian, mas pelo menos não soava zangado.

Após alguns momentos, finalmente conseguiu arrancar um pedaço do ovo e serviu-a primeiro. Depois de várias outras tentativas, desgrudou mais uma parte, colocando-a no próprio prato.

Em respeito à trégua recém-declarada, ambos começaram a observar todos os rituais de etiqueta à mesa com extremo cuidado. Ian ofereceu-lhe o prato de toucinho com pão.

— Obrigada — disse ela, escolhendo duas fatias estorricadas de toucinho.

Ele pegou três fatias e se deteve um instante analisando o objeto marrom e achatado que repousava no centro do prato.

— Reconheço o toucinho — disse com grave cortesia. — Mas o que é isto? — indagou, indicando o objeto marrom. — Parece um tanto exótico.

— É um pãozinho.

— É mesmo? — disse ele, impassível. — Assim, sem nenhum formato?

— Eu o chamo de pão de panela — inventou depressa.

— Sim, entendo o que quer dizer — concordou Ian. — Lembra mesmo o formato de uma panela.

Em silêncio, ambos estudaram o conteúdo de seus pratos, tentando decidir o que poderia ser mais comestível.

Chegaram simultaneamente à mesma conclusão: os dois pegaram um pedaço de toucinho e morderam. Ruídos de crocância encheram o ar — como aqueles das grandes árvores sendo cortadas ao meio e desabando no chão. Evitando cuidadosamente os olhos um do outro, continuaram mastigando, obstinados, até comerem todo o toucinho de seus pratos. Terminado isso, Elizabeth reuniu toda a sua coragem e pegou um pedacinho dos ovos.

O ovo frito tinha gosto de papel de embrulho salgado, mas ela o engoliu com bravura, sentindo o estômago contorcer-se de humilhação e um nó de lágrimas formando-se em sua garganta. Esperava receber, a qualquer momento, um comentário sarcástico de seu companheiro de mesa e, quanto mais educado ele se mostrava, mais ela queria vê-lo retomar o comportamento desagradável de antes, para que, pelo menos, pudesse ter a raiva como válvula de escape. Ultimamente, tudo o que lhe acontecia era humilhante, e seu orgulho e autoconfiança estavam bastante feridos. Deixando o restante dos ovos intocados, baixou o garfo e experimentou o pãozinho. Após demorar alguns segundos tentando parti-lo com os dedos, pegou a faca e começou a cortá-lo. Finalmente, um pedaço marrom soltou-se; ela o levou à boca, mas estava tão duro que seus dentes apenas arranharam a superfície. Sentiu o olhar de Ian do outro lado da mesa e a vontade de chorar duplicou.

— O senhor gostaria de um pouco de café? — perguntou com a voz sufocada.

— Sim, obrigado.

Aliviada por ter um momento para se refazer, Elizabeth foi até o fogão, porém mal podia enxergar o que fazia através da névoa de lágrimas enquanto enchia a caneca de café. Levou-a para ele e voltou a sentar.

Olhando de relance para a jovem derrotada, sentada ali, com a cabeça baixa e as mãos cruzadas no colo, Ian sentiu vontade de rir ou de confortá-la, mas, como estava ocupado demais mastigando, permaneceu quieto. Engolindo o último pedaço de ovo, finalmente conseguiu dizer:

— Estava... muito nutritivo.

Pensando que, talvez, ele não tivesse achado a comida tão ruim quanto ela própria achara, Elizabeth levantou os olhos, hesitante.

— Não tenho muita experiência na cozinha — admitiu baixinho.

Observou-o beber um bom gole do café, viu seus olhos arregalarem-se de súbita surpresa, e ele começou a *mastigar* o café.

Elizabeth levantou-se com um salto, endireitou os ombros e declarou com a voz rouca:

— Costumo dar um passeio depois do desjejum. Com licença.

Ainda mastigando, Ian ficou olhando enquanto ela corria para fora da casa. Aliviado, livrou-se do pó de café que lhe enchia a boca.

Capítulo 14

O desjejum preparado por Elizabeth aplacou a fome de Ian — na verdade, simplesmente pensar em comer fazia seu estômago se revirar. Dirigiu-se, então, ao estábulo, a fim de verificar o ferimento de Mayhem.

A meio caminho, avistou Elizabeth ao longe. Sentada na encosta da colina coberta de flores azuis, os braços ao redor dos joelhos e a testa apoiada neles, era a própria imagem da desolação, mesmo com os belos cabelos dourados reluzindo ao sol. Ian seguiu em frente, decidido a deixá-la a sós com sua tristeza. Um instante depois, suspirando, irritado, mudou de ideia e foi a seu encontro colina abaixo.

Ao se aproximar, percebeu que a moça soluçava num choro silencioso. Franziu a testa, surpreso. Imaginava a humilhação que a invadia pelo fracasso no preparo do café. Então, para acalmá-la, o melhor seria levar o fiasco na brincadeira.

— Preciso cumprimentá-la pela sua genialidade — disse casualmente. — Se atirasse em mim ontem, o fim seria rápido demais.

Tomada de surpresa, Elizabeth ergueu a cabeça depressa. Mas logo tratou de virar o rosto para o outro lado, para que Ian não visse suas lágrimas.

— O senhor deseja alguma coisa?

— Que tal uma sobremesa? — sugeriu ele, irônico, inclinando-se um pouco para tentar ver seu rosto. Julgando perceber um leve sorriso tocar-lhe os lábios, acrescentou: — O que acha de fazermos uma porção de creme de leite batido para colocar sobre o pão? E, depois, preparamos uma mistura com o resto dos ovos e usamos para tapar os buracos do telhado.

Ela deixou escapar um risinho choroso e um suspiro antes de dizer, ainda evitando olhar para ele:

— Fico surpresa que o senhor esteja sendo tão agradável a respeito do que aconteceu.

— Não adianta chorar sobre o toucinho torrado.

— Não era por isso que eu estava chorando — confessou ela, sentindo-se envergonhada e aturdida. Um lenço alvo surgiu à sua frente e ela o aceitou, enxugando as faces úmidas.

— Então, por que chorava?!

Elizabeth deixou o olhar vagar pelas montanhas que se estendiam à sua frente, cobertas de flores multicoloridas, e apertou o lenço na mão.

— Estava chorando pela minha própria inépcia e incompetência em controlar minha vida — admitiu.

Ian admirou-se ao ouvi-la empregar a palavra "inépcia", e ocorreu-lhe que, para a jovem fútil e namoradeira que ele julgava que fosse, ela até que dominava um bom vocabulário.

Elizabeth voltou o rosto para ele então, e Ian viu-se mergulhado nos olhos verdes, do exato tom de folhas molhadas. Com lágrimas ainda brilhando nos longos cílios negros, os cabelos ingenuamente amarrados para trás e os seios suaves pressionados contra o corpete, ela era um quadro vivo da mais perfeita inocência mesclada com uma sensualidade inebriante. Ian afastou os olhos daqueles seios e disse, abrupto:

— Vou cortar um pouco de lenha para acendermos a lareira à noite. Depois, verei se consigo pescar algo para o jantar. Confio que a senhorita encontre algo com que se distrair enquanto isso.

Atônita diante daquela súbita rispidez, Elizabeth assentiu e levantou-se, vagamente ciente de que ele não oferecera a mão para ajudá-la. Ian já começara a se afastar quando virou-se e acrescentou:

— Nem tente limpar a casa. Jake estará de volta antes do anoitecer, trazendo criadas para isso.

Depois que ele se foi, Elizabeth retornou à casa, procurando algo que distraísse sua mente dos problemas e a ajudasse a ficar menos agitada. Decidindo que o mínimo que poderia fazer seria limpar a sujeira que resultara de seu fracassado desjejum, atirou-se ao trabalho com todo o vigor. Estava desgrudando os ovos da frigideira enegrecida quando ouviu o som rítmico de um machado cortando lenha. Afastando uma mecha que lhe caíra sobre a testa, espiou pela janela e arregalou os olhos, ruborizada. Sem a menor sombra de timidez, Ian Thornton estava nu da cintura para cima, com as costas bronzeadas à mostra, os músculos dos braços e ombros saltando à medida que erguia o machado no ar, perfazendo um gracioso arco. Elizabeth jamais vira o braço nu de um homem, quanto mais o tronco inteiro, e estava ao mesmo tempo chocada e fascinada com aquela visão. Obrigando-se a desviar o olhar, recusou-se a ceder à tentação de dar mais uma espiadinha pela janela. Em vez disso, refletiu acerca de onde ele aprendera a cortar lenha com tamanha habilidade e desembaraço. Afinal, parecera tão à vontade na casa de Charise, usando suas roupas elegantes, que ela presumira que ele passara a vida inteira nos salões da sociedade, sustentando-se com a jogatina. Mas ele parecia igualmente à vontade naqueles confins da Escócia — talvez ainda mais à vontade ali, concluiu. Além do físico poderoso, Ian exibia uma vitalidade rude, uma invulnerabilidade que combinava com aquelas terras indômitas.

Naquele momento, surgiu-lhe uma lembrança que, havia muito, Elizabeth preferira esquecer: recordou-se da maneira como Ian dançara com ela no jardim e da graça natural de seus movimentos. Era evidente que ele tinha a habilidade de se adaptar a qualquer ambiente em que se encontrasse. Por algum motivo, tal conclusão perturbou-a — ou porque o tornava mais admirável, ou porque a fazia duvidar, de repente, de sua própria capacidade de julgá-lo. Pela primeira vez desde o desastroso fim de semana que culminara num duelo, Elizabeth permitiu-se reexaminar o que acontecera entre Ian Thornton e ela — não os acontecimentos, mas as *causas*. Até então, a única forma que encontrara de suportar sua desgraça subsequente fora culpá-lo com a mesma inflexibilidade de Robert.

Agora que tornara a vê-lo, já mais velha e madura, começava a mudar de opinião. Nem mesmo a falta de gentileza que ele insistia em demonstrar era capaz de levá-la a julgá-lo como o principal culpado pelos eventos do passado.

Enquanto ensaboava um prato, viu-se como na verdade fora, dois anos atrás: tola e perigosamente apaixonada, e tão culpada quanto ele por transgredir as regras.

Determinada a ser objetiva, Elizabeth reconsiderou seus atos e sua própria culpa em todo aquele episódio dramático. E os dele também. Em primeiro lugar, ela fora de uma ingenuidade impensável quando quis protegê-lo... e ser protegida por ele. Aos 17 anos, quando a simples *ideia* de encontrá-lo naquele chalé deveria tê-la aterrorizado, seu único temor fora o de entregar-se às sensações irracionais e desconhecidas que ele provocava com sua voz, seus olhos, seu toque.

Quando o certo teria sido temê-lo, ela temera apenas a si mesma e o fato de jogar fora o futuro de Robert e de Havenhurst. E assim teria feito, admitiu com amargura. Se passasse mais um dia ou algumas horas sozinha com Ian naquele fim de semana, jogaria toda a cautela e razão para os ares e se casaria com ele. Mesmo então, já tivera tal pressentimento e, por isso, pedira que Robert fosse buscá-la mais cedo.

Não, corrigiu-se, na verdade jamais correra o risco de casar-se com Ian. A despeito do que ele dissera dois anos antes sobre querer casar-se com ela, sua intenção não era o *casamento*: ele próprio admitira isso a Robert.

Quando essa lembrança começou a trazer à tona a antiga raiva, recordou-se de outro fato que lhe causava um efeito estranhamente calmante: pela primeira vez em quase dois anos, lembrou-se dos conselhos que recebera de Lucinda antes de iniciar seu *début*. Lucinda enfatizara que uma mulher devia, por cada um de seus atos, fazer um homem *agir* como um cavalheiro sempre que estivesse em sua presença. Era óbvio que Lucinda sabia que, embora os homens que Elizabeth conheceria fossem considerados "cavalheiros", em certas ocasiões eles iriam se comportar de maneira bem deselegante.

Reconhecendo que Lucinda estava certa em ambos os casos, Elizabeth refletiu se ela própria não poderia ser considerada culpada por tudo o que acontecera naquele fim de semana. Afinal, desde o seu primeiro encontro com Ian, ela não deu a impressão de ser uma jovem dama recatada, merecedora da mais elevada consideração da parte dele. Para começar, *ela* pedira que *ele* a convidasse para uma dança.

Ao chegar a essa conclusão, imaginou se Ian talvez não agira da mesma forma que muitos dos "cavalheiros" aceitos pela sociedade o fariam. Provavelmente, ele a julgara muito mais experiente do que ela realmente era e iniciara aquele jogo amoroso. Se fosse um pouco mais prudente, mais madura, talvez fosse capaz de agir com a divertida sofisticação que ele esperava dela. Agora, com a tardia compreensão da idade adulta, Elizabeth percebeu que, embora Ian não fosse tão socialmente aceito quanto outros cortejadores que deslizavam pelos salões da aristocracia, ele não agira de maneira pior do que eles. Ela já vira homens casados flertando em bailes; já testemunhara um ou outro beijo roubado, após o qual o cavalheiro recebia apenas um tapinha no braço com o leque da dama ou uma risonha advertência para que se comportasse. Sorriu ao se dar conta de que, em vez de uma palmadinha no braço como castigo por sua imprudência, Ian Thornton recebera uma bala, disparada da arma de Robert. Dessa vez, seu sorriso não era fruto de maliciosa satisfação, mas simplesmente porque havia certa ironia em tudo aquilo. Também lhe ocorreu que talvez tivesse sobrevivido ao fim de semana sem grandes sequelas, além de uma dolorosa "paixonite" — caso não tivesse sido vista com ele na bendita estufa.

Fazendo uma retrospectiva isenta, pareceu-lhe que fora sua própria ingenuidade a responsável por aquele desfecho dramático.

Inexplicavelmente, sentiu um bem-estar que havia muito não sentia; era como se tivesse dispersado o rancor impotente que alimentara por quase dois anos para finalmente sentir-se leve.

Elizabeth pegou um pano de prato e parou por um instante, imaginando se estaria apenas inventando desculpas para Ian. Mas por que o faria?, perguntou-se, começando a enxugar os pratos de cerâmica. A resposta simples era que tinha problemas demais com que lidar e, ao se livrar da animosidade que sentia por Ian, poderia enfrentar melhor as dificuldades. A conclusão pareceu-lhe tão sensata e provável que decidiu tomá-la por verdade.

Depois de enxugar e guardar todos os utensílios, esvaziou a bacia de água no quintal e ficou andando pela casa, procurando uma distração. Foi para o andar de cima, retirou da mala seus papéis de carta e sua pena e levou-os para a mesa da cozinha, a fim de escrever para Alexandra. No entanto, parou após alguns minutos, inquieta demais para continuar. Estava um dia lindo lá fora, e, pelo silêncio que reinava, ela soube que Ian terminara de cortar a lenha. Deixando a pena sobre a mesa, saiu e foi vagar pelos arredores. Depois de fazer uma visita ao cavalo no estábulo, decidiu trabalhar no grande canteiro coberto de ervas daninhas e flores esparsas nos fundos do chalé, onde outrora existira um jardim. Voltou para a casa, encontrou um velho par de luvas de jardinagem e pegou uma toalha sobre a qual pudesse se ajoelhar.

Com ávida determinação, Elizabeth arrancou as pragas que sufocavam uns poucos e corajosos amores-perfeitos que lutavam por ar e luz. Quando o sol iniciou a preguiçosa descida no horizonte, ela já eliminara grande parte das ervas daninhas e plantara algumas campânulas, que retirara da encosta da colina, em fileiras perfeitas, para que, no futuro, produzissem um efeito colorido no jardim.

Parava de vez em quando, com a pá na mão, e ficava olhando para o vale que se estendia abaixo, onde uma estreita faixa azulada reluzia por entre as árvores. Vez por outra, avistava o lampejo de um movimento — o braço de Ian, quando atirava a linha de pesca. Outras vezes, ele simplesmente ficava imóvel, com as pernas levemente separadas, fitando as colinas ao norte.

Lá pelo fim da tarde, ela estava sentada de cócoras, analisando o efeito das florezinhas que acabara de plantar. Ao seu lado, havia um pequeno monte de adubo, que preparara com a mistura de folhas secas e grãos de café do desjejum.

— Prontinho! — disse para as flores, incentivando-as. — Vocês já têm bastante comida e ar. Estarão felizes e lindas em pouco tempo.

— Por acaso, está falando com as *flores*? — perguntou Ian, logo atrás dela.

Ela se virou e riu, envergonhada.

— Elas ficam contentes quando converso com elas. — Sabendo quão estranho isso soava para as outras pessoas, esclareceu: — Nosso jardineiro dizia que todos os seres vivos precisam de carinho, e isso inclui as flores.

Voltando a atenção para o jardim, espalhou o restante do adubo entre as mudas e, depois, levantou-se e limpou as mãos. Suas prévias ruminações sobre Ian aboliram tanto de seu antagonismo que, quando olhava para ele agora, era capaz de encará-lo com a mais perfeita compostura. Porém, logo lhe ocorreu que Ian poderia achar estranho que uma hóspede escavasse seu jardim como uma criada.

— Espero que não se importe — disse, apontando para o canteiro com a cabeça. — Mas as flores não conseguiam respirar com tantas ervas daninhas sufocando-as. Estavam implorando por um pouco de espaço e alimento.

Uma expressão indescritível relampejou no rosto dele.

— A senhorita consegue *ouvi-las*?

— Ora, é claro que não — respondeu ela, rindo. — Mas tomei a liberdade de preparar uma refeição especial para elas; um adubo, na verdade. Talvez não as ajude muito ainda este ano, mas, no próximo, creio que estarão bem mais felizes...

Deixou a frase no ar quando, um pouco tarde demais, reparou no olhar preocupado que ele lançou às plantas ao ouvi-la mencionar que lhes preparara uma "refeição".

— O senhor não precisa olhá-las como se esperasse que fossem morrer aos meus pés — recriminou-o com uma risada. — Ao contrário de nós, elas aproveitarão bem a comida que eu fiz. Saio-me *muito* melhor no jardim do que na cozinha.

Ian desviou os olhos das flores e fitou a jovem, com uma expressão estranha, contemplativa.

— Acho que vou entrar para me lavar — falou ela, afastando-se sem olhar para trás e, portanto, inconsciente da observação muda de que era alvo.

DEPOIS DE ENCHER um jarro com a água que acabara de esquentar no fogão, Elizabeth carregou-o para o andar de cima, fazendo outras quatro viagens até que tivesse o suficiente para se banhar e lavar os cabelos. A viagem do dia anterior e o trabalho no jardim contribuíram para fazê-la se sentir imunda.

Uma hora mais tarde, com os cabelos ainda úmidos, colocou um vestido simples cor de pêssego, com mangas curtas e bufantes, e uma estreita fita da mesma cor em torno da cintura alta. Sentada na cama, escovou os cabelos para que secassem, enquanto refletia, achando alguma graça em quanto suas roupas eram inadequadas para aquele chalé na Escócia. Quando os cabelos secaram, foi para a frente do espelho e juntou-os na altura da nuca, prendendo-os, em seguida, num frágil coque, sabendo que despencariam sob a mais leve brisa. Soltou-os, então, com um encolher de ombros, e decidiu deixá-los caindo pelas costas. Sentia-se animada e bem-humorada, convencida de que continuaria assim dali em diante.

Ian encaminhava-se para a porta dos fundos, levando um cobertor nas mãos, quando ela desceu as escadas.

— Como Jake e a Srta. Throckmorton-Jones ainda não retornaram, pensei que poderíamos comer alguma coisa — disse ele. — Há queijo e pão estocados lá fora.

Ele também usava roupas limpas — uma camisa branca e calção marrom-claro. Ao segui-lo para fora, Elizabeth reparou que os cabelos dele ainda estavam úmidos na altura da nuca.

Ian estendera a manta sobre a relva e Elizabeth sentou-se numa das extremidades, contemplando o horizonte além das montanhas.

— O senhor tem ideia de que horas são? — indagou instantes depois de ele se sentar ao seu lado.

— Mais ou menos quatro horas, creio.

— Eles já não deveriam estar de volta?

— É bem provável que tenham encontrado alguma dificuldade em contratar mulheres dispostas a deixar suas casas para virem trabalhar aqui.

Ela assentiu, perdendo-se no esplendor da paisagem que se estendia à sua frente. O chalé situava-se no limite posterior de um planalto, que se inclinava sobre um vale profundo, onde um riacho serpenteava por entre as árvores. Cercando o vale, a distância, as colinas pareciam amontoar-se umas sobre as outras, cobertas por um tapete de flores silvestres. A vista era tão linda, tão intocada e verdejante que Elizabeth permaneceu imóvel por um bom tempo, envolta por uma enorme sensação de paz. Então, um pensamento ocorreu-lhe e virou-se para Ian:

— O senhor conseguiu pegar algum peixe?

— Vários. E já os limpei.

— Sim, mas será que sabe *cozinhá-los*? — retrucou ela, sorrindo.

Os lábios de Ian denunciaram um riso.

— Sei, sim.

— Bem, fico *aliviada* em saber.

Dobrando uma perna, Ian descansou o pulso no joelho e virou-se para encará-la com franca curiosidade.

— Desde quando as debutantes têm escavação de terra como um de seus passatempos preferidos?

— Não sou mais uma debutante — respondeu Elizabeth. Ao perceber que ele esperava uma explicação, prosseguiu em voz baixa: — Disseram-me que meu avô materno era um horticultor amador; talvez eu tenha herdado dele o amor por plantas e flores. Os jardins de Havenhurst são resultado do trabalho dele. Eu os ampliei e acrescentei novas espécies.

O rosto dela suavizara-se e os lindos olhos verdes reluziram como pedras preciosas quando Elizabeth mencionou Havenhurst. A despeito de si mesmo, Ian manteve-a falando sobre esse assunto, que, era evidente, tinha um significado especial para ela.

— O que é Havenhurst?

— Meu lar — disse ela com um sorriso suave. — Pertence à nossa família há sete séculos. O primeiro conde construiu um castelo na propriedade, e era tão bonito que quatorze diferentes rivais o cobiçaram e sitiaram, mas nenhum deles conseguiu tomá-lo. O castelo foi demolido séculos depois por outro ancestral, que desejava construir uma mansão ao estilo da arquitetura grega. Depois, os seis condes que se seguiram fizeram benfeitorias, aumentando e modernizando a mansão, até transformá-la no que é hoje. Às vezes — admitiu —, assusta-me um pouco saber que cabe a mim preservá-la.

— Pois eu diria que tal responsabilidade cabe ao seu tio ou ao seu irmão, e não à senhorita.

— Não. A responsabilidade é minha.

— Como assim? — indagou ele. Achava curioso ouvi-la falar como se o lugar fosse tudo o que lhe importasse no mundo.

— Graças ao fideicomisso, Havenhurst deve passar sempre para o herdeiro mais velho. Se não houver um filho, a propriedade vai para a filha e, depois, para os filhos dela. Meu tio não pôde herdá-la porque era mais novo que meu pai. Suponho que por isso nunca deu a mínima importância à propriedade e, agora, ressente-se tanto dos gastos com sua manutenção.

— Mas você tem um irmão — argumentou Ian.

— Robert é meu meio-irmão — explicou Elizabeth. Sentia-se tão tranquilizada pelo cenário encantador e por ter chegado a uma conclusão apaziguadora em relação aos acontecimentos de dois anos atrás que conseguia falar livremente. — Minha mãe ficou viúva com apenas 21 anos, e Robert ainda era um bebê. Ela se casou com meu pai, então, que o adotou legalmente, mas isso não modifica as regras da herança. Elas afirmam que o herdeiro pode até vender a propriedade, mas não pode transferi-la a parente algum. Essa medida foi tomada para salvaguardá-la caso algum membro ou ramo da família a cobiçasse e tentasse exercer pressão indevida sobre o herdeiro para tomá-la. Algo parecido aconteceu a uma de minhas ancestrais no século XV, e essa cláusula foi acrescentada ao fideicomisso por insistência dela, muitos anos depois. A filha apaixonou-se por um galês, que era um patife — continuou, sorrindo — e estava muito mais interessado em *Havenhurst* do que na moça. A fim de evitar que ele pusesse as mãos na propriedade, seus pais providenciaram que uma cláusula final fosse anexada ao documento.

— E o que diz essa cláusula? — quis saber Ian, interessado na história que ela contava de maneira tão agradável.

— Afirma que, se a propriedade for herdada por uma mulher, ela não poderá se casar contra a vontade de seu guardião. Em tese, pretendia impedir que as mulheres da família fossem vítimas de outros possíveis patifes. Nem sempre é fácil para uma mulher manter suas propriedades, entende?

Ian apenas entendia que aquela linda jovem que ousara defendê-lo diante de um bando de homens, que retribuíra seus beijos com terna paixão, agora parecia apaixonadamente ligada não a um homem, mas a um antigo amontoado de pedras. Dois anos antes, ele ficara furioso ao descobrir que ela era uma condessa, uma debutante fútil que já estava comprometida — com algum maldito almofadinha, sem dúvida — e meramente à procura de alguém mais excitante para aquecer-lhe a cama. Agora, no entanto, sentia-se intrigado por ela não se ter casado com o tal almofadinha. Tinha a pergunta na ponta da língua: por que não se casara? Então, Elizabeth recomeçou a falar:

— A Escócia é muito diferente do que eu imaginava.

— De que maneira?

— É mais selvagem, mais primitiva. Sei que os cavalheiros costumam manter abrigos de caça aqui, mas imaginei que pudessem contar com os confortos habituais, incluindo criados. Como era o seu lar?

— Selvagem e primitivo — respondeu ele. Ela o encarou, surpresa e confusa. Juntando os restos da rápida refeição, Ian levantou-se com agilidade.

— A senhorita está nele — acrescentou, zombeteiro.

— Nele o quê? — Automaticamente, Elizabeth também se levantou.

— No meu lar.

Um rubor de embaraço cobriu-lhe as faces quando o encarou. Ian permaneceu imóvel, os cabelos escuros esvoaçando na brisa, o rosto estampando nobreza e orgulho, o corpo musculoso emanando poder autêntico e, para Elizabeth, parecendo tão vigoroso e invulnerável quanto as montanhas de sua terra natal. Ela abriu a boca com a intenção de se desculpar, mas, em vez disso, expressou, sem querer, seu pensamento mais íntimo:

— Combina com o senhor — afirmou com suavidade. Suportando aquele olhar impassível, Elizabeth recusou-se a ruborizar ou desviar o rosto, emoldurado pela aura dourada dos cabelos agitados pela brisa inquieta. Era a delicada imagem da fragilidade diante de um homem que a tornava minúscula. Luz e escuridão, fragilidade e força, orgulho teimoso e determinação de ferro: dois opostos em quase tudo. Certa vez, as diferenças nos haviam reunido e, agora, separavam-nos. Ambos estavam mais velhos, mais experientes e mais convencidos de que eram fortes o bastante para suportar e ignorar o calor que se formava entre eles.

— Porém, não combina com a senhorita — argumentou Ian, brando.

Aquelas palavras arrancaram-na do estranho torpor em que mergulhara.

— Não — concordou sem rancor, sabendo que devia parecer uma flor de estufa, com seus vestidos pouco práticos e frágeis sapatinhos, aos olhos dele.

Abaixando-se, ela dobrou a manta enquanto Ian entrava na casa e começava a juntar as armas para limpá-las antes da caçada do dia seguinte. Elizabeth viu-o retirar as espingardas da prateleira acima da lareira e lançou um olhar para a carta que começara a escrever para Alexandra. Não havia como enviá-la antes de voltar para casa, portanto não fazia sentido apressar-se em terminá-la. Por outro lado, não tinha mais o que fazer; assim, sentou-se à mesa e recomeçou a escrever.

Estava no meio da carta quando ouviu um tiro no lado de fora e enrijeceu o corpo em nervosa surpresa. Imaginando por que Ian decidira atirar tão perto da casa, correu para a porta e olhou para fora a tempo de vê-lo recarregar a pistola que estivera sobre a mesa no dia anterior. Ele a levantou, mirando em algum alvo invisível, e atirou. Mais uma vez, carregou-a e atirou, até que, movida pela curiosidade, Elizabeth saiu e tentou avistar se ele atingira algo.

Pelo canto dos olhos, Ian viu de relance o vestido cor de pêssego e virou-se.

— O senhor acertou o alvo? — perguntou ela, embaraçada por ter sido apanhada observando-o.

— Sim. — Sabendo que ela fora criada no campo e que, obviamente, sabia empunhar uma arma, Ian decidiu que as boas maneiras exigiam que lhe oferecesse um pouco de distração. — Gostaria de tentar?

— Bem, depende do tamanho do alvo — respondeu ela, já se adiantando na direção dele, absurdamente feliz por ter algo a fazer além de escrever cartas.

Não parou para pensar, nem sequer se permitiria admitir, que apreciava bastante a companhia dele quando se mostrava agradável.

— Quem a ensinou a atirar? — indagou ele quando ela se posicionou ao seu lado.

— Nosso cocheiro.

— Melhor o cocheiro do que seu irmão — zombou Ian, entregando-lhe a arma carregada. — O alvo é aquele graveto, o que tem uma folha no meio.

Ela estremeceu de leve diante da referência sarcástica ao duelo com Robert.

— Lamento sinceramente o que aconteceu no duelo — disse. Em seguida, concentrou toda a sua atenção no pequeno graveto.

Recostando-se no tronco de uma árvore, Ian observou, entretido, enquanto ela empunhava a arma pesada com as duas mãos e a levantava, mordendo o lábio durante a concentração.

— Seu irmão é um péssimo atirador — comentou.

— Mas eu não — disse ela com um sorrisinho sapeca. Então, como o assunto do duelo parecia estar finalmente encerrado, tentou brincar: — Se eu estivesse lá, atrevo-me a dizer que teria...

Ian juntou as sobrancelhas:

— Aguardado o sinal para atirar?

— Bem, isso também, é claro — disse ela, o sorriso desaparecendo ao imaginar que ele iria retrucar.

E, naquele momento, Ian acreditou que ela esperaria. Apesar de todos os defeitos que lhe atribuía, quando a olhava, era capaz de reconhecer sua inteligência e coragem.

Elizabeth devolveu-lhe a arma, e ele lhe entregou outra, já carregada.

— O último tiro foi razoável — disse, encerrando a conversa sobre o duelo. — Entretanto, o alvo é o graveto, não as folhas. A *ponta* do graveto.

— O senhor também deve ter errado — salientou ela, erguendo a arma e apontando com todo o cuidado. — Afinal, o graveto continua ali.

— É verdade, mas está mais curto do que quando comecei.

Por um instante, Elizabeth esqueceu o que estava fazendo e olhou-o com cético divertimento.

— Quer dizer que esteve cortando a ponta do graveto?

— Um pedacinho de cada vez — afirmou ele, concentrando-se no próximo tiro dela.

Ela atingiu outra folha do graveto e devolveu-lhe a arma.

— Até que a senhorita não é má atiradora — cumprimentou Ian.

Na verdade, ela era uma atiradora admirável e o sorriso dele demonstrava tal reconhecimento quando lhe entregou a pistola recém-recarregada. Mas Elizabeth balançou a cabeça.

— Prefiro ver o *senhor* atirar agora.

— Está duvidando da minha palavra?

— Digamos que eu esteja apenas um pouco cética.

Ian empunhou a arma, erguendo-a num gesto rápido, e, sem sequer parar para mirar, atirou. Um toco de cinco centímetros do graveto voou e caiu ao chão. Elizabeth estava tão impressionada que começou a rir.

— Sabe de uma coisa? — falava com genuína admiração. — Até agora, eu realmente não acreditava que o senhor tivesse atirado na borla da bota de Robert *de propósito*!

Ele lanço a Elizabeth um olhar brincalhão enquanto tornava a carregar a arma para entregar a ela.

— Na ocasião, senti a forte tentação de alvejar algo um pouco mais vulnerável.

— Mas não teria feito isso — lembrou Elizabeth, pegando a arma e virando-se na direção do alvo.

— Por que tem tanta certeza?

— Foi o senhor mesmo quem disse que não concordava em matar alguém por causa de uma desavença. — Ela levantou a arma, mirou e atirou, errando completamente o alvo. — Tenho uma memória muito boa.

Ian pegou outra pistola.

— Fico surpreso em ouvi-la dizer isso — observou em um tom arrastado, voltando-se para o graveto. — Principalmente sabendo que, quando nos conhecemos, a senhorita esqueceu-se de que estava noiva. Quem era o almofadinha, a propósito? — indagou, indiferente, ao mesmo tempo que mirava, atirava e acertava novamente o alvo.

Elizabeth estava recarregando a arma e parou por uma fração de segundo antes de prosseguir com a tarefa. A pergunta casual provava que ela estivera certa em suas reflexões anteriores. Flertes ocasionais não eram levados a sério quando os envolvidos eram maduros o bastante para se entregar a eles. E, posteriormente, como agora, tornavam-se motivo aceitável para brincadeiras mútuas. Enquanto Ian carregava duas outras armas, ela considerou quanto era mais agradável brincar abertamente sobre o assunto em vez de permanecer acordada durante a noite, consumida pela mágoa e a amargura, como fizera antes. Fora tão tola... E quão tola pareceria agora se não tratasse a questão de maneira casual e aberta. Parecia-lhe, no entanto, um pouco estranho — e até mesmo engraçado — conversar sobre o assunto enquanto lidavam com armas de fogo.

— O Visconde de Mondevale pode ser qualquer coisa, exceto um "almofadinha" — disse, sorrindo, virando-se para mirar.

Ele pareceu um pouco surpreso, mas manteve a voz neutra.

— Ah, então era Mondevale?

— Uhumm... — Elizabeth atingiu a ponta do graveto e riu, deliciada. — Consegui! Agora, são três pontos para o senhor e um para mim!

— *Seis* para mim — corrigiu ele, galhofeiro.

— De qualquer forma, eu o estou alcançando. Tenha cuidado!

Ele lhe deu outra arma e ela endireitou o corpo, fechando um olho para mirar com cautela.

— Por que a senhorita rompeu o noivado?

Elizabeth enrijeceu o corpo, espantada; depois, tentando imitar o leve tom zombeteiro com que ele falara, respondeu:

— O Visconde de Mondevale mostrou-se um tanto exigente e sensível quanto a alguns pequenos detalhes, como sua noiva esgueirando-se em chalés e estufas na companhia do senhor. — Ela, então, atirou e errou.

— Quantos pretendentes a senhorita tem nesta temporada? — indagou Ian casualmente enquanto fazia uma pausa para limpar a arma, antes de mirá-la novamente.

O orgulho impediu-a de confessar que não havia nenhum pretendente no momento, nem mesmo nos últimos anos.

— Bem... — disse, suprimindo uma careta de desgosto ao pensar em seu admirador robusto com a casa repleta de querubins. Contando com o fato de que Ian não era um frequentador habitual dos círculos mais exclusivos da sociedade, presumiu que desconhecesse ambos os seus pretendentes. Ele levantou a arma no instante em que ela respondeu: — Sir Francis Belhaven é um deles.

Em vez de atirar imediatamente, Ian precisou de um longo tempo para ajustar a mira.

— Belhaven é um velho — disse.

O tiro explodiu e o graveto estalou no ar.

Quando tornou a encará-la, os olhos dele estavam frios, como se a tivesse rebaixado. Elizabeth tentou se convencer de que estava imaginando coisas e determinou-se a manter o clima de convivência agradável. Como era sua vez, pegou a arma e posicionou-a.

— Quem é o outro?

Aliviada por saber que Ian não poderia criticar a idade de seu esportista recluso, enviou-lhe um sorriso soberbo:

— Lorde John Marchman — respondeu e atirou.

A gargalhada de Ian quase a fez derrubar a pistola.

— Marchman! — exclamou ele quando Elizabeth virou-se e espetou o coldre da arma no estômago dele. — A senhorita deve estar brincando!

— O senhor fez com que eu errasse o tiro.

— Tente de novo — disse ele, fitando-a com um misto de escárnio e incredulidade.

— Não, não posso atirar com o senhor rindo do meu lado. E agradeceria se tirasse esse sorriso do rosto. Lorde Marchman é um bom homem.

— De fato, ele é — concordou Ian, mantendo o sorriso irritante. — E é ótimo que a senhorita goste de atirar, pois ele até dorme com espingardas de caça e varas de pesca. A senhorita vai passar o resto da vida chapinhando em riachos e abrindo trilhas em florestas.

— Acontece que eu gosto de pescar — informou Elizabeth, fazendo o possível para não perder a compostura. — E Sir Francis pode ser um pouco mais velho que eu, mas um marido experiente pode mostrar-se bem mais gentil e tolerante do que um jovem.

— Ele terá mesmo de ser tolerante — retrucou Ian, rápido, voltando a atenção para as armas. — Ou um exímio atirador.

Elizabeth irritou-se com aquele ataque súbito, que acontecia logo depois que ela estabelecera, em sua mente, que ambos deveriam lidar com o passado de maneira casual e sofisticada.

— Devo dizer, Sr. Thornton, que não está sendo muito maduro *ou* coerente!

Ele franziu a testa enquanto a trégua começava a ruir.

— O que diabos a senhorita quer dizer com isso?

Ela empinou o nariz, fitando-o como a desdenhosa jovem aristocrata que nascera para ser.

— Quero dizer — respondeu, fazendo um esforço sobre-humano para falar fria e claramente — que o senhor não tem o direito de agir como se *eu* tivesse feito algo maldoso quando, na verdade, o senhor mesmo encarou tudo como um flerte insignificante. Foi assim que definiu tudo, então nem se dê ao trabalho de negar!

Ian acabou de carregar a arma, antes de falar. Em contraste com sua expressão soturna, sua voz soou calma:

— Ao que parece, minha memória não é tão boa quanto a sua. Para quem eu disse tais palavras?

— Ao meu irmão — retrucou ela, impaciente com tamanho fingimento.

— Ah, sim, o *honrado* Robert — ironizou ele, propositalmente enfatizando a palavra "honrado". Virou-se para o alvo e atirou, mas o tiro passou ao largo do graveto.

— O senhor não acertou nem a *árvore*! — exclamou ela, surpresa. — Pensei tê-lo ouvido dizer que iria limpar as armas — acrescentou quando o viu guardá-las em seus estojos de couro com uma expressão preocupada.

Ian ergueu os olhos para ela, mas Elizabeth teve a impressão de que quase se esquecera de sua presença.

— Decidi deixar para fazer isso amanhã.

Ele, então, entrou em casa e, num gesto automático, colocou as armas sobre a cornija da lareira. Depois, vagou em torno da mesa, franzindo a testa, pensativo, enquanto pegava a garrafa de vinho madeira e servia-se de uma taça. Disse a si mesmo que não fazia diferença como ela se sentira quando o irmão lhe dissera aquela mentira. Afinal, já estava noiva naquela época e, segundo ela própria admitira, encarara o breve relacionamento como um simples flerte. Seu orgulho talvez tivesse sofrido um merecido baque, mas nada muito grave. Além do mais, Ian lembrou a si mesmo, agora estava praticamente noivo de uma bela mulher, que não merecia sua estúpida preocupação com Elizabeth Cameron.

"O Visconde Mondevale mostrou-se um tanto exigente e sensível quanto a pequenos detalhes, como sua noiva esgueirando-se em chalés e estufas na companhia do senhor", dissera ela.

Era evidente que o noivo a deixara por sua causa, e Ian sentiu-se invadido por uma inquietante pontada de culpa que não conseguiu apagar de todo. Distraído, tornou a pegar a garrafa de vinho, pensando em oferecer uma taça a Elizabeth. Ao lado da garrafa, reparou na carta que ela estivera escrevendo. Começava com: "Querida Alex..." Porém, não foram as palavras que o levaram a cerrar os dentes — foi a caligrafia. Caprichada, culta e precisa. Mais parecia a de um monge. Não eram garranchos ilegíveis e infantis como os daquele bilhete que ele tivera de decifrar, antes de entender que ela queria encontrá-lo na estufa do jardim. Pegou a carta, analisando-a com incredulidade. Sua consciência começava a castigá-lo violentamente. Viu a si próprio, dois anos atrás, importunando-a naquela maldita estufa, e a culpa espalhou-se por seu corpo como ácido.

Engoliu o vinho como se pudesse lavar o desprezo por si mesmo; depois, virou-se e saiu da casa, apressado. Elizabeth estava parada na beira do planalto relvado, poucos metros adiante do lugar onde haviam praticado tiro ao alvo. O vento murmurava por entre as árvores, soprando aqueles magníficos cabelos, que formavam um véu reluzente. Ele parou a alguns passos de distância, enxergando-a como fora tempos atrás: uma jovem deusa vestindo azul-real, descendo a escadaria, distante, intocável; um anjo colérico desafiando um grupo de homens numa sala de jogos; a tentação em pessoa, no chalé dos lenhadores, levantando os cabelos molhados diante do fogo... E, no final, uma garotinha assustada enfiando-lhe vasos de flores nas mãos, tentando impedir que ele a beijasse. Respirou fundo e meteu as mãos nos bolsos, reprimindo o impulso de tocá-la.

— É uma paisagem magnífica — comentou ela, vendo-o aproximar-se.

Em vez de responder ao comentário, Ian aspirou o ar profundamente e disse:

— Gostaria que a senhorita me contasse outra vez tudo o que aconteceu naquela última noite. Por que estava naquela estufa?

Elizabeth reprimiu a frustração.

— O senhor *sabe* por que eu estava lá, pois me mandou um bilhete. Pensei que fosse de Valerie, a irmã de Charise, e fui encontrá-la na estufa.

— Elizabeth — começou ele, pela primeira vez dizendo seu nome desde o reencontro de ambos —, eu *não* lhe mandei bilhete algum. Pelo contrário, recebi um.

Com um suspiro irritado, e mal percebendo a mudança de tratamento, ela encostou os ombros numa árvore.

— Não vejo sentido em tocarmos de novo neste assunto. Eu não acredito no senhor e o senhor não acredita em mim... — Esperou uma explosão de raiva, mas, em vez disso, ele falou:

— Acredito em você, Elizabeth. Vi aquela carta que deixou sobre a mesa. Você tem uma linda caligrafia.

Apanhada desprevenida pelo tom solene e pelo discreto elogio, ela o encarou.

— Obrigada — disse, incerta.

— Como era a caligrafia do bilhete que você recebeu? — continuou Ian.

— Péssima — respondeu Elizabeth e, arqueando a sobrancelha, acrescentou: — O senhor escreveu "estufa" com "i".

Os lábios dele se alargaram num sorriso desgostoso.

— Pois eu posso lhe assegurar que sei muito bem escrever "estufa", e, embora minha caligrafia não seja tão bela quanto a sua, dificilmente se iguala àqueles garranchos ilegíveis. Se ainda duvida, terei prazer em provar que não estou mentindo.

Naquele momento, Elizabeth deu-se conta de que ele dizia a verdade, e um terrível sentimento de traição começou a envolvê-la quando o ouviu finalizar:

— Ambos recebemos bilhetes que nenhum de nós escreveu. Alguém quis nos atrair até a estufa, creio, para que fôssemos flagrados juntos.

— Ninguém poderia ser assim tão cruel! — exclamou ela, balançando a cabeça, o coração tentando negar o que a mente já considerava verdade.

— Bem, *alguém* foi.

— Não diga mais nada! — gritou ela, incapaz de suportar uma nova traição em sua vida. — Não posso acreditar! Deve ter sido um engano — acrescentou, ansiosa, mas as imagens daquele fim de semana já voltavam à sua mente: Valerie insistindo para que ela tentasse convencer Ian Thornton a convidá-la para dançar; Valerie fazendo perguntas insinuantes depois que ela voltara do chalé dos lenhadores; o lacaio lhe entregando o bilhete e informando-a de que vinha de Valerie. Valerie, que ela julgara ser sua amiga. Valerie, com o rostinho bonito e os olhos observadores...

Elizabeth cruzou os braços no peito, a dor dilacerando o coração.

— Foi Valerie — murmurou, quase num soluço. — Perguntei ao criado quem lhe dera o bilhete e ele respondeu que fora Valerie. — A inominável maldade daquele ato a fez estremecer. — Mais tarde, presumi que o senhor passara o recado para as mãos dela, que, por sua vez, o enviara pelo lacaio.

— Eu jamais faria uma coisa dessas — apressou-se em dizer Ian. — Você já estava bastante aterrorizada com tudo aquilo.

A raiva de Ian pelo que fora feito aumentava, porque nem mesmo *ele* conseguia ignorar aquilo com casual civilidade. Engolindo em seco, Elizabeth fechou os olhos e viu Valerie passeando no parque ao lado do Visconde Mondevale. Sua vida fora destruída — e tudo porque alguém, uma amiga na qual confiara, cobiçara o seu noivo. Lágrimas ardiam em seus olhos quando falou, trêmula:

— Ela me enganou. Minha vida foi arruinada por causa disso...

— Mas por quê? — indagou Ian. — Por que ela faria isso com você?

— Acho que ela queria Mondevale e... — Sabendo que iria chorar se continuasse falando, balançou a cabeça e começou a se afastar. Queria encontrar um lugar no qual pudesse chorar sua angústia a sós.

Incapaz de deixá-la ir sem ao menos tentar confortá-la, Ian segurou-a pelos ombros e puxou-a de encontro ao peito, apertando-a mais em seus braços quando ela quis se desvencilhar.

— Não, por favor — murmurou contra seus cabelos. — Não vá. Ela não merece suas lágrimas.

O choque de estar novamente nos braços dele foi quase tão grande quanto o desespero que a tomava, e a combinação das duas emoções a paralisou. Com a cabeça baixa, permaneceu imóvel e em silêncio, permitindo que as lágrimas corressem de seus olhos e o corpo fosse sacudido pelos soluços contidos.

Ian abraçou-a com mais força, como se, ao pressioná-la contra si, pudesse absorver sua dor. Como isso não foi suficiente para consolá-la, tentou brincar:

— Se Valerie soubesse que excelente atiradora você é — sussurrou apesar do estranho nó que se formara em sua garganta —, jamais teria se atrevido a provocá-la. — Acariciou-lhe o rosto molhado, pressionando-o contra o peito. — Você ainda pode desafiá-la para um duelo, sabia? — Os soluços de Elizabeth começaram a diminuir e, com falsa firmeza, ele acrescentou: — Melhor ainda, Robert poderia ir no seu lugar. Não é um atirador tão bom quanto você, mas é muito mais *rápido*.

Um risinho lacrimoso escapou da jovem em seus braços. Então, Ian prosseguiu:

— Por outro lado, se estivesse empunhando uma arma, teria de fazer algumas escolhas, e elas não seriam fáceis.

Calou-se, e ela respirou fundo.

— Que escolhas? — murmurou finalmente.

— Onde atirar, por exemplo — brincou ele, afagando-lhe as costas. — Robert usava botas *hessian*, por isso escolhi as borlas como alvo. Imagino que você poderia atirar no laço do vestido de Valerie.

Os ombros de Elizabeth sacudiram abruptamente quando ela soltou um riso contido. Aliviado, Ian manteve o braço esquerdo ao redor dela e prendeu gentilmente o queixo dela entre os dedos, fazendo-a erguer o rosto. Aqueles olhos fascinantes ainda estavam úmidos, mas um sorriso tremia nos lábios rosados.

Encorajado, continuou:

— O laço de um vestido talvez não fosse um grande desafio para uma atiradora perita como você. Em vez disso, quem sabe poderia insistir para que ela segurasse um brinco entre os dedos para você testar sua pontaria?

A imagem era tão absurda que ela teve de rir.

Sem se dar conta do que fazia, Ian deslizou o dedo do queixo para os lábios, acariciando a maciez tentadora. Subitamente, percebeu o que fazia e interrompeu a carícia.

Elizabeth viu a expressão dele ensombrecer-se. Soltou um suspiro trêmulo, pressentindo que ele estivera prestes a beijá-la e mudara de ideia no último instante. Após aqueles reveladores últimos minutos, já não sabia mais distinguir quem tinha boas ou más intenções. Sabia apenas que se sentia segura e a salvo nos braços dele. Naquele momento, ele começou a soltá-la, a expressão distante.

— Por favor... — Elizabeth conseguiu dizer, a voz repleta de dor e desesperada por um pouco de compreensão.

Ian percebeu o que ela desejava e sentiu-se confuso. Arqueou as sobrancelhas, fitando-a com um ar interrogativo.

— Eu... — começou ela, percebendo, constrangida, que ele a entendia.

— Sim?

— Eu não sei... exatamente — confessou. Sua única certeza no momento era que queria ficar por pelo menos mais alguns minutos nos braços dele.

— Elizabeth, se quer ser beijada, tudo o que precisa fazer é colocar os lábios sobre os meus.

— *O quê?*

— Você ouviu muito bem.

— Seu... seu arrogante!

Ele balançou a cabeça com leve impaciência.

— Ora, poupe-me de protestos virginais. Se está tão curiosa quanto eu para saber se o que tivemos foi tão bom quanto nossas lembranças, apenas diga. — Ian admirou-se da própria sugestão, mas não via mal algum em trocar alguns beijos se assim ela desejasse.

As palavras dele dissolveram a ira de Elizabeth e a deixaram confusa ao mesmo tempo. Fitou-o, perplexa, enquanto as mãos dele aumentavam sutilmente a pressão aos redor de seus braços. Bem consciente do que fazia, baixou os olhos para os lábios tão bem esculpidos dele, vendo brotar um sorriso *desafiador* e, milímetro a milímetro, as mãos dele a puxavam para mais perto de seu corpo forte.

— Está com medo de descobrir? — perguntou ele, e o tom quente daquela voz rouca, exatamente como ela se lembrava, lançou seu estranho feitiço sobre ela novamente... Suas mãos deslizaram até a cintura dela. — Decida logo... — murmurou, e, em seu confuso estado de apreensão e desejo, ela não protestou quando Ian inclinou a cabeça.

Um arrepio perpassou-lhe o corpo inteiro quando os lábios dele tocaram os seus, quentes, convidativos, roçando-os devagar. Paralisada, Elizabeth esperou pela paixão arrebatadora que ele demonstrara antes, sem perceber que sua própria participação contribuíra em muito para despertá-la na época. Imóvel e tensa, esperava provar outra vez aquela proibida explosão de prazer, mesmo que por um brevíssimo instante. Em vez disso, o beijo dele tinha a leveza de uma pena, apenas roçando-lhe os lábios, provocando-a!

Enrijeceu-se subitamente, afastando-se, e o olhar de Ian desviou pregui-çosamente de seus lábios para seus olhos. Num tom seco, ele disse:

— Não era bem assim que eu me lembrava.

— Nem eu — admitiu ela, sem saber que ele se referia à sua falta de par-ticipação.

— Gostaria de tentar outra vez? — convidou ele, ainda querendo entre-gar-se a um breve momento de prazer *compartilhado*, desde que mantivesse o controle e não houvesse expectativa de algo mais profundo.

O leve divertimento no tom de Ian deu a Elizabeth a certeza de que ele considerava aquilo tudo um mero passatempo ou, talvez, um desafio. Encarou-o, chocada.

— Por acaso isso é... um jogo?

— Quer que seja?

Ela balançou a cabeça e, de repente, todas as secretas lembranças que ainda guardava, da ternura e da paixão arrebatadora, desapareceram. Como todas as suas antigas ilusões a respeito dele, nada daquilo era real. Entre exas-peração e tristeza, respondeu:

— Não, acho que não.

— Por quê?

— Você está brincando comigo — disse honestamente, contendo o deses-pero. — E eu não entendo as regras do jogo.

—Bem, as regras não mudaram. São as mesmas de antes. Ou seja, eu beijo você *e* — enfatizou — *você me* beija.

A franqueza com que ele criticou sua falta de participação a deixou dividi-da entre uma vergonha profunda e a vontade de lhe dar um chute na canela. Porém, Ian continuava pressionando-lhe a cintura com uma das mãos, en-quanto a outra deslizava até sua nuca, acariciando sua pele com sensualidade.

— Do que você se lembra? — provocou ele, aproximando os lábios dos dela. — Mostre-me...

Roçou-lhe a boca levemente e, apesar do tom bem-humorado, dessa vez havia sensualidade e desafio em seu toque. Elizabeth não resistiu. Deva-gar, apoiou-se nos braços dele, tocando de leve a seda da camisa, sentindo os músculos enrijecerem quando ele a puxou mais para si. Os lábios dele entreabriram-se sobre os seus, provocando, convidando, e Elizabeth sentiu o coração disparar dolorosamente. Espalmando as mãos em torno dos ombros dele, retribuiu o beijo com paixão e timidez, permitindo que a língua dele penetrasse em sua boca e acolhendo aquela invasão.

O desejo começava a inflamar as veias de Ian. Era hora de parar, disse a si mesmo. Tentou fazer o que a razão ordenava. Porém, ela lhe acariciava a nuca, e a boca o convidava docemente para mais um beijo íntimo. Com grande esforço, atirou a cabeça para trás, incapaz de se afastar por mais do que alguns centímetros dos sedutores lábios de Elizabeth.

— *Maldição!* — murmurou, mas seus braços continuavam a pressioná-la junto de si.

Sentindo o coração bater como um louco pássaro cativo, Elizabeth fitou aqueles olhos ardentes de desejo. Ian deslizava a mão pelos seus cabelos e, segurando-lhe a cabeça, tornou a beijá-la com sofreguidão. A boca abriu-se sobre a dela, exigente, firme, e Elizabeth correspondeu com igual ardor. Enlaçando o pescoço de Ian, entregou-se ao beijo, o corpo colando-se ao dele. Com uma pressão quase cruel, ele lhe entreabriu os lábios outra vez, fazendo a língua penetrar com força, desafiando-a a protestar. Mas Elizabeth não protestou; lânguida, aceitou a intromissão da língua e deixou-se ficar nos braços dele, deslizando os dedos por seu rosto e suas têmporas numa carícia inocente.

Sentindo o desejo invadi-lo em ondas tempestuosas, Ian espalmou as mãos nas costas de Elizabeth, forçando-a a arquear o corpo e sentir sua rígida ereção, mergulhando a boca na dela, beijando-a com uma loucura exigente, descontrolada. Acariciando-a cada vez com mais volúpia, estremeceu quando do Elizabeth colou-se ainda mais a seu corpo, inconsciente ou despreocupada com a clara evidência de sua excitação.

Guiado pelo desejo, deslizou as mãos até os seios dela antes de perceber o que estava fazendo. Rapidamente, interrompeu o beijo, fixando o horizonte sem enxergá-lo, e debateu consigo mesmo se deveria beijá-la outra vez ou tentar fingir que tudo aquilo não passava de uma brincadeira. Nenhuma mulher jamais conseguira despertar nele tamanha luxúria apenas com alguns poucos beijos.

— Foi exatamente como eu lembrava — sussurrou ela, parecendo confusa, derrotada e exausta ao mesmo tempo.

Foi muito melhor do que Ian se lembrava. Mais forte, mais selvagem. E a única razão de ela não saber disso fora sua resistência à tentação de tornar a beijá-la. Ian acabara de rejeitar a insanidade daquela ideia quando a voz de um homem fez-se ouvir atrás deles.

— Bom Deus! O que está acontecendo aqui?

Elizabeth desvencilhou-se de Ian quase em pânico. Seus olhos voaram na direção do homem de meia-idade, usando um traje clerical, que corria na direção deles, atravessando o jardim. Ian amparou-a pela cintura, e ela ficou imóvel, rígida pelo choque.

— Ouvi tiros... — dizia o homem grisalho, ofegando, apoiando-se numa árvore próxima e levando a mão ao peito, que arfava. — Ouvi tiros enquanto subia pelo vale e pensei que...

Calou-se, os olhos atentos observando o rosto corado e os cabelos emaranhados de Elizabeth e a mão de Ian na cintura dela.

— Pensou o quê? — perguntou Ian com uma calma admirável, percebeu Elizabeth, considerando que haviam sido flagrados num abraço apaixonado por ninguém menos do que um vigário escocês.

O pensamento mal cruzara a mente confusa de Elizabeth quando o entendimento endureceu a expressão do homem.

— Pensei — disse ele, irônico, endireitando o corpo e adiantando-se enquanto limpava a manga do paletó preto — que vocês estavam tentando matar um ao outro. — Parou na frente de Elizabeth e acrescentou num tom mais suave: — Aliás, a Srta. Throckmorton-Jones parecia considerar isso bem possível quando me despachou para cá.

— Lucinda? — balbuciou Elizabeth, sentindo como se o mundo estivesse virando de cabeça para baixo. — Lucinda o mandou aqui?

— Exatamente — disse o vigário, lançando um olhar de reprovação para a mão de Ian, que continuava pousada na cintura de Elizabeth.

Envergonhada até o último fio de cabelo ao se dar conta de que continuava abraçada a Ian, afastou-se bruscamente e deu um passo para o lado. Preparou-se para um tempestuoso, e mais que merecido, sermão por aquele comportamento pecaminoso, mas o vigário continuou a encarar Ian com a grossa sobrancelha grisalha arqueada. Sentindo que poderia explodir sob a tensão daquele silêncio, ela lançou um olhar de apelo a Ian. No entanto, ele fitava o vigário não com vergonha ou arrependimento, mas com divertida contrariedade.

— Bem? — inquiriu o vigário, por fim, sem desviar os olhos de Ian. — O que você tem a me dizer?

— Boa tarde? — sugeriu Ian, brincalhão. E acrescentou: — Não o esperava antes de amanhã, tio.

— Isso me parece óbvio — retrucou o vigário, com nítida ironia.

— *Tio?* — exclamou Elizabeth, lançando um olhar incrédulo a Ian, que, obviamente, estivera empenhado em desafiar todas as regras da moralidade, com seus beijos apaixonados e ávidas carícias, desde a primeira noite em que o vira.

Como se lesse seus pensamentos, o vigário encarou-a com os olhos castanhos brilhando de divertimento.

— Impressionante, não é, minha cara? Quase me convenço de que Deus tem senso de humor.

Ao ver a expressão impenetrável de Ian começar a se desmanchar quando o vigário passou a enumerar suas atribulações de tio, Elizabeth rompeu num riso nervoso.

— Você nem imagina os tormentos por que passei quando fui obrigado a consolar jovens em prantos que atiravam seus encantos na direção de Ian, na esperança de serem retribuídas — disse a Elizabeth. — E isso não é nada comparado ao que senti quando ele começou a organizar corridas de cavalos e um dos meus paroquianos achou que *eu* seria a pessoa mais indicada para recolher as apostas!

A gargalhada de Elizabeth ressoou como música no ar perfumado, e o vigário, ignorando o olhar contrariado de Ian, prosseguiu:

— Tenho calos nos joelhos por todas as horas, semanas e meses que passei rezando pela alma de Ian...

— Quando acabar a lista das minhas transgressões, Duncan — intrometeu-se Ian —, poderei apresentá-lo à dama.

Em vez de se aborrecer com o tom do sobrinho, o vigário pareceu satisfeito.

— Sim, tem razão, Ian — disse com suavidade. — Devemos *sempre* observar as boas maneiras.

Naquele momento, Elizabeth percebeu que o intimidante sermão que esperara receber quando o vigário os apanhou em flagrante acabara de ser concluído — de maneira sutil e habilidosa. A única diferença era que o bom homem o dirigira apenas a Ian, absolvendo-a de toda a culpa e poupando-a de maiores humilhações.

Era evidente que Ian também percebera isso; adiantando-se para apertar a mão do tio, ele disse, secamente:

— Você está muito bem, Duncan, apesar dos calos nos joelhos. Posso lhe assegurar que seus sermões são igualmente eloquentes, esteja eu sentado ou de pé.

— Isto é porque você tem uma lamentável tendência a cochilar no meio deles, esteja como estiver — retrucou o vigário, levemente irritado, cumprimentando o sobrinho.

Ian virou-se para apresentar Elizabeth.

— Permita-me apresentar-lhe Lady Elizabeth Cameron, minha hóspede.

Ela achou que *aquela* explicação soava ainda mais pecaminosa do que ser vista beijando-o e apressou-se em balançar a cabeça, negando.

— Não é bem assim. Sou mais um tipo de... de... — Sua mente esvaziou-se, mas o vigário foi novamente em seu auxílio.

— Uma viajante em dificuldades — completou ele. Sorrindo, tomou-lhe a mão entre as suas. — Entendo perfeitamente. Já tive o prazer de conhecer sua dama de companhia, e foi ela quem me enviou com toda a pressa. Prometi ficar até amanhã ou depois de amanhã, quando, então, ela poderá retornar.

— Até amanhã ou depois de amanhã? Mas eles deveriam voltar hoje mesmo.

— Houve um infeliz acidente... um *pequeno* acidente — apressou-se o vigário em assegurar. — Aquele cavalo mal-humorado que ela estava cavalgando tem uma tendência a escoicear, conforme o Sr. Wiley me explicou.

— Lucinda ficou muito ferida? — indagou Elizabeth, já pensando numa maneira de ir ao encontro dela.

— O cavalo deu um coice no Sr. Wiley — corrigiu o vigário —, e a única coisa que se feriu foi o orgulho dele, além de seu... bem, as regiões mais sensíveis de seu corpo. Entretanto, a Srta. Throckmorton-Jones, corretamente julgando que o cavalo merecia algum tipo de disciplina, aplicou-a da única maneira que lhe foi possível, já que seu guarda-chuva infelizmente não estava à mão. Ela chutou o cavalo, o que resultou numa grave torção do tornozelo da admirável senhora. Foi-lhe ministrado láudano, e minha criada está cuidando dela. Mas creio que estará recuperada para colocar o pé num estribo daqui a um ou dois dias, no máximo.

Virando-se para Ian, ele continuou:

— Compreendo perfeitamente que o apanhei de surpresa, Ian. No entanto, se pretende vingar-se de mim privando-me de uma taça do seu excelente vinho madeira, talvez eu decida ficar alguns meses aqui, em vez de apenas esperar pelo retorno da Srta. Throckmorton-Jones.

— Eu já vou... vou servir as taças — disse Elizabeth, encontrando uma maneira educada de deixá-los a sós.

Encaminhava-se para a casa quando ouviu Ian dizer:

— Se, por acaso, estiver esperando uma boa refeição, veio ao lugar errado. A Srta. Cameron já tentou sacrificar-se no altar da domesticidade esta manhã e ambos escapamos por pouco da morte. Eu vou preparar o jantar — finalizou —, mas talvez não me saia muito melhor.

— Posso tentar preparar o desjejum amanhã — ofereceu o vigário, de boa vontade.

Quando Elizabeth estava fora do alcance de sua voz, Ian indagou:

— O ferimento da senhora é grave?

— É difícil dizer, considerando-se que ela estava furiosa demais para mostrar-se coerente. Ou talvez fora o efeito do láudano que provocou tudo aquilo.

— Aquilo o quê?

O vigário calou-se por um instante, observando um pássaro pousar entre as folhas da árvore adiante antes de responder:

— Ela estava num estado lastimável. Um pouco confusa, e nervosa também. Por um lado, temia que você decidisse demonstrar sua "afeição" por Lady Cameron, o que era, sem dúvida, o que estava fazendo quando cheguei. — Vendo que a indireta não provocara nada além de um leve arquear de sobrancelha em seu imperturbável sobrinho, Duncan suspirou e prosseguiu: — Ao mesmo tempo, ela estava igualmente convencida de que sua protegida tentaria atirar em você com sua própria arma, e, se entendi bem o que ela disse, parece que a jovem *já* tentara fazê-lo. Foi por isso que me assustei tanto ao ouvir tiros e percorri o restante do caminho a galope.

— Estávamos praticando tiro ao alvo.

Duncan assentiu, mas observava Ian com a testa franzida.

— Tem mais alguma coisa incomodando você, Duncan? — perguntou Ian.

O vigário hesitou, depois balançou a cabeça de leve, como se tentasse afastar algo da mente.

— A Srta. Throckmorton-Jones falou mais algumas coisas, mas receio que não posso lhe dar muito crédito.

— Sem dúvida, foi o láudano — retrucou Ian, dando de ombros.

— Talvez — disse ele, ainda preocupado. — No entanto, *eu* não tomei láudano algum e tinha a impressão de que você estava noivo de uma jovem chamada Christina Taylor.

— E estou.

O rosto do vigário cobriu-se de censura.

— Então, que desculpa pode ter para a cena que acabei de presenciar?

— Insanidade — respondeu Ian, de forma sucinta.

Caminharam de volta para a casa, com o vigário mergulhado em silêncio e Ian pensativo. A chegada imprevista de Duncan não o incomodava, mas, agora que sua paixão finalmente se aplacara, estava furioso com sua reação incontrolável a Elizabeth Cameron. No instante em que lhe tocou os lábios, foi como se sua consciência se apagasse. Mesmo sabendo exatamente quem ela era, em seus braços transformava-se num anjo sedutor. As lágrimas que ela derramara foram provocadas pela traição de uma amiga. Porém, dois anos antes, ela traíra o pobre Mondevale sem dó nem piedade. Falara-lhe calmamente sobre casar-se com o velho Belhaven ou com John Marchman e, minutos depois, colara o corpo ansioso ao seu, beijando-o com desesperado ardor. A repulsa tomou o lugar da raiva. Elizabeth realmente deveria casar--se com Belhaven, pensou com um humor sombrio, pois o velho devasso era perfeito para ela; combinavam em tudo, exceto na idade. Marchman, por outro lado, merecia algo melhor do que o corpinho já tão desfrutado de Elizabeth. Ela transformaria a vida do infeliz num inferno.

Apesar daquele rosto angelical, Elizabeth Cameron continuava sendo o que sempre fora: uma garota mimada e uma hábil namoradeira, com muito mais paixão do que juízo.

COM UM COPO de uísque na mão e as estrelas brilhando no céu escuro, Ian observava o peixe cozinhar no pequeno fogo que acendera. A quietude da noite, combinada com sua bebida, o acalmara. Agora, com os olhos fixos na aconchegante fogueira, sua única tristeza era pensar que a chegada de Elizabeth o privara da paz e da tranquilidade tão almejadas que esperava encontrar em seu antigo lar. Estivera trabalhando como um louco por quase um ano e planejara encontrar a mesma calma que o recebia sempre que retornava.

Desde a infância, Ian sabia que iria partir quando se tornasse adulto, e que abriria seus próprios caminhos no mundo. Felizmente, tivera sucesso. Porém, sempre voltava em busca de algo que ainda não havia encontrado, algo indefinível que curaria sua inquietação. Agora, levava uma vida de poder e riqueza, uma vida que o satisfazia de muitas maneiras. Fora para muito longe, vira coisas demais, mudara muito para voltar a viver ali. Aceitara isso quando decidira se casar com Christina: ela jamais gostaria daquele lugar, embora fosse capaz de administrar suas outras propriedades com graça e competência.

Ela era linda, sofisticada, apaixonada. Adequava-se a ele perfeitamente; do contrário, não a teria pedido em casamento. Antes de fazê-lo, Ian submeteu a ideia à mesma lógica fria e aos instintos infalíveis que estavam presentes em todas as suas decisões de negócios — calculara os prós e os contras, refletira com calma e, depois, agira. Na verdade, sua única atitude impulsiva e irrefletida nos últimos anos fora seu comportamento naquele fim de semana em que conheceu Elizabeth Cameron.

— FOI UMA GRANDE maldade de sua parte — falou Elizabeth, sorrindo enquanto lavava os pratos depois do jantar — obrigar-me a cozinhar esta manhã, quando sabe fazer isso tão bem.

— Nem tanto — retrucou Ian, distraído, servindo dois cálices de conhaque e levando-os para perto da lareira. — A única coisa que sei cozinhar é peixe, e exatamente dessa maneira que acabamos de comer.

Entregou a bebida a Duncan, depois sentou-se e ergueu a tampa de uma caixinha sobre a mesa, retirando um dos finos charutos feitos especialmente para ele numa tabacaria de Londres. Virou-se para Elizabeth e, com automática cortesia, indagou:

— Importa-se?

Ela olhou para o charuto, sorriu e negou com a cabeça. Parou de repente, surpreendida pela lembrança remota de dois anos atrás. Ele estivera no jardim, prestes a acender um charuto, quando a vira parada ali perto, observando-o. Recordava-se tão claramente que até podia ver a chama dourada iluminando seus traços esculpidos e as mãos dele em concha enquanto acendia o charuto. Sorriu levemente diante daquela lembrança pungente e ergueu os olhos para Ian, imaginando se ele também se lembraria.

Ele a fitou com polida indagação, acendeu o charuto e desviou o olhar. Não se lembrava, Elizabeth concluiu.

— Não me importo nem um pouco — respondeu, escondendo a decepção por trás de um sorriso.

O vigário, que acompanhara a troca de olhares e reparou no sorriso iluminado de Elizabeth, considerou o incidente tão intrigante quanto a maneira como Ian tratara a jovem durante o jantar. Levou o cálice aos lábios, espiando

Elizabeth com o canto do olho, e, depois, voltou-se para Ian, que acendia o charuto.

Era a atitude do sobrinho que o deixava mais intrigado. Em geral, as mulheres sentiam uma atração quase irresistível por Ian e, como o vigário bem sabia, ele nunca se sentira moralmente impedido de aceitar o que lhe ofereciam de maneira tão livre e flagrante. No passado, contudo, Ian sempre tratara as mulheres que caíam em seus braços com uma combinação de divertida tolerância e descontraída indulgência. Para seu crédito, mesmo depois de perder o interesse por determinada dama, continuava a tratá-la com infalível charme e cortesia, fosse ela uma simples moça do vilarejo, fosse a filha de um conde.

Considerando tudo isso, Duncan achou incompreensível — e até suspeito — que, duas horas antes, Ian estivesse com Elizabeth em seus braços como se nunca mais a quisesse largar e, agora, a ignorasse. Embora não pudesse criticar a *maneira* como ele estava agindo, a verdade era que Ian realmente a ignorava.

Continuou a observar o sobrinho, quase esperando vê-lo lançar um olhar furtivo à jovem, mas Ian pegara um livro e começara a ler, como se a tivesse apagado por completo dos pensamentos. Após pensar num tópico de conversa, o vigário perguntou-lhe:

— Os negócios foram bem este ano?

Erguendo os olhos, Ian respondeu com um breve sorriso.

— Não tão bem quanto eu esperava, mas o bastante.

— Suas dívidas de jogo não foram quitadas?

— Nem todas.

Elizabeth imobilizou-se por um instante, depois pegou um pano e começou a enxugar um prato, incapaz de ignorar o que acabara de ouvir. Dois anos antes, Ian dissera-lhe que, se tudo corresse bem, ele poderia sustentá--la. Porém, agora estava evidente que isso não acontecera, o que explicava o fato de ele estar morando ali. Seu coração encheu-se de piedade por seus acalentados sonhos de grandeza que haviam sido frustrados. Por outro lado, a situação de Ian não era tão ruim quanto ele poderia acreditar, concluiu, pensando na beleza silvestre das montanhas que o cercavam, no aconchego daquele chalé e nas enormes janelas voltadas para o vale.

Não era como Havenhurst, naturalmente, mas o lugar tinha um esplendor próprio. Além do mais, não exigia uma fortuna para manutenção ou criadagem, como acontecia com a sua propriedade. Na verdade, não era ela que possuía Havenhurst, e sim o contrário. Aquele gracioso chalé, com seu exótico telhado de sapé e seus poucos, porém espaçosos, cômodos, oferecia abrigo e calor a quem o habitasse sem exigir em troca que seu proprietário passasse noites em claro preocupando-se com o reboco que se soltava das pedras ou com o preço do conserto das onze chaminés.

Era evidente que Ian não percebia a sorte que tinha ou não perderia tempo nos clubes exclusivos para cavalheiros, ou onde quer que costumasse jogar na esperança de fazer fortuna. Ele ficaria ali mesmo, naquele lugar rústico e adorável, onde parecia sentir-se completamente à vontade. Ele pertencia àquele lugar. Tão imersa ficou em seus pensamentos que não lhe ocorreu que estava bem perto de desejar que *ela* mesma pudesse morar ali.

Depois de enxugar e guardar toda a louça, Elizabeth decidiu recolher-se. Durante o jantar, registrara que Ian não via o tio havia muito tempo e sentiu que deveria deixá-los a sós, para que pudessem conversar.

Pendurou o pano de prato num gancho, desamarrou o avental improvisado e foi dar boa-noite aos cavalheiros. O vigário sorriu e desejou-lhe bons sonhos. Ian mal ergueu os olhos, respondendo-lhe distraidamente.

Depois que ela subiu, Duncan ficou observando o sobrinho por alguns instantes, lembrando-se das aulas que lhe dera na casa paroquial quando ele ainda era um menino. Como o pai de Ian, Duncan também era culto e recebera educação universitária. Porém, aos 13 anos, Ian já havia lido e absorvido todos os seus livros e textos, e procurava mais respostas. A sede de conhecimento do rapaz era insaciável; sua mente era tão brilhante que Duncan e o pai de Ian ficavam assombrados. Sem sequer precisar de pena ou papel, Ian era capaz de fazer complicados cálculos de cabeça, comunicando os resultados antes mesmo de Duncan decidir a melhor maneira de solucioná-los.

Entre outras coisas, a rara habilidade matemática de Ian permitiu que juntasse uma fortuna no jogo; ele podia calcular as probabilidades de uma mão de cartas, ou do girar de uma roleta, com uma acuidade assustadora — algo que o vigário, em vão, descrevera como mau uso de um dom genial concedido por Deus. Ian possuía a calma arrogância de seus nobres ancestrais britânicos, além do temperamento forte e da orgulhosa teimosia dos escoceses. Tal combinação produzira um homem brilhante, que tomava as próprias decisões e jamais permitia ser influenciado quando resolvia colocá-

-las em prática. "E por que o faria?", perguntou-se o vigário com uma infeliz premonição enquanto contemplava o assunto que precisava discutir com o sobrinho. O julgamento de Ian, na maioria das vezes, era quase tão infalível quanto humano, e ele confiava apenas em si mesmo, não dando ouvido à opinião alheia.

Mas Duncan achava que apenas em uma questão o julgamento de Ian se nublava por completo: o avô paterno. A simples menção do nome do Duque de Stanhope bastava para enfurecer Ian e, embora Duncan quisesse trazer à tona novamente o antigo assunto, hesitava. Apesar da profunda afeição e do respeito que Ian sentia pelo tio, este sabia que seu sobrinho tinha uma capacidade quase atemorizante de dar as costas, irrevogavelmente, a qualquer um que fosse longe demais ou a qualquer coisa que o magoasse além da conta.

A lembrança do dia em que Ian retornara de sua primeira viagem, aos 19 anos, fez com que o vigário estremecesse sob a impotente dor, ainda tão presente. Os pais e a irmã de Ian, ansiosos por tornar a vê-lo, haviam seguido para Hernloch, com o propósito de aguardar a chegada do navio que o traria de volta para casa. Quiseram fazer-lhe uma surpresa.

Duas noites antes de o navio aportar, entretanto, a pequena hospedaria onde a família dormia fora consumida por um incêndio terrível, que causara a morte dos três. Ian havia passado diante dos escombros, a caminho de casa, sem saber que aquele lugar representara a pira funeral de sua família.

Chegara ao chalé, onde Duncan esperava para lhe dar a trágica notícia.

— Onde estão todos? — perguntara Ian, sorrindo e jogando a bolsa de viagem no chão, atravessando a sala com passos rápidos e procurando nos quartos vazios.

Apenas a cadela da raça labrador fora ao seu encontro, correndo para dentro da casa, latindo de alegria e deslizando pelo chão até cair aos pés de Ian. A cadela — que recebera o nome de Sombra, não devido à cor negra de seu pelo, mas, sim, por causa da devoção cega ao seu dono, a quem seguia para onde quer que fosse — ficara quase enlouquecida de felicidade com seu retorno.

— Também senti saudades, garota — dissera ele, abaixando-se para afagar o macio pelo escuro. — E trouxe-lhe um presente.

No mesmo instante, o animal parou de rolar e empinou a cabeça, ouvindo e esperando, os olhos astutos fixos no rosto dele. Sempre fora assim entre os dois: aquela estranha e silenciosa comunicação entre um ser humano e o cão inteligente que o idolatrava.

— Ian — dissera o vigário gravemente.

Percebendo a angústia contida naquela única palavra, Ian imobilizara-se. Sombra deitou-se aos seus pés, olhando para Duncan com a mesma tensão súbita de seu dono.

Com o maior cuidado possível, Duncan dera-lhe a notícia da morte de sua família e, a despeito de ser um homem acostumado a acalentar o sofrimento humano, jamais vira antes uma reação como a do sobrinho. Ian não havia chorado nem se desesperado; todo o seu corpo enrijecera-se, controlando a insuportável angústia por saber que esse sentimento poderia destruí-lo. Naquela noite, quando Duncan finalmente decidira partir, Ian permanecera parado junto à janela, fitando a escuridão, com Sombra ao seu lado.

— Leve-a para o vilarejo e entregue-a para alguém — dissera a Duncan, num tom tão definitivo quanto a morte.

O vigário havia parado à porta, confuso.

— Quem você quer que eu leve?

— A cadela.

— Mas você disse que pretendia ficar aqui por pelo menos seis meses a fim de deixar tudo em ordem.

— Leve-a com você — repetira Ian.

E, naquele momento, Duncan entendera o que o sobrinho estava fazendo e sentiu receio.

— Ian, pelo amor de Deus, esse animal adora você. Além disso, pode lhe fazer companhia enquanto estiver aqui.

— Entregue-a aos MacMurty, em Calgorin — disparara Ian em resposta.

Relutante, Duncan atendera ao pedido do sobrinho e tivera de amarrar uma corda no pescoço da cadela para conseguir tirá-la de perto de seu dono.

Na semana seguinte, a intrépida Sombra já havia atravessado o condado e reaparecido no chalé. Duncan estivera presente naquele dia e sentiu a emoção acumular-se na garganta quando, resoluto, Ian recusou-se a reconhecer a presença do animal desnorteado. No outro dia, o próprio Ian encarregara-se de levá-la de volta a Calgorin, e Duncan o acompanhara. Depois que janta-ram com a família, Sombra esperou que Ian montasse em seu cavalo diante da casa, mas, quando começou a segui-lo, ele se virou e, ríspido, deu-lhe ordem para ficar.

E Sombra ficara, porque jamais desobedecera a uma ordem de Ian.

Duncan permanecera com os MacMurty por mais algumas horas e, quando saiu, Sombra continuava sentada no jardim, com os olhos fixos na estrada, a cabeça inclinada para o lado, esperando, como se não pudesse acreditar que Ian realmente pretendera deixá-la ali.

E ele nunca mais voltou para buscá-la. Foi nessa ocasião que Duncan descobriu que a mente de Ian era poderosa a ponto de capacitá-lo a superar todas as emoções quando ele quisesse. Com fria lógica, Ian decidira separar-se para sempre de tudo aquilo cuja perda poderia lhe provocar mais sofrimento. Retratos de seus pais e da irmã foram cuidadosamente guardados em baús, bem como seus pertences, até que tudo o que restasse deles fosse o chalé. E as lembranças.

Pouco tempo depois da tragédia, chegara uma carta do avô de Ian, o Duque de Stanhope. Duas décadas após o desonroso casamento do filho com a mãe de Ian, o duque escrevera propondo uma reconciliação; a carta chegou três dias após o incêndio. Ian leu-a e jogou-a fora, como fez com as dezenas de outras cartas que se seguiram, durante onze anos, todas endereçadas a ele. Quando se sentia magoado, Ian era tão inflexível e incapaz de perdoar quanto as acuminadas montanhas e as sombrias charnecas que o rodeavam.

Era também o ser humano mais teimoso que Duncan já conhecera. Quando menino, sua fria confiança, a mente brilhante e o temperamento forte foram constante motivo de reflexão para seus pais. Certa vez, o pai de Ian comentara em tom de brincadeira:

— Ian nos dá *permissão* para criá-lo porque nos ama, e não por pensar que somos mais inteligentes do que ele. Aliás, ele já sabe que não somos, mas não diz nada para não nos magoar.

Pensando em tudo isso e considerando a capacidade de Ian de virar as costas friamente para quem quer que o contrariasse, Duncan acalentava poucas esperanças de amenizar a atitude do sobrinho em relação ao avô agora — especialmente quando seria impossível apelar para o bom senso ou para seus sentimentos. Especialmente quando o duque significava muito menos para Ian do que Sombra, sua cadela da raça labrador.

Imerso em suas reflexões, Duncan mantinha os olhos fixos no fogo da lareira. No lado oposto, Ian deixara o livro de lado e observava-o num silêncio especulativo. Finalmente, disse:

— Como minha comida não estava muito pior do que o normal, presumo que exista outro motivo para estar tão carrancudo.

Duncan assentiu. Embora continuasse inseguro, levantou-se e foi para perto do fogo, organizando mentalmente seus argumentos.

— Ian, seu avô me escreveu uma carta — disse, afinal, vendo o sorriso agradável do sobrinho sumir e o rosto transformar-se numa máscara de pedra. — Ele me pediu para interceder em seu favor e insistir para que você reconsidere a possibilidade de encontrá-lo.

— Está perdendo seu tempo — disparou Ian, gélido.

— Ele é da família, Ian — tentou Duncan novamente.

— Minha família inteira está dentro desta sala — retrucou Ian, ríspido. — Não reconheço mais ninguém.

— Você é o único herdeiro que ele tem — insistiu o vigário.

— Isso é problema dele, não meu.

— Ele está morrendo, Ian.

— Não acredito.

— Pois eu acredito. Além do mais, se sua mãe estivesse viva, imploraria para que você se reconciliasse com seu avô. Ela sempre sofreu por seu casamento ter sido a causa do rompimento do duque com seu pai. E não preciso lembrá-lo de que ela era minha única irmã. Eu a amava e, se posso perdoar o homem que a magoou tanto com seus atos, não vejo por que você não pode fazer o mesmo.

— Perdoar faz parte do seu trabalho — retrucou Ian, sarcástico —, não do meu. Acredito que é olho por olho...

— Ele está morrendo, ouça o que estou lhe dizendo.

— Pois eu *lhe* digo — pronunciou cada palavra com amarga clareza — que isso pouco me importa!

— Se não quiser aceitar o título para si, ao menos faça isso pelo seu pai. Era um direito *dele,* e será um direito de nascimento de seu primogênito. Esta é sua última oportunidade de ceder, Ian. Seu avô concedeu-me o prazo de uma semana para tentar convencê-lo antes de nomear outro herdeiro. Mas, como você veio para cá com uma semana de atraso, talvez seja tarde demais...

— Já era tarde demais onze anos atrás — retrucou com fria calma.

Depois, sob o olhar atento do vigário, sua expressão passou por uma súbita e assustadora transformação. Toda rigidez desapareceu de seus traços e ele começou a guardar alguns documentos na pasta de couro. Ao terminar, olhou para o tio e indagou com um leve tom de cortesia.

— Seu cálice está vazio, vigário. Gostaria de mais um pouco de conhaque?

O homem suspirou e balançou a cabeça. O assunto estava encerrado, exatamente como previra e temera. Ian fechara as portas da mente para o avô, e nada do que dissesse iria fazê-lo mudar de ideia. E, quando se mostrava calmo e agradável como agora, Duncan sabia, por experiência própria, que estava definitivamente fora de alcance.

Já que arruinara a primeira noite em companhia do sobrinho, Duncan concluiu que nada tinha a perder se tocasse em outro assunto delicado que, evidentemente, o perturbava.

— Ian, sobre Elizabeth Cameron, a dama de companhia disse-me algumas coisas que...

O sorriso agradável, embora distante, retornou ao rosto de Ian.

— Vou poupá-lo desta conversa, Duncan. Está acabado.

— A conversa ou...

— *Tudo.*

— Pois não me pareceu nada acabado — disparou Duncan, chegando ao limite da paciência diante da enervante calma do sobrinho. — Aquela cena que testemunhei...

— Você testemunhou o fim.

Duncan reparou que ele dissera aquela frase com o mesmo tom definitivo, com a mesma calma impressionante com que falara sobre o avô. Era como se tivesse resolvido mentalmente a questão de maneira satisfatória, de modo que nada — nem ninguém — poderia fazê-lo mudar de ideia.

Baseando-se na última reação de Ian à questão referente a Elizabeth Cameron, Duncan soube que ela estava, agora, relegada à mesma categoria que o Duque de Stanhope. Frustrado, pegou a garrafa de conhaque sobre a mesa e serviu-se de mais um cálice.

— Há uma coisa que nunca lhe contei — disse, sem disfarçar a raiva.

— E o que é?

— *Odeio* quando você fica agradável e divertido. Prefiro vê-lo furioso! Assim, pelo menos sei que ainda terei uma chance de me fazer entender.

E, com indizível irritação, Duncan viu o sobrinho pegar novamente o livro e retomar a leitura.

Capítulo 15

— Ian, poderia ir até o celeiro verificar por que Elizabeth está demorando tanto? — pediu o vigário enquanto, habilmente, virava uma fatia de toucinho na frigideira. — Pedi a ela para buscar alguns ovos já faz uns 15 minutos.

Ian deixou uma pilha de lenha ao lado da lareira, limpou as mãos e foi à procura de sua hóspede.

A visão e os sons que o receberam quando chegou à porta do celeiro o detiveram imediatamente. Com as mãos pousadas nos quadris, Elizabeth encarava as galinhas empoleiradas, que adejavam e cacarejavam furiosamente em resposta.

— Eu não tenho culpa! — exclamava ela. — Nem mesmo *gosto* de ovos. Na verdade, detesto o *cheiro* de galinhas. — Começou a adiantar-se devagar, na ponta dos pés, falando num tom quase de lamentação: — Agora, se vocês me deixarem pegar apenas quatro ovos, prometo que não como nenhum. Veja só — acrescentou, estendendo a mão na direção de uma galinha inquieta —, não vou incomodá-la por mais do que um instantinho. Só vou deslizar minha mão por aqui e... Ai! — gritou ao ser bicada furiosamente no pulso.

Elizabeth puxou o braço e girou o corpo, mortificada, ao ouvir a voz zombeteira de Ian.

— Não precisa da permissão delas, sabia? — falou ele, aproximando-se. — Basta mostrar quem é que manda e fazer assim...

Sem estardalhaço, ele tirou dois ovos de baixo da galinha, que nem sequer *tentou* atacá-lo; depois, fez o mesmo em outros dois ninhos.

— Nunca esteve num galinheiro antes? — indagou Ian, reparando com cautelosa imparcialidade que Elizabeth Cameron estava encantadora com os cabelos desgrenhados e o rosto vermelho de raiva.

— Não. Galinhas têm um cheiro horrível.

Ele riu.

— Então, é isso. Elas pressentem seu antagonismo. Acontece com todos os animais, como bem sabe.

Elizabeth lançou-lhe um olhar rápido e perscrutador, e foi tomada por perplexidade diante da mudança que percebeu. Ian estava sorrindo, brincando até, mas seus olhos não continham nenhuma emoção. Nas outras vezes que estiveram juntos, ela vira paixão nos olhos dourados, raiva, até frieza. Mas nunca absolutamente *nada*.

Não tinha muita certeza de como queria que ele se sentisse a seu respeito, mas, sem dúvida, não gostava de ser encarada daquela forma, como uma completa estranha.

— Graças aos céus! — disse o vigário quando entraram na casa. — A não ser que gostem de toucinho queimado, é melhor sentarem-se à mesa enquanto preparo os ovos.

— Elizabeth e eu *preferimos* toucinho queimado — disse Ian, com um humor seco.

Ela lhe retribuiu o sorriso, mas sua inquietação aumentava a cada instante.

— Por acaso joga cartas, Elizabeth? — indagou Duncan quase ao final da refeição.

— Conheço alguns jogos.

— Nesse caso, quando a Srta. Throckmorton-Jones e Jake voltarem, talvez possamos nos reunir para uma partida de uíste. Ian, gostaria de participar?

Ian, que estava junto ao fogão servindo-se de café, sorriu, zombeteiro.

— Não mesmo. — Transferindo o olhar para Elizabeth, explicou: — Duncan trapaceia.

A ideia absurda de um vigário trapaceando nas cartas provocou o riso de Elizabeth.

— Ora, tenho certeza de que ele não faz nada disso.

— Pois Ian tem razão, minha cara — admitiu Duncan com um sorrisinho tímido. — Entretanto, nunca trapaceio quando estou jogando contra outra pessoa. Apenas quando jogo paciência, ou seja, sozinho.

— Ah, sim — disse ela, rindo para Ian, que passava por ela carregando a caneca. — Também faço isso!

— Mas você sabe jogar uíste?

Ela assentiu.

— Aaron me ensinou quando eu tinha 12 anos. Mas ele sempre ganha de mim.

— Aaron? — perguntou o vigário, sorrindo.

— É o nosso cocheiro — esclareceu Elizabeth, feliz por poder falar de sua "família" de Havenhurst. — Acho que sou melhor no xadrez, que aprendi com Bentner.

— E ele é...?

— Nosso mordomo.

— Entendo — disse o vigário, e algo o fez insistir: — Joga dominó, por acaso?

— Essa é a especialidade da Sra. Bodley — respondeu ela. — É a camareira. Jogamos com frequência, e ela leva tudo muito a sério, tem até suas próprias estratégias. Mas não consigo ver muita graça naquelas peças de marfim com bolinhas. As peças de xadrez, como sabe, são muito mais interessantes. Elas induzem a um jogo mais sério.

Ian finalmente entrou na conversa. Lançando um olhar divertido ao tio, explicou:

— Lady Cameron é uma dama muito rica, Duncan, caso não tenha notado. — Seu tom de voz insinuava que, na verdade, ela era uma garotinha mimada e bajulada, cujos mínimos desejos eram satisfeitos por um batalhão de criados.

Ela se retesou, sem saber se o insulto fora intencional, e o vigário olhou com severidade para o sobrinho, desaprovando tanto o tom do comentário como seu conteúdo.

Ian retribuiu o olhar com frieza, mas, por dentro, estava surpreso e irritado consigo mesmo por ter falado daquela maneira. Na noite anterior, decidira não sentir mais nada por Elizabeth, e fora uma decisão definitiva. Portanto, não deveria fazer diferença alguma o fato de ela ser uma aristocrata fútil e mimada. Ainda assim, acabara de provocá-la de propósito, quando ela nada fizera para merecer seu comentário, exceto sentar-se à mesa, parecendo mais linda do que nunca com os cabelos amarrados à nuca por uma fita amarela, que combinava com o vestido. Ficou tão enraivecido com a própria atitude que se deu conta de ter perdido o tom da conversa.

— O que costumava jogar com seus irmãos e irmãs? — questionou Duncan.

— Tenho apenas um irmão, e ele permanecia na escola, em Londres, a maior parte do tempo.

— Mas imagino que tivesse amigos entre as crianças da vizinhança — sugeriu o vigário, gentil.

Ela balançou a cabeça, bebericando o chá.

— Havia alguns arrendatários em nossa propriedade, e nenhum deles tinha filhos da minha idade. Porém, as terras de Havenhurst nunca foram cultivadas como deveriam. Meu pai achava que a despesa não valia a pena; por isso, os arrendatários mudaram-se para propriedades mais férteis.

— Então, quem eram seus companheiros de brincadeiras?

— Os criados, na maioria das vezes — respondeu ela. — Mas nos divertíamos muito.

— E agora? — insistiu ele. — O que faz para se distrair?

Duncan absorvera sua atenção com tanta habilidade que Elizabeth respondeu sem escolher as palavras e sem pensar nas conclusões que ele tiraria depois:

— Na maior parte do tempo, ocupo-me cuidando da casa.

— E parece que gosta disso — disse o velho sorrindo.

— Gosto, sim. Muito. Na verdade — confidenciou —, sabe do que mais gosto?

— Não faço ideia.

— De pechinchar quando vou comprar nossas provisões. Acho muito divertido, mas Bentner, o mordomo, diz que tenho tino para isso.

— Para pechinchar? — repetiu Duncan, desconcertado.

— Encaro a pechincha como um bom uso da razão, ao mesmo tempo que ajudo outras pessoas a raciocinar — disse ela, com ingenuidade, entusiasmada com o assunto. — Por exemplo, se o padeiro do vilarejo tiver de fazer apenas uma torta, levará, digamos, uma hora. Porém, naquele período, metade do tempo será utilizado para juntar os ingredientes, pesá-los e, depois, tornar a guardar tudo.

O vigário assentiu, concordando, e ela continuou:

— Entretanto, se fosse assar *doze* tortas, ele não iria demorar doze vezes mais, pois tudo o que precisa fazer é pegar os ingredientes e juntá-los de uma só vez. Certo?

— Certo. Sem dúvida, ele não levaria tanto tempo.

— É exatamente o meu raciocínio! — exclamou ela, feliz. — Então, por que eu devo pagar doze vezes mais por doze tortas se ele não demorou doze vezes mais para prepará-las? E isso sem considerar que, quanto maior a quantidade de tortas, menos se gasta para fazê-las, pois o padeiro pode comprar seus suprimentos por atacado e, portanto, cobrar menos por cada torta. Ou é o que *deveria* acontecer se as pessoas fossem *razoáveis*.

— É impressionante — afirmou o vigário, sincero. — Nunca pensei nisso dessa forma.

— Nem o padeiro do vilarejo, infelizmente — riu ela. — Mas creio que ele está começando a ceder. Pelo menos parou de se esconder atrás dos sacos de farinha quando entro no armazém. — Um pouco tarde demais, percebeu quão reveladores seus comentários poderiam soar a um homem astuto como o vigário; por isso, apressou-se em acrescentar: — Na verdade, não é por causa do preço. É uma questão de *princípios,* entende?

— Sim, é claro. Seu lar deve ser um lugar adorável. Você sorri sempre que o menciona.

— E é mesmo — disse ela, o sorriso alargando-se. — É um lugar maravilhoso. Para onde quer que se olhe, há algo bonito para se ver. Há montanhas, campos encantadores e os jardins são maravilhosos — explicou enquanto Ian pegava seu prato e caneca, antes de se levantar.

— Qual é a extensão da propriedade? — perguntou o vigário, gentilmente.

— Temos 41 cômodos.

— E aposto — intrometeu-se Ian, deixando o prato e a caneca perto da bacia de lavar louça — que são todos providos de peles e cobertos de joias do tamanho da palma de sua mão. — Calou-se e ficou encarando o próprio reflexo na vidraça da janela.

— É claro — retrucou Elizabeth, com forçada satisfação, fitando as costas rígidas de Ian e recusando-se a ser perturbada por aquela provocação gratuita. — Há pinturas de Rubens e Gainsborough, e chaminés de Adams. E tapetes da Pérsia também. — Aquilo *já fora* verdade, disse a si mesma quando sua consciência acusou-a de mentir. Ao menos, até o ano anterior, quando tivera de vender tudo para pagar as dívidas.

Para sua completa perplexidade, em vez de continuar com seu ataque, Ian virou-se e fitou seus olhos transtornados com uma estranha expressão no rosto.

— Peço que me desculpe, Elizabeth — disse, sombrio. — Meus comentários foram totalmente dispensáveis.

Deixando-a boquiaberta, saiu da casa, dizendo que pretendia passar o dia caçando.

Elizabeth desviou os olhos atônitos depois que Ian fechou a porta, mas o vigário manteve os seus fixos naquela direção por um longo tempo. Depois, voltou-se para Elizabeth enquanto um sorriso pensativo iluminava seu rosto e seus olhos castanhos.

— Há... algo errado? — indagou ela, estranhando a maneira como ele a encarava.

Duncan recostou-se na cadeira, o sorriso alargando-se.

— Parece que sim — respondeu com um ar deliciado. — E, de minha parte, acho excelente.

Elizabeth começava a se perguntar se não haveria um traço de insanidade comum aos membros daquela família, e apenas as boas maneiras a impediram de perguntar. Em vez disso, levantou-se e começou a lavar a louça.

Depois que terminou, ignorou os protestos do vigário e começou a arrumar o andar de baixo do chalé e a lustrar a mobília. Parou para uma rápida refeição com Duncan e concluiu suas tarefas domésticas no meio da tarde. Com a alma leve pela sensação de um grande dever cumprido, parou no centro da sala, admirando o resultado de seus esforços.

— Você conseguiu maravilhas! — cumprimentou o vigário. — Mas, agora que terminou, *insisto* para que aproveite o que ainda resta deste lindo dia.

Elizabeth adoraria poder tomar um banho quente, mas, como isso seria impossível nas atuais circunstâncias, aceitou a sugestão. Lá fora, o céu estava muito azul, o ar, suave e refrescante, e ela ficou olhando cheia de cobiça para o riacho que se estendia sob as colinas. Assim que Ian retornasse, pensou, ela iria banhar-se ali — e seria a primeira vez que tomaria banho em um lugar que não era a privacidade de seu quarto. Mas, por enquanto, teria de esperar, pois não iria arriscar ser surpreendida pela chegada repentina dele.

Ficou andando pelos arredores, admirando a paisagem, mas o dia parecia monótono sem a presença de Ian. Sempre que ele estava por perto, o ar parecia vibrar em torno dela, e suas emoções flutuavam enlouquecidas. E o fato de ter limpado a casa dele, algo que decidira fazer levada por um misto de tédio e gratidão, fora quase um ato de intimidade.

Parada no cume da colina, ela cruzou os braços em torno da própria cintura e manteve os olhos fixos no horizonte, vendo diante de si a imagem do rosto bronzeado de Ian, seus olhos cor de âmbar, lembrando-se da ternura em sua voz profunda e da maneira como ele a abraçara no dia anterior. Imaginou como seria estar casada com ele, morar naquela casa aconchegante, poder desfrutar daquela paisagem magnífica todos os dias. Pensou em que tipo de mulher Ian levaria para lá como esposa e os visualizou sentados lado a lado no sofá, perto do fogo, conversando e sonhando juntos.

Logo Elizabeth censurou-se. Estava pensando como... como uma louca! Pois era a imagem dela própria que via sentada ao lado de Ian, no sofá. Desvencilhando-se dos pensamentos ultrajantes, olhou em volta em busca de algo com que pudesse ocupar o tempo. Fez um giro completo, ergueu a cabeça, ouvindo o farfalhar dos galhos de uma árvore próxima e, então... encontrou! Oculta por entre os grossos galhos de uma árvore imensa, havia uma velha casa na árvore. Seus olhos iluminaram-se de alegria e ela chamou o vigário, que atendeu ao seu chamado.

— É uma casa na árvore — explicou ela para o caso de ele não saber o que havia lá em cima. — Acha que haveria algum problema se eu subisse para dar uma olhada? A vista lá de cima deve ser espetacular!

Duncan atravessou o quintal e examinou os perigosos "degraus", que não passavam de velhas tábuas pregadas no tronco da árvore.

— Talvez essas tábuas não sejam seguras — disse.

— Não se preocupe com isso — retrucou ela, alegremente. — Elbert sempre disse que sou uma "macaquinha".

— Quem é Elbert?

— Um de nossos cavalariços — explicou Elizabeth. — Ele e mais dois carpinteiros construíram uma casa na árvore para mim em Havenhurst.

O vigário olhou para aquele rosto iluminado e foi incapaz de lhe negar um prazer tão pequeno.

— Bem, então creio que não há problema algum. Mas você tem de me prometer que tomará cuidado.

— Ah, sim. Eu prometo.

Duncan viu-a livrar-se dos sapatos. Por alguns minutos, ela circulou a árvore e, depois, desapareceu do outro lado, onde não havia degraus. Chocado e surpreso, o homem teve um relance das saias amarelas entre as folhas e percebeu que ela subia na árvore sem a ajuda da escada. Ele a chamou, querendo alertá-la para ser cuidadosa, mas viu que não seria necessário. Com uma liberdade descuidada, ela já alcançara os galhos no meio da árvore e seguia na direção da casinha de madeira.

Elizabeth agarrou-se ao piso da casa na árvore e inclinou o corpo para entrar. Ao passar pela porta, percebeu que o teto era suficientemente alto para que ficasse de pé — Ian fora um adolescente bem alto, concluiu. Olhou em volta com interesse, avistando a velha mesa, a cadeira e uma grande caixa de madeira achatada — os únicos objetos ali dentro. Limpando as mãos, espiou pela janela e suspirou diante da beleza que se descortinava à sua frente: o vale, as montanhas cobertas de flores coloridas, a luminosidade encantadora. Depois, tornou a inspecionar o pequeno cômodo. Seus olhos deslizaram para a caixa pintada de branco, e abaixou-se para limpar a grossa camada de poeira que a cobria. Encravadas na tampa, estavam as seguintes palavras: "Propriedade de Ian Thornton. Abra-a por sua conta e risco!" Como se o garoto achasse que um aviso por escrito seria insuficiente, acrescentara o desenho de uma caveira com dois ossos cruzados sob a inscrição.

Elizabeth observou aquilo por um instante, lembrando-se de sua própria casa na árvore, onde organizava longos e solitários chás com as bonecas. Ela também tivera seu "baú de tesouros", embora não julgasse necessário desenhar um crânio com ossos na tampa. Um sorriso tocou-lhe os lábios quando tentou se lembrar dos tesouros que guardava no pequeno baú, cujos fecho e dobradiças eram de latão dourado: um colar, lembrou-se, presente de seu pai quando fizera seis anos; um jogo de chá de porcelana em miniatura, que seus pais deram às bonecas quando ela estava com sete anos; e fitas para os cabelos das bonecas.

Voltou a fixar o olhar na velha caixa sobre a mesa, aceitando a evidência de que aquele homem viril e indomado fora, um dia, um garotinho que guardava seus tesouros, e talvez até brincasse de faz de conta, como ela fizera. Contra sua vontade — e sua consciência —, colocou a mão no fecho da caixa. Talvez estivesse vazia, pensou; portanto, não estaria realmente bisbilhotando.

Ergueu a tampa, depois sorriu, surpresa, ao ver o conteúdo. No topo, havia uma pena verde — de um papagaio, ela adivinhou; três pedras comuns, acinzentadas, que, por algum motivo, foram especiais para o jovem Ian, pois pareciam polidas e desbastadas; ao lado delas, havia uma grande concha, de interior liso e rosado. Lembrando-se da concha que seus pais certa vez lhe deram, Elizabeth levou-a ao ouvido, escutando o abafado rugido do mar. Depois, guardou-a de volta na caixa e pegou os lápis de cor, que se enfileiravam no fundo. Sob estes, havia um pequeno caderno de desenho. Ela o apanhou e levantou a capa. Arregalou os olhos de admiração ao examinar o desenho a lápis, feito com extrema habilidade, retratando uma menina de longos cabelos que esvoaçavam ao vento, tendo o mar como cenário. Ela estava sentada na areia, as pernas cruzadas sob o corpo, a cabeça inclinada, e examinava uma concha que se parecia muito com aquela que estava na caixa. O desenho seguinte era da mesma garota, olhando de lado para o artista, sorrindo como se compartilhassem um segredo engraçado. Elizabeth estava atônita com a firmeza dos traços e a habilidade com que Ian captara cada detalhe. Até o pingente que a jovem trazia no pescoço fora desenhado com perfeição.

Havia outros desenhos, não só da menina, como também de um casal que ela presumiu serem os pais dele, além de vários outros de navios, montanhas e até de um cachorro. Da raça labrador, ela reconheceu, e pegou-se sorrindo novamente. As orelhas do animal estavam empinadas, a cabeça inclinada, os olhos brilhando, como se estivesse apenas esperando a chance de correr para os pés do dono.

Ficou tão encantada com a sensibilidade e a presteza reveladas pelos desenhos que permaneceu imóvel por alguns minutos, tentando assimilar aquela nova faceta de Ian. Finalmente, despertou dos devaneios e pegou o último objeto remanescente na caixa: uma pequena bolsa de couro. Apesar das advertências do vigário ao permitir que subisse até lá, sentia-se invadindo a vida particular de Ian e sabia que agravaria ainda mais a transgressão se cedesse à tentação de abrir a bolsinha. Por outro lado, a compulsão por saber mais sobre aquele homem enigmático, que virara sua vida de cabeça para baixo desde o primeiro instante em que o conhecera, era tão grande que não podia ser ignorada. Assim, afrouxou o cordão da bolsa de couro e, quando a virou, um pesado anel caiu em sua mão. Elizabeth observou-o sem acreditar no que via: no centro do anel de ouro maciço, reluzia uma enorme esmeralda quadrada e, em torno da pedra, havia um intrincado relevo, representando um leão com as patas dianteiras levantadas. Não era nenhuma especialista em joias, mas não teve dúvida de que o esplêndido anel era verdadeiro — e valia uma fortuna razoável. Analisou o brasão, tentando relacioná-lo com os que fora obrigada a memorizar antes de seu *début,* mas, embora lhe parecesse familiar, não conseguiu identificá-lo. Decidindo que o brasão talvez fosse apenas ornamental, guardou o anel de volta na bolsinha, apertou os cordões e concluiu que, quando criança, Ian julgara que a joia tinha o mesmo valor que os outros objetos guardados na caixa. No entanto, tinha certeza de que, se Ian visse o anel agora, reconheceria seu valor e o guardaria num lugar mais seguro. Com uma leve careta, antecipou a explosão de fúria quando ele soubesse que ela andara bisbilhotando suas coisas, mas, assim mesmo, sentiu-se na obrigação de lhe mostrar o anel. E levaria também o bloco de desenhos, decidiu. Aqueles retratos haviam sido executados com tal perfeição que mereciam ser emoldurados, e não deixados ao ar livre, onde acabariam estragando.

Fechando a caixa, Elizabeth deixou-a contra a parede, onde a encontrara, sorrindo para a caveira entalhada na tampa. Embora não percebesse, seu coração suavizara-se ainda mais em relação ao garotinho que guardara ali os seus sonhos, ocultando-os como um tesouro precioso. E o fato de o menino ter-se tornado um homem que era frequentemente frio e distante fez muito pouca diferença. Tirou a fita dos cabelos e amarrou-a na cintura; depois, prendeu o bloco de desenhos no cinto improvisado e colocou o anel no dedo, para mantê-lo seguro enquanto descia da árvore.

Ian, que se aproximava da casa pelos bosques a oeste, viu Elizabeth rodear a árvore e desaparecer. Depois de deixar no celeiro o resultado da caçada, foi para perto da árvore.

Com as mãos nos quadris, olhou para baixo, vendo a encosta escarpada que dava para o riacho, e franziu a testa, imaginando como ela teria subido com rapidez suficiente para desaparecer. Acima dele, os galhos da árvore começaram a balançar e farfalhar, fazendo-o erguer os olhos. Uma longa e bem torneada perna surgia por entre os galhos, com os dedos dos pés descalços tateando, em busca do melhor apoio. Outra perna juntou-se à primeira e o par ficou suspenso ali por alguns instantes.

Ele começou a estender os braços, com a intenção de amparar os quadris que, certamente, viriam logo depois daquelas pernas, mas hesitou; ela estava se virando muito bem sozinha.

— O que diabos está fazendo aí? — perguntou.

— Estou descendo, é claro. — A voz dela soou por entre as folhas.

Os dedos dos pés dela esticaram-se, tentando alcançar a escada de madeira e, enquanto Ian continuava observando, preparado para segurá-la caso ela caísse, Elizabeth balançou um pouco num dos galhos, escorregou o corpo e, finalmente, apoiou o pé esquerdo no degrau.

Atônito com tamanha ousadia, sem mencionar a agilidade, Ian estava prestes a se afastar e deixar que ela terminasse a descida quando uma tábua apodrecida se soltou.

— Socorro! — gritou ela ao mesmo tempo que caía da árvore direto naqueles braços fortes, que a seguraram pela cintura.

De costas para ele, Elizabeth sentiu o corpo deslizar pelo peito musculoso de Ian, indo do ventre rígido aos quadris. Envergonhada até o fundo da alma pela descida desastrosa, pelos tesouros infantis que descobrira em sua bisbilhotice e pelas estranhas sensações que a invadiam graças ao contato com ele, respirou fundo e virou-se para encará-lo.

— Estive mexendo em suas coisas — confessou, fitando-o com seus enormes olhos verdes. — Espero que não fique zangado.

— E por que ficaria?

— Vi seus desenhos — admitiu ela. E, porque seu coração ainda estava repleto de ternura pelas suas descobertas, acrescentou com sorridente admiração: — São lindos, de verdade! Você jamais deveria ter-se tornado um jogador. Deveria ter sido um artista!

Percebeu a confusão estampada nos olhos dele e, ansiosa por convencê-lo de sua sinceridade, retirou o bloco do "cinto" e abaixou-se, abrindo-o cuidadosamente sobre a relva e alisando o papel amarelado.

— Olhe só para isso! — insistiu, sentando-se na grama e sorrindo para ele.

Após um instante de hesitação, Ian ajoelhou-se ao lado dela, mas continuou olhando seu sorriso fascinante, e não os desenhos.

— Você não está olhando — queixou-se ela, gentilmente indicando com a ponta do dedo o retrato da menina. — Nem acredito que você seja tão talentoso! Conseguiu captar cada detalhe. Ora, quase posso *sentir* o vento agitando esses cabelos e o riso na expressão dela.

Finalmente, Ian voltou a atenção para o desenho, e Elizabeth observou, chocada, as feições dele inundarem-se de dor ao ver o retrato da menina.

De alguma forma, naquele momento, Elizabeth soube que aquela garotinha estava morta.

— Quem era ela? — perguntou baixinho.

O sentimento, que talvez apenas imaginara, desapareceu do rosto dele, e seus traços estavam novamente compostos quando a fitou e respondeu:

— Minha irmã — vacilou Ian, e, por um instante, Elizabeth achou que não iria dizer mais nada. Mas, quando o fez, sua voz grave soou hesitante, quase como se testasse sua capacidade de falar sobre o assunto. — Ela morreu num incêndio quando tinha 11 anos.

— Sinto muito — murmurou Elizabeth, e todo o calor e toda a solidariedade de seu coração estavam estampados em seus olhos. — Sinto muito mesmo — repetiu, pensando na linda garotinha de olhos sorridentes.

Desviou os olhos dos dele com certa relutância e, tentando amenizar aquele momento, virou a página do bloco, mostrando um desenho que parecia vibrar com vida e alegria. Sentados numa pedra, perto do mar, estavam um homem e uma mulher, o braço dele ao redor dos ombros dela. Ambos olhavam-se, sorrindo, e ela segurava o braço dele. Era o retrato vivo de duas pessoas que se amavam intensamente.

— Quem são estes? — perguntou Elizabeth, apontando para o desenho.

— Meus pais — respondeu Ian, mas havia algo na voz dele que fez com que ela levantasse os olhos bruscamente. — Morreram no mesmo incêndio — acrescentou com calma.

Elizabeth olhou para o lado, sentindo um nó formar-se na garganta.

— Aconteceu há muito tempo — falou ele após uma pausa. Então, inclinando o corpo para a frente, virou a folha do bloco.

O cachorro de pelo negro encontrou seu olhar através do desenho. Dessa vez, quando Ian falou, havia a presença de um sorriso sutil em sua voz.

— Minha melhor companheira de caça — disse.

Recobrando o controle das emoções, Elizabeth virou o rosto para o desenho.

— Você tem uma capacidade admirável de captar a *essência* das coisas quando desenha. Sabia disso?

Ian arqueou a sobrancelha, em dúvida. Depois, foi virando as páginas do bloco, parando ao deparar com o desenho detalhado de um grande veleiro de quatro mastros.

— Eu pretendia construir um assim algum dia — disse. — Este é meu projeto.

— É mesmo?

— Sim — confirmou ele, retribuindo o sorriso.

Seus rostos estavam a centímetros de distância enquanto sorriam um para o outro. O olhar de Ian desceu até os lábios dela, e Elizabeth sentiu o coração disparar em inquieta antecipação. Ian inclinou a cabeça imperceptivelmente e ela soube, ela *soube*, que ele estava prestes a beijá-la. Suas mãos levantaram-se sozinhas, na direção do rosto dele, prontas para aproximá-lo de si; então, de repente, a magia se quebrou. Ian ergueu a cabeça com um movimento abrupto e pôs-se de pé, mantendo a expressão rígida. Perplexa, Elizabeth virou-se para o bloco de desenhos e fechou-o com todo o cuidado. Depois, também se levantou.

— Está ficando tarde — disse, tentando disfarçar a confusão em que mergulhara. — Eu gostaria de tomar um banho no riacho antes que fique muito frio. Ah, espere — disse, e tirou o anel do dedo, entregando-o a ele. — Encontrei esta joia junto com os desenhos.

— Ganhei do meu pai quando era menino — explicou ele, indiferente. Cerrou os dedos em torno do anel e guardou-o no bolso.

— Achei que pudesse ser valioso — disse ela, imaginando todo tipo de melhorias que ele poderia fazer na casa se decidisse vender a joia.

— Para dizer a verdade — respondeu Ian com frieza —, não tem valor algum.

Capítulo 16

Para Elizabeth, a refeição daquela noite representou uma verdadeira provação. Ian conversava com o tio como se nada de importante tivesse acontecido entre eles, enquanto ela se torturava com sensações que não conseguia entender nem inibir. Toda vez que Ian lhe dirigia o olhar, seu coração disparava. E, sempre que ele não estava olhando, ela se apanhava fixando os lábios dele, lembrando-se da maneira como se haviam colado aos seus no dia anterior. Ele levantou a taça de vinho, e Elizabeth fitou as mãos longas e firmes que a haviam acariciado com dolorosa ternura, tocando-lhe o rosto e os cabelos.

Dois anos antes, ela se rendera aos encantos dele, porém era mais sábia agora. *Sabia* que ele era um libertino e, mesmo assim, seu coração rebelava-se contra essa crença. No dia anterior, naqueles braços, sentira-se especial para ele — como se Ian não apenas a quisesse, mas também precisasse dela.

É muita pretensão, Elizabeth, disse a si mesma com severidade. E muita tolice. Libertinos hábeis e conquistadores natos, certamente, faziam todas as mulheres sentirem-se assim. Sem dúvida, beijavam-nas com ardor apaixonado num momento e, quando a paixão acabava, esqueciam-se de sua existência. Como ouvira dizer tempos atrás, um conquistador fingia intenso interesse em sua vítima para largá-la sem a menor piedade no instante em que tal interesse se desvanecia — exatamente como Ian estava fazendo agora. Tal pensamento não era nada reconfortante, e Elizabeth precisava com urgência de um pouco de conforto à medida que a noite caía e o jantar se arrastava, com Ian mostrando-se cada vez mais desatento à sua presença. Finalmente, a refeição terminou; Elizabeth estava prestes a se oferecer para tirar a mesa quando se virou para Ian e viu, paralisada de surpresa, os olhos dele percorrendo sua face, depois deslizarem para a boca, fixando-se lá. Ele desviou o rosto abruptamente, e Elizabeth levantou-se para limpar a mesa.

— Vou ajudá-la — disse o vigário. — O que é muito justo, já que você e Ian fizeram todo o resto.

— Nada disso — brincou ela e, pela quarta vez em toda a sua vida, amarrou um avental na cintura e lavou os pratos.

Atrás dela, os dois homens permaneceram à mesa, falando sobre pessoas que, evidentemente, Ian conhecia havia anos. Embora ambos tivessem se esquecido de sua presença, ela se sentiu feliz por poder ouvi-los conversar.

Quando terminou, pendurou o pano de prato na maçaneta da porta e foi sentar-se numa das cadeiras perto da lareira. Dali, podia ver Ian sem ser observada. Sem ter ninguém a quem escrever além de Alexandra, com pouco a revelar numa carta que talvez fosse lida por Ian, Elizabeth tentou se concentrar nas descrições do chalé e das paisagens da Escócia. Mas escrevia distraída, com a mente em Ian, e não na carta. De certa forma, parecia errado que ele morasse naquele lugar solitário. Deveria passar pelo menos parte de seu tempo nos salões de baile ou passeando por jardins com seus trajes de noite bem cortados, despedaçando corações femininos. Divertindo-se com a própria tentativa de imparcialidade, Elizabeth disse a si mesma que homens como Ian Thornton provavelmente prestavam um grande serviço à sociedade — ele lhes dava algo que pudessem observar, admirar e até temer. Sem homens como ele, as damas não teriam com o que sonhar. E muito menos do que se arrepender, lembrou a si mesma.

Ian mal se incomodara em olhar na direção dela, e, por isso, Elizabeth assustou-se quando o ouviu dizer, sem se virar:

— Está uma noite muito agradável, Elizabeth. Se puder deixar a carta que está escrevendo, gostaria de dar um passeio?

— Um passeio? — repetiu Elizabeth, atônita ao descobrir que, assim como ela em relação a ele, Ian estava ciente de seus movimentos. — Está escuro lá fora — acrescentou sem pensar, examinando-lhe o rosto impassível enquanto ele se levantava e aproximava-se dela.

Ian postou-se à sua frente, e não havia nada em sua expressão que pudesse indicar um autêntico desejo de ir a qualquer lugar com ela. Elizabeth lançou um olhar hesitante para o vigário, que enfatizou a sugestão do sobrinho.

— Um passeio após a refeição é excelente — disse Duncan, levantando-se. — Ajuda a fazer a digestão, como sabe.

Ela cedeu, sorrindo para o homem grisalho.

— Vou buscar um agasalho lá em cima. Quer que lhe traga algo, senhor?

— Não para mim, obrigado — respondeu o vigário, torcendo o nariz. — Não gosto de ficar andando por aí à noite. — Dando-se conta, um pouco tarde demais, de que estava abdicando abertamente de suas obrigações de acompanhante, ele acrescentou, depressa: — Isso porque minha visão já não é tão boa quanto antes.

Depois, contrariando seu próprio argumento, pegou um livro que estivera lendo à tarde — sem qualquer aparente necessidade de óculos —, sentou-se na poltrona e começou a ler sob a luz das velas.

O AR DA NOITE estava frio e Elizabeth envolveu-se mais em seu xale de lã. Ian permaneceu em silêncio enquanto andavam devagar em direção aos fundos da casa.

— A lua está cheia — comentou ela, após vários minutos, erguendo os olhos para a grande esfera amarelada. Quando Ian continuou em silêncio, procurou outra coisa para dizer e, quase sem querer, expressou seus próprios pensamentos: — Mal posso acreditar que esteja mesmo na Escócia.

— Nem eu — disse ele.

Continuaram caminhando em torno da encosta da colina por uma trilha que ele parecia conhecer por instinto, e, atrás deles, as luzes do chalé foram diminuindo, até desaparecer por completo. Após muitos minutos silenciosos, já haviam contornado a colina e, de repente, não havia mais nada adiante, exceto a escuridão do vale que se estendia abaixo, a suave encosta da colina por trás, uma pequena clareira à esquerda e um tapete de estrelas acima. Ian parou e enfiou as mãos nos bolsos, fixando os olhos no horizonte. Incerta de seu humor, Elizabeth deu alguns passos até o final da trilha, à esquerda, e também parou, pois não havia mais para onde ir. Parecia mais frio ali, e ela puxou o xale sobre os ombros, lançando um olhar furtivo na direção de Ian. Sob a luz do luar, seu perfil era rígido, e ele levantou a mão, massageando os músculos da nuca como se estivesse tenso.

— Creio que devemos voltar — disse ela quando os minutos transcorreram e ele continuava num silêncio inquietante.

Em resposta, Ian jogou a cabeça para trás e fechou os olhos. Parecia mergulhado numa intensa batalha interior.

— Por quê? — perguntou, mantendo a postura estranha.

— Porque não há mais para onde ir — respondeu ela, afirmando o óbvio.

— Não viemos aqui para caminhar — retrucou Ian.

A sensação de segurança de Elizabeth começou a se dissipar.

— Não?

— Você sabe que não.

— Então... *por que* estamos aqui?

— Porque queríamos ficar a sós.

Horrorizada pela ideia de que, de alguma forma, ele adivinhara os pensamentos que perturbavam sua mente durante o jantar, ela disse, hesitante:

— O que o leva a pensar que eu queria ficar sozinha com você?

Ele virou a cabeça, fitando-a com intensidade.

— Venha aqui e eu lhe mostro por quê.

O corpo inteiro de Elizabeth começou a vibrar numa fusão de desejo e medo, mas sua mente permaneceu sob controle. Uma coisa era querer ser beijada por ele no chalé, onde o vigário estaria por perto, mas ali, completamente isolados, sem nada que o impedisse de tomar qualquer tipo de liberdade, era outra coisa. O perigo era maior. E, baseando-se em seu próprio comportamento de tempos atrás, ela não poderia culpá-lo por julgá-la disposta a se entregar agora. Lutando para ignorar a atração que sentia por ele, Elizabeth suspirou.

— Sr. Thornton — começou, em voz baixa.

— Meu nome é Ian — interrompeu ele. — Considerando que já nos conhecemos há tanto tempo, sem mencionar o que houve entre nós, não acha um pouco ridículo continuar me chamando de "Sr. Thornton"?

Ignorando a ironia, ela tentou manter a voz neutra e continuou:

— Eu o culpava inteiramente pelo que aconteceu naquele fim de semana em que estivemos juntos — começou, suave. — Mas passei a encarar os fatos com mais clareza. — Ela fez uma pausa em seu corajoso discurso para engolir em seco, e prosseguiu: — A verdade é que meus atos naquela primeira noite, quando nos conhecemos no jardim e lhe pedi para dançar comigo, foram muito tolos. Não, foram vergonhosos — interrompeu-se novamente, sabendo que poderia eximir-se da culpa em parte, explicando as manobras das amigas. Mas, sem dúvida, iria ofendê-lo, e o que mais desejava era amenizar as coisas entre eles, não piorá-las. E continuou hesitante: — Todas as outras ocasiões em que nos encontramos, eu me comportei como uma leviana desavergonhada... Não posso culpá-lo por julgar que eu ainda o seja.

A voz dele estava carregada de ironia:

— Acha que foi isso que pensei, Elizabeth?

A maneira como seu nome soou quando ele o disse na escuridão provocou nela uma sensação quase tão estranha quanto o olhar que ele lhe lançava através da distância que os separava.

— O-o que mais poderia ter pensado?

Enfiando as mãos nos bolsos, ele se virou de frente para ela.

— Pensei — respondeu — que você não era apenas linda, mas também inocente, de uma forma inebriante. Se eu acreditasse, quando estávamos naquele jardim, que você tinha alguma noção do que estava pedindo ao flertar com um homem da minha idade e reputação, teria aceitado sua oferta no mesmo instante, e nós dois nem sequer teríamos a chance de dançar.

Ela o encarou.

— Não acredito em você.

— Em que não acredita? Que eu queria levá-la para trás dos arbustos e fazê-la desfalecer em meus braços? Ou que eu tive escrúpulo suficiente para ignorar um impulso tão aviltante?

Um calor perigoso começou a percorrer o corpo de Elizabeth, e ela lutou contra a fraqueza.

— Bem, o que aconteceu com seus escrúpulos no chalé dos lenhadores? Você *sabia* que eu achava que não o encontraria mais ali quando entrei.

— Então, por que ficou — retrucou ele, com suavidade — quando viu que eu continuava lá?

Confusa, ela afastou os cabelos da testa.

— Sei que não deveria ter ficado — admitiu. — Não sei por que fiz aquilo.

— Você ficou pelo mesmo motivo que eu — informou ele sem rodeios. — Nós queríamos um ao outro.

— Foi errado — protestou ela, com um pouco de histeria revelando-se em sua voz. — Foi perigoso e... estúpido!

— Estupidez ou não — falou ele, sério —, a verdade é que eu a queria. E a quero agora.

Elizabeth cometeu o erro de olhar para ele, e foi capturada contra a própria vontade, vítima daqueles olhos cor de âmbar. O xale que estivera agarrando como se sua vida dependesse dele escorregou de suas mãos trêmulas pelo ombro, mas ela sequer percebeu.

— Nenhum de nós tem nada a ganhar fingindo que aquele fim de semana na Inglaterra está acabado e esquecido — acrescentou ele. — O que aconteceu ontem provou isso. Tenho pensado em você todo este tempo, e sei muito bem que também tem pensado em mim.

Ela quis negar, porém pressentiu que, se o fizesse, ele ficaria tão enojado com seu fingimento que lhe viraria as costas e a deixaria ali. Ergueu a cabeça, incapaz de desviar os olhos dos dele. Profundamente tocada por tudo que ele admitira, não poderia mentir.

— Tudo bem — disse. — Você venceu. Eu nunca o esqueci, nem aquele fim de semana. E como poderia? — acrescentou na defensiva.

Ele sorriu diante daquela resposta zangada, e sua voz adquiriu um timbre aveludado.

— Elizabeth, venha aqui.

— Por quê? — sussurrou ela, trêmula.

— Para que possamos terminar o que começamos naquele fim de semana.

Ela o fitou com um terror paralisante mesclado com violenta excitação. Balançou a cabeça, recusando-se.

— Não vou forçá-la — disse ele, em voz baixa. — Não vou forçá-la a fazer nada que não queira quando estiver em meus braços. Pense bem nisso — avisou-a —, porque, se me aceitar agora, não poderá dizer a si mesma amanhã que eu a obriguei a agir contra sua vontade ou que não sabia o que iria acontecer. Ontem, não sabíamos o que aconteceria, mas hoje sabemos.

Uma vozinha insinuante na mente de Elizabeth implorava que obedecesse, lembrando-a de que, depois da punição pública que ela sofrera da última vez que estivera com Ian, tinha o direito de desfrutar de alguns beijos apaixonados, se assim desejasse. Porém, outra voz a alertava para não transgredir as regras novamente.

— E-eu... não posso.

— Estamos separados por quatro passos, e um ano e meio de desejo por nos aproximar.

Ela engoliu em seco.

— Não pode me encontrar no meio do caminho?

A doçura daquela pergunta quase o convenceu, mas Ian balançou a cabeça.

— Não desta vez. Eu a desejo, mas não quero vê-la me encarando como se eu fosse um monstro amanhã. Se também me quiser, tudo o que tem a fazer é vir até mim.

— Mas eu não sei *o que* quero! — exclamou ela, virando-se para olhar o vale embaixo, como se considerasse pular.

— Venha — convidou ele, com a voz enrouquecida —, e eu lhe mostrarei o que você quer.

Foi a voz dele, e não as palavras, que a conquistou. Como se atraída por uma força maior do que si mesma, Elizabeth atravessou a curta distância que os separava, indo direto para os braços dele, que a enlaçaram com uma força atordoante.

— Achei que você não viria — sussurrou ele por entre seus cabelos.

Havia admiração em sua voz pela coragem dela, e Elizabeth agarrou-se a isso quando levantou a cabeça para encará-lo. O olhar ardente de Ian fixou-se em seus lábios, e ela sentiu o corpo se aquecer no mesmo instante em que ele a beijou com uma paixão exigente. Ian espalmou as mãos nas costas de Elizabeth, moldando o corpo macio contra a rigidez do seu, e ela cedeu. Com um silencioso gemido de desespero, ela deslizou a mão pelo peito dele, subindo até a nuca, arqueando-se para senti-lo mais próximo. O corpo de Ian estremeceu quando ela colou-se a ele, e seus lábios pressionaram os dela com mais força, entreabrindo-os, enquanto a língua penetrava com faminta urgência, e foram tomados pelo ardor do desejo. Inconsciente do que fazia, Ian forçou-a a retribuir com a mesma premência, mergulhando a língua em sua boca até que Elizabeth retribuísse o beijo proibido. Perdida naquela magia incandescente, ela tocou os lábios dele com a língua, sentindo-o ofegar contra sua boca, e depois hesitou, incerta. Ele moveu os lábios com mais urgência sobre os dela.

— *Sim* — murmurou Ian, emitindo um gemido rouco de prazer quando ela repetiu o gesto.

Ele a beijou mais e mais, até que ela enterrasse as unhas em suas costas e ambos respirassem ofegantes, no mesmo ritmo alucinante e, ainda assim, ele não conseguia parar. A mesma compulsão incontrolável de possuí-la que o invadira dois anos antes voltava agora com toda a força. E ele a beijou até que Elizabeth gemesse e ardesse em seus braços e o desejo transbordasse dele em ondas descomunais. Afastando os lábios dos dela, Ian passou a beijar-lhe a face, a língua procurando os contornos de sua orelha, enquanto a mão procurava-lhe o seio. Ela estremeceu em confusa surpresa diante da carícia íntima, e a reação inocente provocou um riso engasgado em Ian ao mesmo tempo que uma nova onda de puro desejo o atravessava, quase fazendo com que ele perdesse o equilíbrio. Levado por um profundo sentimento de autopreservação, obrigou as mãos a desistirem do prazer torturante de acariciar-lhe os seios, mas voltou a beijá-la na boca. Elizabeth entreabriu os lábios, com mais suavidade agora, acolhendo-o... E, então, tudo recomeçou.

Uma eternidade depois, Ian levantou a cabeça, sentindo o sangue latejar nos ouvidos, o coração disparado, a respiração arfante. Ela permaneceu em seus braços, as faces ardentes contra seu peito, o corpo voluptuoso colado ao dele, tremendo como resultado da mais explosiva e inexplicável paixão que Ian já experimentara.

Até aquele momento, ele conseguira se convencer de que a lembrança da paixão que eclodira entre eles na Inglaterra era falsa, exagerada. Porém, o que acabara de acontecer ultrapassava tudo o que havia imaginado. Ultrapassava tudo o que ele já sentira em toda a sua vida. Manteve os olhos fixos na escuridão, tentando ignorar a maciez do corpo de Elizabeth entre seus braços.

Contra o ouvido, ela sentia o coração de Ian desacelerar, a respiração tornando-se mais tranquila, e os ruídos na noite começando a penetrar em seus sentidos. O vento agitava a relva, assoviando por entre as árvores; as mãos de Ian afagavam-lhe as costas com movimentos lentos. Lágrimas de confusão nublavam-lhe os olhos e ela roçou o rosto contra o peito firme de Ian, tentando afastá-las. Mas, para ele, o gesto foi uma carícia terna e suave. Suspirando, ela tentou entender por que isso estava acontecendo com ela.

— Por quê? — sussurrou contra o peito dele.

Ian ouviu o tremor na voz dela e entendeu a pergunta; era a mesma que ele estava se fazendo. Por que aquela explosão de paixão acontecia toda vez que a tocava? Por que aquela garota inglesa conseguia fazê-lo perder completamente o controle?

— Não sei — respondeu num tom que soou vago e estranho até mesmo para seus próprios ouvidos. — Às vezes, simplesmente acontece... — Com as pessoas erradas, nos momentos errados, acrescentou em silêncio.

Na Inglaterra, estivera tão enfeitiçado que falara em casamento duas vezes em dois dias. Lembrava-se da resposta dela, palavra por palavra. Momentos depois de desfalecer em seus braços e beijá-lo com desesperado ardor, exatamente como acontecera havia pouco, ele falara:

— *Talvez seu pai faça algumas objeções mesmo depois de saber que serei capaz de garantir seu futuro...*

Elizabeth o encarara e sorrira, divertida:

— *E como poderá garantir meu futuro, senhor? Pode me prometer um rubi do tamanho da palma de minha mão, como fez o Visconde Mondevale? Ou peles de zibelina para cobrir os meus ombros e vison para os tapetes, como Lorde Seabury prometeu?*

— *É isso que você quer?* — perguntara ele, incapaz de acreditar que ela pudesse ser tão mercenária a ponto de se casar com aquele que lhe desse os presentes mais caros.

— *É claro* — respondera ela. — *Não é o que todas as mulheres querem e o que todos os cavalheiros prometem?*

Ele tinha de lhe dar algum crédito, Ian disse a si mesmo, lutando contra o desgosto. Pelo menos, ela fora honesta em admitir o que realmente importava. Analisando agora, quase lhe admirara a coragem, embora desprezasse seus padrões.

Ela também o fitava com uma sombra de apreensão e inocência.

— Não se preocupe — disse ele, evasivo, tomando-lhe o braço e começando a andar de volta para casa. — Não vou repetir o ritual que se seguiu aos nossos últimos encontros e lhe propor casamento. Isso está fora de questão. Entre outras coisas, porque não tenho rubis enormes e peles caras nesta temporada.

Apesar do tom divertido, Elizabeth sentiu-se mal diante da maneira horrível como as palavras soavam agora — apesar de não tê-las dito no passado por realmente desejar tais futilidades. Ela precisava lhe dar algum crédito, pensou com tristeza, porque parecia óbvio que Ian não se ofendera com aquelas infelizes alegações. A regra geral dos flertes sofisticados era ninguém levar nada a sério.

— Quem é o pretendente favorito atualmente? — perguntou ele no mesmo tom distraído quando começaram a avistar o chalé. — Deve haver mais alguém, além de Belhaven e Marchman.

Elizabeth lutou com todas as suas forças para fazer aquela mesma transição da paixão ardente para a frivolidade, que Ian parecia achar tão fácil. Porém, não teve tanto sucesso e seu tom de voz sutil mesclava-se com confusão.

— Aos olhos do meu tio, o pretendente favorito é aquele que tiver o título de nobreza mais importante, seguido de perto pelo que tiver mais dinheiro.

— É claro — comentou Ian, seco. — Nesse caso, parece que Marchman será o sortudo.

O coração de Elizabeth encolheu-se no peito diante daquela demonstração de desprezo.

— Na verdade, não estou procurando um marido — informou-o, tentando soar tão indiferente e zombeteira quanto ele. — Talvez *tenha* de casar com alguém se não conseguir continuar enrolando meu tio. Mas cheguei à conclusão de que prefiro me casar com um homem bem mais velho do que eu.

— E, de preferência, cego — retrucou ele, sarcástico —, para que não repare numa escapadela ou noutra?

— O que *quero dizer* — corrigiu Elizabeth, fuzilando-o com o olhar — é que eu gostaria de ter minha liberdade, de ser independente. E isso é algo que um marido jovem talvez não possa me dar, ao contrário de um homem mais velho.

— Independência é *tudo* o que um velho poderá lhe dar — ironizou ele.

— Pois será o bastante. Já estou farta de ter minha vida controlada pelos homens. Quero cuidar de Havenhurst e fazer apenas o que desejo.

— Case-se com um homem idoso — intercedeu ele suavemente —, e talvez seja a *última* dos Cameron.

Elizabeth o encarou sem entender.

— Ele não poderá lhe dar filhos.

— Ah, isso... — murmurou ela, sentindo-se um pouco derrotada. — Ainda não cheguei a pensar nessa questão.

— Pois me avise quando pensar — rebateu ele, com evidente sarcasmo, incapaz de continuar achando-a divertida ou admirável. — Pode-se fazer fortuna com uma descoberta dessas.

Elizabeth ignorou-o. Ainda não pensara nessa questão porque tomara a decisão ultrajante só depois que estivera nos braços dele para, logo em seguida, ser tratada, sem nenhum motivo aparente, primeiro como um passatempo e, agora, com evidente desprezo. Tudo aquilo era assustador, doloroso e confuso demais para que entendesse. Tivera muito pouca experiência com o sexo oposto e começava a considerá-lo totalmente imprevisível e indigno de confiança. Desde seu próprio pai até seu irmão, passando pelo Visconde Mondevale, que quisera casar-se com ela, até Ian Thornton, que não queria. O único em quem podia confiar, sabendo que agiria sempre pelos mesmos padrões, era seu tio Julius. Ao menos, ele era infalivelmente frio e impiedoso.

Ansiosa por escapar para a solidão de seus aposentos, Elizabeth friamente deu-lhe boa-noite assim que entraram na casa e passou pela poltrona perto da lareira sem sequer reparar que o vigário continuava ali, observando-a com preocupação.

— Acredito que tenha sido um passeio agradável, Ian — disse ele assim que a porta do quarto se fechou no andar de cima.

Ian enrijeceu ligeiramente enquanto se servia do que restava do café. Olhou para o tio por cima do ombro. E, com apenas um olhar, soube que Duncan percebia que fora o desejo, e não a necessidade de ar puro, que o levara a convidar Elizabeth a um passeio.

— O que acha? — retrucou, irritado.

— Acho que a aborreceu deliberadamente várias vezes. Esse não é o seu comportamento habitual no que se refere a mulheres.

— Elizabeth Cameron foge dos padrões habituais.

— Concordo plenamente — disse o vigário, com um sorriso. Fechou o livro e o deixou de lado. — Também acho que ela se sente extremamente atraída por você, e você por ela. Isso, aliás, é bastante óbvio.

— Então também deveria ser bastante óbvio, para um homem de seu discernimento — falou Ian num tom baixo e implacável —, que ela e eu somos completamente incompatíveis. Isso é irrelevante, de qualquer forma, pois eu vou me casar com outra pessoa.

Duncan abriu a boca para argumentar, mas, ao ver a expressão no rosto do sobrinho, desistiu.

Capítulo 17

Ian saiu para caçar logo nas primeiras horas da manhã e Duncan aproveitou--se da ausência dele para tentar arrancar de Elizabeth algumas respostas às questões que o preocupavam. Por várias vezes, sem o menor sucesso, tentou questioná-la sobre seu primeiro encontro com Ian, sobre a vida dela na Inglaterra e assim por diante. Entretanto, ao final do desjejum, só conseguira respostas evasivas e superficiais — as quais, ele pressentia, eram planejadas para levá-lo a acreditar que a vida de Elizabeth era perfeitamente frívola e agradável. Por fim, ela tentou distraí-lo fazendo perguntas a respeito dos desenhos de Ian.

Na esperança de que ela se abriria caso compreendesse melhor a personalidade de Ian, Duncan dispôs-se a explicar como o sobrinho havia enfrentado a morte da família e por que se desfizera do cão de caça. Seu plano falhou; embora a moça tivesse demonstrado compaixão e tristeza durante o relato, estava tão inclinada quanto antes a não revelar qualquer detalhe de sua vida.

Elizabeth, por sua vez, mal podia esperar pelo final da refeição para que pudesse escapar do olhar fixo do vigário e de suas perguntas insistentes. Apesar de toda a sua bondade e franqueza — característica dos escoceses—, ela também suspeitava que ele fosse um homem extremamente perceptivo, que não desistiria com facilidade se decidisse ir até o fundo de uma questão. Assim que acabou de guardar a louça, ela correu a trabalhar no jardim, apenas para vê-lo reaparecer ao seu lado minutos depois, com uma expressão grave no rosto.

— Seu cocheiro está aqui — informou Duncan. — Trouxe uma mensagem urgente de seu tio.

Uma sensação de horror perpassou-a e, levantando-se de um salto, correu para dentro da casa, onde Aaron a aguardava.

— Aaron? — disse. — O que aconteceu? Como conseguiu subir com a carruagem até aqui?

Em resposta à primeira pergunta, o cocheiro entregou-lhe um bilhete dobrado. E, à segunda, encolheu os ombros, dizendo:

— Seu tio está tão ansioso para vê-la em casa que nos disse para alugar qualquer coisa que precisássemos a fim de levá-la de volta o mais rápido possível. Trouxemos dois cavalos, para a senhorita e sua dama de companhia, e há um coche nos esperando no final da estrada para nos levar até a hospedaria, onde deixei a carruagem.

Elizabeth assentiu, distraída, abriu o bilhete e arregalou os olhos, paralisada de terror.

"Elizabeth", escrevera seu tio, "volte para casa imediatamente. Belhaven fez o pedido; portanto, não há motivo para perder tempo na Escócia. De qualquer forma, minha preferência recairia sobre Belhaven em vez de Thornton, como sabe." Obviamente, prevendo que ela tentaria alguma tática para esquivar-se, ele acrescentara: "Se retornar no prazo de uma semana, poderá participar das negociações do noivado. Do contrário, procederei sem a sua presença, o que, como seu guardião, tenho todo o direito de fazer."

Ela amassou o papel, mantendo os olhos fixos no punho cerrado enquanto seu coração disparava, repleto de infelicidade. Uma agitação no quintal, em frente à porta aberta do chalé, fez com que erguesse o rosto. Lucinda e o Sr. Wiley finalmente retornavam, e ela correu para receber sua acompanhante, contornando o cavalo negro — que mantinha as orelhas empinadas, num aviso raivoso — com toda a pressa.

— Lucy! — exclamou em desespero enquanto Lucinda esperava calmamente que o Sr. Wiley a ajudasse a descer. — Lucy! Aconteceu um desastre!

— Um momento, Elizabeth, por favor — disse a impassível senhora. — O que quer que seja, com certeza poderá esperar até que estejamos lá dentro, confortavelmente sentadas. Posso lhe afirmar uma coisa: sinto-me como se tivesse *nascido* em cima deste cavalo. Você nem pode imaginar as dificuldades pelas quais passamos enquanto procurávamos por criados adequados...

Elizabeth mal ouviu o restante do que ela dizia. Envolta num turbilhão de frenética impotência, teve de esperar até que Lucinda desmontasse do cavalo, mancasse para dentro da casa e sentasse no sofá.

253

— Muito bem — disse ela, limpando um grãozinho de poeira da saia. — Agora, me diga: o que aconteceu?

Ignorando a presença do vigário, que se postara junto à lareira parecendo confuso e alarmado, Elizabeth entregou o bilhete a Lucinda.

— Leia — disse. — Parece que tio Julius já... já o *aceitou.*

Enquanto lia a breve mensagem, o rosto de Lucinda adquiriu um desagradável tom acinzentado, com duas intensas manchas avermelhadas de raiva nas bochechas magras

— Ele aceitaria até a oferta do demônio — falou por entre os dentes —, contanto que tivesse um título de nobreza e dinheiro. Isso não deveria nos surpreender.

— Eu estava tão certa de ter convencido Belhaven de que éramos incompatíveis! — Elizabeth quase chorou, torcendo o tecido azul da saia em sua agitação. — Fiz de tudo, Lucinda, *tudo* o que lhe contei e ainda mais! — Inquieta, ela ficou de pé. — Se nos apressarmos, talvez possamos chegar em casa antes do prazo e eu possa pensar numa maneira de dissuadir tio Julius!

Lucinda não se levantou de um salto, como Elizabeth fizera; não correu escadaria acima, nem irrompeu para dentro do quarto dando vazão à raiva ao bater a porta atrás de si, como Elizabeth fizera. Ao contrário, ergueu-se muito lentamente e virou-se para o vigário.

— Onde está ele? — disparou.

— Ian? — indagou Duncan, distraído e um pouco assustado com a palidez do rosto dela. — Saiu para caçar.

Privada de sua verdadeira vítima, Lucinda liberou sua fúria sobre o indefeso vigário. Quando terminou o sermão, jogou o bilhete amassado na lareira apagada e disse, com a voz trêmula de cólera:

— Quando aquela cria de Lúcifer retornar, o senhor faça o favor de avisá-lo de que, se algum dia cruzar o meu caminho, é melhor estar trajando uma armadura! — Assim finalizando, marchou para o andar de cima.

JÁ ESTAVA ESCURECENDO quando Ian voltou para a casa, que encontrou estranhamente silenciosa. Seu tio estava sentado junto à lareira, observando-o com uma estranha expressão, um misto de revolta e especulação. Um pouco contra a vontade, Ian olhou ao redor, esperando ver os cabelos dourados e o rosto encantador de Elizabeth.

Percebendo que ela não estava ali, colocou a arma na prateleira acima da lareira e indagou casualmente:

— Onde estão todos?

— Se está se referindo a Jake — respondeu o vigário, ainda mais irritado com o fato de Ian ter evitado, deliberadamente, perguntar sobre Elizabeth —, ele levou uma garrafa de cerveja para o celeiro e disse que iria beber até apagar todos os vestígios dos últimos dois dias da memória.

— Então, eles voltaram?

— Jake voltou — corrigiu Duncan, enquanto Ian caminhava até a mesa e se servia de uma taça de vinho. — As criadas devem chegar amanhã cedo. Entretanto, Elizabeth e a Srta. Throckmorton-Jones se foram.

Entendendo que Duncan dissera que haviam saído apenas para um passeio, Ian lançou os olhos na direção da porta.

— Mas para onde foram a uma hora destas?

— Para a Inglaterra.

Levando a taça aos lábios, Ian ficou gelado.

— Por quê?

— Porque o tio da Srta. Cameron aceitou uma oferta pela mão dela em casamento.

Com vaga satisfação, o vigário observou o sobrinho engolir metade do conteúdo da taça de uma só vez, como se tentasse livrar-se do amargor provocado pela notícia. E, quando Ian falou, sua voz estava repleta de frio sarcasmo.

— E quem é o felizardo?

— Sir Francis Belhaven, creio eu.

Os lábios de Ian apertaram-se com evidente asco.

— Ao que parece, você não o admira muito...

Ian encolheu os ombros.

— Belhaven é um velho libertino, com gostos sexuais notoriamente bizarros. E também tem o triplo da idade dela.

— É uma pena — falou Duncan, tentando, em vão, manter a voz neutra ao se recostar na poltrona e estender as longas pernas num escabelo. — Porque aquela linda criança inocente não terá outra escolha, exceto casar-se com o velho... libertino. Do contrário, o tio dela vai suspender toda a ajuda financeira que lhe dá, e ela acabará perdendo o lar que tanto ama. Ele está perfeitamente satisfeito com Belhaven, já que o homem atende às suas exigências de título e fortuna, embora, pelo que vejo, essas sejam suas *únicas* exigências. Aquela adorável jovem terá de casar-se com o velho; não há como evitar.

— Isso é um absurdo! — exclamou Ian, tornando a encher a taça. — Elizabeth Cameron era considerada o maior sucesso da temporada há dois anos. Todos estavam cientes de que ela recebera mais de uma dezena de propostas de casamento. Se isso é tudo o que importa, o tio dela pode escolher entre muitos outros.

A voz de Duncan estava entremeada com um sarcasmo pouco característico.

— Isso foi *antes* de ela conhecer você numa dessas festas. Desde então, espalhou-se a notícia de que se transformara em "mercadoria usada".

— O que diabos está tentando dizer?

— Responda-me você, Ian — retrucou o vigário, rápido. — Conheço apenas duas partes da história, graças à Srta. Throckmorton-Jones. A primeira parte ela me contou quando estava sob o efeito do láudano. E, hoje, estava sob a influência do que só posso descrever como a mais formidável explosão de fúria que já presenciei. Entretanto, embora não saiba de toda a história, certamente já captei sua essência e, se metade do que ouvi é verdade, então é óbvio que você não tem coração nem consciência! Sinto-me repleto de tristeza quando imagino Elizabeth enfrentando as dificuldades pelas quais tem passado durante quase dois anos. E quando penso que ela o perdoou...

— O que aquela mulher lhe disse? — interrompeu Ian abruptamente, caminhando até a janela.

A aparente indiferença irritou o vigário ainda mais e, levantando-se, ele foi para perto do sobrinho, fitando seu perfil impassível.

— Disse que você arruinou completamente a reputação de Elizabeth Cameron — respondeu com amargura. — Disse que você convenceu aquela moça inocente, que nunca havia saído da casa onde nascera até poucos dias antes de conhecê-lo, a encontrá-lo num chalé isolado num bosque e, depois, numa estufa no jardim. Disse que a cena que ali se desenrolou foi presenciada por várias pessoas, que se apressaram em espalhar rumores maldosos em questão de dias. Disse que o noivo de Elizabeth ficou sabendo e retirou a proposta de casamento por sua causa. Quando isso aconteceu, presumiu-se que o caráter de Elizabeth deveria ser mesmo dos piores, e ela foi sumariamente exilada da sociedade. Também me contou que, poucos dias depois, o irmão de Elizabeth desapareceu da Inglaterra para fugir dos credores, que teriam sido pagos quando a jovem fizesse um casamento vantajoso, e que nunca mais retornou.

Com sombria satisfação, o vigário reparou que um músculo começava a pulsar no rosto de Ian e prosseguiu:

— Disse que o principal motivo da ida de Elizabeth para Londres, naquela temporada, fora a necessidade urgente de conseguir um bom casamento, e que você destruiu todas as chances de isso acontecer. E é por essa razão que, agora, aquela menina será obrigada a se casar com um homem que, segundo suas próprias palavras, é um velho libertino com o triplo da idade dela!

Satisfeito em ver que seu ataque verbal estava atingindo o alvo, Duncan preparou o tiro final:

— Como resultado de tudo o que você fez, aquela linda jovem corajosa tem vivido em vergonhosa reclusão por quase dois anos. A casa onde mora, e da qual falou com tanto carinho, foi despojada de todos os objetos de valor, que foram vendidos para pagar as dívidas. Eu lhe dou os parabéns, Ian. Você conseguiu transformar uma moça inocente numa pária miserável! E tudo isso apenas porque ela cometeu a tolice de se apaixonar por você à primeira vista. Sabendo o que sei agora, só me resta imaginar o que ela poderia ter visto em você!

Um músculo tremia no pescoço de Ian, mas ele não fez o menor esforço para se defender das furiosas acusações do tio. Apoiando-se no batente da janela com as mãos, ficou olhando para a escuridão enquanto as revelações de Duncan martelavam dolorosamente em seu cérebro, combinadas com o tormento de sua própria crueldade para com Elizabeth naqueles últimos dias.

Lembrou-se dela na Inglaterra, corajosa e adorável, repleta de inocente paixão em seus braços, e ouviu as palavras que ela lhe dissera no dia anterior: *"Você disse a meu irmão que tudo não passara de um flerte insignificante."* Viu-a praticando tiro ao alvo, com impressionante habilidade, enquanto ele zombava de seus pretendentes. Lembrou-se dela ajoelhada na grama, admirando os desenhos de sua família. *"Sinto muito"*, ela sussurrara, com os lindos olhos enchendo-se de doces lágrimas de compaixão. E a viu chorando em seus braços, porque fora traída também pelas amigas.

Uma nova onda de remorso o atingiu ao se recordar da incrível doçura e paixão com que ela se entregara aos seus abraços na noite anterior. Ela quase o enlouquecera de desejo e, depois, ele apenas dissera: *"Não vou repetir o ritual que se seguiu aos nossos últimos encontros e lhe propor casamento. Isso está fora de questão. Não tenho rubis enormes e peles caras nesta temporada."*

Lembrou-se de outras coisas que dissera, antes disso: *"Por que diabos o seu tio pensa que tenho qualquer intenção de me casar com você?"* *"Lady Cameron é uma dama muito rica, Duncan, caso não tenha notado."* *"Sem dúvida, os cômodos em Havenhurst são cobertos de peles e repletos de joias."*

E ela fora orgulhosa demais para discordar dele.

Um ímpeto de fúria perpassou-o ao pensar na própria cegueira e estupidez. No instante em que ela começara a falar sobre pechinchar os preços com os comerciantes, ele *deveria* ter percebido! Porém, desde a primeira vez que pousara os olhos em Elizabeth Cameron, ficara cego — não, corrigiu-se com rancoroso asco de si mesmo; na verdade, ele reconhecera instintivamente o que ela era: bondosa e orgulhosa, corajosa e inocente... e pura. Sabia muito bem que ela não era uma namoradeira promíscua e, ainda assim, acabara convencendo-se do contrário e passara a tratá-la como tal. E ela havia suportado seu desprezo durante todo o tempo em que estivera ali! Permitira que ele lhe dissesse tantas coisas ultrajantes e, depois, tentara desculpar o comportamento dele, responsabilizando a si mesma por ter agido, na Inglaterra, como uma "leviana desavergonhada"!

Um terrível gosto amargo subiu-lhe pela garganta, e Ian fechou os olhos. Elizabeth era tão doce, tão generosa que até aquilo fizera por ele.

Duncan não se moveu; observou, em grave silêncio, o sobrinho cerrar os olhos, apoiado na janela como um homem que aguarda um castigo merecido.

Finalmente, Ian falou, a voz carregada de emoção, como se as palavras lhe estivessem sendo arrancadas da garganta:

— Foi a senhora quem lhe disse isso ou é apenas sua opinião?

— O quê?

Soltando um suspiro atormentado, Ian refez a pergunta:

— Foi ela quem disse que Elizabeth estava apaixonada por mim há dois anos ou esta é uma opinião sua?

Era tão evidente que a resposta significava muito para Ian que Duncan quase sorriu. Naquele momento, no entanto, o vigário estava mais preocupado com duas coisas que queria acima de tudo: que Ian se casasse com Elizabeth, desfazendo todo o mal que lhe causara, e que se reconciliasse com o avô. Porém, para realizar o primeiro intento, Ian teria de ceder no segundo, pois era óbvio que o tio da jovem estava determinado a aceitar apenas o pretendente que tivesse um título, se possível. Seu desejo de ver essas duas coisas acontecerem era tão grande que Duncan quase mentiu em favor da boa causa, mas foi impedido pelos preceitos de sua consciência.

— Foi a opinião da Srta. Throckmorton-Jones, quando estava sob o efeito do láudano — disse então. — E também é a *minha* opinião, com base em tudo que presenciei quanto ao caráter e ao comportamento de Elizabeth.

Esperou por um instante repleto de desagradável suspense, sabendo para onde os pensamentos de Ian o levariam em seguida, e depois acrescentou, pronto para ganhar mais uma vantagem usando uma lógica sistemática:

— Você não tem outra escolha, exceto salvá-la desse casamento repugnante, Ian. — Tomando o silêncio do sobrinho como concordância, continuou mais enfático: — E, para isso, terá de convencer o tio dela a desistir de entregá-la àquele homem. Sei, pelo que disse a Srta. Throckmorton-Jones e pelo que li naquele bilhete que está ali, que o tio de Elizabeth quer um título para ela e dará preferência ao homem que o possuir. Também sei que isso é comum entre os nobres e, portanto, não há esperança de persuadir o sujeito com o argumento de que está sendo irracional, se é isso que você está pensando em fazer.

Duncan observou o efeito que suas palavras provocaram: o sobrinho empalideceu. Então, deu o golpe final:

— Este título de nobreza está em suas mãos, Ian. Estou perfeitamente ciente da profundidade do ódio que sente por seu avô, mas isso não tem importância alguma neste momento. Ou você permite que Elizabeth se case com o desprezível Belhaven ou se reconcilia com o Duque de Stanhope. Não existe outra saída, e você *sabe* disso.

Ian ficou tenso, a mente envolta num furioso combate contra a ideia de se reconciliar com o avô. Duncan observou-o, ciente da batalha que ele travava, e esperou, num suspense angustiado, que o sobrinho tomasse a decisão. Viu-o baixar a cabeça, cerrar os punhos com força e, ao ouvi-lo falar, soube que as palavras amargas eram dirigidas contra o avô:

— Aquele miserável desgraçado! — disparou Ian por entre os dentes. — Depois de onze anos, finalmente vai conseguir o que queria. E tudo porque não pude manter as mãos longe dela!

O vigário mal disfarçou seu alívio.

— Existem coisas piores do que se casar com uma linda jovem que também teve o excelente discernimento de se apaixonar por *você* — salientou.

Ian quase sorriu com aquelas palavras. Porém, o impulso passou num instante, enquanto a realidade desabava sobre ele, enfurecedora e complicada.

— O que quer que ela tenha sentido por mim, isso foi há muito tempo — disse. — Agora, tudo o que deseja é ser independente.

O vigário franziu a testa e emitiu um risinho de surpresa.

— Independente? É mesmo? Que ideia estranha para uma mulher! Tenho certeza de que saberá dissuadi-la desse tipo de excentricidade.

— Não conte muito com isso.

— A independência é superestimada. Dê-lhe uma boa dose disso, e ela irá odiar — sugeriu.

Mas Ian não o ouvia; a raiva por ter de ceder diante do avô crescia dentro dele com uma força terrível.

— *Maldito* seja! — murmurou, repleto de ódio. — Preferia vê-lo apodrecer no inferno com seu título!

O sorriso de Duncan não desapareceu, embora falasse com severidade:

— É bem possível que seja o temor de "apodrecer no inferno", como você descreveu de modo tão pitoresco, que o tenha deixado desesperado para nomeá-lo seu herdeiro. Porém, considere que ele vem tentando reconciliar-se com você há mais de dez anos, muito antes de adoecer do coração.

— Pois já estava dez anos atrasado — retrucou Ian com raiva. — Meu pai era o herdeiro por direito, e aquele velho bastardo jamais cedeu, até ele morrer.

— Estou ciente disso. No entanto, essa não é a questão, Ian. Você perdeu a batalha contra ele. E deve aceitar a derrota com a graça e a dignidade inerentes à sua nobre linhagem, como seu pai teria feito. Você é, por direito, o próximo Duque de Stanhope. Nada pode mudar isso. Além do mais, acredito piamente que seu pai teria perdoado o duque se tivesse tido a chance que você tem agora.

Com fúria contida, Ian afastou-se da janela.

— Eu não sou o meu pai — disparou.

Temendo que o sobrinho começasse a vacilar, Duncan insistiu:

— Não há tempo a perder. Há uma grande possibilidade de você chegar à casa de seu avô apenas para ser informado de que ele fez o que afirmou pretender fazer na carta que me enviou na semana passada: nomear outro herdeiro.

— E há também uma boa chance de eu ser mandado para o inferno, depois da última carta que lhe escrevi.

— Sim, isso também — disse o vigário. — Mas, se você se apressar, talvez chegue antes do casamento de Elizabeth com Belhaven.

Ian hesitou por um longo tempo, mas finalmente assentiu. Enfiando as mãos nos bolsos, encaminhou-se para a escada.

— Ian? — chamou Duncan.

Ele parou e virou-se.

— O que foi agora? — perguntou, irritado.

— Vou precisar de instruções sobre como chegar à casa de Elizabeth. Você mudou de noiva, mas suponho que ainda terei a honra de celebrar a cerimônia de seu casamento em Londres.

Em resposta, Ian limitou-se a assentir novamente.

— Está fazendo a coisa certa — assegurou o vigário em voz baixa, incapaz de afastar o receio de que o ódio de Ian ainda o impedisse de fazer as pazes com o avô. — Não importa o que resulte desse casamento, você não tem outra opção. Afinal, causou um verdadeiro caos na vida dela.

— Mais do que você pensa — retrucou Ian, sucinto.

— Por Deus, *o que* quer dizer com isso?

— Foi por minha causa que o tio dela se tornou seu guardião — respondeu Ian com um suspiro amargurado. — O irmão de Elizabeth não fugiu para evitar as dívidas ou o escândalo, como ela claramente pensa.

— *Você* foi a causa? Como assim?

— Robert me desafiou para um duelo e, como não podia me matar de maneira legítima, tentou por duas outras vezes, e em ambas chegou muito perto de seu objetivo. Assim, fiz com que fosse colocado a bordo do navio *Arianna* e o mandei para as Índias, para que esfriasse um pouco a cabeça.

O vigário empalideceu e afundou no sofá.

— Como pôde fazer uma coisa assim?

Ian enrijeceu-se diante da injusta repreensão.

— Eu só tinha duas outras opções: uma seria deixá-lo fazer um belo buraco nas minhas costas e a outra seria entregá-lo às autoridades. Não queria vê-lo ser enforcado por sua determinação em defender a honra da irmã; só o queria fora do meu caminho.

— Mas... dois anos!

— Ele deveria ter voltado em menos de um ano, porém o *Arianna* sofreu danos durante uma tempestade e teve de ancorar em San Delora. Ele deixou o navio e desapareceu. Na ocasião, presumi que, de alguma forma, tivesse retornado à Inglaterra. Não fazia ideia — finalizou, começando a subir a escada — de que ele ainda estivesse desaparecido antes de você me dizer minutos atrás.

— Bom Deus! — disse o vigário. — Não poderíamos culpar Elizabeth se decidisse odiá-lo por isso.

— Pois não pretendo dar-lhe essa oportunidade — retrucou Ian num implacável tom de aviso para o tio não interferir. — Vou contratar um investigador para procurá-lo e, *depois* de descobrir o que aconteceu com Robert, eu mesmo contarei tudo a ela.

O senso prático de Duncan entrou em conflito com sua consciência, mas, dessa vez, a consciência perdeu.

— Sim, talvez seja a melhor solução — concordou, relutante, pensando em quão difícil seria para Elizabeth perdoar Ian por mais aquela transgressão, e pior, insulto contra ela. — Tudo isso poderia ter sido evitado — acrescentou, suspirando — se você soubesse o que estava acontecendo com Elizabeth. Você tem tantos conhecidos na sociedade inglesa, como nunca ninguém lhe mencionou nada a respeito?

— Em primeiro lugar, estive fora da Inglaterra por quase um ano depois do incidente. E, em segundo — acrescentou Ian com desprezo —, entre as pessoas que integram a chamada "nata da sociedade", assuntos de seu interesse jamais são discutidos com *você*. Todos podem falar à vontade, mas, de preferência, pelas suas costas.

Ian viu um sorriso inexplicável surgir no rosto do tio.

— Deixando as intrigas de lado, você os considera esnobes, autoritários e convencidos, não é?

— Sim, na maioria das vezes — respondeu Ian, brevemente, enquanto tornava a virar-se e subia para o quarto.

Quando ouviu a porta fechar-se lá em cima, o vigário falou para a sala vazia:

— Ian — disse, invadido por um súbito ataque de riso —, é melhor aceitar logo aquele título. Afinal, já *nasceu* com as características da nobreza!

Após um momento, entretanto, ele ficou sério e ergueu os olhos para o teto empoeirado enquanto sua expressão adquiria um sublime contentamento.

— Obrigado, Senhor. Levou um bom tempo para atender à minha primeira prece — disse, referindo-se à reconciliação entre neto e avô. — Mas o Senhor foi de uma rapidez surpreendente no que diz respeito à Elizabeth.

Capítulo 18

Já era quase meia-noite quando Ian chegou à hospedaria White Stallion, quatro dias depois. Deixando seu cavalo aos cuidados do cavalariço, entrou na estalagem, passando direto pelo salão comum, repleto de camponeses que bebiam cerveja. O dono da estalagem, um homem gordo com um velho avental amarrado na enorme cintura, lançou um olhar avaliador sobre a cara casaca elegante do Sr. Thornton, bem como o calção de montaria cinza-escuro, e sabiamente decidiu que não seria necessário cobrar a diária do quarto daquele hóspede antecipadamente — gesto com o qual a pequena nobreza muito se ofendia.

No minuto seguinte, depois que o Sr. Thornton ordenara que a refeição fosse levada a seu quarto, o homem congratulou a si mesmo pela sábia decisão, pois seu novo hóspede lhe fazia perguntas sobre a magnífica propriedade pertencente a um ilustre nobre local.

— A que distância daqui fica Stanhope Park?

— Mais ou menos uma hora a cavalo, senhor.

Ian hesitou, em dúvida sobre chegar na manhã seguinte, sem avisar nem ser esperado, ou enviar uma mensagem antes.

— Preciso que alguém leve uma mensagem até lá amanhã cedo — falou, decidindo-se.

— Vou mandar meu filho entregá-la. A que horas o senhor quer que a mensagem chegue lá?

Ian vacilou, mas não havia como evitar.

— Às dez horas — respondeu.

SOZINHO NO SALÃO reservado da hospedaria na manhã seguinte, Ian ignorou o desjejum que fora colocado diante dele e consultou o relógio. Três horas se haviam passado desde que o mensageiro saíra, quase uma hora a mais do que deveria levar para ir e voltar trazendo a resposta de Stanhope — se é que *haveria* alguma. Guardou o relógio e foi para perto da lareira, batendo distraidamente com as luvas contra a perna. Não fazia ideia se seu avô estaria na propriedade ou se o velho já teria nomeado outro herdeiro e, agora, recusava-se a receber o neto, em represália a todas as recusas anteriores às suas tentativas de reconciliação naquela última década. A cada minuto que passava, Ian convencia-se mais de que a última hipótese era a correta.

O dono da estalagem surgiu na porta atrás dele e falou:

— Meu filho ainda não retornou, Sr. Thornton, embora tenha transcorrido tempo suficiente para ir e voltar. Vou ter de cobrar uma diária extra se ele não aparecer em uma hora.

Ian olhou para o homem por cima dos ombros, fazendo grande esforço para controlar a vontade de lhe dar um soco bem no meio do nariz.

— Mande selar meu cavalo — ordenou, ríspido, embora não tivesse muita certeza do que faria em seguida.

Na verdade, desde o início, teria preferido ser açoitado em praça pública a escrever aquele curto recado ao avô. Agora, estava sendo dispensado como um pedinte, e isso o deixava furioso.

Atrás dele, o estalajadeiro franziu a testa, desconfiado. Em geral, os viajantes que chegavam sem uma carruagem particular, ou mesmo sem um criado, eram solicitados a fazer o pagamento adiantado por seu quarto. Naquele caso, ele não exigiu adiantamento porque o hóspede tinha o elegante e autoritário sotaque dos ricos cavalheiros e porque seu traje de montaria era uma indiscutível evidência do trabalho de um bom e oneroso alfaiate. Agora, entretanto, com o proprietário de Stanhope Park recusando-se até mesmo a enviar uma resposta à mensagem que tal hóspede lhe enviara, ele começava a reavaliar a prévia estimativa quanto à sua importância e preparava-se para impedir que o homem tentasse montar em seu cavalo e saísse galopando sem pagar a conta.

Só então, reparando na insistente presença do homem, Ian virou-se para encará-lo.

— Deseja mais alguma coisa? — perguntou, impaciente.

— É a sua conta, senhor. Gostaria que me pagasse agora.

Os olhos gananciosos do homem arregalaram-se de surpresa quando o hóspede fez surgir um gordo rolo de notas, retirou o suficiente para cobrir o custo de todos os hóspedes daquela noite e entregou a ele.

Ian esperou mais meia hora e, então, encarou o fato de que seu avô não iria responder. Furioso por ter perdido um tempo precioso, marchou para fora do salão, decidido a ir direto a Londres para tentar *comprar* os favores do tio de Elizabeth.

Concentrado em vestir as luvas de montaria, atravessou o salão comum sem sequer reparar na súbita tensão que pairava no ar enquanto os rudes camponeses, que bebiam cerveja sentados às mesas ali espalhadas, viravam-se na direção da porta, todos com a mesma expressão de silencioso assombro em seus rostos. O dono da estalagem, que apenas alguns momentos antes havia encarado Ian como se ele fosse capaz de roubar uma das jarras de cerveja, estava agora parado a uns poucos metros da porta da frente, fitando-o boquiaberto.

— Meu senhor! — exclamou e, como se as palavras lhe escapassem, fez um largo gesto de reverência na direção da porta.

Os olhos de Ian desviaram-se do último botão de sua luva para o estalajadeiro, que se abaixava quase até o chão, em reverência, e voaram para a porta, onde dois lacaios e um cocheiro postavam-se com rígida atenção, trajados com uma formal libré verde e dourada.

Ignorando os olhares perplexos dos camponeses, o cocheiro adiantou-se, fez uma profunda reverência para Ian e pigarreou. Numa voz grave e carregada, repetiu o recado do duque, que não dava margem a dúvidas, na mente de Ian, sobre os sentimentos de seu avô quanto a ele ou àquela visita inesperada:

— Sua Graça, o Duque de Stanhope, encarregou-me de enviar seus mais calorosos cumprimentos ao *Marquês de Kensington* e de dizer que aguarda ansiosamente sua chegada a Stanhope Park.

Ao instruir o cocheiro a se dirigir a Ian como Marquês de Kensington, o duque acabara de informar publicamente ao neto e a todos os outros na estalagem que o título era agora — e sempre seria — de Ian. Aquele gesto ia muito além de tudo o que Ian antecipara e provava-lhe duas coisas: primeiro, que seu avô não guardava nenhum rancor pela sua repetida rejeição às ofertas de paz; e, segundo, que o velhote ainda era bastante perspicaz para perceber que a vitória estava bem ali, ao seu alcance.

Irritado com isso, Ian assentiu brevemente para o cocheiro e passou pelos atônitos aldeões, que retiravam suas boinas com todo o respeito diante do homem que acabara de ser publicamente identificado como herdeiro do duque. O veículo que o esperava do lado de fora da hospedaria era outra evidência da ansiedade de seu avô por recebê-lo com toda a pompa — em vez de um simples coche e um cavalo, ele mandara uma carruagem fechada, puxada por quatro belos cavalos adornados com arreios prateados.

Chegou a lhe ocorrer que aquele gesto exagerado fosse a maneira de o duque tratá-lo como um visitante muito amado e esperado, mas ele recusou-se a aceitar tal possibilidade. Não fora até lá para reconciliar-se com o avô, mas, sim, para aceitar o título que deveria ter sido de seu pai. Não queria mais nada do velho duque.

Apesar da fria indiferença, Ian foi invadido por uma estranha sensação de irrealidade quando a carruagem atravessou os portões da propriedade que fora o lar de seu pai até se casar com sua mãe, aos 23 anos. O fato de estar ali lhe provocava uma nostalgia pouco comum e, ao mesmo tempo, aumentava seu desprezo pelo tirânico aristocrata que, deliberadamente, deserdara o único filho e o expulsara de casa.

Percorreu os arredores com olhos críticos, vendo o imenso e bem cuidado parque e a vasta mansão de pedras com chaminés pontilhando os telhados. Para a maioria das pessoas, Stanhope Park pareceria imponente e impressionante; para Ian, era apenas uma grande propriedade antiga, provavelmente com uma urgente necessidade de modernização e nem de perto tão bela quanto a última que ele comprara.

A carruagem parou em frente à escadaria principal e, antes mesmo de Ian descer, as portas duplas da mansão foram abertas por um velho mordomo magro, usando o habitual uniforme negro. O pai de Ian raramente falava sobre o duque ou sobre a mansão e os bens que ali deixara, mas sempre lhe contava sobre os criados de quem mais gostava. Enquanto subia os degraus, Ian olhou para o mordomo e soube que só poderia ser Ormsley. Segundo o pai de Ian, fora Ormsley quem o apanhara provando o melhor conhaque francês de Stanhope, escondido no celeiro, quando tinha apenas dez anos. E também fora Ormsley quem assumira a culpa pelo desaparecimento da bebida — e da preciosa licoreira —, confessando que ele próprio bebera o conteúdo e, embriagado, esquecera onde havia deixado a garrafa.

Naquele momento, Ormsley parecia à beira das lágrimas enquanto seus olhos, de um azul embaçado, fitavam Ian com evidente carinho.

— Boa tarde, meu senhor — cumprimentou com formalidade, mas a alegria estampada em seu rosto deu a Ian a impressão de que se continha para não abraçá-lo. — E... se me permite dizer... — O velho mordomo calou a voz embargada pela emoção e pigarreou. — E permita-me dizer quanto é... *bom* vê-lo aqui em... — interrompeu-se, ruborizado, quando a voz lhe faltou e a mágoa de Ian pelo avô foi esquecida por um instante.

— Boa tarde, Ormsley — disse, sorrindo ao ver a sublime satisfação que perpassou o rosto enrugado quando disse o seu nome. Percebendo que o mordomo estava prestes a fazer uma nova reverência, Ian estendeu a mão, forçando o leal serviçal a apertá-la. — Espero que já tenha abandonado aquele hábito de exagerar no conhaque francês — acrescentou gentilmente.

Os velhos olhos cansados reluziram como diamantes ante a prova adicional de que o pai de Ian falara sobre ele.

— Bem-vindo ao lar. Bem-vindo ao lar finalmente, meu senhor — falou Ormsley, dando-lhe um aperto de mão.

— Vou ficar só algumas horas — informou Ian com toda a calma, e a mão do mordomo soltou-se de leve pelo desapontamento.

Porém, logo se recompôs e acompanhou Ian por um espaçoso vestíbulo revestido de carvalho. Um pequeno exército de lacaios e arrumadeiras movia-se furtivamente, fingindo limpar os espelhos, os painéis e o piso. Enquanto Ian passava, muitos deles lançavam olhares ansiosos e repletos de curiosidade em sua direção, virando-se depois para trocar rápidos sorrisos de satisfação. Com a mente concentrada no iminente encontro com o avô, Ian sequer percebia o exame minucioso e os olhares espantados de que era alvo, embora percebesse vagamente que uns poucos empregados pareciam estar enxugando os olhos e o nariz com seus lenços.

Ormsley o conduziu até um par de portas no final do corredor, e Ian esvaziou a mente, preparando-se para o primeiro encontro com o avô. Mesmo quando criança, jamais se permitira a fraqueza de pensar naquele parente e, nas raras ocasiões em que isso acontecia, sempre o imaginara parecido com seu próprio pai, um homem de altura mediana, com cabelos e olhos castanho-claros.

Ormsley abriu as portas do escritório com floreio, e Ian entrou, encaminhando-se para a poltrona de onde, apoiando-se numa bengala, um homem levantava com dificuldade. Quando o homem endireitou o corpo e o encarou, Ian sentiu um choque profundo. Ele não era apenas tão alto quanto ele; com desgosto, Ian percebeu que seu próprio rosto guardava uma semelhança impressionante com o do duque, e que ele não se parecia em nada com seu pai. Na verdade, foi como se estivesse olhando para uma versão mais velha e grisalha de si.

O duque também o observava e, ao que parecia, chegava às mesmas conclusões, embora sua reação fosse completamente oposta. Ele sorriu devagar, pressentindo o rancor de Ian ao descobrir a semelhança entre eles.

— Você não sabia? — perguntou com a voz grave de barítono, muito parecida com a de Ian.

— Não — respondeu Ian, breve. — Eu não sabia.

— Então, eu tenho uma vantagem sobre você — retrucou o duque, apoiando-se na bengala, os olhos examinando o rosto do neto tal qual fizera o mordomo. — Pois veja só, *eu* sabia.

Ian ignorou com firmeza o lampejo de lágrimas que viu naqueles olhos cor de âmbar.

— Serei breve e pretendo ir direto ao ponto — começou, mas o avô estendeu a mão longa e aristocrática.

— Ian, por favor — pediu, indicando com a cabeça a poltrona diante dele. — Esperei este momento por mais tempo do que pode imaginar. Eu imploro, não vá privar um velho do prazer de receber em casa seu neto pródigo.

— Não estou aqui para curar as feridas familiares — disparou Ian. — Se dependesse de mim, jamais colocaria os pés nesta casa.

O velho duque ficou rígido diante da hostilidade do neto, mas manteve a voz calma.

— Presumo que tenha vindo aceitar o que é seu por direito — começou, mas uma imperiosa voz feminina fez com que Ian girasse na direção do sofá, onde duas damas idosas estavam sentadas, os corpos frágeis quase escondidos sob as almofadas macias.

— Realmente, Stanhope — disse uma delas com uma voz surpreendentemente firme —, como pode esperar que o rapaz seja educado quando você parece ter-se esquecido das boas maneiras? Não se preocupou em lhe oferecer uma bebida ou nos apresentar a ele. — Um sorriso tocou-lhe os lábios finos quando olhou para o atônito Ian. — Sou sua tia-avó Hortense — informou-o com um elegante meneio de cabeça. — Nós nos conhecemos em Londres alguns anos atrás, mas é óbvio que você não me reconhece.

Tendo encontrado as duas tias-avós apenas uma vez, por puro acaso, Ian não sentia animosidade, tampouco afeição, por nenhuma delas. Fez uma leve reverência para Hortense, que apontou a outra dama de cabelos grisalhos ao seu lado, que parecia cochilar com a cabeça um pouco inclinada para a frente.

— E esta pessoa, de quem talvez você se lembre, é minha irmã Charity, também sua tia-avó. Está dormindo, como sempre. É a idade, entende?

A cabecinha grisalha ergueu-se naquele instante e um par de olhos azuis arregalou-se, encarando Hortense com ar ofendido e magoado.

— Sou apenas *quatro* aninhos mais velha que você, Hortense, e acho um tremendo mau gosto de sua parte ficar espalhando isso por aí — reclamou. Depois, viu Ian parado à sua frente e um sorriso beatífico iluminou seu rosto.

— Ian, meu querido menino, você se lembra de *mim*?

— Certamente, senhora — começou ele com cortesia, mas Charity o interrompeu, lançando um olhar triunfante à irmã.

— Está vendo, Hortense? Ele se lembra de *mim* e, apesar de eu ser só um pouquinho mais velha, isso prova que não envelheci tanto quanto *você* nestes últimos anos! Não concorda, querido? — indagou, esperançosa, virando-se para Ian.

— Se quer meu conselho — intercedeu o duque, seco —, não responda a esta pergunta. Senhoras — acrescentou, olhando firmemente para as irmãs —, Ian e eu temos muito o que conversar. Prometi que vocês o veriam assim que ele chegasse, mas agora devo pedir que nos deixem a sós. Voltaremos a nos reunir mais tarde para o chá.

Em vez de aborrecer as senhoras dizendo-lhes que não ficaria até a hora do chá, Ian esperou que ambas se levantassem. Hortense estendeu-lhe a mão, para que Ian a beijasse. Estava prestes a repetir a cortesia para com a tia-avó mais velha, mas Charity ergueu o rosto, em vez da mão, e Ian depositou um beijo em sua face.

Depois que as damas saíram, levando consigo a distração momentânea que representavam, a tensão cresceu entre os dois homens que se encaravam — completos estranhos, sem nada em comum, exceto a imensa semelhança física e o sangue que lhes corria pelas veias. O duque permaneceu imóvel, a postura ereta e aristocrática, mas seus olhos eram acolhedores. Ian batia a luva na perna, impaciente, mantendo o rosto frio e resoluto — dois homens confrontando-se num duelo de silêncio e imposição de vontades. O duque cedeu primeiro, com uma leve inclinação de cabeça que reconhecia Ian como vencedor, e rompeu o silêncio.

— Creio que a ocasião pede um brinde com champanhe — disse, alcançando o cordão da sineta para chamar o mordomo.

Mas a resposta rápida e cínica de Ian congelou o gesto no ar.

— Pois eu acho que exige algo mais forte.

A insinuação de que Ian considerava a ocasião repugnante, em vez de motivo para comemoração, não escapou ao duque. Inclinando novamente a cabeça, com um leve sorriso de compreensão, ele completou o gesto.

— Uísque, então? — perguntou.

A surpresa de Ian, ao ver que o avô parecia saber qual era sua bebida preferida, foi substituída pela perplexidade, quando Ormsley irrompeu na sala no mesmo instante, carregando uma bandeja de prata com uma garrafa de uísque escocês, outra de champanhe e os respectivos copos e taças. Ou o mordomo tinha poderes de clarividência ou asas. Ou, ainda, a bandeja fora preparada antes de Ian chegar.

Oferecendo um breve sorriso constrangido a Ian, Ormsley saiu da sala, fechando as portas atrás de si.

— Acha que podemos nos sentar — sugeriu o duque com uma pontinha de ironia —, ou agora vamos competir para ver quem consegue ficar mais tempo de pé?

— Pretendo encerrar esta provação o mais depressa possível — retrucou Ian, gélido.

Em vez de se mostrar insultado, respondendo à intenção de Ian, Edward Avery Thornton olhou para o neto e sentiu o coração encher-se de orgulho diante do homem poderoso e dinâmico que levava seu nome. Por mais de uma década, Ian havia atirado um dos mais importantes títulos da nobreza inglesa contra Edward, e, embora isso pudesse ter enraivecido qualquer outro homem, ele reconhecia no gesto a mesma orgulhosa arrogância e indômita determinação que caracterizavam todos os homens da família Thornton. Naquele momento, entretanto, tal indômita determinação encontrava-se num curso de colisão com a sua, e Edward estava preparado para ceder em quase tudo a fim de conseguir aquilo que mais desejava no mundo: o seu neto. Queria seu respeito, se não pudesse ter seu amor; queria apenas um pouco, uma porção insignificante de sua afeição. E queria a absolvição, mais do que tudo. Precisava ser perdoado por ter cometido aquele que fora o maior erro de sua vida, 32 anos atrás, e por ter esperado demais para admitir ao pai de Ian que estivera errado. Para alcançar seu objetivo, Edward estava preparado para suportar tudo de Ian — exceto sua partida imediata. Se não pudesse obter mais nada — nem a afeição, nem o respeito ou o perdão —, queria ao menos o *tempo* dele. Só um pouco. Não muito, um dia ou dois, ou apenas algumas horas, umas poucas lembranças que pudesse guardar no coração pelos dias solitários que ainda lhe restavam.

Na esperança de ganhar esse tempo, falou em tom casual:

— Talvez os documentos fiquem prontos em uma semana.

Ian baixou o copo de uísque. Numa voz fria e clara, afirmou:

— *Hoje.*

— Há alguns aspectos legais envolvidos.

O neto, que lidava diariamente com centenas de aspectos legais em seus negócios, arqueou a sobrancelha, desafiando-o com frieza.

— Hoje — repetiu.

Edward hesitou, suspirou e assentiu.

— Bem, creio que meu escriturário possa começar a redigir os documentos enquanto conversamos. Porém, é um assunto complicado e demorado. Levará alguns dias, pelo menos. Há a questão das propriedades que são suas por direito e...

— Não quero as propriedades — informou Ian, com desdém. — Nem o dinheiro, se houver. Vou ficar com o maldito título e encerrar logo este assunto. E isso é tudo.

— Mas...

— Seu escriturário, com certeza, é capaz de redigir um documento simples e direto, nomeando-me seu herdeiro, em 15 minutos. Estou a caminho de Brinshire e, de lá, vou para Londres. Partirei assim que o documento for assinado.

— Ian — começou Edward, mas decidiu não implorar, principalmente ao perceber que seria inútil.

O orgulho, a firmeza, a força e a determinação que caracterizavam Ian e, sem dúvida, atestavam que era seu neto também o deixavam fora de seu alcance. Era tarde demais. Surpreso pelo fato de Ian querer o título, mas não a fortuna que lhe era devida, Edward levantou-se da poltrona e saiu da sala a fim de dizer ao escriturário para preparar os documentos. Instruiu-o para que também incluísse todas as propriedades e suas rendas substanciais. Afinal, ele era um Thornton — também tinha orgulho próprio. Talvez a sorte o tivesse abandonado, mas não seu orgulho. O neto partiria em uma hora, mas sairia dali possuidor de toda a riqueza e das propriedades que lhe pertenciam por direito.

Ian estava junto às janelas quando seu avô retornou.

— Está feito — informou Edward, sentando-se novamente na poltrona.

Parte da rigidez desapareceu dos ombros de Ian; o assunto desagradável estava encerrado. Ele assentiu, tornou a encher o copo e sentou-se diante do avô.

Após um longo e denso silêncio, Edward comentou casualmente:

— Imagino que devo felicitá-lo pelo noivado.

Ian ficou atônito. Seu compromisso com Christina, que estava prestes a ser desfeito, ainda não era de conhecimento público.

— Christina Taylor é uma jovem adorável — prosseguiu o duque. — Conheci o avô, os tios e, naturalmente, o pai dela, o Duque de Melbourne. Será uma ótima esposa para você, Ian.

— Como a bigamia é crime neste país, isso é muito pouco provável.

Surpreso ao descobrir que a informação que recebera estava incorreta, Edward tomou mais um gole de champanhe antes de perguntar:

— Então, será que posso saber quem é a jovem felizarda?

Ian abriu a boca, disposto a mandá-lo para o inferno, mas havia algo alarmante na maneira vagarosa como o avô pousou o copo na mesa e, depois, começou a se levantar.

— Eu não deveria ingerir bebida alcoólica — explicou o duque em tom de desculpas. — Creio que preciso repousar um pouco. Chame Ormsley, por favor — pediu com a voz rouca. — Ele saberá o que fazer.

Ian obedeceu, reparando que havia certa urgência em toda aquela cena. Instantes depois, Ormsley ajudava o duque a subir as escadas e um médico estava sendo chamado. Este chegou em meia hora, correndo para o andar de cima com a maleta de instrumentos, e Ian ficou esperando na sala de estar, tentando ignorar a inquietante sensação de que chegara bem a tempo de presenciar a morte do avô.

Porém, quando o médico desceu, parecia aliviado.

— Já o avisei centenas de vezes para ficar longe das bebidas — disse, contrariado. — O álcool afeta o coração dele. Está descansando agora. O senhor poderá subir para vê-lo daqui a uma ou duas horas.

Ian não se importava se o duque estava doente. Disse a si mesmo que aquele velho, que se parecia tanto com ele, não significava nada. Entretanto, ouviu-se indagando ao médico:

— Quanto tempo lhe resta de vida?

O médico ergueu as mãos, as palmas viradas para cima.

— Quem pode dizer? Uma semana, um mês — especulou —, um ano, talvez mais. O coração dele é fraco, mas a determinação é grande. Agora, mais do que nunca — acrescentou enquanto Ormsley colocava uma leve capa sobre seus ombros.

— O que quer dizer com isso?

O médico sorriu, surpreso.

— Ora, sua chegada significa muito para ele, senhor. Teve um efeito impressionante. Até *miraculoso*, eu diria. Em geral, o duque se zanga comigo quando está doente. Hoje, no entanto, quase me abraçou em sua ansiedade para me contar que o senhor estava aqui, e por que motivo. Na verdade, ele me ordenou que "desse uma olhada" no senhor — continuou, com o tom confiante de um velho amigo da família —, embora eu não devesse lhe dizer isso, é claro. — Sorrindo, finalizou: — Ele acha que o senhor é "bonitão".

Ian esforçou-se para não reagir com qualquer tipo de emoção diante daquela informação espantosa.

— Tenha um bom dia, meu senhor — disse o médico antes de se virar para as irmãs do duque, que andavam pelo vestíbulo, preocupadas. Tocou no chapéu, dizendo "Senhoras" e saiu.

— Vou subir para ver como ele está — anunciou Hortense. Depois, voltando-se para Charity, disse com firmeza: — Não aborreça Ian com sua tagarelice. — Começou a subir as escadas e acrescentou: — E *não* fique bisbilhotando.

Durante a hora seguinte, Ian andou de um lado para outro na sala, enquanto Charity o observava com grande interesse. Se havia uma coisa que não tinha de sobra, era *tempo* — e era tempo que ele estava perdendo. Naquele ritmo, Elizabeth daria à luz o primeiro filho antes que ele conseguisse chegar a Londres. E ainda teria de enfrentar a desagradável tarefa de desfazer o acordo nupcial com o pai de Christina antes de apresentar sua oferta de casamento ao tio de Elizabeth.

— Você não vai embora hoje, não é, meu querido? — choramingou Charity de repente.

Contendo um suspiro de impaciência, Ian virou-se para ela com um leve inclinar da cabeça.

— Receio que sim, senhora.

— O coração dele vai ficar despedaçado.

Contendo o impulso de dizer à velhinha que duvidava que o duque sequer tivesse um coração, Ian retrucou, sucinto:

— Ele vai sobreviver.

Charity o fitava com tanta intensidade que, após um momento, Ian indagou-se se ela estaria apenas confusa ou se tentava ler sua mente. Confusa, decidiu, quando ela se levantou de repente e insistiu para que Ian visse uns pavões que seu pai desenhara quando criança.

— Talvez em outra ocasião.

— Pois eu acho — disse ela, virando a cabeça para o lado como um passarinho — que deveria vê-los *agora*.

Maldizendo-a em silêncio, Ian abriu a boca para recusar novamente, mas acabou cedendo. Talvez fizesse o tempo passar mais depressa, pensou. Charity levou-o pelo corredor até outra sala, que parecia ser o escritório particular do avô. Assim que entraram, ela tocou os lábios com a ponta do dedo.

— E, agora, *onde* estarão aqueles desenhos? — perguntou-se em voz alta, com uma expressão de inocência e confusão. — Ah, sim! Já me lembrei. — Mancando até a escrivaninha, procurou, sob uma das gavetas, um tipo de fechadura secreta. — Tenho certeza de que você vai adorar! Onde estará a tranca? — continuou em seu tagarelar confuso. — Aqui está! — exclamou, entreabrindo a gaveta.

Olhou para Ian e apontou para a enorme gaveta.

— Você pode encontrá-los aqui mesmo — disse. — Basta remexer nestes papéis. Tenho certeza de que estão aqui.

Ian recusava-se a invadir a privacidade de outra pessoa, mas Charity não tinha tais escrúpulos. Enfiando as mãos na gaveta, extraiu uma grande pilha de papéis e deixou-a sobre a mesa.

— Agora, qual é mesmo o que estou procurando? — murmurou, começando a separá-los. — Meus olhos já não são mais como antes. Consegue ver um pássaro entre estes desenhos, querido?

Ian desviou os olhos impacientes do relógio para a escrivaninha repleta de papéis e congelou. Como se lhe retribuíssem o olhar, em centenas de diferentes poses, ali estavam retratos dele. Desenhos detalhados de Ian parado no convés do primeiro navio de sua frota; Ian passando na frente da igreja do vilarejo na Escócia, com uma das aldeãs lhe sorrindo; Ian montado em seu pônei, todo solene, aos seis anos de idade; e aos sete, oito, nove, dez. Junto dos desenhos, havia dezenas de extensos relatórios manuscritos a seu respeito, alguns atuais, outros datados de muitos anos atrás, desde a sua juventude.

— Está vendo algum pavão, querido? — indagou Charity com inocência, embora não estivesse olhando para a papelada na mesa, mas, sim, para o rosto contraído de Ian.

— Não.

— Então, devem estar na sala de estudos! É claro! — disse ela, animada.

— Como diria Hortense, só eu mesma para cometer um erro tão tolo!

Ian afastou os olhos daquela prova de que seu avô estivera acompanhando o curso de sua vida praticamente desde o dia em que nascera — ou, pelo menos, desde o dia em que fora capaz de sair de casa sozinho — e fitou a tia, dizendo, zombeteiro:

— Hortense não é muito observadora. Eu diria que a senhora é esperta como uma raposa.

Charity lançou-lhe um sorrisinho conspiratório e pressionou o dedo nos lábios.

— Não conte nada a ela, está bem? Hortense gosta de pensar que é a mais inteligente...

— Como o duque conseguiu esses desenhos? — indagou Ian, fazendo-a parar quando se encaminhava para a porta.

— Muitos deles foram feitos por uma mulher do vilarejo próximo à sua casa. Mais tarde, passou a contratar um artista sempre que era informado previamente sobre a sua presença em algum lugar e época específica. Vou deixá-lo por alguns instantes, meu querido, para que descanse um pouco. Aqui é tão tranquilo e silencioso, não acha?

Ian sabia que ela estava se retirando para que ele pudesse examinar os papéis à vontade. Hesitou por um longo momento, então sentou-se na cadeira da escrivaninha e passou os olhos pelos relatórios confidenciais a seu respeito. Eram todos assinados por um tal Sr. Edgard Norwich, e, enquanto Ian começava a folhear a grossa pilha de papéis, a raiva que sentira por aquela ultrajante invasão por parte do avô foi se transformando em vago divertimento. Em primeiro lugar, quase todas as cartas enviadas pelo investigador iniciavam com frases que deixavam claro que o duque o reprendera por não transcrever detalhes suficientes em seu relatório anterior. Uma das cartas dizia:

Minhas sinceras desculpas, Vossa Graça, por falhar em mencionar que o Sr. Thornton realmente aprecia um charuto ocasional...

A outra iniciava com:

Não me dei conta, Vossa Graça, de que o senhor desejaria, além de saber que o cavalo do Sr. Thornton venceu a corrida, ser informado também a que velocidade ele corria.

Pela aparência gasta das centenas de páginas de relatórios, era óbvio que haviam sido lidas e relidas muitas vezes e, graças a alguns comentários casuais do investigador, também ficou evidente que seu avô expressara orgulho em relação ao neto.

Sei que ficará feliz em saber, Vossa Graça, que o jovem Ian é um excelente cavaleiro, como imaginava...
Concordo plenamente com o senhor, e com muitas outras pessoas, que o Sr. Thornton é, sem dúvida, um gênio...
Posso assegurar-lhe, Vossa Graça, que sua preocupação com aquele duelo é desprovida de fundamento. Foi apenas um ferimento superficial no braço, nada grave.

Ian continuou lendo a esmo, sem perceber as pequenas rachaduras que começavam a surgir na barreira que havia erguido contra seu avô.

"*Sua Graça*", o investigador escrevera, numa rara demonstração de impaciência, quando Ian tinha 11 anos: "*a sugestão de que eu deveria procurar um médico que pudesse examinar em segredo a garganta inflamada do jovem Ian vai além de todos os limites da razão. Mesmo que eu encontrasse um médico disposto a fingir ser um viajante sem rumo, não posso imaginar como ele conseguiria examinar a garganta do menino sem levantar suspeitas!*"

Conforme transcorriam os minutos, mais crescia a incredulidade de Ian ao deparar com toda a história de sua vida, desde as menores faltas até as grandes conquistas. Seus ganhos e perdas nos jogos apareciam regularmente; cada navio que acrescentava à sua frota estava ali descrito com os respectivos desenhos ilustrativos; seu progresso financeiro fora relatado em cada minucioso e brilhante detalhe.

Abriu a gaveta devagar, amontoou os papéis dentro dela e saiu do escritório, fechando a porta. Voltava para a sala de estar quando Ormsley foi ao seu encontro, dizendo que o duque gostaria de vê-lo.

Quando Ian entrou no quarto, seu avô estava sentado perto da lareira, vestido um robe e com aparência surpreendentemente forte.

— O senhor parece — começou Ian, mas hesitou, irritado com o alívio que sentia — bem melhor — finalizou, brevemente.

— Creio que nunca me senti tão bem em toda a minha vida — afirmou o duque, e Ian não saberia dizer se ele estava ou não apenas demonstrando a determinação a que o médico se referira. — Os documentos estão prontos — prosseguiu. — Já assinei todos eles e, bem, tomei a liberdade de ordenar que a refeição fosse servida aqui, na esperança de que você a compartilhasse comigo antes de partir. Afinal, terá de comer em algum lugar, não é?

Ian vacilou, mas acabou assentindo. A tensão desapareceu do rosto do duque.

— Ótimo! — exclamou ele.

Inclinou-se para a frente e entregou os papéis e uma pena ao neto. Depois, ficou observando, com evidente satisfação, Ian assiná-los sem se incomodar em ler — e, dessa forma, aceitando, sem saber, não apenas o título do pai, como também toda a fortuna que o acompanhava.

— Agora, onde estávamos? — indagou o duque ao receber de volta os documentos.

Os pensamentos de Ian continuavam naquele escritório, onde havia uma escrivaninha repleta de retratos seus e relatórios bem guardados sobre todos os fatos de sua vida, e, por um instante, limitou-se a lançar um olhar vago para o avô.

— Ah, sim! — lembrou-se o duque quando Ian sentou-se à sua frente. — Estávamos falando sobre sua futura esposa. Então, quem é a jovem felizarda?

Cruzando as longas pernas, Ian recostou-se na cadeira e encarou o avô com um silêncio casual e especulativo, mantendo a sobrancelha arqueada em leve zombaria.

— O senhor não sabe? — perguntou, seco. — Tomei a decisão há cinco dias. Será que o Sr. Norwich atrasou novamente a correspondência?

O duque se enrijeceu e, depois, pareceu envelhecer de repente.

— Charity... — falou baixinho. Suspirando, ergueu os olhos para Ian com uma expressão ao mesmo tempo orgulhosa e suplicante. — Está zangado?

— Não sei.

O duque assentiu.

— Será que faz ideia de quanto é difícil, para mim, pedir perdão?

— Então, não peça.

O velho duque soltou outro longo suspiro e tornou a assentir, aceitando a resposta do neto.

— Bem, então será que podemos conversar? Apenas um pouco?

— Sobre o que o senhor quer falar?

— Sua futura esposa, por exemplo — respondeu o duque, amigável. — Quem é ela?

— Elizabeth Cameron.

Edward ficou surpreso.

— É mesmo? Pensei que encerrara este caso complicado dois anos atrás.

Ian reprimiu um sorriso irônico diante de tamanho atrevimento.

— Creio que devo enviar minhas congratulações a ela o mais depressa possível — acrescentou o duque.

— Seriam bastante prematuras — retrucou Ian, entediado.

Porém, durante a hora seguinte, aplacado pelo conhaque e embotado pelo cansaço e pelas incessantes perguntas perceptivas do avô, Ian acabou relatando o problema referente ao tio de Elizabeth. Um tanto surpreso, percebeu que nem precisava dar explicações sobre as horríveis intrigas em que Elizabeth fora envolvida, ou para o fato de a reputação dela estar em frangalhos. Seu avô estava ciente disso, assim como, ao que parecia, toda a sociedade — exatamente como Lucinda Throckmorton-Jones afirmara.

— Se acha — alertou o duque — que a sociedade vai perdoar e aceitar essa jovem apenas porque você está disposto a se casar com ela, Ian, asseguro-lhe que está muito enganado. Eles vão ignorar sua participação nesse caso desagradável, como, aliás, já o fizeram, porque você é homem, e rico, sem mencionar que agora detém o título de Marquês de Kensington. Quando Lady Cameron se tornar sua marquesa, talvez a tolerem apenas por não terem outra escolha, mas vão desprezá-la assim que surgir a oportunidade. Será necessário haver uma grande demonstração de força de algumas figuras influentes para fazer com que a sociedade perceba que deve aceitá-la. Do contrário, ela continuará sendo tratada como uma pária.

Se dependesse dele, Ian mandaria, com toda a tranquilidade e sem a menor hesitação, essa tal "sociedade" para o inferno. Porém, essas pessoas já haviam feito Elizabeth passar por atribulações infernais e ele queria, de alguma forma, reparar todos os danos. Concentrava-se vagamente nas possibilidades quando o duque afirmou, obstinado:

— Irei a Londres e estarei presente quando seu noivado for anunciado.

— Não — disse Ian apressadamente, cerrando os dentes com raiva. Aplacar o ódio que sentia pelo avô era uma coisa, mas era algo bem diferente dar-lhe permissão para se insinuar em sua vida, agindo como um aliado, ou aceitar a ajuda dele.

— Compreendo sua relutância em aceitar minha oferta — falou o duque com toda a calma. — Entretanto, não a faço apenas por mim. Há dois outros bons motivos: será um grande benefício para Lady Elizabeth quando a sociedade certificar-se de que *eu* estou totalmente disposto a aceitá-la como esposa do meu neto. Sou o único que tem algum poder para fazer as pessoas mudarem de opinião. O segundo motivo — prosseguiu, insistindo em suas vantagens enquanto podia — é que, até que a sociedade nos veja juntos e em completa harmonia, os rumores e as dúvidas sobre nosso questionável parentesco vão persistir. Em outras palavras, você pode afirmar que é meu herdeiro, mas, enquanto eles não tiverem certeza de que eu o considero como tal, não acreditarão no que você disser ou no que os jornais publicarem. Se quiser que Lady Elizabeth seja tratada com o respeito que merece como Marquesa de Kensington, então a sociedade deverá, primeiro, aceitar você como Marquês de Kensington. As duas coisas estão ligadas. E tudo deverá ser feito *devagar* — enfatizou —, dando-se um passo de cada vez. Se agirmos assim, ninguém ousará opor-se a mim, ou mesmo desafiá-lo, e todos se verão obrigados a aceitar Lady Elizabeth e esquecer para sempre os rumores maldosos.

Ian hesitou. Um turbilhão de emoções agitava-se em seu peito e em sua mente.

— Vou pensar a respeito — falou, afinal.

— Entendo — afirmou o duque em voz baixa. — Se, por acaso, decidir aceitar meu apoio, partirei para Londres pela manhã e ficarei em minha casa na cidade.

Ian levantou-se para sair, e o avô o acompanhou. Um tanto desajeitado, o velho estendeu-lhe a mão e, relutante, Ian aceitou o cumprimento. O gesto surpreendeu-o por sua força e firmeza, e durou um longo instante.

— Ian — disse ele, em súbito desespero —, se pudesse mudar o que fiz 32 anos atrás, eu não hesitaria. Eu juro.

— Tenho certeza que sim — respondeu Ian, indiferente.

— Acha — acrescentou o duque numa voz instável — que será capaz de me perdoar algum dia?

Ian respondeu com sinceridade:

— Não sei.

O duque assentiu e recolheu a mão.

— Estarei em Londres ainda esta semana. Quando pretende chegar?

— Isso vai depender do tempo que levarei para conversar com o pai de Christina e, depois, com o tio de Elizabeth. E ainda preciso tratar o assunto com ela. Considerando tudo isso, acredito que chegarei a Londres por volta do dia 15.

Capítulo 19

Elizabeth pôs-se de pé devagar, apertando os punhos nervosamente ao encarar Alexandra Townsende na outra extremidade da suntuosa sala de estar verde e creme da casa da jovem duquesa, em Londres.

— Alex, isso é loucura! — exclamou com frustrada incredulidade. — Meu tio deu-me um prazo até o dia 24, e já estamos no dia 15! Como espera que considere ir a um baile esta noite quando minha vida está prestes a ser arruinada e não conseguimos encontrar nenhuma solução?

— Talvez *esta* seja a solução — argumentou Alex. — E foi a *única* em que consegui pensar desde que você chegou.

Elizabeth parou de andar de um lado para outro, revirou os olhos e balançou a cabeça. Alex havia perdido o juízo!

Voltou às pressas para a Inglaterra esperando convencer o tio, apenas para ouvi-lo informar, cheio de contentamento, que também acabara de receber uma "quase oferta" de Lorde Marchman.

— Prefiro aguardar até que Marchman envie uma proposta definitiva — dissera Julius. — O título dele é mais importante que o de Belhaven, além de sua fortuna ser maior, portanto é menos provável que esbanje meu dinheiro. Enviei-lhe uma carta pedindo que tome uma decisão até o dia 24.

Elizabeth mantivera o controle e utilizara todo o seu bom humor a fim de convencê-lo a permitir que ela fosse para Londres naquele meio-tempo. Sabendo que agora estava bem perto de se livrar dela, tio Julius exibia uma boa vontade pouco característica.

— Tudo bem. Hoje é dia 10; pode ficar em Londres até o dia 24. Caso Marchman faça a proposta, eu lhe enviarei uma carta.

— E-eu creio que gostaria de obter os conselhos de Alexandra Townsende sobre as formalidades do matrimônio — mentira Elizabeth num impulso, esperando que Alex pudesse ajudá-la a encontrar uma forma de não se casar com nenhum dos dois homens. — Alex está em Londres para a temporada e me convidou para ficar na casa dela.

— Você pode ficar na minha casa na cidade, desde que leve seus próprios criados — oferecera Julius, magnânimo. — Se Belhaven quiser cortejá-la enquanto isso, talvez lhe faça uma visita em Londres. Aliás, já que vai estar na cidade, pode encomendar o vestido de noiva. Mas nada muito caro — acrescentara, franzindo a testa com severidade. — Não há motivo para um grande casamento na corte, quando uma pequena cerimônia aqui em Havenhurst servirá muito bem. Pensando bem, tampouco será necessário um vestido de noiva, pois o de sua mãe foi usado apenas uma vez.

Elizabeth sequer se incomodara de lembrá-lo de que o casamento de sua mãe fora celebrado em uma suntuosa cerimônia na Igreja de St. James, e que o vestido que ela usara, luxuoso e incrustado de pérolas, com uma cauda de mais de quatro metros, pareceria absurdo para um casamento simples e íntimo na capela de Havenhurst. Naquele momento, ainda tinha esperança de evitar qualquer tipo de cerimônia e estava ansiosa demais em partir para Londres para ficar ali discutindo sobre moda.

Agora, depois de passar cinco dias com Alex, maquinando e descartando soluções impossíveis, sua amiga subitamente decidira que seria de suma importância que Elizabeth fizesse uma nova estreia na sociedade, participando de um baile naquela noite. E, para tornar tudo ainda pior, sir Francis Belhaven chegara a Londres no dia anterior, e praticamente assombrava a casa de tio Julius, na Rua Promenade, em sua ansiedade desmedida de cortejar Elizabeth.

— Elizabeth — falou Alex, com determinação —, devo lhe confessar que não tive muito tempo para pensar em todos os detalhes, pois só concebi este plano três horas atrás, mas, se você puder se sentar e tomar um pouco de chá, tentarei explicar minha estratégia.

— Ir a um baile esta noite — repetiu Elizabeth, enquanto obedecia e desabava num lindo sofazinho revestido de seda verde. — Isso *não* é uma solução, é um pesadelo!

— Quer me deixar explicar? Nem adianta discutir, porque já coloquei o plano em andamento e me recuso a ser contestada.

Elizabeth afastou os cabelos da testa num gesto nervoso e assentiu com alguma relutância. Quando Alexandra lançou um olhar significativo para o chá que seu mordomo acabara de trazer, ela suspirou, pegou a delicada xícara e bebeu um pequeno gole.

— Então, explique.

— Sem querer insistir no que já sabemos, faltam nove dias para o fim do seu prazo. Nove dias para encontrarmos um pretendente mais aceitável para você.

Elizabeth engasgou com o chá.

— Outro *pretendente*? Você deve estar brincando! — disparou, dividida entre hilaridade e horror.

— Nem um pouco — retrucou Alex, bebericando seu chá com toda a calma. — Veja bem: quando você debutou, recebeu quinze pedidos de casamento em quatro semanas. Se, naquela época, conseguiu acumular uma média de meio pretendente por dia, então, mesmo considerando o escândalo que paira sobre você, não há razão neste mundo que nos impeça de encontrar pelo menos um pretendente que seja do seu agrado em nove dias. Você está muito mais bonita agora do que aos 17 anos.

Elizabeth empalideceu diante da menção ao escândalo.

— Não posso fazer isso, Alex — disse, trêmula. — Não posso encarar aquelas pessoas. Ainda não!

— Talvez não, se estivesse sozinha, mas não estará sozinha esta noite. — Em seu desespero de convencer a amiga da viabilidade e da necessidade de seu plano, Alex inclinou o corpo para a frente, apoiando os cotovelos nos joelhos. — Estive bastante ocupada nas três últimas horas, desde que concebi o plano. A temporada está apenas começando, nem todos estão na cidade, mas já enviei um recado à avó do meu marido, pedindo-lhe que viesse para cá assim que chegasse a Londres, hoje. Meu marido ainda está em Hawthorne e pretende voltar esta noite, mas deve passar primeiro por um dos clubes que frequenta. Já mandei uma longa carta para ele, explicando toda a situação e pedindo que nos encontre no baile dos Willington, às dez e meia. Também enviei uma carta ao meu cunhado, Anthony, e ele vai acompanhá-la. Até agora, já somos quatro ao seu lado. Talvez lhe pareça pouco, mas você não pode imaginar a grande influência que meu marido e a avó dele têm na sociedade.

Alex fez uma breve pausa e, com um sorriso carinhoso, prosseguiu:

— A Duquesa-mãe de Hawthorne é uma dama de enorme influência e tem um prazer desavergonhado em ver a sociedade curvar-se aos seus caprichos. Você ainda não conhece meu marido — continuou com o sorriso tornando-se mais doce —, mas Jordan tem uma influência muito maior do que a avó e não permitirá que ninguém lhe dirija uma única palavra desagradável. Aliás, ninguém nem sequer se *atreverá* se ele estiver conosco.

— E ele... Ele sabe de tudo a meu respeito? Quem eu sou e... o que aconteceu?

— Na carta, expliquei a ele quem você é *para mim*. E também fiz um resumo de tudo o que lhe aconteceu há dois anos. Eu teria contado antes, mas não o vi desde que estive com você em Havenhurst. Ele esteve viajando, verificando as propriedades e os negócios que foram deixados aos cuidados de outros enquanto estivemos em lua de mel.

Elizabeth sentia-se enjoada só de pensar na possibilidade de o marido de Alex voltar a Londres e anunciar que ela não seria uma companhia adequada para a esposa — ou que se recusasse a participar do tal plano. Essa perspectiva era tão repulsiva que ela, com enorme alívio, agarrou-se ao único obstáculo em que conseguiu pensar.

— Não vai dar certo! — exclamou, toda contente.

— Por que não?

— Porque não tenho nenhuma roupa apropriada para o baile.

— Tem, sim — retrucou Alex, com um sorriso triunfante. — É um vestido que eu trouxe da França. — Ergueu a mão, silenciando os protestos da amiga. — Não posso mais usá-lo, pois minha cintura já aumentou bastante.

Elizabeth lançou um olhar de dúvida à cintura fina de Alex, que concluiu, ponderando:

— Ora, Elizabeth, ano que vem, o vestido já estará fora de moda, e creio que é muito justo que uma de nós o aproveite. Já mandei um recado para que Bentner traga Berta para cá, com tudo o que você precisar. — Alex esboçou um sorrisinho maroto. — Não tenho a menor intenção de deixá-la voltar para a casa de seu tio, pois algo me diz que mais tarde você me enviaria um recado alegando uma violenta dor de cabeça que a obrigara a ir para a cama com seus sais.

Apesar das horríveis emoções que a atingiam, Elizabeth teve de engolir um sorriso culpado. Pensara em fazer exatamente aquilo.

— Vou concordar com o plano — disse, então, fitando a amiga com seus enormes olhos verdes — apenas se a duquesa-mãe não demonstrar a menor reserva em ser minha madrinha esta noite.

— Deixe tudo por minha conta — afirmou Alex com um profundo suspiro de alívio.

O mordomo surgiu na porta naquele momento e anunciou, cheio de formalidade:

— Saiba Vossa Graça que a duquesa-mãe acabou de chegar. Eu a levei para o salão amarelo, conforme a senhora instruiu.

Com um sorriso radiante, que demonstrava uma confiança que de fato não sentia, Alex levantou-se.

— Quero trocar apenas uma palavrinha a sós com ela, por uns cinco minutos, antes de apresentá-la a você — explicou, encaminhando-se para a porta. Antes de sair, parou por um instante e virou-se para a amiga. — Só há uma coisa que acho que preciso lhe contar... — disse, hesitante. — A avó do meu marido, às vezes, comporta-se de forma um pouco... ríspida.

A conversa que Alex precisava ter com a viúva demorou bem menos que cinco minutos, mas Elizabeth olhava para o relógio com profunda infelicidade, imaginando todo tipo de indignação relutante com que a amiga estaria se confrontando. Quando a porta da sala de estar foi aberta, Elizabeth estava tão tensa que se levantou com um pulo e permaneceu imóvel, sentindo-se sem graça e rude enquanto a mulher com a aparência mais imponente que já vira deslizava majestosamente para dentro do cômodo, ao lado de Alex.

Além de ter a postura elegante de uma mulher nascida em berço de ouro, a duquesa-mãe era alta, com um par de penetrantes olhos castanhos, um nariz aristocrático e uma imperiosa expressão que permanecia sempre estampada no rosto de pele muito alva.

Num silêncio distante, a dama esperou que Alex fizesse as apresentações enquanto observava Elizabeth executar a reverência e retribuir a cortesia. Ainda sem dizer nada, a duquesa-mãe levou seu pequeno par de óculos e os olhos frios inspecionaram Elizabeth desde o topo cabeça até a ponta dos dedos dos pés. Elizabeth começou a abandonar qualquer esperança de que a senhora a aceitasse como protegida para aquela noite, fosse ou não de boa vontade.

Quando, finalmente, dignou-se a falar, a voz da viúva soou tão cortante quanto o estalar de um chicote.

— Minha jovem — foi dizendo, sem preâmbulos —, Alexandra acabou de me explicar que deseja minha colaboração para reintroduzi-la na sociedade esta noite. Entretanto, como eu disse a Alexandra, não há qualquer necessidade de me descrever o escândalo que envolveu sua amizade com um certo

Sr. Ian Thornton há dois anos. Estou *muito bem* a par de tudo, assim como todos os outros membros da aristocracia. — Deixou que o comentário pouco gentil e desnecessário penetrasse no orgulho já dilacerado de Elizabeth antes de prosseguir: — O que desejo saber é se devo ou não esperar uma repetição de tais eventos, caso concorde com o pedido de Alexandra.

Mesmo mergulhada em vergonha e raiva, Elizabeth conseguiu manter o olhar firme. Embora sua voz vacilasse um pouco, falou com calma e clareza:

— Devo dizer a Vossa Graça que não exerço controle sobre as línguas maldosas. Se assim fosse, não teria sido vítima do escândalo de dois anos atrás. No entanto, tampouco tenho o desejo de voltar a fazer parte de sua sociedade. Ainda guardo cicatrizes profundas da minha última batalha com a nobreza.

De propósito, injetou uma boa dose de escárnio na palavra "nobreza", calou-se e preparou-se para ser estraçalhada pela mulher, cujas sobrancelhas se uniram numa expressão grave. No instante seguinte, porém, os pálidos olhos castanhos registraram algo que parecia ser aprovação e, depois, viraram-se para Alexandra. Com um breve aceno de cabeça, a duquesa-mãe declarou:

— Conte comigo, Alexandra. Ela tem valentia suficiente para suportar o que está por vir. É incrível que — continuou a duquesa-mãe, lançando um sorriso seco a Elizabeth —, por um lado, enquanto alguns de nós da corte nos orgulhamos de nossas maneiras civilizadas, tantos outros se banqueteiam com as reputações alheias, de preferência com a maior suntuosidade possível.

Permitindo que Elizabeth afundasse, devagar e meio zonza, na mesma poltrona de onde havia saltado minutos antes, a duquesa foi até o sofá e sentou-se, mantendo os olhos bem apertados enquanto pensava.

— O baile dos Willington, esta noite, será muito concorrido — começou após um instante. — Talvez seja vantajoso para nós, pois todos, nobres ou não, estarão presentes. Isso significa que haverá pouco espaço para boatos sobre a presença de Elizabeth, já que toda a sociedade estará lá para vê-la.

— É de extrema bondade de Vossa Graça — disse Elizabeth, sentindo que deveria expressar sua gratidão por todo o trabalho que a duquesa-mãe estava disposta a ter por sua causa — fazer algo que...

— Bobagem — interrompeu a viúva, ríspida. — Raramente sou bondosa. Agradável, às vezes — continuou enquanto Alexandra tentava esconder seu divertimento. — Até mesmo graciosa, quando a ocasião exige, mas não diria "bondosa". Bondade é tão sem graça, é como chá morno. Agora, se quiser aceitar um conselho, minha jovem — acrescentou, olhando para o rosto pálido e exausto de Elizabeth —, você deve ir já para seus aposentos tirar uma longa soneca restauradora. Parece demasiadamente indisposta. Enquanto repousa, Alexandra e eu faremos nossos planos.

Elizabeth reagiu àquela ordem definitiva de ir para a cama da mesma forma que todas as pessoas reagiam a uma ordem da duquesa-mãe: após um breve instante de chocante afronta, obedeceu.

Alex pediu licença para acompanhar a amiga até o quarto de hóspedes e, assim que entraram, abraçou-a com força.

— Lamento por aquele momento desagradável, mas ela disse que queria assegurar-se de que você era valente. Nunca imaginei que fosse testá-la *daquela* maneira. De qualquer forma — concluiu, com felicidade —, eu *sabia* que ela ia gostar muito de você, e foi exatamente o que aconteceu!

Envolta numa nuvem de saias cor-de-rosa, Alexandra saiu do quarto, deixando Elizabeth apoiada contra o batente da porta, imaginando como a duquesa-mãe trataria as pessoas de quem gostasse só um pouco.

A viúva esperava na sala de estar, com uma expressão perplexa no rosto, quando Alex retornou.

— Alexandra — começou sem rodeios, servindo-se de chá —, ocorreu-me que há algo em que talvez você não tenha pensado.

Interrompeu-se, olhando para o mordomo, que acabara de surgir na soleira da porta.

— Com a licença de Vossa Graça — disse ele, dirigindo-se a Alexandra —, o Sr. Bentner solicita permissão para lhe falar por um instante.

— Quem é Sr. Bentner? — inquiriu a duquesa-mãe, irritada ao ver que Alexandra concordara em recebê-lo de imediato na sala de estar.

— É o mordomo de Elizabeth — explicou Alex, com um sorriso. — É uma pessoa muito agradável... e que adora ler romances de mistério.

Segundos depois, sob o olhar de intensa desaprovação da duquesa-mãe, um homem robusto de cabelos brancos, trajando um terno preto já bastante gasto, marchou orgulhosamente para dentro da sala e sentou-se ao lado de Alexandra sem grandes cerimônias.

— Seu recado dizia que a senhora tem um plano para ajudar a Srta. Elizabeth a escapar da aflição em que se encontra — falou Bentner, ansioso. — Decidi trazer Berta pessoalmente, assim eu também poderia conversar com a senhora.

— O plano ainda está um pouco vago, Bentner — admitiu Alex. — Basicamente, vamos reapresentá-la à sociedade esta noite e ver se é possível superarmos aquele escândalo envolvendo o Sr. Thornton.

— Aquele *patife* — disparou Bentner. — Só de ouvir esse nome, meus punhos se fecham com vontade de socá-lo!

— Provoca o mesmo efeito em mim, Bentner — concordou Alex. — Isso é tudo o que planejamos até agora.

Bentner levantou-se para sair, deu um tapinha no ombro de Alex e, com toda a calma, informou àquela aristocrática dama que aterrorizava metade da corte com sua arrogância pétrea e que, no momento, fuzilava-o com os olhos pela familiaridade com que tratava Alexandra:

— Vossa Graça tem uma menina de ouro aqui. Conheço a Sra. Alex desde que era uma garotinha correndo atrás dos sapos em nosso lago com a Srta. Elizabeth.

A viúva não respondeu. Permaneceu sentada em gélido silêncio e apenas os olhos se moveram, acompanhando a saída do mordomo.

— *Alexandra*! — limitou-se a dizer, zangada.

Mas Alex riu e tomou-lhe a mão.

— Não condene minha familiaridade com os criados, eu lhe imploro, vovó. Não vou mudar, e isso só servirá para deixá-la aborrecida. Além do mais, a senhora estava prestes a me dizer algo importante quando Bentner chegou.

Distraindo-se da ira em relação ao comportamento indecoroso de certos serviçais, a duquesa-mãe falou, severa:

— Quando conversamos antes, você estava tão preocupada em não deixarmos Elizabeth esperando aqui por muito tempo que nem sequer me deu a chance de discutir alguns fatos pertinentes, que talvez possam lhe trazer graves preocupações. Isto é, se ainda não estiver ciente deles.

— Que fatos?

— Não leu os jornais de hoje?

— Ainda não. Por quê?

— De acordo com o *Times* e o *Gazette*, Stanhope em pessoa está aqui em Londres e acabou de anunciar Ian Thornton como seu neto e herdeiro legítimo. É claro que há anos se comenta que Thornton é o neto dele, mas apenas uns poucos tinham certeza disso.

— Eu não fazia ideia... — murmurou Alex, distraída, pensando na injustiça que significava aquele libertino, que causara tanta infelicidade a Elizabeth, desfrutar agora de tamanha boa sorte, enquanto o futuro de sua amiga mostrava-se cada vez mais incerto. — Nunca tinha ouvido falar em Ian Thornton até seis semanas atrás, quando voltamos de viagem e alguém mencionou o nome dele, relacionando-o ao escândalo que envolveu Elizabeth.

— Isso nao me surpreende. Antes do ano passado, o nome dele raramente era mencionado em salões respeitáveis. Você e Jordan partiram em lua de mel antes do escândalo envolvendo Elizabeth, por isso não havia motivos para que ouvisse falar dele.

— Como um patife daqueles conseguiu convencer o duque a legitimá-lo como herdeiro? — indagou Alex, furiosa.

— Pois eu ouso dizer que ele não precisava ser "legitimado", se é que entendi suas palavras. Ele é o neto legítimo e natural de Stanhope, e foi o seu marido quem me garantiu isso alguns anos atrás. Também sei — acrescentou a senhora, enfática — que *Jordan* é uma das poucas pessoas a quem Thornton já admitiu o parentesco.

Uma sensação de desastre iminente cresceu dentro de Alexandra, e, devagar, ela pousou a xícara na mesa.

— Jordan? — repetiu, alarmada. — Mas por que um canalha como aquele teria escolhido *Jordan* para ouvir-lhe as confidências?

— Como sabe muito bem, Alexandra — respondeu a duquesa-mãe tranquilamente —, seu marido nem sempre teve uma vida inquestionável. Ele e Thornton eram companheiros de farras nos dias de juventude, jogando, bebendo e fazendo todas as coisas condenáveis que os homens fazem. E eu receava que você não tivesse conhecimento dessa antiga amizade.

Alex fechou os olhos, desolada.

— Eu contava com o apoio de Jordan esta noite. Escrevi a ele explicando a maneira horrível como aquele patife abominável tratou Elizabeth, mas não mencionei o nome dele. Jamais imaginei que Jordan pudesse conhecer Ian Thornton, quanto mais manter laços de amizade com ele. Tinha *tanta* certeza de que, se Jordan conhecesse Elizabeth, faria tudo o que estivesse ao seu alcance para ajudá-la hoje à noite — finalizou, pesarosa.

Inclinando-se no sofá, a duquesa-mãe apertou-lhe a mão e disse com o mesmo sorriso seco de sempre:

— Nós duas sabemos que Jordan lhe daria todo o apoio contra qualquer um que você decidisse enfrentar, fosse inimigo *ou* amigo, minha querida. Neste caso, contudo, talvez você não obtenha a *empatia* incondicional de seu marido quando ele souber quem é o "patife abominável". Era sobre isso que eu precisava alertá-la.

— Elizabeth não pode saber — disse Alex, enfática. — Ela ficaria muito apreensiva em relação a Jordan, e eu não poderia culpá-la por isso. Esta vida é muito injusta! — acrescentou, lançando os olhos para o exemplar fechado do jornal *Times* que estava na mesinha de canto. — Se houvesse um mínimo de justiça, aquele sedutor de moças inocentes jamais seria um marquês, enquanto Elizabeth tem medo até de mostrar o rosto diante da sociedade. — Esperançosa, acrescentou: — Imagino que não haja possibilidade de ele não receber nem um único centavo, ou pedacinho de terra, juntamente com o título, não é? Creio que poderia suportar melhor tudo isso se ele continuasse sendo um escocês pobretão ou um jogador miserável.

A duquesa-mãe riu sem discrição.

— Nenhuma possibilidade, minha querida. E, se por acaso, é isso que Elizabeth acredita que ele seja, está bastante enganada.

— Não quero falar sobre esse assunto — pediu Alex, com um suspiro irritado. — Não, preciso saber. Conte-me tudo, por favor.

— Não há muito o que contar — disse a duquesa-mãe, pegando as luvas e começando a vesti-las. — Pouco depois do escândalo com Elizabeth, Thornton desapareceu. Então, menos de um ano atrás, alguém, cujo nome permaneceu em segredo por muito tempo, comprou aquela esplêndida propriedade em Tilshire, deu-lhe o nome de Montmayne e iniciou as reformas, contratando um exército de carpinteiros para o trabalho. Meses depois, uma magnífica mansão aqui em Londres, na Rua Brook, também foi vendida, novamente para alguém que não queria ter o nome divulgado. E nessa casa também se iniciaram reformas completas. A sociedade estava irrequieta, imaginando quem seria o proprietário, até que, alguns meses atrás, Ian Thornton foi visto entrando na tal mansão. Há dois anos, corriam rumores de que Ian Thornton não passava de um reles jogador e, sem dúvida, era tido como *persona non grata* na maioria dos lares respeitáveis. Hoje, no entanto, tenho o triste dever de informá-la de que ele é mais rico que Creso e é bem-vindo em quase todos os salões nos quais queira colocar os pés. Mas, felizmente, parece que ele não se importa muito com isso. — Levantando-se para sair, a duquesa-mãe concluiu num tom desanimador: — É melhor você saber de todo o resto agora, porque terá de enfrentar os fatos esta noite.

— O que quer dizer com isso? — indagou Alex, assustada, levantando-se para acompanhá-la.

— Quero dizer que as perspectivas para o sucesso de Elizabeth esta noite serão muito reduzidas devido ao anúncio que Stanhope fez esta manhã.

— Por quê?

— A resposta é simples: agora que Thornton possui um título, além de sua própria fortuna, o que aconteceu entre ele e Elizabeth será encarado pela sociedade como um "passatempo de cavalheiro", embora continue sendo uma terrível mancha na reputação dela. E há mais uma coisa — acrescentou, usando um tom mais pessimista.

— Não sei se quero ouvir. O que é?

— Eu — anunciou a duquesa-mãe — *não* tenho um bom pressentimento sobre hoje!

Naquele momento, Alexandra também não tinha.

— Tony concordou em acompanhar Elizabeth ao baile, e Sally está de acordo — disse, distraída, referindo-se ao cunhado e à sua esposa, que ficara na casa de campo. — Porém, eu gostaria que o acompanhante dela fosse outro, um solteiro cobiçado e irrepreensível. Enfim, alguém a quem as pessoas respeitem, ou, melhor ainda, de quem tenham *medo*. Roddy Carstairs seria *perfeito*! Mandei a ele um recado urgente para que me procurasse aqui assim que fosse possível, mas ele não é esperado em Londres antes desta noite, ou amanhã. Ele seria o acompanhante ideal para Elizabeth se eu conseguisse convencê-lo. A senhora sabe que a maior parte dos membros da sociedade simplesmente treme diante dos comentários ferinos de Roddy.

— Eles tremem diante de *mim* — disse a viúva, com orgulho.

— Sim, eu sei — assentiu Alex com um leve sorriso. — Ninguém ousará dirigir uma palavra desagradável a Elizabeth diante da senhora. Mas Roddy talvez possa amedrontar as pessoas a ponto de convencê-las a aceitá-la.

— Talvez sim, talvez não. Bem, a que horas e onde iremos nos reunir para esse evento condenado ao fracasso?

Alex revirou os olhos e sorriu, reconfortante.

— Sairemos daqui às dez e meia. Pedi a Jordan que nos encontrasse na fila de recepção dos Willington, para que possamos entrar todos juntos no salão de baile.

Capítulo 20

Às oito e meia daquela noite, Ian estava parado diante da casa do tio de Elizabeth, na Rua Promenade, reprimindo um desejo quase irresistível de assassinar o mordomo. Este, por sua vez, parecia estar lutando contra um inexplicável impulso de atacá-lo fisicamente.

— Vou perguntar de novo, porque talvez não tenha entendido da última vez — falou Ian, pronunciando as palavras num tom sedoso e ameaçador que costumava gelar o sangue de qualquer homem. — *Onde está sua senhora?*

Apenas uma leve sombra de palidez cobriu o rosto de Bentner.

— *Saiu*! — respondeu ao homem que arruinara a vida de sua jovem patroa e que agora aparecia ali sem ser esperado ou convidado, com certeza para tentar arruiná-la de novo quando ela estava prestes a participar do seu primeiro baile em dois anos, tentando com bravura superar o escândalo que *ele* causara.

— Ela saiu e você não sabe para onde ela foi?

— Eu não disse isso, disse?

— Então, *onde* ela está?

— Cabe a mim saber, e ao senhor imaginar.

Naqueles últimos dias, Ian fora obrigado a muitas tarefas desagradáveis, incluindo cavalgar por metade da Inglaterra, enfrentar a fúria do pai de Christina e, finalmente, negociar com o repugnante tio de Elizabeth, cuja barganha encenada ainda o deixava possesso só de lembrar. Num gesto magnânimo, Ian recusara o dote de Elizabeth logo no início das negociações com Julius Cameron. Este, entretanto, tinha os instintos de um comerciante e logo pressentira a determinação de Ian em fazer o que quer que fosse necessário para obter a assinatura dele num contrato de casamento. Como resultado, Ian foi o primeiro homem, que ele soubesse, colocado na posição de ter de *comprar* a futura esposa pela quantia de 150 mil libras.

Encerrada a repulsiva provação, Ian dirigira-se para Montmayne, onde fizera uma breve parada — apenas para trocar o cavalo por um coche e tirar o valete e o cocheiro da cama. Seguiu, então, para Londres, parou em sua casa na cidade para tomar um banho e mudar de roupa, e foi direto para o endereço que Julius Cameron lhe dera. Agora, depois de tudo isso, confrontava-se não só com a ausência de Elizabeth, mas também com o criado mais insolente que tivera o azar de conhecer. Num furioso silêncio, Ian deu-lhe as costas e desceu os degraus. Atrás dele, a porta bateu com um estrondo e, parando por um instante, ele se virou e contemplou o prazer que sentiria ao despedir aquele mordomo no dia seguinte.

Subiu na carruagem e ordenou ao cocheiro que retornasse para sua casa, na Rua Upper Brook. Ao chegar, seu próprio mordomo abriu-lhe a porta com o devido respeito. Ian passou direto por ele, carrancudo e inquieto. Estava a meio caminho da escadaria quando decidiu que talvez a noite passasse mais depressa se fosse para qualquer outro lugar, em vez de ficar ali imaginando os conflitos que teria de enfrentar com Elizabeth no dia seguinte.

Vinte e cinco minutos depois, Ian tornou a sair de sua casa, formalmente trajado para uma noite de jogatina, e instruiu o cocheiro a levá-lo até o Blackmore. Continuava carrancudo quando entrou no salão suavemente iluminado do exclusivo clube de cavalheiros, onde passara muitas noites apostando altas quantias.

— Boa noite, *milorde* — cumprimentou o lacaio-chefe.

Ian assentiu, breve, reprimindo uma careta de desgosto diante do tom obsequioso com que a palavra "milorde" fora pronunciada.

O salão de jogos era um elegante ponto de encontro do *crème de la crème* da sociedade, que preferia os jogos de cartas aos mexericos — uma característica mais adequada aos entediantes frequentadores do clube White —, e por cavalheiros menos ilustres, mas igualmente ricos, que gostavam de jogar pelo prazer das altíssimas apostas que eram exigidas no Blackmore.

Parando por um instante na entrada do salão de jogos, Ian começava a se afastar quando uma voz risonha comentou a respeito de sua pressa em sair dali:

— Para um homem que acabou de herdar um pequeno império, Ian, você me parece azedo demais. Gostaria de se juntar a mim para uma bebida e uma rodada de cartas, milorde?

Ian sorriu, irônico, ao se virar e reconhecer um dos poucos aristocratas que respeitava e considerava seu amigo.

— Com todo o prazer — zombou —, *Vossa Graça.*

Jordan Townsende riu.

— Essas coisas começam a ficar um pouco cansativas depois de um tempo, não acha?

SORRINDO, OS DOIS homens trocaram um aperto de mãos e sentaram-se. Uma vez que Jordan também acabara de chegar ao clube, tiveram de esperar por uma mesa. Já acomodados, desfrutaram de uma bebida juntos, conversando sobre os acontecimentos do último ano e meio, e, depois, dedicaram-se à atividade mais séria e prazerosa: o jogo de cartas, combinado com uma ou outra breve troca de palavras. Em dias normais, o jogo lhe teria dado muito prazer, mas, naquela noite, Ian estava preocupado, e cada cavalheiro que passava pela mesa sentia-se na obrigação de parar para cumprimentar os jogadores.

— Foi nossa prolongada ausência da cidade que nos tornou tão populares — brincou Jordan, empurrando suas fichas para o centro da mesa.

Ian mal o ouviu. Sua mente concentrava-se em Elizabeth, que estivera à mercê daquele tio desprezível por dois anos. O homem negociara alguém de seu próprio sangue — e Ian fora o comprador. Embora não fosse exatamente assim, ele tinha a inquietante impressão de que Elizabeth encararia os fatos daquela forma assim que descobrisse a transação feita sem o seu conhecimento ou permissão.

Na Escócia, ela lhe havia apontado uma arma. E ali, em Londres, Ian não poderia culpá-la se puxasse o gatilho. Estava acalentando a ideia de tentar cortejá-la por alguns dias antes de informar que já estavam oficialmente noivos. Mas será que Elizabeth não iria odiar a perspectiva de se casar com ele? Belhaven podia ser um velho repulsivo, mas Ian causara-lhe muito mal, magoando-a repetidas vezes.

— Não pretendo criticar sua estratégia, meu amigo — o tom arrastado de Jordan chamou-lhe a atenção. —, mas você acabou de apostar mil libras em algo que parece ser um par de absolutamente nada.

Ian baixou os olhos para a carta que acabara de virar na mesa. Um rubor de embaraço subiu por seu pescoço.

— Estou com outras coisas na cabeça.

— Seja lá o que for, tenho certeza de que não são cartas. Ou, então, você perdeu sua famosa perícia.

— Isso não me surpreenderia — retrucou Ian, distraído, estendendo as longas pernas sob a mesa e cruzando os pés.

— Quer jogar mais uma rodada?

— Creio que não estou em condições de perder mais dinheiro — respondeu Ian, num leve tom de brincadeira.

Olhando por cima do ombro, Jordan fez um sinal para o lacaio, pedindo mais duas bebidas. Empurrou as cartas para o lado, recostando-se na cadeira. Também estendeu as pernas e, sentados frente a frente, os dois homens se entreolharam, formando a imagem da indolente camaradagem masculina.

— Só tenho tempo para mais uma bebida — disse Jordan, espiando o relógio de ouropel na parede oposta. — Prometi a Alexandra que a encontraria num baile esta noite a fim de prestar meus respeitos a uma das amigas dela.

Ian reparou, admirado, que, ao mencionar o nome da esposa, a expressão de Jordan sempre se suavizava.

— Gostaria de nos acompanhar?

Ian balançou a cabeça e aceitou a bebida que o criado lhe entregava.

— Isso me parece extremamente enfadonho — respondeu.

— Não acho que será tanto assim. Minha esposa tomou para si o encargo de desafiar toda a sociedade e apadrinhar o retorno da jovem à sociedade. Com base no que Alexandra me contou por carta, não será uma tarefa fácil.

— Por quê? — indagou Ian, mais por cortesia do que por interesse.

Jordan suspirou e inclinou a cabeça para trás, exausto pelas inúmeras horas que estivera trabalhando nas últimas semanas e muito pouco animado com a perspectiva de participar de um baile em prol de uma infortunada dama — a qual, aliás, nem ao menos conhecia.

— Parece que a moça em questão caiu na lábia de um sujeito cerca de dois anos atrás, provocando um tremendo escândalo.

Pensando em si próprio e em Elizabeth, Ian comentou, distraído:

— Não é um caso muito raro, certamente.

— Pelo que Alex me descreveu, parece que este caso é um tanto grave.

— De que maneira?

— Em primeiro lugar, há uma grande chance de que a jovem receba uma rejeição direta de metade da sociedade hoje à noite. Isto é, da metade que estiver disposta a reconhecê-la. Em retaliação, Alex convocou artilharia pesada: minha avó, para ser mais exato, Tony e eu, em menor grau. O objetivo é tentar um confronto direto e corajoso, mas vou lhe dizer uma coisa: eu não queria estar na pele daquela garota. Posso até estar enganado, mas creio que ela será devorada viva pelas línguas ferinas que estarão presentes. Seja lá o que o canalha lhe tenha feito — finalizou, engolindo a bebida e endireitando-se na cadeira —, causou males irreparáveis. A jovem, que, a propósito, parece ser incrivelmente bela, tem sido uma pária social por quase dois anos.

Ian enrijeceu-se, parando com o copo a caminho dos lábios. Fixou os olhos no amigo, que já começara a se levantar.

— Quem é essa jovem? — perguntou, tenso.

— Elizabeth Cameron.

— Ah, meu Deus! — explodiu Ian, dando um pulo da cadeira e pegando a casaca com um gesto rápido. — Onde eles estão?

— No baile dos Willington. Por quê?

— Porque — disparou Ian, impaciente, vestindo a casaca e ajeitando os punhos rendados da camisa — *eu* sou o canalha que causou tudo isso!

A perplexidade tomou conta do rosto do Duque de Hawthorne enquanto também vestia a casaca.

— *Você* é o sujeito que Alexandra descreveu como "patife abominável", "vil libertino" e "sedutor de moças inocentes"?

— Sou tudo isso e muito mais — retrucou Ian com amargura, apressando-se em direção à porta, e Jordan o acompanhou. — Vá direto para a casa dos Willington — instruiu. — Irei logo em seguida, mas preciso fazer uma parada primeiro. E, pelo amor de Deus, não diga a Elizabeth que estou a caminho.

Ian voou para dentro da carruagem, disparou as ordens para o cocheiro e recostou-se no banco, contando os minutos e tentando convencer-se de que as coisas não correriam tão mal para Elizabeth quanto ele temia. E, em nenhum momento, parou para pensar que Jordan Townsende não fazia a menor ideia dos motivos que haviam levado o "sedutor" de Elizabeth Cameron a afligir-se tanto para encontrá-la no baile.

A carruagem parou diante da mansão do Duque de Stanhope. Ian subiu correndo os degraus da entrada, quase nocauteando o pobre Ormsley quando este lhe abriu a porta. Apressado, Ian subiu a escadaria para falar com o avô. Minutos depois, irrompeu para dentro da biblioteca, onde se atirou numa poltrona, mantendo os olhos fixos no relógio. No andar de cima, a criadagem se alvoroçava enquanto o duque clamava pelo valete, pelo mordomo e pelos lacaios. Porém, ao contrário de Ian, o velho duque mostrava-se extasiado.

— Ormsley, Ian *precisa* de mim! — dizia ele, repleto de felicidade ao tirar a casaca e desfazer o laço da gravata. — Ele acabou de entrar aqui e *dizer* exatamente estas palavras.

Ormsley sorriu, com contentamento.

— Sim, Vossa Graça. Foi isso mesmo que ele fez.

— Sinto-me vinte anos mais jovem!

Ormsley assentiu.

— Hoje é de fato um grande dia.

— Por que diabos Anderson está demorando tanto? Preciso fazer a barba! Quero um traje de noite preto, eu acho, um alfinete de diamante para a gravata e as abotoaduras, também. E pare de me empurrar esta bengala, homem de Deus!

— Vossa Graça não deveria se exceder tanto.

— Ormsley — disse o duque, aproximando-se do armário e escancarando as portas duplas —, se acha que vou apoiar-me nesta maldita bengala na noite mais importante da minha vida, você perdeu o juízo. Vou entrar naquele salão ao lado do meu neto e sem qualquer ajuda, muito obrigado. E onde está Anderson, maldição?

— Estamos atrasadas, Alexandra — disse a duquesa-mãe, parada na sala de estar da casa de Alex, examinando distraidamente uma magnífica escultura do século XIV exposta sobre uma das mesas. — E não me importo em lhe dizer, agora que estamos em cima da hora, que estou com um pressentimento ainda *pior* do que antes. Minha intuição jamais se engana.

Alexandra mordeu o lábio, tentando afastar um temor crescente.

— A mansão dos Willington fica na próxima esquina — disse, decidindo encarar a questão do atraso antes de enfrentar os detalhes mais desesperadores. — Chegaremos lá em apenas alguns minutos. Além disso, quero que todos vejam a entrada de Elizabeth. E também esperava que Roddy respondesse ao meu recado...

Como numa resposta imediata, o mordomo apareceu na sala.

— Roderick Carstairs deseja ser anunciado a Vossa Graça — informou.

— Graças a Deus! — exclamou ela.

— Levei-o para o salão azul.

Alex aguardou em silenciosa expectativa.

— Aqui estou, minha adorada — saudou Roddy, com seu costumeiro sorriso sardônico, inclinando-se em profunda reverência —, em resposta ao seu recado urgente. E, devo acrescentar, *antes* de me apresentar na residência dos Willington, exatamente como me foi instruído.

Com pouco mais de um metro e meio, Roddy Carstairs era um homem esguio, de aparência atlética, finos cabelos castanhos e olhos azuis. Na verdade, as únicas características que o distinguiam de um homem comum eram as roupas caras e elegantes que usava, uma invejável capacidade de dar um laço intrincado na gravata e o humor ácido, sem limites quando escolhia seu alvo.

— Ouviu as novidades sobre Kensington? — indagou Roddy em seguida.

— Quem? — falou Alex, distraída, tentando pensar na melhor maneira de persuadi-lo a fazer o que ela queria.

— O novo Marquês de Kensington, antes conhecido como Sr. Ian Thornton, *persona non grata*. É impressionante o que títulos e fortunas conseguem fazer, não acha? — Roddy continuou observando o rosto tenso de Alex. — Dois anos atrás, não permitiríamos que ele cruzasse a porta da frente. Há seis meses, comentava-se que ele valia uma fortuna, então começamos a convidá-lo para nossas festas. Esta noite, ele é o herdeiro de um ducado, e estamos todos cobiçando convites para as festas *dele* — sorriu Roddy. — Considerando a questão desse ponto de vista, não passamos de um bando de pessoas volúveis e repugnantes.

A despeito de tudo, Alexandra caiu na risada.

— Ah, Roddy — disse, pousando um beijo em seu rosto. — Você *sempre* me faz rir, mesmo quando estou mergulhada na mais terrível aflição, o que, aliás, está acontecendo neste exato instante. Mas você poderá tornar tudo muito melhor, se estiver disposto.

Roddy serviu-se de uma pitadinha de rapé, arqueou as arrogantes sobrancelhas e esperou, fitando-a com um misto de suspeita e curiosidade.

— Sabe que sou seu mais obediente servo — disse, fazendo uma leve reverência zombeteira.

Apesar daquela afirmação, Alex sabia que não era bem assim. Enquanto outros homens podiam causar temor pelo temperamento explosivo ou pela habilidade em manejar o florete e a pistola, Roddy Carstairs aterrorizava as pessoas com os comentários cortantes de sua língua afiada. E, já que não era permitido levar um florete ou uma pistola para um baile, Roddy ficava livre para provocar seus danos à vontade, sem quaisquer impedimentos. Até mesmo as matronas mais sofisticadas viviam sob constante pavor de se tornar alvo de seus comentários. Alex sabia muito bem como ele poderia ser mortal — bem como prestativo, pois Roddy transformara sua vida num inferno quando ela fora para Londres pela primeira vez. Mais tarde, mudando completamente de posição, fora o próprio Roddy quem forçara a sociedade a aceitá-la. E tudo isso sem ser movido por qualquer amizade ou culpa; agira assim só porque decidira que seria divertido testar seus poderes construindo uma reputação, em vez de destruí-la, para variar.

— Há uma jovem, cujo nome revelarei logo — começou Alex, cautelosa —, a quem você poderia prestar um imenso favor. Na verdade, poderia salvá-la, Roddy, da mesma maneira que me salvou tempos atrás, desde que se disponha a fazê-lo.

— Uma vez já foi o bastante — zombou ele. — Mal consigo manter a cabeça erguida quando penso na minha vergonhosa gentileza sem precedentes.

— Ela é belíssima — arriscou Alex.

Um leve lampejo de interesse brilhou nos olhos de Roddy, mas nada além disso. Outros homens podiam ser afetados pela beleza feminina, mas Roddy tinha prazer em apontar os defeitos das pessoas apenas por diversão. Adorava aturdir as mulheres e jamais hesitava em fazê-lo. Porém, se decidisse ser generoso, era o mais leal dos amigos.

— Dois anos atrás, ela foi vítima de boatos maldosos. Viu-se obrigada a partir de Londres em completa desgraça. E também é uma grande amiga minha de muitos anos.

Alex examinou o rosto indiferente de Roddy, sem saber se estava ou não conseguindo seu apoio.

— Todos nós, ou seja, a duquesa-mãe, Tony e Jordan, pretendemos ficar do lado dela no baile dos Willington esta noite. Mas, se você pudesse lhe dar um pouco de atenção ou, melhor ainda, se a acompanhasse, estaria nos prestando um imenso favor, e eu lhe seria eternamente grata.

— Alex, se você fosse casada com qualquer outro que não Jordan Townsende, eu consideraria a hipótese de lhe perguntar *como* estaria disposta a demonstrar tanta gratidão. No entanto, já que não tenho a menor intenção de morrer tão jovem, devo refrear meus impulsos e, em vez disso, garantir-lhe que seu sorriso já é o melhor dos agradecimentos.

— Não brinque, Roddy. Realmente preciso muito de sua ajuda e ficaria eternamente grata.

— Já está me fazendo tremer de emoção, minha querida. Quem quer que seja essa jovem, deve estar em sérios problemas, para você precisar de mim.

— Ela é adorável, inteligente e você vai admirá-la muito.

— Nesse caso, considerarei a vergonhosa honra de prestar-lhe meu humilde auxílio. Quem... — calou-se Roddy. Seus olhos voltaram-se na direção de um súbito movimento na porta e fixaram-se ali, enquanto a expressão arrogante era substituída por genuína admiração. — Meu Deus! — murmurou.

Parada na porta, como uma visão do paraíso, estava uma jovem desconhecida, trajando um reluzente vestido azul-prateado, cujo decote quadrado e baixo oferecia um vislumbre da pele macia e voluptuosa, e com um corpete justo que valorizava a cintura fina. Os fartos cabelos dourados estavam puxados para trás, presos por uma fivela de safiras, e caindo-lhe sobre os ombros como uma cascata, terminando em suntuosas ondas e cachos que brilhavam sob a luz dos candelabros. Emoldurado pelas sobrancelhas delicadas e por cílios longos e curvados, havia um par de reluzentes olhos verdes que não eram como jade ou esmeralda, mas uma combinação dos dois tons preciosos.

Em silêncio atônito, Roddy a observou com a imparcialidade de um verdadeiro perito, procurando falhas que poderiam passar despercebidas a qualquer mortal. Porém, encontrou apenas perfeição nas faces delicadamente esculpidas, no pescoço esguio e alvo, na boca suave.

— Desculpe-me — disse ela a Alexandra, com um sorriso luminoso, a voz soando como uma brisa —, eu não sabia que você estava com visitas.

Num gracioso esvoaçar de sedas prateadas, ela se virou e desapareceu, deixando Roddy, boquiaberto, fitando o espaço vazio. As esperanças de Alexandra renovaram-se. Ela nunca vira Roddy exibir o menor traço de admiração por um rosto ou um corpo feminino. E as palavras dele deixaram-na ainda mais animada.

— Meu Deus... — repetiu ele, num sussurro de reverência. — Ela era *real*?

— Muito real — assegurou Alex, ansiosa. — E muito necessitada de sua ajuda, embora não deva saber que estou lhe pedindo. Vai ajudá-la, não vai?

Afastando com relutância os olhos da soleira da porta, Roddy balançou a cabeça, como se quisesse clareá-la.

— *Ajudar*? — repetiu, atônito. — Estou tentado a oferecer-lhe a minha muito cobiçada mão em casamento! Porém, primeiro preciso saber o nome dela, pois tenho a impressão de já tê-la visto antes.

— Vai ajudar? — insistiu Alex.

— Não acabei de dizer que sim? Então, quem é a adorável criatura?

— Elizabeth Cameron. Ela debutou há... — interrompeu Alex quando o sorriso de Roddy tornou-se duro e sarcástico.

— A pequena Elizabeth Cameron — disse ele quase que para si mesmo. — É claro que eu deveria ter adivinhado. A garota que tomou a cidade de assalto pouco depois que você partiu na viagem de lua de mel. Mas ela está muito mudada. Quem poderia prever — prosseguiu num tom mais normal — que o destino iria presenteá-la com mais beleza do que ela já possuía?

— Roddy! — exclamou Alex, pressentindo que a atitude dele se modificava. — Você já prometeu que ajudaria!

— Você não precisa de ajuda, Alex — zombou ele. — Precisa de um *milagre*!

— Mas...

— Lamento, mas mudei de ideia.

— São os rumores do antigo escândalo que o incomodam?

— De certa forma.

Alexandra lançou-lhe um olhar gélido.

— Justamente você vai acreditar em boatos, Roddy? Você, mais do que todo mundo, sabe que normalmente são mentirosos, porque *você mesmo* já iniciou uma parte considerável deles!

— Não afirmei que acreditava nos boatos, Alex — retrucou ele, frio. — Na verdade, acho difícil acreditar que as mãos de qualquer homem, incluindo as de Thornton, alguma vez, tenham tocado aquela pele de porcelana. Entretanto — acrescentou, fechando abruptamente a caixa de rapé e guardando-a no bolso —, a sociedade não tem tanto discernimento quanto *eu* ou, nesse caso, tanta generosidade. Eles vão desprezá-la esta noite, sem dúvida alguma, e nem a influência dos Townsende ou a minha própria serão capazes de impedir. Embora eu odeie a ideia de cair ainda mais baixo em sua estima do que, como vejo, já caí, preciso lhe contar uma verdade não muito agradável a meu respeito, querida Alex. — Fez uma pausa, fitando-a com sarcasmo. Então, prosseguiu: — Esta noite, qualquer solteiro que seja tolo o bastante para demonstrar o menor interesse por aquela jovem vai se transformar em motivo de riso pelo resto da temporada. E *eu* não gostaria de ser o alvo. Não tenho coragem para tanto, e é por isso que sou sempre o primeiro a rir dos outros. Além do mais — finalizou, pegando o chapéu —, aos olhos da sociedade, Elizabeth não passa de mercadoria de segunda mão. O cavalheiro solteiro que se aproximar dela será rotulado como tolo ou libertino e cairá na mesma desgraça que ela.

Já na porta, ele parou, parecendo imperturbável e irônico como sempre.

— Se é que adiantará alguma coisa, posso lhe prometer que, esta noite, afirmarei a todos que *eu* não acredito que ela tenha estado naquele chalé ou na estufa do jardim em companhia de Thornton. Isso talvez ajude a adiar o início da tempestade, mas não vai impedir que aconteça.

Capítulo 21

Menos de uma hora mais tarde, no ruidoso salão de baile iluminado à luz de velas, Alexandra teve a dolorosa certeza de que todas as previsões de Roddy estavam certas. Até onde podia se lembrar, era a primeira vez que ela e Jordan não estavam rodeados de amigos e conhecidos, nem mesmo dos costumeiros bajuladores que tentavam obter os favores e a influência do marido. Naquela noite, todos os evitavam. Na errônea crença de que Jordan e Alexandra ficariam muito desapontados quando descobrissem a verdade sobre Elizabeth Cameron, seus amigos tentavam diminuir o inevitável embaraço que se seguiria ao simplesmente fingir não perceber que o casal estava em companhia da jovem, cuja reputação decaíra para além de qualquer salvação no período em que ficaram ausentes da Inglaterra. Embora se limitassem a educadamente ignorar a presença dos Townsende, seus amigos, bem como todos os outros presentes no baile, não hesitavam em lançar olhares de desprezo a Elizabeth sempre que possível, sem chamar a atenção do grupo, que, evidentemente, ela conseguira ludibriar para agir em seu favor. De seu posto, perto do salão no qual casais giravam ao som da valsa — sempre enviando olhares furtivos a Elizabeth —, Alexandra tentava lutar contra as lágrimas e a fúria. Quando olhou para a amiga, que fazia um esforço magnífico para lhe sorrir, sentiu a garganta apertar-se de culpa e piedade. Os risos e a música eram tão altos e ruidosos que Alexandra teve de se inclinar para a frente a fim de ouvir o que Elizabeth dizia.

— Se não se importa — falou Elizabeth numa voz sufocada que destoava do sorriso que exibia, e deixava óbvio que estava mergulhada em profunda humilhação —, vou procurar uma saleta de estar, para checar meu vestido.

Não havia nada de errado com o vestido, e ambas sabiam disso.

— Vou com você.

Elizabeth balançou a cabeça.

— Alex, não precisa se incomodar. Eu gostaria de ficar sozinha por alguns minutos. É por causa do barulho... — mentiu com bravura.

Afastou-se, então, mantendo a cabeça erguida, abrindo caminho através das seiscentas pessoas que evitavam retribuir seu olhar ou viravam-se para rir e cochichar.

Tony, Jordan, a duquesa-mãe e Alexandra ficaram observando enquanto ela subia as escadas graciosamente. Jordan foi o primeiro a falar, cuidando em manter a voz neutra, pois temia que, se demonstrasse a fúria que o comportamento de todas aquelas seiscentas pessoas no salão lhe provocava, Alexandra perderia o frágil controle e as lágrimas que luziam em seus olhos começariam a correr livremente pelas faces rosadas. Enlaçando-lhe a cintura, fitou-a e sorriu, mas falou rapidamente, pois, assim que Elizabeth se afastou, os conhecidos, que antes os evitavam, agora começavam a se aproximar.

— Se lhe serve de consolo, querida — disse —, acho que Elizabeth Cameron é a jovem mais corajosa que já conheci. Exceto por você, é claro.

— Obrigada. — Alexandra tentou sorrir, mas seus olhos inquietos permaneciam à procura da amiga, que acabara de alcançar a curva da escadaria.

— Eles vão se arrepender por isso! — disparou a duquesa-mãe num tom gélido. E, para provar o que dizia, virou as costas para duas de suas amigas íntimas que se aproximavam.

No entanto, os amigos da viúva foram os únicos a se reunir aos Townsende naquela noite, pois eram tão idosos quanto ela e muitos sequer sabiam que Elizabeth Cameron deveria ser ridicularizada, desprezada e humilhada.

Engolindo o nó na garganta, Alex olhou para o marido.

— Pelo menos — disse, tentando brincar —, Elizabeth ainda tem alguns admiradores. Belhaven está rondando à procura dela.

— Isso é porque ele está na lista negra de todos — comentou Jordan sem pensar — e ninguém se deu ao trabalho de lhe contar os boatos sobre Elizabeth... ainda — acrescentou, estreitando os olhos quando duas matronas empertigadas seguraram Belhaven pela manga da casaca, fizeram um sinal na direção que Elizabeth seguira e começaram a falar rapidamente.

Elizabeth passou a maior parte da hora seguinte sentada numa pequena saleta escura, tentando se recompor. E foi ali que ouviu as vozes empolgadas dos convidados comentando algo que, em qualquer outra noite, lhe teria provocado algum tipo de reação, nem que fosse apenas espanto: Ian acabara de ser nomeado herdeiro do Duque de Stanhope. Agora, porém, ela não sentia absolutamente nada.

Em seu estado de profunda infelicidade, era incapaz de qualquer emoção. Porém, lembrou-se da voz de Valerie, tempos atrás, enquanto espiava Ian por entre os arbustos: "Dizem que ele é o neto ilegítimo do Duque de Stanhope." Mas a lembrança apenas esvoaçou por sua mente, sem o menor significado. Quando não teve outra escolha, a não ser voltar para o salão, atravessou o vestíbulo e desceu as escadas, passando apressada por entre a multidão, evitando os olhares maliciosos que faziam sua pele arder e seu coração apertar-se. Apesar do breve descanso, sua cabeça latejava pelo esforço de manter a compostura; a música, que costumava adorar, ressoava em notas dissonantes aos seus ouvidos; gargalhadas e vozes trovejavam ao seu redor. E, acima de tudo isso, a voz do mordomo, posicionado no topo da escadaria que levava ao salão, anunciava o nome de cada novo convidado que chegava, como uma sentinela marcando o tempo. Elizabeth lembrava-se de muitos daqueles nomes e, a cada um que era identificado, podia ouvir a voz de outra pessoa dizendo-lhe que Elizabeth Cameron estava ali. Outra, ainda, repetiria o antigo boato; outro par de ouvidos o escutaria; outro par de olhos a fitaria com desprezo.

A arrogância de Robert ao recusar seus pretendentes, dois anos atrás, logo seria lembrada, e as pessoas comentariam que Sir Francis era o único que lhe restava agora, e ririam disso. De certa forma, Elizabeth não podia culpá-los. Mas sua vergonha era tão profunda que mesmo os rostos ocasionais que a fitavam com piedade e curiosidade, em vez de desprezo e condenação, pareciam-lhe vagamente ameaçadores.

Ao se aproximar dos Townsende, reparou que Sir Francis, usando um ridículo traje de cetim, cujos culotes eram cor-de-rosa e a casaca amarela, mantinha uma acalorada discussão com Alex e o Duque de Hawthorne. Ela olhou em volta, procurando um lugar no qual pudesse se esconder até que ele se afastasse, quando deparou com um grupo que esperava nunca mais tornar a ver. Poucos metros adiante, o Visconde Mondevale a observava, rodeado por vários rapazes e pelas mesmas jovens que, tempos atrás, Elizabeth considerara suas amigas. Ela olhou direto para a frente e mudou de rumo, mas assustou-se, surpresa, quando Mondevale alcançou-a e postou-se à sua frente quando ela já se aproximava de Alex e de seu marido. Incapaz de passar por ele, Elizabeth viu-se obrigada a parar.

Mondevale estava muito bonito, parecendo muito sincero e pouco à vontade.

— Elizabeth — disse num tom baixo —, está mais linda do que nunca.

Ele era a última pessoa no mundo de quem ela esperaria uma demonstração de piedade, mas não teve certeza se ficava grata ou furiosa, já que o abrupto rompimento do noivado contribuíra bastante para seu infortúnio.

— Obrigada — agradeceu em um tom evasivo.

— Eu queria dizer — recomeçou ele, examinando seus traços impassíveis — que lamento muito.

Aquilo era demais! Irritada, Elizabeth empinou ainda mais o queixo.

— Lamenta o quê, senhor?

Mondevale engoliu em seco e aproximou-se ainda mais, a ponto de roçar-lhe o braço com a manga da casaca, ao fazer um gesto de desalento.

— Pela minha participação em tudo o que aconteceu a você — respondeu.

— O que devo dizer quanto a isso? — indagou ela e, realmente, não sabia.

— Se eu estivesse em seu lugar — disse ele com um amargo sorriso —, creio que esbofetearia meu rosto pelas desculpas tardias.

Uma pontinha do humor de Elizabeth retornou e, meneando a cabeça como se fosse uma rainha, ela retrucou:

— Pois isso me traria um imenso prazer.

Por incrível que parecesse, a admiração que brilhava nos olhos dele aumentou ainda mais. Quando demonstrou a intenção de permanecer mais tempo ao seu lado, Elizabeth não teve outra escolha senão apresentá-lo aos Townsende — a quem, descobriu, ele já conhecia.

ENQUANTO ELE E JORDAN trocavam amabilidades, Elizabeth reparou, horrorizada, que Valerie, ressentindo-se da breve deserção de Mondevale, começava a adiantar-se naquela direção. Logo atrás dela, como se fossem sombras, vinham também Penelope, Georgina e todas as outras, fazendo com que Elizabeth entrasse em pânico. Num esforço para escapar delas e, ao mesmo tempo, resgatar a pobre Alex do entediante monólogo de Sir Francis, virou-se para conversar com a amiga, mas o homem não interrompeu seu falatório. No momento em que ele finalmente terminou a história, Valerie já havia chegado e Elizabeth viu-se presa numa armadilha. Com um sorrisinho malicioso, Valerie lançou um olhar de desdém a seu rosto pálido, dizendo:

— Bem, vejam só se não é Elizabeth Cameron... Com certeza, jamais esperaríamos tornar a vê-la num lugar como este.

— Tenho certeza disso — conseguiu falar, controlando o tom de voz, mas a constante tensão já começava a produzir seus efeitos.

— Eu também — acrescentou Georgina, com uma risadinha.

Elizabeth sentiu-se sufocar. O salão começava a girar em torno dela. O grupo dos Townsende formara uma ilha isolada durante toda a noite; agora, as pessoas viravam-se para ver quem se atrevia a aproximar-se deles. A música se espalhava no ar num crescente estrondo; as vozes ficavam cada vez mais altas; convidados continuavam entrando no salão aos borbotões; e a cantilena monótona do mordomo erguia-se, quase ensurdecedora: *Conde e Condessa de Marsant!... Conde de Norris!... Lorde Wilson!... Lady Millicent Montgomery!*

Valerie e Georgina encaravam-na com evidente zombaria, dizendo palavras que pareciam martelar em seu cérebro, misturando-se ao clamor rítmico do mordomo: *Sir William Fitzhugh!... Lorde e Lady Enderly!...*

Dando as costas para o ódio cáustico de Valerie e Georgina, Elizabeth murmurou, ofegante:

— Alex, não estou me sentindo bem! — Mas Alex não conseguiu ouvi-la, pois Sir Francis recomeçara a tagarelar.

— *Barão e Baronesa de Littlefield!...* — continuava o mordomo de seu posto na escada. — *Sir Henry Hardin!...*

Em desespero, Elizabeth voltou-se para a duquesa-mãe, sentindo que poderia gritar ou desmaiar se não saísse dali naquele minuto. Pouco importava se Valerie e Georgina, ou qualquer outra pessoa no recinto, reparassem que estava fugindo de sua própria desgraça.

— Preciso ir embora — disse para a viúva.

— *Conde de Tichley!... Conde e Condessa de Rindell!...*

A duquesa-mãe ergueu a mão, silenciando uma das amigas, e inclinou-se na direção de Elizabeth.

— O que disse, querida?

— *Sua Graça, o Duque de Stanhope!... O Marquês de Kensington!...*

— Disse que... — começou Elizabeth, mas os olhos da velha senhora já haviam voado na direção da voz do mordomo, e seu rosto empalideceu. — Quero ir embora! — exclamou ela, mas, no silêncio que se fez subitamente no salão, sua voz soou mais alta do que o normal.

Em vez de lhe responder, a duquesa-mãe fazia o mesmo que todos os outros: fitava a escadaria.

— Era só *isso* que faltava! — murmurou, furiosa.

— C-como disse, senhora? — indagou Elizabeth, confusa.

— Você costuma desmaiar? — inquiriu a duquesa-mãe, afastando os olhos da entrada do salão com evidente relutância e fitando Elizabeth com o mais urgente dos olhares.

— Não, nunca desmaiei, mas realmente não estou me sentindo bem.

Atrás dela, Valerie e Georgina explodiram numa gargalhada.

— Pois, então, nem mesmo *pense* em sair daqui antes que eu lhe dê permissão — ordenou a duquesa-mãe, sucinta.

Depois, lançou um olhar de aviso a Lorde Anthony Townsende, o gentil e solícito cavalheiro que servia de acompanhante para Elizabeth naquela noite, que lhe segurou o braço prontamente, num gesto de apoio. A multidão presente no salão parecia aproximar-se cada vez mais da escadaria, e aqueles que não o faziam viravam-se para Elizabeth, arqueando as sobrancelhas. Ela, entretanto, fora alvo de tantos olhares naquela noite que nem sequer percebeu a maneira como a fitavam agora. Porém, sentindo a súbita tensão que pairava no ar e a crescente empolgação, olhou na direção do que quer que estivesse provocando tamanha reação. O que viu fez com que seus joelhos tremessem violentamente; um grito subiu-lhe pela garganta. Por uma fração de segundo, pensou que estivesse enxergando uma imagem distorcida, duplicada, e piscou, mas a imagem não se tornou mais nítida. Dois homens de estatura idêntica desciam a escadaria lado a lado, usando trajes de noite parecidos, com expressões de leve indiferença nos rostos semelhantes. E um deles era Ian Thornton.

— Elizabeth — murmurou Tony, com urgência —, venha comigo. Nós vamos dançar.

— Dançar?

— Isso mesmo, dançar — repetiu ele, quase puxando-a para o meio do salão.

Instantes depois, o choque inicial de Elizabeth foi superado por uma abençoada sensação de irrealidade. Em vez de enfrentar o horrendo fato de que os rumores sobre seu antigo relacionamento com Ian iriam, agora, explodir como um vulcão em erupção — além do fato igualmente desastroso de que Ian estava ali —, sua mente apagou-se por completo, alheia a tudo. Já não escutava mais os ruídos do salão latejando em seus ouvidos; na verdade, quase não escutava mais nada. Os olhares penetrantes já não a perturbavam mais, e enxergava apenas o ombro de Tony, coberto pelo tecido azul-escuro da casaca. Mesmo quando ele a guiou, relutante, de volta para o grupo que rodeava os Townsende, e que ainda incluía Valerie, Georgina e o Visconde Mondevale, Elizabeth não sentia... nada.

— Você está bem? — perguntou Tony, preocupado.

— Muito bem, obrigada — respondeu ela, sorrindo com doçura.

— Tem um pouco de amoníaco aí com você?

— Eu nunca desmaio.

— É bom saber disso. Suas amigas continuam nos rodeando, bisbilhotando tudo, esperando ansiosas para ver o que acontecerá em seguida.

— Sim, elas não perderiam esse espetáculo por nada.

— O que acha que ele vai fazer?

Elizabeth levantou o rosto e olhou para Ian sem um estremecimento sequer. Ele continuava ao lado do homem de cabelos grisalhos com quem tanto se parecia, e ambos estavam cercados de pessoas que pareciam cumprimentá-los efusivamente.

— Nada — respondeu.

— Nada?

— E por que ele faria alguma coisa?

— Acha que vai ignorá-la?

— Nunca sei o que esperar no que se refere a ele. Mas isso importa?

Naquele exato instante, Ian ergueu o olhar e avistou-a, e a única coisa que desejava ignorar era a pequena multidão que o rodeava e ir até ela. Mas ainda não podia fazê-lo. Mesmo vendo quão pálida, tensa e dolorosamente linda ela estava, teria de esperar para que o encontro deles parecesse casual se quisesse ter a esperança de que tudo se acertaria. Com insuportável insistência, os convidados continuavam com os cumprimentos, os homens bajulando, as mulheres cortejando; e aqueles que não o faziam, Ian reparou, permaneciam aos cochichos, olhando para Elizabeth.

Ele aguentou mais cinco minutos antes de fazer um breve gesto de cabeça para o avô, e ambos se desvencilharam das dezenas de pessoas que esperavam para ser formalmente apresentadas ao Marquês de Kensington. Juntos, abriram caminho através da multidão, Ian cumprimentando, distraído, aqueles a quem conhecia, evitando ser interrompido, mas parando aqui e ali para uma reverência ou um aperto de mão, sem querer demonstrar que se encaminhava diretamente na direção de Elizabeth. Seu avô, inteirado do plano quando ainda estavam na carruagem, enfrentava tudo com grande desenvoltura.

— Stanhope! — chamou alguém. — Apresente-nos ao seu neto!

Ian começou a ficar irritado com toda aquela estúpida farsa. Já fora apresentado à maioria das pessoas como Ian Thornton, e a maneira como fingiam que isso *não* acontecera era enervante. Mas suportou tudo para o bem das aparências.

— Como tem passado, Wilson? — perguntou numa das inumeráveis pausas. — Suzanne... — acrescentou, sorrindo para a esposa de Wilson, enquanto observava Elizabeth com o canto do olho.

Ela não se movera; na verdade, parecia incapaz de qualquer movimento. Alguém lhe dera uma taça de champanhe e ela a segurava, sorrindo para Jordan Townsende, que parecia diverti-la. Mesmo daquela distância, Ian percebia que seu sorriso carecia de luminosidade natural, e sentiu um aperto no coração.

— Sim, teremos de combinar isso — ouviu-se dizendo a alguém que o convidara para uma visita, e aquilo foi a gota d'água.

Virou-se na direção de Elizabeth, e seu avô encerrou rapidamente a conversa com um de seus amigos. No instante em que Ian começou a seguir para onde ela estava, os murmúrios no salão atingiram um volume sem precedentes.

Alexandra lançou um olhar preocupado para a amiga e, depois, para Jordan.

— Convide Elizabeth para dançar, por favor! — pediu-lhe em desespero. — Pelo amor de Deus, tire-a daqui! Aquele monstro está vindo direto para cá!

Jordan hesitou e olhou para Ian. E alguma coisa, na expressão do amigo, o fez vacilar e balançar a cabeça.

— Vai dar tudo certo, meu bem — prometeu apenas com uma leve pontada de dúvida enquanto se adiantava para cumprimentar Ian, como se já não tivessem se encontrado no clube horas antes. — Permita-me apresentar-lhe minha esposa — disse.

Ian virou-se para a linda jovem de cabelos castanhos que o encarava com faíscas nos enormes olhos azuis.

— Muito prazer — murmurou, levando-lhe a mão aos lábios e sentindo a pressão que ela fez para retirá-la.

A duquesa-mãe aceitou os cumprimentos de Ian com um gesto que poderia ser considerado, com um grande esforço da imaginação, um breve meneio da imperiosa cabeça coberta de cabelos brancos.

— Eu *não* tenho prazer em conhecê-lo — disparou.

Ian suportou a rejeição das duas damas e, depois, aguardou enquanto Jordan o apresentava aos outros. Uma jovem chamada Georgina fez-lhe uma breve reverência com os olhos convidativos. E a outra, chamada Valerie, logo após ser apresentada, deu um passo para trás, estremecendo sob o olhar gélido que Ian lhe enviou enquanto fazia uma rápida reverência. Mondevale foi o seguinte, e o lampejo de ciúme que Ian sentira ao vê-lo desapareceu assim que reparou em Valerie pendurando-se possessivamente no braço do jovem visconde. *"Acho que Valerie fez tudo isso porque queria Mondevale para si"*, lembrou-se de Elizabeth dizendo.

Elizabeth observou toda a cena com leve interesse, e nenhuma emoção. Finalmente, Ian postou-se diante dela, e, no momento em que seus olhos se encontraram, ela começou a tremer.

— Lady Elizabeth Cameron — apresentou Jordan.

Um sorriso cruzou lentamente o rosto de Ian, e ela se preparou para ouvi-lo dizer alguma zombaria. Mas a voz dele estava repleta de admiração quando falou bem alto para ser ouvido pelas outras damas:

— Lady Cameron, vejo que continua mantendo todas as outras mulheres nas sombras. Permita-me apresentar-lhe meu avô...

Elizabeth *sabia* que aquilo só podia ser um sonho. Ele não apresentara o avô a mais ninguém, e a honraria foi devidamente observada por todos os presentes.

Quando Ian se afastou, ela se curvou de alívio.

— Bem! — disse a viúva, com relutante aprovação, observando-o pelas costas. — Ouso dizer que ele até que se saiu muito bem. Vejam — acrescentou minutos depois —, está guiando Evelyn Makepeace para uma dança. E, se Evelyn concordou em dançar com ele, significa que foi aprovado.

Um risinho nervoso subiu pela garganta de Elizabeth. Como se Ian Thornton sequer se importasse em ser aprovado ou não! Porém, seus pensamentos desencontrados foram interrompidos pelo segundo homem a convidá-la para dançar naquela noite. Com uma elegante reverência e um caloroso sorriso, o Duque de Stanhope ofereceu-lhe o braço.

— A senhorita me daria a honra desta dança, Lady Cameron? — perguntou, ignorando despreocupadamente sua obrigação de dançar primeiro com as damas mais velhas.

Ela pensou em recusar. Mas havia um quê de urgência, quase uma súplica, no olhar do duque ao pressentir que ela hesitava. E, relutante, pousou a mão enluvada no braço dele.

Enquanto avançavam através da multidão, Elizabeth concentrava-se em manter a mente vazia. E teve tanto sucesso na empreitada que, só quando chegaram ao meio do salão, ela se deu conta de que os passos do duque eram bem mais lentos do que o necessário. Emergindo da letárgica desgraça em que mergulhara, lançou um olhar preocupado para o rosto ainda atraente do duque, que sorriu.

— É um antigo ferimento de equitação — explicou, obviamente adivinhando a causa da preocupação dela. — Já estou acostumado a lidar com isso e não irei nos envergonhar durante a dança.

Enquanto falava, enlaçou-lhe a cintura e levou-a para o meio dos dançarinos com uma graça nata. Porém, quando estavam protegidos dos olhares curiosos, misturando-se aos outros dançarinos, o duque ficou sério.

— Ian encarregou-me de lhe dar um recado — falou num tom gentil.

Elizabeth refletiu, não pela primeira vez, que, durante cada um daqueles cinco dias que passara na companhia de Ian, ele conseguira virar suas emoções pelo avesso, e ela não estava disposta a permitir que isso tornasse a acontecer. Ergueu os olhos, fitando o duque com cortesia, mas sem o menor sinal de interesse em ouvir o recado de Ian.

— Ele me pediu que lhe dissesse para não se preocupar — explicou o duque. — Tudo o que precisa fazer é ficar no baile por mais ou menos uma hora e confiar nele.

Elizabeth perdeu totalmente o controle de sua expressão; os olhos arregalaram-se de espanto e os ombros delicados sacudiram-se com o riso provocado em parte pelo nervosismo, em parte pela exaustão.

— *Confiar* nele? — repetiu. Sempre que estava perto de Ian, sentia-se como um joguete nas mãos dele, sendo atirada para a direção que ele quisesse, e estava cansada daquilo. Sorriu novamente para o duque e balançou a cabeça diante do absurdo que aquele recado sugeria.

Entre os dançarinos que estavam próximos o suficiente para ver o que acontecia, reparou-se, sendo imediatamente comentado, que Lady Cameron parecia encontrar-se em termos muito amigáveis com o Duque de Stanhope. E também não passou despercebido a todos, embora com certa relutância e desconforto, que a jovem dama estava recebendo o apoio não apenas de uma, mas de *duas* das famílias mais influentes da Inglaterra.

Ian, que, antes mesmo de colocar os pés naquele salão, adivinhara como funcionaria a mente coletiva da sociedade, postara-se no meio da multidão, recorrendo a toda a sua habilidade para assegurar que seus pensamentos continuassem tomando o rumo que ele lhes apontava. Como não podia deter os rumores sobre seu relacionamento com Elizabeth, decidira indicar-lhes uma nova direção. Com uma cordialidade indulgente, que jamais demonstrara diante da corte, ele aceitava tranquilamente as lisonjas enquanto, vez por outra, lançava a Elizabeth longos olhares de admiração.

Seu evidente interesse pela jovem, aliado ao sorriso sociável, logo despertou indagações daqueles que se reuniam para falar com o novo herdeiro do prestígio dos Stanhope. Estavam tão estimulados pela atitude dele, e tão ansiosos em ser os primeiros a espalhar a novidade sobre o relacionamento de Ian com Elizabeth, que vários até se arriscaram em algumas hesitantes brincadeiras. Lorde Newsom, um rico janota que grudara em Ian, seguiu seu olhar numa das ocasiões em que ele o dirigira a Elizabeth e arriscou-se a comentar num tom divertido de quem troca confidências masculinas:

— Ela é mesmo sensacional, não acha? Tornou-se o principal assunto da cidade quando você a levou para uma tarde a sós naquele chalé isolado, dois anos atrás.

Ian esboçou um sorriso e bebeu um gole de champanhe, mantendo os olhos sempre fixos na jovem que dançava.

— É mesmo? — indagou num tom divertido e alto o suficiente para atingir os ouvidos ávidos dos cavalheiros que o rodeavam.

— Sim, é verdade.

— E será que eu gostei?

— Como disse?

— Perguntei se gostei de estar a sós com ela naquele chalé.

— Ora, por que pergunta? Vocês estavam juntos.

Em vez de negar, o que jamais os convenceria, Ian deixou que o comentário permanecesse no ar até que outro cavalheiro intercedesse:

— Bem, vocês *não* estavam juntos então?

— Não — admitiu Ian com um sorrisinho que conspirava pesar. — Mas não foi por falta de tentativas de minha parte.

— Pare com isso, Kensington — censurou outro cavalheiro com escárnio. — Não adianta querer proteger a dama agora. Afinal, você foi visto com ela na estufa do jardim.

Controlando o impulso de socá-lo no nariz, Ian arqueou a sobrancelha, zombeteiro.

— Como já lhes disse, eu bem que tentei ficar a sós com ela.

Sete rostos masculinos imobilizaram-se, fitando-o com uma incredulidade que logo se transformou em decepção; mas, um instante depois, tal incredulidade deu lugar a uma perplexa gratidão quando o novo marquês pediu o conselho *deles*.

— Fico imaginando — comentou Ian, como se pensasse em voz alta — se ela daria mais atenção a um marquês do que dedicou a um mero cavalheiro.

— Por Deus, homem! — riu um deles, sarcástico. — Com a promessa do altar, ganhará qualquer mulher que desejar.

— Com a promessa do altar? — repetiu Ian, franzindo a testa. — Então, posso presumir que, em sua opinião, Lady Cameron não aceitaria nada menos do que o casamento?

O homem, que não havia pensado naquilo até aquele momento, agora assentiu, concordando, embora não estivesse muito certo de como chegara a tal ponto.

Quando Ian se afastou, deixou atrás de si um grupo de cavalheiros firmemente convencidos de que o Marquês de Kensington fora rejeitado por Lady Cameron na época em que não possuía qualquer título. E *aquele* mexerico pareceu-lhes muito mais interessante do que o anterior, de que ele a havia seduzido.

Com democrática imparcialidade, todos passaram a compartilhar suas errôneas conclusões com qualquer um que estivesse disposto a ouvir. E todos estavam mais do que ansiosos. Em apenas trinta minutos, o salão vibrava com perguntas e especulações sobre aquela nova informação, e vários cavalheiros começavam a observar Elizabeth com interesse renovado. Dois jovens apresentaram-se, hesitantes, ao avô de Ian, requisitando uma apresentação formal a ela e, pouco depois, Ian viu-a sendo escoltada para o meio do salão por um deles, com o satisfeito consentimento do duque. Sabendo que fizera tudo o que podia para conter os rumores sobre ela naquela noite, Ian dedicou-se ao outro único ritual que teria de suportar antes que pudesse tirá--la para dançar sem expô-la a mais uma onda de censura: dançou com sete damas, das mais variadas idades e de reputações impecáveis.

Quando as danças obrigatórias se encerraram, Ian fez um leve gesto de cabeça para Jordan Townsende, indicando o balcão do terraço. Era o sinal que, instruído pelo duque, seu amigo aguardava.

Do lugar que ocupava no grupo dos Townsende, Elizabeth não reparou em nada daquilo, permitindo que as conversas girassem à sua volta. Num bem-vindo estado de fantástica tranquilidade, ela ouvia os diversos cavalheiros que pareciam ter perdido a aversão por ela, mas suas únicas sensações genuínas eram o alívio de ver que os Townsende já não estavam mais relegados ao ostracismo e uma leve frustração pelo fato de que, quando perguntara a Jordan se poderiam ir embora, cerca de uma hora antes, ele olhara para o Duque de Stanhope, balançara a cabeça e respondera "Ainda não", muito gentilmente. Assim, fora forçada a permanecer ali, cercada de pessoas cujas vozes e rostos sequer penetravam em sua mente embotada, embora sorrisse e assentisse educadamente aos seus comentários e dançasse com alguns cavalheiros.

Enquanto dançava, não percebeu que o Duque de Stanhope passara as instruções para Jordan. Portanto, não sentiu nem mesmo um vago temor quando Jordan reconheceu o sinal enviado por Ian e, virando-se para Anthony Townsende, falou abruptamente:

— Creio que as damas apreciariam um pouco de ar fresco no terraço.

Alex enviou-lhe um rápido olhar indagador, mas pousou a mão no braço do marido, enquanto Elizabeth, obediente, permitia que Anthony a escoltasse. Acompanhado pelo Duque de Stanhope, o grupo de cinco pessoas atravessou o salão — como uma guarda de honra protegendo Elizabeth, planejada com antecedência pelo mesmo homem que desencadeara a necessidade de proteção.

O espaçoso balcão do terraço era cercado por uma alta balaustrada de pedra, e vários casais recostavam-se ali, desfrutando do ar agradável daquela noite sem luar. Em vez de sair pelas portas duplas diretamente para o balcão, como Elizabeth esperava, Jordan guiou o grupo para a extremidade direita, mais afastada do terraço, onde uma esquina levava à lateral da casa. Ele fez a curva e parou, bem como o restante do grupo. Grata por lhes ter proporcionado um pouco de privacidade, Elizabeth retirou a mão do braço de Tony e aproximou-se do balaústre. Alguns metros à sua esquerda, Jordan fez o mesmo, só que se virou de lado e apoiou o braço no balcão, com as costas bloqueando a visão de qualquer pessoa que decidisse caminhar para aquele lado da casa, como eles haviam feito. Pelo canto do olho, Elizabeth viu Jordan sorrir ternamente e falar com Alexandra, que se postara ao lado dele. Desviando o rosto, ela fitou a escuridão da noite, entregando-se à brisa inquieta e refrescante.

Logo atrás dela, onde Tony parara, uma sombra se moveu. Alguém segurou-a pelo braço e disse numa voz grave e suave:

— Dance comigo, Elizabeth.

Um súbito choque, que a fez enrijecer, derrubou a barreira de insensibilidade que a jovem tentava manter intacta. Sem mover o rosto, ela falou com muita calma e civilidade:

— O senhor me faria um enorme favor?

— Qualquer coisa.

— Vá embora. E fique longe de mim.

— Qualquer coisa, exceto isso — corrigiu o agora marquês com um leve sorriso na voz.

Elizabeth sentiu-o aproximar-se mais atrás de si e o tremor, que antes conseguira controlar tão bem, perpassou-a novamente, despertando seus sentidos do abençoado estado anestésico em que se encontravam até então. Os dedos de Ian acariciaram seu braço com delicadeza, e ele inclinou a cabeça sobre a dela.

— Dance comigo.

Naquele caramanchão, dois anos atrás, quando Ian pronunciara aquelas mesmas palavras, ela permitira que ele a tomasse nos braços. Agora, apesar de não se sentir mais totalmente rejeitada pela sociedade, continuava tateando no limiar do escândalo. Balançou a cabeça.

— Creio que não seria sensato.

— Nada do que fizemos foi sensato. Portanto, não estraguemos nosso recorde.

Ela tornou a menear a cabeça, recusando-se a virar de frente para ele, mas a pressão em seu braço aumentou, sem lhe dar outra escolha.

— Eu insisto — disse ele.

Relutante, ela se voltou para ele.

— Por quê?

— Porque — disse ele, sorrindo com ternura — já dancei com sete damas, todas elas horrorosas e de reputação ilibada, apenas para poder convidá-la sem o risco de causar mais rumores que a prejudicassem.

As palavras e sua suavidade a deixaram desconfiada.

— O que quis dizer com este último comentário?

— Sei de tudo o que lhe aconteceu depois daquele fim de semana em que estivemos juntos — respondeu Ian, gentil. — Sua dama de companhia, Lucinda, contou tudo para Duncan. Não, não fique assim tão ressentida. A única coisa que ela fez de errado foi contar a Duncan em vez de contar a mim.

O homem que lhe falava agora pareceu extremamente familiar: era o mesmo homem que Elizabeth conhecera dois anos atrás.

— Venha para dentro comigo — insistiu ele, pressionando-lhe um pouco mais o braço. — E deixe-me reparar todos os meus erros.

Ela permitiu que ele a levasse apenas alguns passos adiante, mas parou, hesitando.

— Isto é um erro — disse. — Todos vão nos ver e pensar que começamos tudo de novo...

— Não vão pensar nada disso — prometeu ele. — Há um boato espalhando-se como fogo lá dentro, de que tentei conquistá-la há dois anos, mas, como não possuía nenhum título de nobreza, não tive a menor chance. Como obter um título é quase uma tarefa sagrada para a maioria deles, todos vão admirar seu bom senso. E, agora que possuo um título, é de se esperar que eu o utilize para conseguir o que me foi negado anteriormente, como forma de curar meu ego ferido. — Estendeu a mão, afastando um fio de cabelo da face rosada de Elizabeth, e acrescentou: — Sinto muito, mas fiz o melhor que pude. Afinal, fomos vistos numa situação comprometedora. Já que ninguém acreditaria que *nada* aconteceu, ao menos consegui levá-los a pensar que eu estava tentando conquistá-la, mas que você estava se esquivando.

Elizabeth desvencilhou-se do seu toque, mas não afastou a mão dele.

— Você não entende. O que está acontecendo comigo hoje não é nada além do que mereço. Eu conhecia as regras e as transgredi quando fui encontrá-lo no chalé. Você não me forçou a ficar, Ian. Fui eu que rompi as regras e...

— Elizabeth — interrompeu Ian, a voz repleta de remorso —, se não quiser fazer mais nada por mim, pelo menos pare de me exonerar da culpa por aquele fim de semana. Isso eu não posso suportar. Forcei-a muito mais do que você é capaz de compreender.

Embora quisesse beijá-la, Ian teria de se satisfazer em tentar convencê-la de que seu plano daria certo, pois agora precisaria da ajuda dela para garantir que fosse bem-sucedido. Num tom de brincadeira, acrescentou:

— Acho que está subestimando meu dom para estratégia e subterfúgios. Venha dançar comigo e poderei lhe provar com que facilidade a maioria das mentes masculinas naquele salão foi habilmente manipulada.

Ela assentiu e, embora sem muito interesse ou entusiasmo, permitiu que ele a guiasse através das portas duplas, de volta ao salão.

Apesar de sua autoconfiança, momentos depois que voltaram para o baile, Ian reparou na crescente frieza dos olhares que lhes eram dirigidos e sentiu um lampejo de genuíno sobressalto — até que olhou para o rosto de Elizabeth, quando a tomou nos braços para uma valsa, e percebeu a causa de tudo aquilo.

— Elizabeth — cochichou num tom de urgência —, pare de agir com tanta timidez! Empine o nariz, me ignore ou flerte comigo, mas não se faça de humilhada, ou estas pessoas interpretarão sua timidez como culpa.

Ela, que estivera mantendo os olhos fixos nos ombros dele, da mesma forma que agira com seus outros pares daquela noite, afastou um pouco a cabeça e o encarou.

— O quê? — indagou, confusa.

Ian sentiu um aperto no coração quando a luz dos candelabros revelou a profunda mágoa naqueles límpidos olhos verdes. Percebendo que nem a lógica nem os conselhos iriam ajudá-la a se comportar da forma que ele tanto precisava, tentou a tática que, na Escócia, a fizera parar de chorar e começar a rir: passou a provocá-la. Procurando depressa um tópico, apressou-se em dizer:

— Belhaven está muito elegante com aquelas pantalonas de cetim cor-de-rosa. Até perguntei o nome do alfaiate dele, pois desejo encomendar umas idênticas para mim.

Elizabeth fitou-o como se ele tivesse enlouquecido; mas finalmente captou o conselho que ele dera sobre a timidez e começou a entender o que Ian esperava que fizesse. Isso — somado à imagem cômica de um homem alto e viril como ele usando um par de ridículas calças cor-de-rosa — provocou-lhe um leve sorriso.

— Também estou muito admirada com aquelas calças — disse. — Pretende encomendar a casaca amarela de cetim para complementar o traje?

Ele sorriu.

— Estive pensando em... púrpura.

— Uma combinação incomum — retrucou ela, com suavidade. — Mas tenho certeza de que provocará inveja em muita gente.

Ian encheu-se de orgulho ante a bravura que ela exibia. A fim de impedir-se de dizer tudo o que pretendia lhe falar em particular no dia seguinte, procurou outro assunto que a mantivesse distraída. Mencionou a primeira pessoa que avistou:

— Devo presumir que a Valerie a quem fui apresentado esta noite é a mesma responsável por nossos bilhetes?

Percebeu o erro que cometera no instante em que os olhos de Elizabeth tornaram a se nublar. Ela seguiu o olhar dele.

— É, sim — respondeu.

— Acha que devo pedir a Willington que esvazie o salão para que você possa dar os vinte passos exigidos? Serei o seu padrinho, é claro.

Elizabeth deu um risinho fraco e abafado.

— Ela está usando um laço? — perguntou.

Ian olhou na direção de Valerie e balançou a cabeça.

— Temo que não.

— E brincos? Ela está usando brincos?

Ele olhou novamente e franziu a testa.

— Não sei se aquilo é um brinco ou uma verruga.

— Bem, não é um alvo *muito* grande, mas talvez eu consiga... — Finalmente, o sorriso de Elizabeth refletiu-se em seu olhar.

— Dê-me a honra de agir em seu lugar — retrucou ele, sério, e ela riu.

Os últimos acordes da valsa ressoaram e, enquanto afastavam-se do salão de dança, Ian reparou que Mondevale se aproximava do grupo dos Townsende, que havia retornado do terraço.

— Agora que é marquês — começou Elizabeth —, pretende morar na Escócia ou na Inglaterra?

— Aceitei apenas o título, mas não o dinheiro nem as terras — respondeu ele, distraído, ainda observando Mondevale. — Mas vou lhe explicar tudo amanhã, em sua casa. Mondevale vai convidá-la para dançar assim que nos aproximarmos dos Townsende; por isso, preste atenção: tornarei a pedir que dance comigo mais tarde. E você deve recusar.

Ela lhe lançou um olhar intrigado, mas assentiu.

— Mais alguma coisa? — indagou quando ele estava prestes a deixá-la com seus amigos.

— Há muito mais, mas terão de esperar até amanhã.

Confusa, Elizabeth voltou a atenção para o Visconde Mondevale.

Alex vira Elizabeth e Ian dançando, mas seus pensamentos estavam em outro lugar. Momentos antes, ela dissera ao marido o que pensava de Ian Thornton, que primeiro destruíra a reputação de Elizabeth e, agora, permitia que ela tivesse a impressão errada de que ele continuava sendo um homem de posses bastante modestas. Em vez de concordar que Thornton não tinha quaisquer princípios, Jordan afirmara, com toda a tranquilidade, que Ian tinha a intenção de acertar tudo com Elizabeth no dia seguinte. Depois, fizera com que Alex e a duquesa-mãe prometessem não dizer nada a Elizabeth antes que Ian tivesse a oportunidade de conversar com ela. Voltando seus pensamentos para o baile, Alex esperava, acima de tudo, que Ian Thornton não fizesse mais nada para magoar sua querida amiga.

No FINAL DA NOITE, a maioria dos convidados do baile dos Willington chegara a diversas conclusões. Primeiro, que Ian Thornton era realmente o neto legítimo do Duque de Stanhope (algo em que todos afirmavam sempre ter acreditado); segundo, que parecia bastante provável que Elizabeth Cameron recusara as investidas escandalosas de Thornton dois anos atrás (algo em que todos afirmavam sempre ter acreditado). E, terceiro, tendo rejeitado o segundo convite de Ian para dançar, talvez Elizabeth preferisse seu pretendente anterior, o Visconde Mondevale (algo em que, dificilmente, alguém poderia *de fato* acreditar).

Capítulo 22

Bentner levou uma travessa de bolinhos para a saleta de estar e a deixou diante de Elizabeth e Alex, que continuavam à mesa conversando sobre o baile da noite anterior. Lucinda, que raramente comia pela manhã, sentara-se no sofá da estreita janela, dedicando-se, tranquila, a seu bordado enquanto ouvia a conversa.

A saleta de estar, como todos os cômodos da espaçosa casa na Rua Promenade, era decorada nos tons que Julius Cameron definia como "práticos": cinza e marrom. Naquela manhã, entretanto, havia um luminoso arco-íris colorindo o centro da sala, onde as jovens sentavam-se à mesa coberta com uma toalha de linho amarela: Alex, com um delicado vestido rosado, e Elizabeth, com um robe matinal de cor verde-menta.

Normalmente, Bentner sorriria de aprovação diante do lindo retrato formado pelas jovens, mas, naquele dia, ao deixar a manteiga e a geleia sobre a mesa, ele trouxe notícias desagradáveis. Além disso, preparava-se para fazer uma confissão. Retirou o pano que cobria os bolinhos ao mesmo tempo que começava a falar:

— Tivemos uma visita ontem à noite — disse para Elizabeth. — Bati a porta nas ventas dele.

— Quem era?

— Um tal Sr. Ian Thornton.

Elizabeth conteve uma risadinha horrorizada ante a imagem que lhe veio à mente. Antes que pudesse fazer qualquer comentário, Bentner acrescentou, enfático:

— Mais tarde, arrependi-me de ter agido com tanta precipitação! Eu deveria tê-lo convidado a entrar, oferecido uma bebida e, então, ter despejado um pouco daquele pó purgativo no copo dele. O homem ficaria um mês com dor de barriga.

— Bentner — exclamou Alex —, você é um gênio!

— É melhor não encorajar as fantasias dele, Alex — avisou Elizabeth. — Bentner gosta tanto de romances de mistério que, de vez em quando, esquece que as histórias nem sempre são plausíveis na vida real. Sabe que ele fez uma coisa assim com meu tio certa vez?

— Sim, e ele não apareceu em Havenhurst por seis meses — afirmou Bentner, cheio de orgulho.

— E, quando aparece — lembrou Elizabeth, franzindo a testa para demonstrar severidade —, recusa-se a comer ou beber qualquer coisa.

— E é por isso que nunca fica muito tempo — argumentou Bentner, impassível.

Como era seu hábito sempre que o futuro da jovem patroa estava em discussão, Bentner demorou-se um pouco a fim de dar sugestões que, por acaso, pudessem lhe ocorrer. E, uma vez que Elizabeth sempre apreciara seus conselhos e sua assistência, não lhe causava estranhamento o fato de um mordomo sentar-se à mesa e participar da conversa quando a única convidada presente era alguém a quem conhecia desde criança.

— É daquele odioso Belhaven que temos de nos livrar primeiro — disse Alexandra, retomando a conversa inicial. — Ele nos rondou a noite inteira ontem, encarando qualquer um que se aproximasse de você. — Encolheu os ombros. — E a maneira como ele a olha é revoltante. Pior do que isso, ele é quase assustador.

Ouvindo isso, os olhinhos idosos de Bentner tornaram-se pensativos. Lembrou-se de algo que lera num de seus romances preferidos.

— Talvez seja uma solução um pouquinho extrema — falou —, mas, como último recurso, poderia funcionar.

Dois pares de olhos voltaram-se para ele com interesse, e ele prosseguiu:

— Li em *O cavalheiro nefasto*. Faremos com que Aaron sequestre esse Belhaven em nossa carruagem e o leve direto para as docas. Então, nós o venderemos ao pelotão de recrutamento.

Balançando a cabeça com divertida afeição, Elizabeth argumentou:

— Duvido que ele concorde em acompanhar Aaron sem mais nem menos.

— E não creio — acrescentou Alex, seu sorriso encontrando o da amiga — que um pelotão de recrutamento de soldados concordasse em aceitá-lo. Não devem estar tão desesperados.

— Bem, sempre podemos contar com a magia negra — sugeriu Bentner. — No livro *Relações mortais*, havia um praticante de antigos rituais que lançou uma maldição terrível sobre seu inimigo. Vamos precisar de algumas caudas de ratos, se bem me lembro, e de línguas de...

— Não — interrompeu Elizabeth, encerrando o assunto.

— ... de lagartos — concluiu Bentner, teimoso.

— Não e não — retrucou a patroa.

— E bolor fresco de sapo, mas acho que isso deve ser difícil de conseguir. No romance, eles não explicam como distinguir o bolor fresco do...

— Bentner! — exclamou Elizabeth, rindo. — Você vai nos fazer desmaiar se não parar com isso!

Quando Bentner bateu em retirada, em busca de um pouco de privacidade para procurar soluções mais práticas, Elizabeth olhou para Alex.

— Caudas de ratos e línguas de lagartos — disse rindo. — Não é à toa que Bentner insiste em manter uma vela acesa em seu quarto durante toda a noite.

— Ele deve ficar com medo de fechar os olhos depois de ler todas essas coisas — concordou Alex, mas seus pensamentos retornaram ao baile da noite anterior. — Uma coisa é certa, Elizabeth: eu tinha razão em querer reintegrá-la à sociedade. Não foi tão fácil quanto pensei, mas tenho certeza de que você receberá propostas de casamento em poucos dias, então o que precisamos fazer é decidir de quem você mais gosta e desejaria encorajar. Acho — continuou num tom suave — que se você ainda quiser Mondevale...

Elizabeth balançou a cabeça, enfática.

— Não quero ninguém, Alex. E estou falando sério.

A duquesa-mãe, que chegara para acompanhar Alex num passeio de compras, irrompeu na saleta logo atrás de um assustado lacaio, a quem dispensou com impaciência quando ele se ofereceu para anunciá-la.

— O que está dizendo, Elizabeth? — inquiriu ela, extremamente desapontada ao ver que todos os seus esforços talvez tivessem sido em vão.

Elizabeth assustou-se ao ouvir aquela voz majestosa. Vestida em tons de cinza-prateado da cabeça aos pés, ela exalava fortuna, autoconfiança e nobreza. Elizabeth ainda a considerava a mulher mais intimidadora que já conhecera, porém, assim como Alex, começava a perceber a cordialidade que se escondia sob o eterno tom de desaprovação em sua voz.

— O que Elizabeth quer dizer — explicou Alex enquanto a duquesa-mãe se sentava e ajeitava as saias de seda — é que seu retorno à sociedade aconteceu há apenas um dia. Depois das experiências desafortunadas com Monde-vale e com o Sr. Thornton, é natural que hesite em expor seus sentimentos.

— Está enganada, Alexandra — afirmou a viúva, categórica, examinando o rosto de Elizabeth. — O que ela quer dizer, creio eu, é que não tem a menor intenção de se casar com ninguém, seja agora ou no futuro, se puder evitar.

O sorriso de Elizabeth desapareceu, mas ela não pretendia mentir.

— Exatamente — disse baixinho, passando manteiga num bolinho.

— Grande tolice, minha cara. Você deve e precisa se casar.

— Vovó tem toda a razão — intercedeu Alexandra. — Não pode perma-necer solteira na sociedade sem correr o risco de deparar com todo tipo de aborrecimentos. Acredite em mim, eu sei!

— É isso mesmo! — concordou a duquesa-mãe, entrando no assunto que provocara sua chegada antecipada. — E é por isso que decidi que deve consi-derar o Marquês de Kensington como pretendente.

— Quem? — indagou Elizabeth, e só então reconheceu o novo título de Ian. — Não, muito obrigada. Sinto-me aliviada por tudo ter dado certo e muito grata pela ajuda dele, mas não passa disso.

Ignorou o pulsar mais forte de seu coração quando se lembrou de como ele estava bonito na noite anterior e de quanto fora gentil. Mas Ian só lhe causara tristezas desde que o conhecera. Era um homem imprevisível e despótico. Além do mais, tendo visto a terna intimidade que Alex parecia compartilhar com Jordan, Elizabeth começava a questionar se realmente era correto sair em busca de um marido como algo meramente pragmático. Lembrava-se muito pouco do belo e alegre casal que seus pais foram; eles entravam e saíam de sua vida num redemoinho de obrigações sociais, que os mantinham mais tempo longe de casa do que em companhia dos filhos.

— Grata? — repetiu a duquesa-mãe. — Pois eu não usaria esta palavra. Além disso, ele não manejou a situação tão bem quanto deveria. Não deveria tê-la convidado para dançar, por exemplo.

— Pareceria mais estranho se ele não o fizesse — admitiu Alex, relutan-te. — Entretanto, de minha parte, estou imensamente aliviada em saber que Elizabeth não se interessa por ele.

A duquesa-mãe franziu a testa, surpresa.

— Por quê?

— Não posso obrigar meu coração a perdoá-lo por tudo o que causou à minha amiga — respondeu Alex, e lembrando-se novamente de que ele deixara Elizabeth acreditar que morava num modesto chalé na Escócia, acrescentou: — E não consigo confiar nele. — Virou-se para Lucinda, então, e pediu sua opinião.

Lucinda, a quem Elizabeth já inteirara sobre os feitos de Ian durante o baile, ergueu os olhos do seu bordado.

— No que tange ao Sr. Thornton — disse, despreocupada —, prefiro abster-me de fazer um julgamento por enquanto.

— Não estou sugerindo — falou a duquesa-mãe, irritada com a inédita oposição — que você se atire em seus braços caso ele proponha casamento. Afinal, o comportamento dele, exceto pela noite de ontem, sempre foi censurável. — Calou-se quando Bentner surgiu na porta com uma expressão que revelava raiva e contrariedade.

— O seu tio está aqui, Srta. Elizabeth.

— Não precisa me anunciar, diabos — informou Julius, marchando para dentro da saleta de estar. — Esta casa é *minha.*

Elizabeth ficou de pé, com a intenção de acompanhar o tio até uma sala mais reservada, onde pudesse ouvir em particular quaisquer que fossem as notícias angustiantes que ele trazia. Porém, Julius parou na soleira da porta, corando um pouco ao reparar que a sobrinha estava na presença de outras damas.

— Você viu Ian Thornton? — perguntou ele.

— Sim, por quê?

— Devo dizer que estou orgulhoso pela maneira como você está lidando com tudo. Tive medo de que subisse pelas paredes quando soubesse que não foi consultada antes. Há uma fortuna envolvida, e não vou admitir que você faça um dramalhão e o obrigue a exigir o dinheiro de volta.

— Sobre o que o senhor está falando?

— Talvez seja melhor nós sairmos — sugeriu Alexandra.

— Não, não é necessário ficarmos a sós — disse ele, mexendo no nó da gravata e mostrando-se subitamente apreensivo, o que não era de seu feitio. — Gostaria de discutir este assunto com Elizabeth diante de suas amigas. Isto é, as senhoras são amigas dela, não?

Elizabeth teve a terrível impressão de que ele contava com suas convidadas para impedi-la de "fazer uma cena", como Julius costumava descrever qualquer tipo de oposição verbal de sua parte, mesmo que fosse a mais discreta possível.

— Vamos até a sala de visitas, onde teremos mais espaço — acrescentou ele num tom de ordem, não de convite.

A expressão da duquesa-mãe tornou-se gélida diante de tanto mau gosto e impertinência, mas, ao olhar para Elizabeth, ela reparou na súbita imobilidade e no temor estampado em seu rosto. Então, assentiu, concordando.

— Não adianta nos precipitarmos neste assunto — retomou ele enquanto atravessava o vestíbulo, seguido pelo pequeno grupo de mulheres.

Não era apenas o dinheiro que tanto satisfazia Julius Cameron; era a sensação de triunfo, pois, ao negociar com um homem tão astuto quanto Ian Thornton tinha a fama de ser, ele emergira como vitorioso absoluto.

— Creio que deva proceder às apresentações, Elizabeth — acrescentou ao entrarem na sala de visitas.

Elizabeth apresentou-o automaticamente à duquesa-mãe, a mente enviando-lhe insistentes sinais de alerta diante da ameaça desconhecida. E, quando ouviu o tio pedir um chá antes de dar início à conversa, o alarme transformou-se em pavor, pois Julius nunca mais bebera nada em sua companhia desde que Bentner colocara o purgante em sua bebida. Percebeu que ele tentava ganhar tempo antes de começar a explanação. E isso só podia significar que a notícia seria de grande importância.

SEM SEQUER REPARAR no pitoresco parque que atravessavam a caminho do endereço de Elizabeth, Ian batia com as luvas contra o joelho num gesto distraído. Por duas vezes, jovens damas que ele conhecera na noite anterior acenaram-lhe, mas ele nem se deu conta disso. Sua mente ocupava-se com as explicações que pretendia dar a Elizabeth. Teria de convencê-la a todo o custo de que não pretendia casar-se com ela por piedade ou culpa, pois Elizabeth não era apenas linda, mas também era orgulhosa; e aquele orgulho poderia fazê-la discordar do noivado. Ela também era cheia de coragem e teimosia e não iria gostar nem um pouco de descobrir que o acordo de casamento já era fato consumado. Ian sabia que não poderia culpá-la por isso. Afinal, ela fora a jovem mais requisitada que aparecera no cenário de Londres dois anos atrás e merecia ser cortejada com toda a pompa e cerimônia.

Sem dúvida, iria mostrar-se um pouco vingativa, fingindo que não o queria, mas aquilo não o preocupava. Eles desejavam um ao outro desde aquela primeira noite no jardim, e todas as outras vezes que se encontraram. Ela era toda inocência e coragem, paixão e timidez, fúria e perdão. Era serena e majestosa num salão de baile, esperta e habilidosa com uma arma nas mãos, apaixonada e doce em seus braços. Elizabeth era tudo isso e muito mais.

E ele a amava. Se fosse honesto, teria de admitir que a amou desde o instante em que a vira enfrentando um bando de homens irados naquela sala de jogos — uma jovem princesa dourada, superada pela multidão de seus subordinados, diminuída em seu porte, desprezando-lhes a atitude.

E ela também o amava. Era a única explicação para tudo o que acontecera no fim de semana em que se conheceram e, depois, nos três dias que passaram juntos na Escócia. A diferença estava no fato de que Elizabeth não tinha a vantagem dos anos e da experiência de Ian — ou de sua criação. Ela era uma jovem inglesa superprotegida, criada para acreditar que a emoção mais intensa que duas pessoas poderiam ou deveriam sentir entre si era uma "afeição duradoura".

Ela não sabia e, portanto, não conseguia compreender que o amor era um presente que lhes fora dado num jardim iluminado por tochas, na noite em que se conheceram.

Um sorriso tocou-lhe os lábios ao se lembrar dela naquela noite; ela era capaz de enfrentar uma sala repleta de homens, mas, quando flertara com ele, estava tão nervosa que tivera de enxugar as palmas das mãos úmidas na saia. Aquela era uma das lembranças mais doces que ele guardava.

Continuou sorrindo, zombando de si mesmo. Em todas as outras facetas da vida, ele sempre se mostrava frio e prático; porém, quando se tratava de Elizabeth, tornava-se alternadamente cego e reacionário ou, como agora, totalmente apaixonado. Em seu caminho para a casa dela, naquela manhã, parara numa famosa joalheria de Londres e fizera compras que deixaram o proprietário, o Sr. Phineas Weatherborne, perdido em algum ponto entre o êxtase e a incredulidade, acompanhando-o até a porta e fazendo uma reverência após outra. De fato, Ian levava um anel de noivado em seu bolso, mas apenas porque achava que não seria necessário utilizá-lo por enquanto. Não colocaria o anel no dedo de Elizabeth até que ela estivesse preparada para admitir que o amava ou que, pelo menos, queria se casar com ele. Seus próprios pais haviam se amado sem quaisquer reservas ou vergonha. Ian não queria menos do que isso de Elizabeth, o que era até um pouco estranho, pensou vagamente, considerando que não esperara o mesmo da parte de Christina.

O único problema que não o preocupava era a reação de Elizabeth ao descobrir que já estava prometida a ele, ou pior, que ele fora obrigado a pagar uma boa soma para consegui-la. Afinal, não havia motivos para ela saber da primeira parte ainda e, tampouco, para *jamais* descobrir a segunda. Ian deixara bem claro a Julius Cameron que fazia questão de cuidar de ambas as questões pessoalmente.

Todas as casas da Rua Promenade eram pintadas de branco, com grades de ferro ornamentais na frente. Embora nem de longe fossem tão imponentes quanto as mansões da Rua Upper Brook, formavam uma vizinhança agradável, com damas vestidas em tons pastel e modernos chapeuzinhos, passeando de braços dados com cavalheiros impecavelmente trajados.

Quando o cocheiro parou na frente da casa dos Cameron, Ian reparou em duas outras carruagens já estacionadas ali, mas não percebeu o coche de aluguel logo atrás dele. Antevendo com irritação o momento do confronto com o insolente mordomo de Elizabeth, começou a subir os degraus da frente quando ouviu a voz de Duncan chamando seu nome e virou-se, surpreso.

— Cheguei hoje de manhã — explicou Duncan, voltando-se para olhar, intrigado, para dois janotas que caminhavam afetadamente pela calçada, trajando casacos justos na cintura e camisas de colarinho alto, cuja frente era enfeitada com babados e rendas. — Seu mordomo me informou que estaria aqui. Eu pensei que... Isto é, quis saber como estariam as coisas.

— Só que, como meu mordomo não pode lhe dar essa informação — concluiu Ian, com divertida contrariedade —, você decidiu fazer uma visita a Elizabeth e descobrir por si mesmo, não é?

— É, mais ou menos — respondeu o vigário, muito calmo. — Acredito que Elizabeth me considere um amigo. Por isso, pensei em visitá-la e, se você não estivesse aqui, talvez falar uma palavrinha a seu favor.

— Só uma?

Mas o vigário não se deu por vencido. Na verdade, isso não era algo que costumava fazer, especialmente em questões de moralidade e justiça.

— Levando-se em conta a maneira como você a tem tratado, já foi bem difícil pensar em uma só que fosse. Então, como correram as coisas com seu avô?

— Muito bem — respondeu Ian, embora estivesse pensando no encontro com Elizabeth. — Ele está aqui em Londres.

— E?

— E — respondeu Ian, sarcástico — agora você pode dirigir-se a mim como "milorde".

— Pois eu vim para cá — insistiu Duncan, implacável — para poder chamá-lo de "noivo".

Um lampejo de aborrecimento atravessou o rosto bronzeado de Ian.

— Nunca desiste de me pressionar, não é? Consegui cuidar da minha vida por trinta anos, Duncan. Creio que agora posso me sair muito bem sozinho.

Duncan teve a gentileza de se mostrar ligeiramente envergonhado.

— Tem toda a razão, é claro. Devo ir embora?

Ian considerou os benefícios que a presença tranquilizadora de Duncan lhe traria, e balançou a cabeça, relutante.

— Não — respondeu enquanto subia os últimos degraus. — Na verdade, já que está aqui, pode nos anunciar para o mordomo. Não consigo passar por ele.

Duncan ergueu a aldrava para bater à porta e lançou um olhar zombeteiro ao sobrinho.

— Não consegue sequer passar pelo mordomo e acha que está se saindo muito bem sem mim?

Recusando-se a morder a isca, Ian permaneceu em silêncio. A porta abriu-se momentos depois, e o mordomo olhou educadamente de Duncan, que estava prestes a lhe dizer seu nome, para Ian. Para espanto e total incredulidade do vigário, a porta começou a ser fechada, mas, antes que batesse com um estrondo, Ian girou o corpo e mergulhou o ombro nela, fazendo o mordomo voar para dentro do vestíbulo, ricocheteando pela parede. Num tom baixo e ameaçador, ele falou:

— Vá avisar à sua senhora que estou aqui, ou irei procurá-la sozinho.

Com os furiosos olhos arregalados de indignação, o velho criado considerou o tamanho superior de Ian, bem como seu físico atlético, então virou-se e afastou-se com relutância na direção de um cômodo à esquerda, de onde ecoavam vozes abafadas.

Duncan arqueou as sobrancelhas grossas e grisalhas e comentou, sarcástico:

— É muito sensato de sua parte se dar tão bem com os criados de Elizabeth.

O grupo reunido na sala de visitas teve reações distintas ao anúncio de Bentner, que dizia: "Thornton está aqui e forçou a entrada na casa." A duquesa-mãe mostrou-se fascinada, Julius pareceu tanto aliviado como desolado, Alexandra, desconfiada, e Elizabeth, que continuava preocupada com o propósito ainda desconhecido daquela visita do tio, perplexa. Só Lucinda não demonstrou qualquer reação, embora deixasse o bordado de lado e erguesse o rosto atento para a porta.

— Traga-o até aqui, Bentner — falou Julius, e sua voz pareceu estranhamente alta naquele silêncio carregado de emoções.

Elizabeth espantou-se ao ver Duncan entrar na sala ao lado de Ian e levou um susto ainda maior quando Ian ignorou todos os presentes e foi diretamente até ela, examinando seu rosto.

— Espero que não esteja sofrendo nenhum efeito desagradável pela provação da noite passada — disse ele, gentil, ao tomar-lhe a mão e levá-la até os lábios.

Elizabeth achou que ele estava mais bonito do que nunca, usando uma casaca e um colete cor de ferrugem que realçavam seus ombros largos, calça num tom bege-claro envolvendo suas longas pernas e a camisa de seda creme, que enfatizava o bronzeado de seu rosto.

— Estou muito bem, obrigada — respondeu, tentando ignorar o calor que lhe subiu pelo braço quando Ian segurou sua mão por muito mais tempo do que o necessário, antes de soltá-la, relutante, e permitir que ela fizesse as apresentações.

Apesar das graves preocupações que a afligiam, Elizabeth sentia enorme divertimento ao apresentar Duncan. Todos exibiram a mesma reação de perplexidade que ela tivera quando descobrira que o tio de Ian era um clérigo. Julius quase engasgou, Alex arregalou os olhos e a duquesa-mãe fitou Ian com incredulidade, enquanto Duncan se inclinava para cumprimentá-la.

— Pelo que estou entendendo, Kensington — começou a duquesa-mãe —, você tem parentesco com um membro do clero?

Em resposta, Ian limitou-se a fazer uma reverência, com um leve arquear irônico das sobrancelhas. Duncan, entretanto, que estava desesperado para amenizar a tensão que pairava no ar, tentou, em vão, fazer uma brincadeira a esse respeito:

— Esta notícia sempre produz um efeito peculiar nas pessoas — falou, sorrindo.

— Não é necessário muito esforço para descobrir por quê — retrucou a duquesa-mãe, áspera.

Ian abriu a boca para dar àquela ultrajante megera a resposta merecida, mas a presença de Julius Cameron o deixava preocupado; no instante seguinte, a preocupação transformou-se em fúria quando o homem adiantou-se para o centro da sala e anunciou, sem rodeios:

— Agora que estamos todos juntos, não há mais motivos para dissimulações. Bentner, traga champanhe. Elizabeth, meus parabéns. Tenho certeza de que vai se comportar de maneira apropriada como esposa e não esbanjará todo o dinheiro que restou ao pobre homem.

No silêncio ensurdecedor que se seguiu, ninguém se moveu. Porém, para Elizabeth, era como se a sala inteira estivesse girando.

— O quê? — conseguiu ofegar, finalmente.

— Você está noiva.

Uma onda de fúria a invadiu em chamas ardentes, espalhando-se por todo o seu corpo.

— É mesmo? — perguntou com uma calma mortal, pensando em Sir Francis e Lorde John Marchman. — E será que posso saber de quem?

Atônita, viu o tio virar-se para Ian, que o encarava como se estivesse prestes a cometer um assassinato.

— De mim — respondeu ele, rápido, mantendo os olhos fixos em Julius.

— Já está decidido — avisou Julius, e, então, presumindo que ela ficaria tão satisfeita quanto ele ao descobrir o preço, acrescentou: — Ele pagou uma fortuna pelo privilégio de desposá-la. E eu nem precisei lhe dar um dote, nem um centavo sequer.

Elizabeth, que nem fazia ideia de que os dois homens se conheciam, encarou Ian com um misto de confusão e crescente fúria.

— O que significa isso?! — exigiu com um suspiro quase estrangulado.

— Significa — começou Ian, cauteloso, incapaz de acreditar que todos os seus planos românticos tinham ido por água abaixo — que nós estamos noivos. Os documentos do acordo de casamento já foram assinados.

— Ora, seu... seu arrogante, controlador... — Elizabeth lutava contra as lágrimas que a impediam de falar. — Você nem se deu ao trabalho de me *pedir* primeiro!

Com algum esforço, Ian afastou os olhos de Julius, sua vítima em potencial, e virou-se para Elizabeth, sentindo um aperto no peito ao ver a maneira como ela o encarava.

— Por que não nos retiramos para um local mais reservado, onde possamos conversar sobre isso? — sugeriu com gentileza, adiantando-se para segurar-lhe o braço.

Ela se desvencilhou com um gesto rápido, ofendida.

— Ah, não! — explodiu, seu corpo inteiro tremendo de ira. — Por que se preocupar com meus sentimentos agora? Você me transformou em motivo de risos desde o dia em que o conheci! Por que parar agora?

— Elizabeth — tentou interceder Duncan —, Ian quis apenas reparar o mal que lhe causou depois que soube do estado lastimável em que você...

— *Cale a boca*, Duncan! — ordenou Ian, furioso, mas era tarde demais. Elizabeth já arregalara os olhos, horrorizada com a ideia de ser alvo da piedade dele.

— E em que tipo de "estado lastimável" — inquiriu ela, os olhos magníficos reluzindo com lágrimas de humilhação e raiva — você acha que me encontro agora?

Ian segurou-a pelo cotovelo.

— Venha comigo ou eu a carregarei para fora daqui.

Vendo que ele falava sério, Elizabeth puxou o braço, mas assentiu.

— Como quiser! — disse com raiva.

Escancarando a primeira porta que encontrou, Ian empurrou Elizabeth para dentro do aposento. Ela marchou para o centro da saleta e cerrou os punhos com força.

— Seu monstro! — sibilou. — Como *ousa* sentir pena de mim?

Era exatamente a conclusão à qual Ian temia que ela chegasse, e a exata reação que esperava da jovem, que, na Escócia, fizera de tudo para que ele acreditasse que sua vida era um redemoinho de frívolos acontecimentos sociais e sua casa, um verdadeiro palácio. Esperando amenizar um pouco a intensa fúria que exalava dela, tentou distraí-la com argumentos lógicos sobre as palavras que ela escolhera.

— Existe uma grande diferença entre se arrepender de seus atos e sentir pena de quem sofreu por causa deles.

— Não se *atreva* a começar um jogo de palavras comigo! — explodiu ela com a voz trêmula.

Por dentro, Ian sorriu, orgulhoso, diante de toda aquela perspicácia. Mesmo naquele estado de descontrole, Elizabeth sabia quando estava sendo manipulada.

— Desculpe-me — apressou-se em dizer. Aproximou-se dela e Elizabeth foi se afastando, até que as costas tocaram uma cadeira. Parou, então, e o encarou. — Nada além da verdade nos servirá numa situação como esta — concordou ele, pousando as mãos em seus ombros rígidos. Sabendo que ela riria se tentasse convencê-la agora de que a amava, disse algo em que ela poderia acreditar: — E a verdade é que eu a quero. *Sempre* a desejei, e você sabe bem disso.

— *Odeio* essa palavra! — ofegou ela, tentando em vão livrar-se das mãos dele.

— Pois não creio que você saiba o que ela significa.

— Sei que você a pronuncia todas as vezes que tenta me submeter a você.

— E você sempre se desmancha em meus braços.

— Não vou me casar com você — falou ela, furiosa, enquanto a mente procurava um meio de escapar. — Não conheço você. Não confio em você.

— Mas você me deseja.

— Pare de dizer isso, maldição! O que eu *quero* é um marido idoso, já lhe falei. — gritou ela, dizendo a primeira coisa que lhe ocorreu para rejeitá-lo.

— Quero ter minha própria vida. E, mesmo sabendo disso, você, de repente, aparece na Inglaterra e... e me *compra* — calou-se, os olhos soltando faíscas.

— Não — retrucou ele com firmeza. — Apenas fiz um acordo com seu tio.

As lágrimas contra as quais ela tanto lutara começaram a brilhar em seus longos cílios.

— Não sou uma pobretona! — gritou. — Não sou uma p-pobretona... — repetiu, engasgando com o pranto incontrolável. — Eu tenho... tinha... um maldito dote. E se você foi e-estúpido a ponto de permitir que ele o enganasse, o azar é seu!

Ian não sabia se ria, se a beijava ou se assassinava aquele homem sem coração que era o tio dela.

— Como se atreve a fazer barganhas sem que eu sequer concorde? — continuou ela, acusando-o enquanto as lágrimas corriam soltas de seus fascinantes olhos. — Não sou uma escrava à venda, como meu tio imagina. E-eu teria encontrado um modo de evitar o casamento com Belhaven — gritou, enfática. — Conseguiria manter Havenhurst sozinha, sem a ajuda de tio Julius. Você não tinha o direito de negociar com ele, *não tinha*! No fundo, você não é melhor do que Belhaven!

— Você tem toda a razão — admitiu ele, sombrio, ansiando por tomá-la nos braços e absorver um pouco daquela dor.

Então, uma ideia lhe ocorreu: um possível meio de neutralizar parte da humilhação que ela sentia e diminuir sua resistência ao casamento. Lembrando-se de quanto ela se orgulhava da própria capacidade de barganhar com os comerciantes, tentou inseri-la nas negociações.

— Como disse, você é perfeitamente capaz de negociar por si mesma — disse, cauteloso. — Aceitaria negociar *comigo*, Elizabeth?

— Sem dúvida — disparou ela. — O acordo está anulado; eu recuso os termos. A negociação está encerrada.

Os lábios dele curvaram-se num leve sorriso, mas seu tom de voz foi conclusivo:

— Seu tio está determinado a se livrar de você e das despesas daquela propriedade que você tanto ama, e nada vai detê-lo. Sem ele, você não pode manter Havenhurst. Ele me explicou a situação em detalhes.

Embora balançasse a cabeça, negando, Elizabeth sabia da veracidade dos fatos. A sensação de desastre irreparável, contra a qual lutava havia semanas, começou a invadi-la por inteiro.

— Um marido é a única solução possível para os seus problemas.

— Não ouse sugerir que um homem seja a solução para os meus problemas! — exclamou ela. — Vocês são a causa de todos eles! Meu pai perdeu toda a fortuna da família no jogo e só me deixou dívidas; meu irmão desapareceu depois de me endividar ainda mais; você me beijou e destruiu minha reputação; meu noivo me abandonou ao ouvir os primeiros murmúrios do escândalo que *você* provocou; e meu tio está tentando me vender! No que me diz respeito — concluiu, cuspindo fogo —, os homens são excelentes parceiros de dança, mas, além disso, não vejo quaisquer utilidades para vocês. Na verdade, pensando melhor, são seres desprezíveis. No entanto, não dedicamos muito tempo a pensar nisso, por se tratar de um tópico tão deprimente.

— Infelizmente, somos a única alternativa — argumentou Ian. E, como não iria desistir, não importasse o que tivesse de fazer, acrescentou: — Neste caso, eu sou a *sua* única alternativa. Seu tio e eu já assinamos o contrato de casamento, e o dinheiro já foi transferido para ele. Entretanto, estou disposto a fazer um acordo com você em seus termos.

— E por que faria isso? — questionou ela com desdém.

Ele reconheceu naquela resposta a mesma hostilidade com que se deparava sempre que negociava com um homem orgulhoso que se via forçado pelas circunstâncias a vender algo que desejava manter. Como esses homens, Elizabeth sentia-se impotente, e, como eles, seu orgulho a forçaria a uma retaliação, dificultando o acordo o máximo que pudesse.

Em questões de negócios, Ian certamente não arruinaria sua própria posição dispondo-se a ajudar o oponente a enxergar o valor real daquilo que ele possuía e as vantagens que poderia auferir com a venda. Porém, no caso de Elizabeth, era exatamente o que pretendia fazer.

— Estou disposto a negociar com você — disse, com gentileza — pelo mesmo motivo por trás de qualquer negociação: você tem algo que eu quero. — Em seu desespero de querer provar que ela também tinha algum controle e que não estava de mãos vazias, acrescentou: — Algo que desejo muito, Elizabeth.

— E o que é? — indagou ela, cautelosa, porém boa parte do ressentimento que encobrira seu rosto adorável estava sendo substituída pela surpresa.

— Isto... — sussurrou ele. Suas mãos pressionaram-lhe os ombros com mais força, puxando-a para si, enquanto inclinava a cabeça e tocava-lhe a boca macia com um beijo lento, exigente, moldando sensualmente os lábios contra os dela. Embora Elizabeth demonstrasse uma teimosa recusa em corresponder, Ian logo sentiu a rigidez abandonando-a. Logo demonstrou quanto realmente a queria. Seus braços enlaçaram-na, pressionando-a contra seu corpo, enquanto a boca movia-se sobre a dela com sedenta urgência e as mãos deslizavam possessivamente pelas costas e os quadris. Afastando os lábios dos dela, ele soltou um suspiro.

— *Muito*, muito mesmo — murmurou.

Levantando a cabeça, fitou-a com intensidade, vendo o revelador rubor das faces, a suave confusão em seus olhos verdes, a mão delicada pousada em seu peito. Mantendo a própria mão espalmada nas costas dela, e os quadris contra sua rígida ereção, Ian acariciou-lhe o rosto afogueado e disse baixinho:

— Por esse privilégio, e todos os outros que se seguirão, estou disposto a concordar com quaisquer condições razoáveis que queira fixar. E vou avisá-la — acrescentou, sorrindo diante da expressão transtornada no rosto dela — que não sou um homem mesquinho, nem mesmo de poucas posses.

Ela engoliu em seco, tentando impedir que a voz tremesse.

— Quais outros privilégios se seguirão ao beijo? — perguntou, desconfiada.

A pergunta o apanhou desprevenido.

— Bem, aqueles que envolvem a concepção de filhos — respondeu, observando-a com curiosidade. — Quero ter muitos filhos, com sua total colaboração, é claro — acrescentou, suprimindo um sorriso.

— É claro — concordou ela, sem hesitar — Também gosto muito de crianças.

Ian achou melhor parar enquanto estava na dianteira, decidindo não questionar a própria boa sorte. Parecia evidente que Elizabeth possuía uma atitude muito franca diante do sexo no casamento — algo bastante incomum para uma inocente jovem inglesa de boa família.

— Então, quais são suas condições? — perguntou ele e, num esforço final para transferir o poder das próprias mãos para as dela, acrescentou: — Não me encontro em posição de argumentar.

Elizabeth hesitou por um instante, mas, devagar, começou a fixar seus termos:

— Quero permissão para cuidar de Havenhurst sem nenhuma interferência ou crítica.

— Aceito — disse ele com vivacidade, sentindo uma onda de alívio e satisfação envolvê-lo.

— E gostaria de uma quantia fixa a ser depositada uma vez por ano para este fim. Em troca, assim que as terras estiverem produzindo, o lucro da propriedade pagará o empréstimo com juros.

— Concordo — falou Ian, com suavidade.

Ela tornou a vacilar, imaginando se ele poderia arcar com tantas despesas e um pouco constrangida por ter mencionado suas condições sem saber muito sobre a situação financeira dele. Na noite anterior, ele afirmara ter aceitado o título do avô, nada mais.

— E comprometo-me — disse, tentando ser justa — a me esforçar para que os custos sejam os menores possíveis.

Ele sorriu.

— Jamais vacile depois de estipular suas condições e ter vencido — disse.

— Isso dá uma vantagem muito sutil ao seu oponente na rodada seguinte.

Elizabeth estreitou os olhos, desconfiada; ele estava concordando com tudo com muita facilidade.

— Creio que vou querer tudo isso por escrito — anunciou, decidida —, assinado com testemunhas e anexado ao acordo original.

Os olhos dele arregalaram-se, e um sorriso de genuína admiração brotou em seus lábios enquanto assentia com a cabeça, concordando. Havia uma sala cheia de testemunhas, logo ali ao lado, incluindo o tio dela, que assinara o contrato original, e um vigário, que testemunharia o acordo. Decidiu que seria melhor concluir tudo naquele momento, quando ela ainda estava disposta a aceitar.

— Se eu a tivesse como sócia há alguns anos — brincou, levando-a para a outra sala —, só Deus sabe aonde poderia ter chegado.

A despeito de seu tom de voz e do fato de ter ficado do lado *dela* durante a negociação, Ian estava impressionado com a ousadia de suas condições.

Elizabeth percebeu a admiração no sorriso dele e sorriu de leve em resposta.

— Em Havenhurst, sou responsável por todas as compras e a contabilidade, pois não temos meirinho. E, como expliquei, aprendi a barganhar.

O sorriso de Ian desapareceu quando imaginou a avalanche de dívidas que certamente despencara sobre Elizabeth após o desaparecimento do irmão, e a coragem dela em evitar que os credores desmantelassem sua casa, pedra por pedra. O desespero a obrigara a aprender a negociar.

Capítulo 23

Duncan estivera tentando, com grande dificuldade, manter uma conversa agradável na sala de visitas enquanto Ian e Elizabeth estavam no outro cômodo. Porém, nem mesmo a experiência de uma vida inteira lidando com o sofrimento e as emoções humanas pôde ajudá-lo — porque ali cada um parecia tomado por uma emoção *diferente*. Lady Alexandra estava preocupada e tensa; o desprezível tio de Elizabeth aparentava frieza e ira; a viúva e a Srta. Throckmorton-Jones evidenciavam sinais de deleite ante a dificuldade que Ian obviamente encontraria com aquele noivado tão incomum.

Com um suspiro de alívio, Duncan interrompeu seu discurso sobre a probabilidade de a neve chegar mais cedo naquele ano e ergueu os olhos para Ian e Elizabeth, que entravam na sala. Seu alívio dobrou ao encarar o olhar suave e irônico de Ian.

— Elizabeth e eu chegamos a um acordo — informou Ian aos presentes, sem preâmbulos. — Ela acha, com toda a razão, que é a única pessoa que tem o direito de entregar a si própria em casamento. Assim, fixou algumas... condições que deseja ver incluídas no contrato de noivado. Duncan, você faria a gentileza de escrever o que ela determinar?

Duncan franziu a testa, mas levantou-se depressa e foi até a escrivaninha.

Ian virou-se para Julius Cameron, e sua voz tornou-se mais dura:

— Tem uma cópia do contrato com o senhor?

— É claro que sim — assentiu Julius, o rosto avermelhando-se de raiva. — Eu tenho uma cópia, mas vocês não vão mudar uma só palavra, e eu não devolverei nem um centavo! — Encarando a sobrinha, continuou: — Ele pagou uma fortuna por você, sua vagabundazinha convencida...

A voz áspera de Ian ressoou como um trovão pela sala:

— *Fora daqui!*

— Fora daqui? — repetiu Julius, furioso. — Esta casa é *minha!* Não pense que a comprou junto com Elizabeth!

Sem olhar para Elizabeth, Ian lhe perguntou:

— Você a quer?

Embora Julius ainda não tivesse reconhecido a profundidade da fúria de Ian, Elizabeth era capaz de ver a raiva incontida emanando de cada linha daquele rosto poderoso e sentiu um arrepio de medo percorrer-lhe a espinha.

— Q-quero o quê? — gaguejou.

— A casa!

Sem saber o que Ian queria que ela dissesse e vendo o estado em que ele se encontrava, Elizabeth ficou aterrorizada com a possibilidade de lhe dar a resposta errada.

A voz de Lucinda capturou todos os olhares, mas foi a Ian que ela se dirigiu, encarando-o em frio desafio.

— Sim — afirmou. — Ela quer a casa.

Aceitando a resposta como se Lucinda falasse em nome de Elizabeth, Ian lançou um olhar a Julius capaz de atravessar-lhe a alma.

— Procure meus contadores amanhã cedo — disparou, sanguinário. — Agora, *saia daqui!*

Embora tardiamente, Julius pareceu dar-se conta de que sua vida corria sério perigo. Pegou o chapéu, encaminhando-se para a porta.

— Isso vai lhe custar caro!

Devagar, e com uma proposital expressão de ameaça, Ian virou-se para ele, e o que quer que Julius tenha visto em seus olhos metálicos o fez bater em retirada sem mais discussões sobre o preço.

— Acho que — falou Elizabeth, trêmula, quando a porta da frente bateu com um estrondo — poderíamos tomar um refresco agora.

— Excelente ideia, minha querida — disse o vigário.

Bentner surgiu num instante, atendendo ao chamado de Elizabeth e, depois de lançar um olhar mortífero na direção de Ian e um de evidente simpatia para ela, saiu para buscar bebidas e petiscos.

— Pois muito bem — falou Duncan, esfregando as mãos com satisfação —, creio que eu deveria tomar notas sobre as... novas condições para o noivado.

Nos vinte minutos seguintes, Elizabeth pediu concessões, e Ian concordou. Duncan escrevia, e Lucinda e a duquesa-mãe escutavam com um contentamento nada disfarçado. Durante todo o tempo, Ian não fez uma única exigência sequer. E, apenas por ser finalmente levado a um ato de pura perversidade pela maneira como todos pareciam deleitar-se com seu desconforto, estipulou que nenhuma das liberdades concedidas a Elizabeth poderia dar margem a rumores de que ela o estaria traindo.

A duquesa-mãe e a Srta. Throckmorton-Tones escandalizaram-se com a menção de tal palavra diante delas, mas Elizabeth aquiesceu com um majestoso meneio de cabeça. Virando-se para Duncan, falou educadamente:

— Concordo. O senhor pode escrever exatamente como ele disse.

Ian fitou-a, sorrindo, e ela sorriu em resposta. Trair, de acordo com o entendimento de Elizabeth, consistia em uma conduta maliciosa na qual uma dama era descoberta em um quarto com um homem que não era seu marido. Ela obtivera a informação nada completa de Lucinda, que realmente acreditava naquilo.

— Mais alguma coisa? — perguntou Duncan, afinal.

Elizabeth balançou a cabeça em negativa, mas a duquesa-mãe decidiu falar.

— Há algo que eu quero dizer, mas o senhor não precisa anotar. — Virando-se para Ian, acrescentou com severidade: — Se tem alguma intenção de anunciar este noivado amanhã, acho melhor desistir da ideia.

Ian sentiu-se tentado a convidá-la a se retirar, embora talvez num tom menos incisivo do que o usado com Julius, mas percebeu que ela dizia uma lamentável verdade.

— Ontem à noite, você se deu ao enorme trabalho de convencer toda a sociedade de que nada, além de um inocente flerte, acontecera entre você e Elizabeth há dois anos. A não ser que a corteje como ela merece, seguindo todos os rituais apropriados, ninguém jamais acreditará que isso é verdade.

— O que a senhora sugere? — perguntou Ian, ríspido.

— Um mês — respondeu ela, sem hesitar. — Um mês de visitas devidamente acompanhadas, escoltando-a para festas, bailes e outras atividades sociais.

— Duas semanas — retrucou ele com uma impaciência mal contida.

— Está bem — concedeu a senhora, dando a ele a irritante certeza de que aquele era o prazo que ela realmente esperava. — Depois disso, pode anunciar o noivado, e o casamento se dará em dois meses!

— Duas semanas — insistiu ele, implacável, pegando o copo que o mordomo acabara de deixar à sua frente.

— Como quiser — disse a duquesa-mãe.

Então, duas coisas aconteceram ao mesmo tempo: Lucinda Throckmorton-Jones deixou escapar um ronco, que Ian percebeu ser uma risada, e Elizabeth rapidamente tirou o copo da mão dele.

— Acho que tem uma sujeirinha no fundo — explicou ela, nervosa, e devolveu a bebida a Bentner, balançando a cabeça com severidade.

Ian pegou um sanduíche em seu prato.

Elizabeth reparou no olhar satisfeito de Bentner e correu para tirá-lo da mão de Ian.

— E parece que há um pequeno inseto em seu sanduíche — desculpou-se.

— Não estou vendo nada — disse Ian, fitando a noiva com desconfiança.

Privado da bebida e do sanduíche, decidiu aceitar a taça de vinho que o mordomo lhe oferecia, mas, ao perceber a agitação de Elizabeth, passou o copo para ela.

— Obrigada — disse ela, com um suspiro de alívio.

Porém, como se surgisse do nada, o braço de Bentner esticou-se na direção dela, praticamente arrancando-lhe a taça das mãos.

— *Outro* inseto — explicou o mordomo.

— *Bentner*! — exclamou Elizabeth, exasperada.

Mas sua voz foi abafada pela gargalhada de Alexandra Townsende, que se recostara no sofá, os ombros sacudindo pelo riso solto.

Ian chegou à única conclusão possível: estavam todos sofrendo os efeitos do excesso de tensão.

Capítulo 24

A duquesa-mãe acreditava que a corte de Ian a Elizabeth deveria iniciar-se com um baile ainda naquela noite. Ian imaginara que Elizabeth ficaria ansiosa com tal perspectiva, depois de uma temporada forçada de quase dois anos no campo — principalmente depois de já ter passado pela parte mais difícil na noite anterior. Em vez disso, ela se esquivou do assunto, insistindo que primeiro gostaria de mostrar Havenhurst a Ian e, só então, participar de um ou dois bailes nas semanas seguintes.

A viúva manteve-se irredutível, Elizabeth mostrou-se resistente e Ian observava aquele embate com certa confusão. Havenhurst ficava a apenas uma hora e meia de viagem, então não conseguia entender por que uma coisa eliminaria a outra. Até fizera esse comentário, vendo que Elizabeth enviara um olhar incerto a Alexandra e, depois, balançara a cabeça, como se recusasse algo que lhe fora oferecido silenciosamente.

No final, ficou decidido que Ian e Elizabeth iriam a Havenhurst no dia seguinte, e que Alexandra Townsende e o marido lhes serviriam de acompanhantes, o que lhe agradou bem mais do que a ideia de precisar suportar o olhar gélido e severo da Srta. Throckmorton-Jones.

Ele estava a caminho de casa, antecipando com considerável divertimento a reação que Jordan teria quando soubesse que a esposa o apresentara como voluntário para passar um dia e uma noite bancando a dama de companhia para o amigo e antigo companheiro de jogatina.

Porém, o sorriso se desvaneceu quando sua mente insistiu em se perguntar por que Elizabeth mostrara-se tão relutante em ir a um baile depois de ser banida da sociedade por tanto tempo. A resposta óbvia o atingiu em cheio, invadindo-o com uma nova onda de dor e arrependimento. Elizabeth fora tão convincente, na Escócia, ao fazer o papel de frívola *socialite*, que ele ainda achava difícil lembrar-se de que ela estivera vivendo de forma reclusa, economizando cada centavo.

Inclinando-se para a frente, instruiu rapidamente o cocheiro e, poucos minutos depois, entrava na loja da modista mais requisitada — e mais discreta — de Londres.

— Isso será impossível, *monsieur* Thornton — bufou a proprietária quando ele a informou de que queria uma dúzia de vestidos de baile e um guarda-roupa completo, desenhado e criado especialmente para Lady Elizabeth Cameron, entregues no número 14 da Rua Promenade, no prazo de uma semana. — Para atender à sua solicitação, eu precisaria ter, no mínimo, duas dúzias de costureiras experientes trabalhando durante duas semanas.

— Então contrate quatro dúzias de costureiras — retrucou Thornton no educado tom de impaciência empregado por alguém que se vê forçado a convencer uma pessoa de pouco intelecto. — Dessa forma, a senhora poderá dar conta do meu pedido em uma semana.

Enfatizou a solicitação com um breve sorriso e um cheque bancário com uma quantia que fez os olhos da madame se arregalarem.

— Lady Cameron segue para a casa de campo amanhã cedo, o que lhe dá o resto da tarde e a noite de hoje para tirar todas as medidas necessárias — continuou ele. Reparando num magnífico tecido de seda cor de esmeralda bordado com fios de ouro que se encontrava no balcão ao seu lado, assinou o cheque e acrescentou: — Pode fazer o primeiro vestido de baile com este tecido. Quero que esteja pronto no dia 20. — Assinou e entregou-lhe o cheque. — Creio que isto cobrirá todas as despesas. — O valor cobria muito mais do que o necessário, e ambos sabiam disso. — Caso contrário, pode me enviar a conta.

— *Oui* — disse a modista, um pouco atordoada. — Mas, infelizmente, *não* poderei usar a seda esmeralda. O tecido já foi escolhido por Lady Margaret Mitcham, e eu o prometi a ela.

A expressão de Ian demonstrava uma desagradável surpresa.

— Fico surpreso que a senhora lhe tenha permitido escolher este tecido, madame. Creio que este tom de verde fará com que Lady Mitcham pareça um tanto pálida. Diga a ela que esta é a minha opinião.

Virou-se e saiu da loja, sem ter a mínima ideia de quem poderia ser Lady Margaret Mitcham. Atrás dele, uma das assistentes veio buscar a reluzente seda esmeralda, a fim de levá-la de volta para as costureiras.

— *Non* — disse a modista, mantendo um olhar apreciativo sobre a figura do homem alto e de ombros largos que entrava na carruagem. — Essa seda será usada por outra pessoa.

— Mas Lady Mitcham a escolheu.

Com um último relance na direção do atraente cavalheiro, que obviamente era um apreciador de roupas refinadas, dispensou a objeção da assistente.

— Lorde Mitcham é um homem velho de olhos cansados; não poderá apreciar o vestido que serei capaz de fazer com este tecido.

— Mas o que vou dizer a Lady Mitcham? — choramingou a transtornada assistente.

— Diga a ela — respondeu a madame, com uma leve ironia — que monsieur Thornton... não, que Lorde Kensington afirmou que esse tom de verde a deixaria pálida.

Capítulo 25

Havenhurst era de fato uma belíssima propriedade, pensou Ian enquanto a carruagem passava sob o arco de pedras, mas longe de ser tão imponente quanto a descrição de Elizabeth o fizera imaginar. Uma parte do reboco de cimento soltara dos portais e, à medida que a carruagem seguia sacolejando, percebeu que a pavimentação precisava de reparos urgentes, assim como as antigas árvores, que ladeavam o caminho da entrada, pediam uma boa poda. Momentos depois, avistou a casa. Graças a seus razoáveis conhecimentos de arquitetura, identificou-a num único relance como uma combinação aleatória dos estilos gótico e Tudor, o que, de alguma forma, a tornava agradável aos olhos, embora capaz de provocar pesadelos num arquiteto moderno.

A porta foi aberta por um lacaio baixinho com ar briguento, que avaliou Ian com insolência da cabeça aos pés. Tentando ignorar o estranho comportamento que parecia comum a todos os serviçais de Elizabeth, ele entrou e observou o vestíbulo com bastante interesse, vendo o forro revestido de madeira e as faixas mais claras no papel de parede, onde quadros estiveram pendurados por muito tempo. Não havia tapetes persas no piso de madeira encerada, nem tesouros expostos sobre os móveis; na verdade, havia pouca mobília espalhada pelo vestíbulo ou pelas salas que podia avistar, à sua direita. O coração de Ian se apertou com um misto de culpa e admiração pela orgulhosa encenação de Elizabeth para convencê-lo de que era uma herdeira frívola e despreocupada.

Percebendo que o lacaio continuava a encará-lo, avisou:

— Sua senhora está me esperando. Diga a ela que já cheguei.

— Estou aqui, Aaron — ressoou a voz de Elizabeth, suave, e Ian virou-se.

Apenas um olhar em sua direção o fez esquecer-se do lacaio, do estado lastimável da casa e de quaisquer conhecimentos de arquitetura que possuía. Usando um simples vestido de escumilha azul-celeste, com os cabelos arrumados em grandes cachos entrelaçados por estreitas fitas azuis, ela se postara no meio do vestíbulo, parecendo uma deusa grega com o sorriso de um anjo.

— O que acha? — indagou, ansiosa.

— Do quê? — tornou ele, com a voz enrouquecida, adiantando-se até ela enquanto forçava suas mãos a se manterem no lugar.

— Ora, de Havenhurst, é claro — retrucou Elizabeth com uma pontinha de orgulho.

Ian achava a propriedade pequena e com premente necessidade de uma boa reforma, sem mencionar os móveis. Sentiu o ímpeto de tomar Elizabeth nos braços e implorar seu perdão por todo o sofrimento que lhe causara, mas, sabendo que assim conseguiria apenas deixá-la envergonhada e magoada, sorriu e respondeu, sincero:

— Pelo que vi até agora, é bastante pitoresca.

— Gostaria de conhecer o resto da casa?

— Muito — exagerou ele, mas valeu a pena ver o rosto dela iluminar-se. — Onde estão os Townsende? — perguntou quando começaram a subir a escadaria. — Não vi nenhuma carruagem na entrada.

— Ainda não chegaram.

Ian imaginou, corretamente, que aquilo era obra de Jordan. Mais tarde, agradeceria ao amigo.

Elizabeth o guiou numa excursão completa pela antiga mansão, que só não se tornou entediante graças às encantadoras histórias que ela contava sobre alguns de seus antigos habitantes. Depois, já do lado de fora, ela apontou para o limite extremo do gramado que cercava a construção.

— Ali ficavam os muros do castelo e o fosso, que permanecia sempre cheio. Séculos atrás, é claro. Toda esta parte formava então um imenso átrio, um pátio — esclareceu —, que era cercado pelas muralhas do castelo. Naquela época, havia pequenas construções neste átrio, que abrigavam de tudo, de animais a mantimentos, o que tornava o castelo autossuficiente. Foi aqui — disse, minutos depois, quando seguiam pela lateral da casa — que o terceiro Conde de Havenhurst caiu de seu cavalo e mandou matar o animal por tê-lo derrubado. Era um homem de temperamento muito forte — acrescentou, com um sorriso brincalhão.

— É o que parece — Ian sorriu de volta, ansiando por beijar aqueles lábios sorridentes. Olhou para o lugar que ela mencionara e perguntou: — Mas como ele foi cair do cavalo bem aqui em seu próprio átrio?

— Ah, isso... — riu ela. — Ele estava praticando com um estafermo. Na Idade Média — explicou, embora Ian conhecesse história medieval tão bem quanto arquitetura e, portanto, soubesse muito bem o que era um estafermo —, os cavaleiros costumavam exercitar-se para os torneios de justa e batalhas usando o estafermo, que era uma espécie de cruz de metal, com um saco de areia em uma das pontas e um escudo na outra. Os cavaleiros atacavam-no, mas, se não conseguissem atingir o alvo com a lança, a barra girava e o saco de areia atingia o cavaleiro pelas costas, derrubando-o do cavalo.

— E foi isso, suponho, que aconteceu com o terceiro conde?

— Exatamente — afirmou ela. Caminharam na direção da árvore maior, no extremo oposto do gramado. Quando se aproximaram dela, Elizabeth cruzou as mãos atrás das costas, parecendo uma encantadora garotinha prestes a revelar um segredo. — Agora, olhe para cima.

Ele obedeceu e riu com prazer e surpresa. Acima de suas cabeças, havia uma enorme e muito estranha casa na árvore.

— É sua? — perguntou.

— Claro que sim.

Ian lançou um olhar rápido e avaliador para os degraus rústicos pregados no tronco da árvore e, depois, fitou-a com a sobrancelha arqueada.

— Quem vai subir primeiro, você ou eu?

— Está de brincadeira!

— Se você pôde invadir a minha, não vejo por que não fazer o mesmo com a sua.

Os carpinteiros que construíram a casinha para ela haviam feito um bom trabalho, Ian reparou ao entrar, abaixando-se e olhando em volta. Elizabeth fora muito mais baixa do que Ian na infância, e todo o local fora projetado para seu tamanho. Ainda assim, o teto era alto o suficiente para que ela ficasse quase de pé já adulta.

— O que há naquele bauzinho?

Elizabeth aproximou-se dele, sorrindo.

— Estava tentando me lembrar quando vi o seu na sua casa na árvore. Vamos dar uma olhada... É exatamente o que pensei — disse momentos depois, ao abrir a tampa do pequeno baú de madeira. — Minha boneca e o jogo de chá.

Ian sorriu, imaginando a garotinha que ela fora, morando sozinha em relativo esplendor, tendo uma boneca como família e os criados como amigos. Em comparação, sua própria infância e juventude haviam sido muito mais ricas.

— Ainda tem uma coisa que eu quero lhe mostrar — anunciou quando já haviam descido da árvore e encaminhavam-se de volta para a casa.

Ian afastou os pensamentos da triste infância que ela tivera quando mudaram de direção. Contornaram a casa e, ao chegarem aos fundos, Elizabeth parou e levantou o braço, num gesto gracioso e abrangente.

— A maior parte disto é a minha contribuição para Havenhurst — disse, repleta de orgulho.

A visão que se estendia diante dos olhos de Ian fez com que seu sorriso desaparecesse. Uma onda de ternura e admiração parecia envolvê-lo. Ali estava, num magnífico resplandecer de cores, o mais lindo jardim que ele já vira. Os outros herdeiros de Havenhurst acrescentaram pedras e cimento àquela casa, mas Elizabeth contribuíra com uma beleza espetacular.

— Quando eu era mais nova — confidenciou ela, admirando o jardim florido e as colinas que se erguiam ao longe —, achava que este era o lugar mais lindo do mundo. — Sentindo-se um pouco tola com suas confidências, encarou-o com um sorriso envergonhado. — Qual é o lugar mais bonito que você já viu?

Afastando os olhos da beleza estampada nos jardins, ele fitou a bela jovem ao seu lado.

— Qualquer lugar onde você esteja.

Um rubor de prazer tingiu as faces dela, mas, quando falou, sua voz soou angustiada:

— Não precisa ficar me dizendo essas coisas. Eu vou manter nosso acordo.

— Estou certo disso — afirmou ele, tentando não assustá-la com juras de amor nas quais, certamente, ela ainda não acreditaria. Sorrindo, acrescentou: — Além disso, como resultado de nossas negociações, *eu* serei a parte governada pelas suas condições, e não o contrário.

Elizabeth lançou-lhe um divertido olhar de soslaio.

— Às vezes, você se comporta de maneira muito indulgente, sabia? Ao final do nosso acordo, eu já estava fazendo exigências só para ver até onde você iria.

Ian, que nos últimos quatro anos multiplicara sua fortuna comprando navios, empresas de importação e exportação, entre outras dos mais variados tipos, era considerado um negociador implacável. Agora, ouvia a declaração dela com um sorriso de genuína surpresa.

— Pois eu tive a impressão de que cada exigência seria de extrema importância para você, e que, se eu não concordasse, todo o acordo poderia ser desfeito.

Ela assentiu, satisfeita.

— Foi exatamente essa a impressão que eu quis lhe passar. Por que está rindo?

— Porque é óbvio que eu não estava em meu juízo perfeito ontem — admitiu Ian com uma risada. — Além de me enganar completamente com sua atitude, ainda consegui comprar uma casa na Rua Promenade, pela qual, sem dúvida, pagarei o quíntuplo do que vale.

— Ah, eu creio que não — disse ela, e, constrangida, pegou uma folha num galho para evitar olhar nos olhos dele. Num tom de cauteloso desinteresse, comentou: — Quando se trata de negociar, acredito em ser razoável, mas meu tio não pensaria duas vezes antes de tentar enganá-lo. Ele é bem desagradável em questões financeiras.

Ian assentiu, lembrando-se da fortuna que Julius Cameron conseguira lhe arrancar antes de assinar o contrato de noivado.

— Sendo assim — prosseguiu ela, observando o céu muito azul com fingido interesse —, enviei um recado a ele, depois que você foi embora, detalhando todos os consertos que precisam ser feitos naquela casa. Disse-lhe também que ela estava em péssimas condições e necessitando com urgência de uma nova decoração.

— E?

— E comuniquei que você estaria disposto a pagar um preço justo por ela, mas nem um centavo a mais, por causa de todas essas despesas extras

— E? — repetiu Ian.

— Ele concordou em vender pelo valor real.

O sorriso de Ian transformou-se numa verdadeira gargalhada. Tomando Elizabeth nos braços, esperou até recuperar o fôlego e encostou o rosto no dela.

— Elizabeth — disse com ternura —, se, por acaso, mudar de ideia quanto ao nosso casamento, prometa que nunca ficará no lado oposto ao meu numa mesa de negociação. Se isso acontecer, estarei perdido.

A tentação de beijá-la era quase incontrolável, mas Ian avistou a carruagem dos Townsende, com seu elmo ducal, na entrada da mansão, e não sabia onde estaria o casal. Elizabeth também reparou no veículo e apressou-se em voltar para a casa.

— Ah, quanto aos vestidos... — falou, parando de repente e encarando-o com uma expressão de intensa honestidade no lindo rosto. — Eu pretendia agradecer por sua generosidade assim que você chegasse, mas fiquei tão feliz em... Quero dizer... — Ela percebeu que estivera prestes a admitir que ficara feliz em vê-lo. A confusão em que mergulhou por ter admitido em voz alta o que não admitia nem a si mesma a fez perder o fio da meada.

— Continue — encorajou ele. — Você ficou tão feliz em me ver que...

— Esqueci — afirmou ela, envergonhada. — Você não deveria ter feito isso, encomendar tantos vestidos numa loja como aquela. As roupas de Madame LaSalle são *terrivelmente* caras. Lembro-me de ouvir falar nela quando debutei.

— Não precisa se preocupar com esse tipo de coisa — retrucou Ian com firmeza. Tentando diminuir a evidente culpa que ela parecia sentir por causa dos vestidos, acrescentou, brincando: — Pelo menos, as roupas são um gasto justificável. Uma noite antes de encomendá-los, perdi mil libras numa rodada de cartas com Jordan Townsende.

— Você é mesmo um jogador — comentou Elizabeth, cheia de curiosidade. — Costuma apostar grandes somas numa rodada?

— Não, exceto quando tenho algo que valha a pena na mão.

— Sabe de uma coisa? — disse ela, gentil, guiando-o através do gramado até a porta da frente. — Se continuar gastando dinheiro assim, sem pensar, vai acabar como meu pai.

— E como foi que seu pai acabou?

— Com dívidas até o pescoço. Ele também gostava de jogar. — Quando Ian permaneceu em silêncio, ela arriscou, hesitante: — Poderemos ficar morando aqui se quiser. Não é preciso manter três casas, é um gasto desnecessário. — Percebendo o que acabara de dizer, apressou-se em corrigir: — Não tive a intenção de insinuar que não me sentirei confortável em sua casa, seja ela qual for. Achei aquele chalé na Escócia muito bonito, para ser sincera.

Ian ficou encantado ao saber que Elizabeth não tinha conhecimento da extensão de sua fortuna e, ainda assim, concordara em se casar com ele, mesmo que fosse viver num modesto chalé ou na casa da Rua Promenade. Se aquilo fosse verdade, dava-lhe a prova que tanto desejava: ela gostava dele muito mais do que estava preparada para admitir.

— Vamos decidir isso depois de amanhã, quando conhecer minha casa — sugeriu, distraído, já antecipando o espanto dela.

— Você acha que poderia tentar ser um pouco mais prudente com o dinheiro? — perguntou ela com delicadeza. — Posso preparar um orçamento. Sou muito boa nisso.

Ian não conseguiu evitar. Controlou o riso e fez o que estivera ansiando por fazer desde o instante em que a vira parada no vestíbulo. Puxou-a para seus braços e cobriu-lhe a boca com a sua, beijando-a com todo o faminto ardor que o simples fato de estar perto dela lhe provocava. E Elizabeth retribuiu o beijo com a mesma doçura que sempre o enlouquecia.

Quando ele a soltou, relutante, o rosto dela estava afogueado e os lindos olhos verdes, radiantes. De mãos dadas, caminharam juntos em direção à casa principal e, uma vez que não tinham nenhuma pressa em encontrar seus acompanhantes, Ian foi lhe fazendo perguntas sobre as plantas no caminho: um arbusto incomum, uma flor desconhecida no canteiro e uma rosa perfeitamente comum.

PARADOS JUNTO À JANELA que dava para o gramado, Jordan e Alexandra Townsende observavam o casal, que se aproximava da casa.

— Se alguém me perguntasse o nome do último homem na face da Terra que eu esperaria ver cair de quatro por causa de uma mulher, eu teria respondido "Ian Thornton" — comentou Jordan.

Alexandra ouviu o comentário com um sorrisinho oblíquo.

— E se alguém perguntasse *a mim,* creio que eu teria dito o *seu* nome.

— Tenho certeza disso — retrucou ele, sorrindo. Viu o riso dela desaparecer e enlaçou-a pela cintura, subitamente preocupado. Talvez a gravidez estivesse lhe causando desconforto. — É o bebê, querida?

Ela começou a rir e balançou a cabeça, mas ficou séria quase no mesmo instante.

— Acha — perguntou, pensativa — que podemos confiar que Ian não vai magoá-la? Ele já lhe fez tanto mal que não consigo gostar dele, Jordan. É um homem atraente, sem dúvida, muito bonito e...

— Não *tão* bonito — interrompeu Jordan, ofendido.

Dessa vez, foi Alexandra quem deu uma boa gargalhada. Virando-se, enlaçou o pescoço do marido e deu-lhe um beijo sonoro.

— Na verdade, ele se parece um pouco com você — disse. — Vocês têm os cabelos da mesma cor, um bronzeado parecido e altura e tipo físico semelhantes.

— Espero que isso nada tenha a ver com o fato de você não gostar dele — provocou Jordan.

— Jordan, pare com isso. Estou realmente preocupada. Ele é, bem, ele me amedronta um pouco. Embora aparente ser bastante civilizado, existe uma força, talvez até certa crueldade, sob suas maneiras tão educadas. E nada o detém quando quer alguma coisa. Eu mesma testemunhei isso ontem, quando ele entrou naquela casa e convenceu Elizabeth a se casar com ele.

Jordan a fitou com um misto de intenso interesse, surpresa e humor.

— Continue — pediu.

— Bem, neste exato momento, ele quer Elizabeth, e não consigo evitar o temor de que seja apenas por um capricho.

— Você não pensaria assim se tivesse visto a maneira como Ian empalideceu ao saber que Elizabeth enfrentaria a sociedade sem a ajuda dele.

— É mesmo? Tem certeza?

— Sim.

— Tem certeza de que o conhece o suficiente para fazer tal julgamento?

— Absoluta.

— E como o conhece tão bem?

Jordan esboçou um sorriso.

— Ian é meu primo de sexto grau.

— *O quê?* Você só pode estar brincando! Por que nunca me contou isso?

— Em primeiro lugar, porque, até a noite do baile, nunca havíamos tocado nesse assunto. E, mesmo que o tivéssemos feito, eu não o teria mencionado, porque Ian sempre se recusou a reconhecer o parentesco com Stanhope, o que, aliás, era um direito dele. Por saber como ele se sentia sobre o assunto, sempre encarei como uma consideração especial o fato de ele admitir o *nosso* parentesco. Além disso, somos sócios em três empreendimentos de navegação.

Riu ao ver a expressão atônita da esposa.

— Se Ian não for um gênio, está bem próximo disso — falou. — Ele é um estrategista brilhante. Mas, afinal, inteligência é algo que vem de família — provocou.

— Primos! — repetiu Alex, perplexa.

— Isso não deveria deixá-la tão surpresa. Se olhar um pouco para trás, verá que grande parte da aristocracia foi unida, em algum momento da história, pelo que chamamos de "casamentos de conveniência". Entretanto, desconfio que o que a deixa mais confusa a respeito de Ian seja o fato de ele ter sangue escocês. Em vários pontos, ele é mais escocês do que inglês, principalmente naquilo que você definiu como uma "certa crueldade". Ele sempre fará o que quiser, quando quiser, e mandará as consequências para o inferno. Sempre foi assim. E nunca se importou com o que as pessoas pensam dele ou de seus atos.

Fazendo uma pausa, Jordan olhou pensativo para o casal que havia parado para observar um arbusto. Ian ouvia Elizabeth com atenção, a ternura suavizando o rosto quase sempre implacável.

— Na noite do baile, entretanto, ele se preocupou muito com o que as pessoas pensariam de sua adorável amiga — continuou Jordan. — Na verdade, nem gosto de imaginar o que poderia ter feito se alguém se atrevesse a insultá-la abertamente diante dele. Você está certa quando não se deixa enganar pela polidez dos modos que ele aparenta, pois, sob a superfície, existe um escocês temperamental, embora Ian consiga mantê-lo sob controle na maior parte do tempo.

— Não sei se isso me tranquiliza — disse Alex, um tanto abalada.

— Pois deveria. Ian entregou-se completamente a ela. E é uma entrega tão profunda que até se reconciliou com o avô e apareceu com ele em público. Fez isso apenas por causa de Elizabeth.

— O que o leva a pensar assim?

— Quando encontrei Ian no Blackmore, ele não tinha planos para aquela noite até saber que Elizabeth estaria no baile dos Willington. E, quando dei por mim, ele já estava entrando naquele salão ao lado do avô. E isso, meu amor, é o que chamamos de demonstração de força.

Alexandra pareceu impressionada com o poder de dedução do marido, e Jordan sorriu.

— Não me admire tanto — disse. — Eu também perguntei a ele. Portanto, você está se preocupando à toa. Lembre-se de que os escoceses também são muito leais, e Ian vai proteger Elizabeth com a própria vida, se necessário.

— Ele não apareceu para protegê-la dois anos atrás, quando ela foi arruinada.

Suspirando, Jordan olhou pela janela.

— Depois do baile dos Willington, Ian me contou um pouco do que aconteceu naquele distante fim de semana. Não falou muito, pois é um homem bastante discreto, mas, lendo nas entrelinhas, pude adivinhar que ele se apaixonou perdidamente por ela e achou que Elizabeth havia apenas brincado com seus sentimentos.

— E isso teria sido assim tão terrível? — perguntou Alex, mantendo total solidariedade para com a amiga.

Jordan abriu um sorriso pesaroso.

— Os escoceses têm outra característica, além da lealdade.

— Qual é?

— São incapazes de perdoar. Esperam receber a mesma lealdade que oferecem e trair sua confiança é o mesmo que estar morto. Nada do que disser ou fizer será capaz de lhes tocar o coração. É por isso que as brigas entre famílias passam de geração em geração.

— Desumano! — comentou Alexandra, estremecendo.

— Talvez seja. Mas não vamos nos esquecer de que Ian também é inglês, e nós somos *muito* civilizados. — Inclinando-se, Jordan mordiscou-lhe a orelha. — Exceto na cama.

IAN ESGOTARA TODAS as perguntas sobre botânica e resignara-se a entrar na casa, mas, assim que chegaram aos degraus da frente, Elizabeth virou-se para ele e parou. Num tom de quem confessa algo sem saber se agiu bem ou não, disse:

— Hoje cedo, contratei um investigador para tentar localizar meu irmão, ou pelo menos para descobrir o que aconteceu com ele. Já havia tentado antes, mas, quando percebiam que eu não tinha dinheiro, os detetives se recusavam a aceitar a tarefa, mesmo sob a promessa de receber o pagamento mais tarde. Pensei em usar parte de seu empréstimo para Havenhurst para esse fim.

Ian precisou de todo o controle para manter a expressão impassível.

— E? — perguntou.

— A duquesa-mãe me assegurou de que o Sr. Wordsworth é um excelente investigador. E, embora cobre muito caro, finalmente estamos entrando num acordo.

— Bons profissionais sempre cobram caro — comentou Ian, pensando nas 3 mil libras de adiantamento que pagara a um investigador naquela mesma manhã, com o mesmo propósito. — Quanto ele cobra? — quis saber, pensando em acrescentar a quantia à mesada que daria a ela.

— Bem, de início, ele queria mil libras, a serem pagas ainda que não conseguisse apurar nada sobre Robert. Mas eu ofereci o dobro se ele tiver sucesso nas investigações.

— E se ele falhar?

— Ah, nesse caso, achei que não seria justo que recebesse qualquer pagamento — respondeu ela, muito calma. — E consegui convencê-lo de que estava com a razão.

A risada de Ian continuou ressoando no vestíbulo quando entraram na sala de estar para cumprimentar os Townsende.

IAN NUNCA APRECIARA tanto um jantar como o daquela noite. Apesar da escassez de móveis em Havenhurst, Elizabeth transformara a sala de estar e a sala de jantar em ambientes agradáveis e elegantes, com flores frescas por toda parte. E, com as velas acesas nos candelabros, preparara o arranjo de mesa mais bonito que ele já havia visto.

Apenas uma vez sentiu-se desconfortável, quando Elizabeth entrou na sala de jantar carregando uma bandeja e ele imaginou que fora ela quem preparara a refeição. No momento seguinte, entretanto, um lacaio chegou com outra bandeja, e Ian emitiu um silencioso suspiro de alívio.

— Este é Winston, nosso cozinheiro e lacaio — disse para Ian, adivinhando seus temores. Impassível, acrescentou: — Winston me ensinou tudo o que sei sobre cozinha.

As emoções de Ian foram do horror ao divertimento. Ao perceber isso, Winston virou-se para ele e declarou num tom significativo:

— A Srta. Elizabeth *não sabe* cozinhar. Ela sempre esteve ocupada demais para aprender.

Ian engoliu a reprimenda sem discutir, pois estava encantado demais com o bom humor de Elizabeth e suas provocações. Porém, enquanto o carrancudo lacaio se retirava, Ian olhou de relance para Jordan, reparando que o amigo estreitava os olhos às costas do criado. Depois, viu o óbvio embaraço na expressão de Elizabeth.

— Os criados estão apenas sendo leais a mim — explicou ela. — Eles, bem... eles reconheceram seu nome e sabem tudo o que aconteceu antes. Mas eu vou conversar com eles.

— Ficarei grato por isso — Ian virou-se para Jordan e acrescentou: — O mordomo de Elizabeth está sempre tentando me sabotar.

— Ele escuta? — indagou Jordan, sem sombra de solidariedade.

— Se escuta? — repetiu Ian. — Ora, é claro que sim.

— Então, considere-se um homem de sorte — retrucou Jordan, irritado, e as duas damas desataram a rir.

— Penrose, o mordomo dos Townsende, é completamente surdo — explicou Elizabeth.

O jantar transcorreu entremeado de risos e revelações sobre Alexandra e Elizabeth que deixaram Ian admirado, incluindo o fato de Alex ser tão habilidosa com um florete quanto a amiga era com a pistola.

Elizabeth mostrava-se uma anfitriã encantadora. Em certo momento, Ian deu-se conta de que ignorava a refeição bastante satisfatória apenas para recostar-se na cadeira e observá-la com um misto de humor e orgulho. Ela brilhava como o vinho nas taças de cristal, reluzia como as velas no centro de mesa e, quando ria, era como se música flutuasse pela sala. Com os instintos de uma anfitriã nata, incluía a todos em cada tópico da conversa. Mas, acima de tudo, ela se mostrava à vontade na presença de Ian. Sincera, elegante e doce, virava-se para ele e brincava, ou sorria quando ele dizia algo, ou escutava atentamente uma de suas opiniões. Ainda não estava pronta para confiar nele, mas Ian pressentia que esse momento não tardaria a chegar.

Depois do jantar, as damas obedeceram ao costume e foram para a sala de estar, deixando os cavalheiros desfrutando do vinho do Porto e dos charutos à mesa.

— Ian acendia um charuto na primeira vez que o vi — confidenciou Elizabeth quando ela e a amiga acomodaram-se confortavelmente na sala. Erguendo os olhos, reparou na expressão preocupada de Alexandra e, após um instante, voltou a falar baixinho: — Você não gosta dele, não é?

Alex encarou-a, percebendo o leve tom de decepção na voz de Elizabeth.

— Eu... eu não gosto das coisas que ele fez com você — admitiu.

Inclinando a cabeça para trás, Elizabeth fechou os olhos e tentou descobrir o que dizer, o que pensar. Tempos atrás, Ian lhe dissera que estava "quase" apaixonado por ela, mas, agora que estavam noivos, não proferira uma única palavra sobre o assunto, nem mesmo por mera formalidade. Ela não tinha certeza dos motivos ou dos sentimentos dele; não tinha certeza nem mesmo dos seus próprios. Tudo o que sabia era que a visão daquele lindo rosto, com seus traços marcantes e os intensos olhos castanhos, nunca deixava de fazê-la sentir-se viva e vibrante. Sabia que ele gostava de beijá-la, e que adorava ser beijada por ele. E, acrescida às outras qualidades, havia algo mais que a atraía fatalmente: desde o primeiro encontro, ela pressentira que, sob a discreta sofisticação e a intensa virilidade, Ian Thornton possuía uma alma mais profunda do que a da maioria das pessoas.

— É tão difícil saber — murmurou — o que devo sentir ou pensar. E tenho o terrível pressentimento de que não importa o que eu pense — acrescentou quase com tristeza —, porque *vou* amá-lo de qualquer maneira. — Abriu os olhos e fitou a amiga. — Está acontecendo, Alex, e eu não consigo evitar. Estava acontecendo dois anos atrás, e também não pude evitar. Então, seria muito mais fácil para mim se você pudesse gostar dele só um pouquinho.

Alex inclinou-se sobre a mesa de centro e tomou as mãos de Elizabeth entre as suas.

— Se você o ama, então ele deve ser o *melhor* dos homens. E, daqui em diante, vou me esforçar para ver as qualidades dele! — Hesitando, decidiu arriscar-se a perguntar: — Ele ama você, Elizabeth?

Ela balançou a cabeça, incerta.

— Ele disse que me *quer* e que deseja ter filhos também.

Alex engoliu um riso de embaraço.

— Ele o quê?

— Disse que me quer e deseja ter filhos — repetiu Elizabeth.

Um sorrisinho astuto e divertido dançou nos lábios de Alex.

— Você não me contou esse detalhe. Estou bem mais animada agora — brincou, um leve rubor surgindo em suas faces.

— Acho que também estou — admitiu Elizabeth, lançando um rápido olhar para a amiga.

— Elizabeth, não sei se é uma boa hora para conversarmos sobre isso. Na verdade — acrescentou Alex, o rubor intensificando-se —, não creio que exista um momento apropriado para falar sobre esse assunto. Lucinda lhe explicou como os bebês são concebidos?

— Sim, é claro — respondeu Elizabeth, sem hesitação.

— Ótimo, porque, do contrário, eu seria a pessoa mais indicada para lhe falar e ainda me lembro de qual foi a *minha* reação quando descobri. Não foi uma visão muito bonita — disse rindo. — Por outro lado, você sempre foi muito mais esperta do que eu.

— Não sei se concordo com isso — falou Elizabeth, mas não podia imaginar quais motivos haveria para Alex estar tão ruborizada.

Conforme Lucinda lhe havia explicado quando perguntara, as crianças eram concebidas quando o marido beijava a esposa na cama. E era doloroso na primeira vez. Os beijos de Ian, às vezes, eram quase dolorosos, mas ele jamais a machucara de verdade, e ela gostava muito de ser beijada por ele.

Como se o fato de expor seus sentimentos a Alexandra tivesse, de alguma forma, aliviado o peso de tentar lidar com eles, Elizabeth estava bem mais tranquila e contente quando os cavalheiros se juntaram a elas na sala de estar. E até suspeitou que Ian conseguia perceber seu estado de espírito.

E ele de fato percebeu; na verdade, quando se sentaram para um jogo de cartas, que a própria Elizabeth sugerira, percebeu que a postura das jovens era sutilmente mais suave em relação a ele.

— Gostaria de embaralhar e distribuir as cartas? — perguntou Elizabeth.

Ian assentiu e ela lhe entregou o baralho. Depois, ficou observando as cartas com embevecida fascinação, que se moviam como se ganhassem vida nas mãos dele, voando para o alto e, depois, escorregando em pequenas pilhas perfeitas sob seus dedos.

— O que gostaria de jogar? — indagou ele.

— Gostaria de vê-lo trapacear — falou Elizabeth num impulso, o sorriso abrindo-se em seus lábios.

As mãos dele imobilizaram-se e os olhos fitaram-na com intensidade.

— Perdão?

— Quis dizer — apressou-se ela, assistindo enquanto Ian continuava a embaralhar as cartas, encarando-a — que, naquela noite, no salão de jogos na casa de Charise, ouvi dizer que algumas pessoas são capazes de retirar uma carta de sob a pilha sem ninguém perceber. Então, fiquei pensando se você poderia... isto é, se isso é possível... — calou-se, só então se deu conta de que o estava insultando, e que o olhar que lançava em sua direção indagava se ela acreditava em sua desonestidade num jogo de cartas. — Desculpe — disse, então. — Não tive a intenção de ofendê-lo.

Ian aceitou as desculpas com um breve gesto de cabeça, e Alex sugeriu:

— Por que não usamos as fichas valendo um *shilling* cada?

Todos concordaram, e Ian distribuiu as cartas. Constrangida demais para encará-lo, Elizabeth abriu suas cartas.

E viu que tinha quatro reis.

Seu olhar voou para o rosto de Ian, mas ele analisava suas próprias cartas, recostado na cadeira.

Ela ganhou três *shillings* e ficou feliz como nunca.

Ian passou-lhe o baralho para que ela distribuísse a rodada seguinte, mas Elizabeth balançou a cabeça.

— Não gosto de cortar o baralho, pois sempre derrubo as cartas. E Celton diz que isso é muito irritante. Importa-se de fazer isso para mim?

— É claro que não — respondeu Ian, um tanto indiferente, e, com um aperto no coração, Elizabeth percebeu que ainda estava zangado com ela.

— Quem é Celton? — quis saber Jordan.

— É o cavalariço com quem costumo jogar cartas — explicou Elizabeth, sentindo-se muito infeliz, e abriu o leque de cartas.

Havia quatro ases em sua mão.

Então, ela descobriu o que se passava e o alívio era evidente em seu rosto quando o ergueu e encarou o noivo. Mas a expressão calma e composta de Ian não denunciava o menor sinal de que havia algo extraordinário acontecendo. Estirado com indolência na cadeira, ele arqueou a sobrancelha com um ar de indiferença e perguntou:

— Quer descartar e pegar mais uma carta, Elizabeth?

— Quero, sim — respondeu ela, reprimindo a vontade de rir. — Gostaria de mais um ás para acompanhar os outros que já tenho.

— Há apenas quatro ases no baralho — retrucou ele com tanta tranquilidade que Elizabeth desatou a rir, abrindo as cartas na mesa.

— Você é um perfeito charlatão! — exclamou quando finalmente conseguiu falar, mas seu rosto brilhava de admiração.

— Obrigado, querida — disse ele com doçura. — Fico feliz em saber que sua opinião a meu respeito já melhorou um pouco.

O divertimento de Elizabeth foi substituído pela sensação de calor. Em geral, os cavalheiros não se dirigiam às damas de maneira tão íntima como ele fizera, principalmente na presença de outras pessoas. *"Sou escocês"*, ele lhe dissera tempos atrás. *"E nós fazemos isso."* Felizmente, os Townsende iniciaram uma rápida e descontraída conversa após o instante de atônito silêncio que se seguiu às palavras de Ian, porque Elizabeth parecia incapaz de desviar os olhos dos dele, parecia incapaz de se mover. Naquele momento infinito em que seus olhares se encontraram, ela sentiu uma necessidade quase incontrolável de se atirar nos braços dele. Ian também percebeu, e o olhar que lhe lançou em resposta despertou sensações calorosas em seu íntimo.

— Acaba de me ocorrer, Ian — brincou Jordan, quebrando a suave magia —, que estamos perdendo tempo com empreendimentos honestos.

O olhar de Ian desviou-se, relutante, de Elizabeth para o amigo.

— O que tem em mente? — perguntou, empurrando-lhe a pilha de cartas.

Elizabeth recolheu as fichas que ganhara desonestamente.

— Com sua habilidade em conseguir qualquer mão de cartas que desejar, poderíamos enganar metade de Londres. E, se alguma de nossas vítimas ousar fazer objeções, Alex a ameaçaria com seu florete e Elizabeth lhe daria um tiro antes que pudesse abrir a boca!

Ian riu.

— Não é má ideia. E qual seria o seu papel nesta trama?

— Tirar-nos da prisão de Newgate! — exclamou Elizabeth, rindo.

— Exatamente.

DEPOIS QUE IAN partiu para a hospedaria Greenleaf, onde planejava passar a noite antes de continuar a viagem até sua casa, Elizabeth permaneceu na sala por algum tempo, apagando as velas e guardando as cartas e fichas. Em um dos quartos de hóspedes no andar de cima, Jordan observou o sorriso leve e preocupado da esposa.

— Agora, o que acha do Marquês de Kensington? — perguntou.

Os olhos dela reluziam enquanto o fitavam.

— Acho — respondeu com suavidade — que, a menos que ele cometa uma atrocidade, estou inclinada a acreditar que possa realmente ser seu primo.

— Obrigado, querida — respondeu Jordan, usando as mesmas palavras do amigo. — Fico feliz em ver que sua opinião a respeito dele começa a melhorar.

Capítulo 26

Elizabeth estava ansiosa para rever Ian e consideravelmente curiosa sobre a casa em que ele morava. Ian lhe contara que havia comprado Montmayne com o próprio dinheiro no ano anterior, e, depois de sua visita à Escócia, ela achava que um rústico solar combinava perfeitamente com ele. Se, por um lado, considerava uma grande tolice não morarem em Havenhurst, capaz de lhes proporcionar todo o conforto, também compreendia que o orgulho de Ian sofreria um duro golpe se fosse obrigado a viver na casa dela.

Deixara Lucinda na estalagem onde passariam a noite e, após mais de duas horas de viagem, Aaron finalmente desviou a carruagem da estrada e a fez parar diante dos maciços portões de ferro que bloqueavam o caminho. Nervosa, Elizabeth espiou pela janela. Vendo a imponente entrada, concluiu que ou haviam chegado ao lugar errado, ou, quem sabe, Aaron parara para pedir instruções sobre o caminho. Um porteiro emergiu da guarita ao lado dos portões e ela esperou para ouvir o que Aaron dizia.

— A Condessa de Havenhurst — informou ele ao porteiro.

Chocada, Elizabeth viu quando o criado assentiu e foi abrir os portões. O intrincado portal de ferro deslizou nas dobradiças bem lubrificadas sem um ruído sequer. Aaron atravessou com a carruagem e o porteiro tornou a fechá-lo.

Apertando as luvas nas mãos, Elizabeth olhou de novo pela janela. O veículo seguia por um longo caminho curvo, encravado num gramado impecável. De onde estava, tinha uma boa visão da propriedade, que ultrapassava todas as suas expectativas mais delirantes. Colinas ondulavam ao longe, pontilhadas de árvores frondosas, e um lindo riacho rumorejava sob a ponte de pedra por onde a carruagem passou.

Avistando a casa um pouco mais adiante, não pôde conter uma exclamação diante da beleza requintada com que deparou. Uma majestosa mansão de três andares, com duas alas laterais avançando para a frente, erguia-se no centro do imenso gramado. A luz do sol refletia nas enormes vidraças da fachada; largos degraus de pedras polidas levavam à porta da frente de madeira maciça, com vasos de pedra com arbustos enfeitando os quatro lados do terraço. Cisnes deslizavam preguiçosamente na superfície espelhada de um lago, no extremo oposto do gramado, e, ao lado deste, havia um gazebo com colunas brancas em estilo grego, grande o bastante para abrigar metade de sua casa, pensou Elizabeth. A elegância da propriedade, combinada com a posição precisa de cada elemento da paisagem, tornava a visão do lugar admirável, de tirar o fôlego.

A carruagem finalmente parou diante dos degraus de pedra, e quatro lacaios apareceram em uniforme cor de vinho e dourado. Ajudaram uma atônita Elizabeth a descer do veículo e, posicionando-se ao seu lado como uma guarda de honra, acompanharam-na para dentro da casa.

Um mordomo abriu a imensa porta e fez uma reverência. Elizabeth entrou num magnífico vestíbulo revestido de mármore, com um teto alto envidraçado. Olhou em volta, fascinada, tentando assimilar a surpresa.

— Milorde está no escritório com visitas que chegaram de surpresa — falou o mordomo, obrigando-a a desviar os olhos do gracioso e curvo par de escadarias em estilo palladiano, que ascendiam dos dois lados do enorme vestíbulo. — Mas me pediu que a levasse até ele assim que a senhorita chegasse.

Elizabeth sorriu, hesitante, e o seguiu por um corredor. Ele parou diante de uma porta dupla, com maçanetas de cobre decorado, e bateu. Depois de abrir as portas sem esperar resposta, Elizabeth subiu os três degraus que davam acesso à sala e estacou, boquiaberta. Um imenso tapete Aubusson cobria toda a extensão da sala, onde estantes repletas de livros enfileiravam-se nas paredes. No extremo oposto, sentado atrás de uma imponente escrivaninha maciça, com as mangas da camisa dobradas até os cotovelos, estava o homem que vivera naquele chalé na Escócia e com quem ela praticara tiro ao alvo num galho de árvore.

Sem sequer reparar na presença dos três outros homens na sala, que já se punham de pé à sua entrada, Elizabeth viu Ian levantar-se com a graça natural de seus movimentos. Com uma crescente sensação de arrebatamento, ouviu-o pedir licença a seus visitantes, afastar-se da mesa e aproximar-se dela a passos largos e resolutos. Sua figura aumentava enquanto ele se aproximava, até que seus ombros largos bloquearam a visão da sala, seus olhos cor de âmbar mergulhados nos dela e seu sorriso dividido entre o bom humor e a incerteza.

— Elizabeth? — disse ele simplesmente.

Com os olhos arregalados de embaraço e admiração, ela permitiu que Ian lhe tomasse a mão e a levasse aos lábios antes de falar, suave:

— Acho que eu seria capaz de matá-lo.

Ele sorriu diante do contraste entre as palavras e seu tom de voz.

— Eu sei.

— Você deveria ter-me avisado.

— Queria lhe fazer uma surpresa.

Ou, na verdade, esperava que ela não soubesse e, agora, tinha a prova que queria: como Ian pensara, Elizabeth havia concordado em se casar com ele sem ter o menor conhecimento de sua fortuna. A expressão de confusa incredulidade no rosto dela era verdadeira. E ele precisava vê-la por si mesmo. Fora por isso que instruíra o mordomo a levá-la até ele assim que chegasse. Ian obteve sua prova e, com isso, veio a certeza de que, não importava quanto ela se recusasse a admitir para ele ou para si mesma, ela o amava.

Ela poderia insistir pelo resto da vida que tudo o que queria do casamento era a independência, e ele ouviria tais argumentos com toda a tranquilidade. Porque ela o amava.

Elizabeth reparou na expressão que surgiu no rosto dele e, imaginando que Ian esperava que dissesse algo mais sobre a esplêndida mansão, ofereceu-lhe um sorriso malicioso e brincou:

— Será um sacrifício, com certeza, mas creio que poderei me acostumar à dificuldade de viver num lugar como este. Quantos cômodos há aqui?

Ele arqueou a sobrancelha, zombeteiro.

— Cento e oitenta e dois.

— Uma casinha de proporções modestas — retrucou ela, fingindo desdém. — Mas suponho que servirá.

Ian tinha certeza disso.

Encerrou a reunião em poucos minutos e, depois de quase expulsar seus parceiros de negócios, foi à procura de Elizabeth.

— Ela foi para o jardim, milorde — informou o mordomo.

Ian saiu pelas portas duplas do terraço e juntou-se a ela, encontrando-a ajoelhada no canteiro, retirando os galhos secos de uma roseira.

— Isso só vai doer agora — dizia à planta. — Mas é para seu próprio bem, você vai ver. — Ergueu os olhos para ele, envergonhada. — É a força do hábito — explicou.

— E é óbvio que funciona — disse ele com ternura.

— Por que diz isso?

— Porque — respondeu ele baixinho quando ela se levantou —, antes de você vir para cá, este era apenas um jardim comum.

Intrigada, Elizabeth inclinou a cabeça para o lado.

— E agora, o que é?

— O paraíso.

Ela perdeu o fôlego. Podia ler o desejo brilhando nos olhos dele e ouvi-lo em sua voz rouca. Ian estendeu a mão e, sem perceber o que fazia, Elizabeth entregou-lhe a sua antes de ir direto para os braços dele. Por um momento, os olhos ardentes de Ian perscrutaram-lhe o rosto, traço por traço. A pressão de seus braços aumentava devagar. Então, ele abaixou a cabeça para beijá-la. A boca sensual clamava pela dela num beijo de violenta ternura e atordoante desejo. As mãos dele deslizaram pelos seios dela, e Elizabeth sentiu sua resistência começar a ruir. Retribuiu o beijo de corpo e alma.

O amor acumulado nos solitários anos de sua infância estava naquele beijo — Ian sentiu-o nos suaves lábios que se entreabriam ansiosos por sua língua, nas mãos delicadas que mergulhavam em seus cabelos. Com ardor e generosidade, ela entregava todo aquele amor a ele, e Ian o tomou como um homem faminto, sentindo-o subir-lhe pelo sangue. Elizabeth era tudo aquilo com que ele jamais sonhara e poderia ser muito mais.

Num esforço quase doloroso, afastou os lábios dos dela, a mão ainda segurando a maciez acetinada de seus cabelos, enquanto a outra a pressionava contra o próprio corpo. Elizabeth permaneceu em seus braços sem demonstrar-se assustada ou ofendida com sua rígida ereção.

— Eu amo você — sussurrou ele, roçando o queixo na testa de Elizabeth. — E você também me ama; posso sentir isso quando a tenho em meus braços.

Percebeu-a enrijecer o corpo e soltar um suspiro, mas não conseguia ou não queria falar. Porém, tampouco rejeitou suas palavras e Ian prosseguiu, acariciando-lhe as costas com suavidade:

— Consigo sentir seu amor, Elizabeth, mas, se você demorar muito a admitir que me ama, creio que vou enlouquecer. Já não consigo mais trabalhar direito, não consigo pensar. Às vezes, tomo uma decisão e, logo depois, mudo de ideia. E isso — brincou, tentando amenizar a tensão, escolhendo um assunto que a distrairia — sem mencionar o dinheiro que esbanjo sempre que estou sob tensão. Não foram apenas os vestidos que comprei ou a casa da Rua Promenade...

Ainda falando, ele ergueu o queixo dela, mergulhando na delicada paixão refletida em seus olhos, enxergando a dúvida em suas profundezas.

— Se não confessar logo que me ama — brincou —, acabarei nos afundando na miséria. — Viu quando ela franziu a testa, confusa, e sorriu. Pegou a mão que ela mantinha apoiada em seu peito e fez deslizar em seu dedo o anel de esmeralda que comprara como presente de noivado. — Quando estou tenso — enfatizou ao colocar o anel —, compro tudo o que vejo. Precisei de toda a minha força de vontade para não comprar um anel destes de *cada* cor.

Elizabeth tirou os olhos dos lábios sorridentes dele, baixou-os para a enorme joia em seu dedo e arregalou-os, espantada.

— Ah... — murmurou, atônita. — É *maravilhoso*. Mas eu não poderia permitir que... não posso, Ian — balbuciou, ansiosa, fazendo-o estremecer com a maneira como pronunciara seu nome. — Não posso permitir que faça isso, pois já se mostrou generoso demais. — Tocou a pedra quase com reverência e, depois, balançou a cabeça, decidida. — Não preciso de joias, não preciso mesmo. Você fez isso apenas por causa daquele meu comentário tolo sobre alguém que me ofereceu joias do tamanho da palma da minha mão. E comprou uma quase tão grande!

— Não exatamente— riu ele.

— Ora, um anel como este deve custar o bastante para irrigar todas as terras de Havenhurst e pagar os salários dos empregados durante anos e anos, e comida para... — Elizabeth começou a tirar o anel.

— Não! — avisou ele, abafando uma risada, e cruzou as mãos atrás das costas dela. — Eu... — pensou depressa numa maneira de silenciar as objeções dela. — Não posso devolver o anel — disse. — Faz parte de um conjunto.

— Está me dizendo que comprou outras joias?

— Receio que sim, embora minha intenção fosse lhe fazer uma surpresa. Há também um colar, uma pulseira e um par de brincos.

— Ah, entendo... — disse ela, fazendo visível esforço para não ficar admirando o anel. — Bem, então suponho que, como comprou *várias* peças, o anel tenha saído por um preço bem mais em conta. Não me diga — continuou com severidade quando Ian não conseguiu mais reprimir o riso — que você pagou o preço integral por *todas* as peças!

Rindo, ele encostou a testa na dela.

— Você tem muita sorte — disse ela, pousando um dedo protetor sobre a magnífica pedra — por eu concordar em casar com você.

— Se não concordasse — riu ele—, sabe Deus o que mais eu teria comprado.

— Ou quanto teria *pago*. — Ela riu também, aconchegando-se nos braços dele. — É mesmo verdade?

— O quê? — perguntou Ian, com lágrimas de riso nublando seus olhos.

— Que você gasta dinheiro sem pensar quando algo o perturba?

— É, sim — mentiu ele, sufocando o riso.

— Bem, vai ter de parar com isso.

— Vou tentar.

— Eu posso ajudá-lo.

— Pois faça isso, por favor.

— Pode confiar completamente em mim.

— Estou ansioso por isso.

Aquela foi a primeira vez que Ian beijou uma mulher enquanto ria.

A TARDE PASSOU voando, e Ian apanhava-se consultando o relógio como se pudesse fazer o tempo parar. Quando não houve mais como evitar, acompanhou Elizabeth até a carruagem.

— Amanhã nos encontramos, no baile. E não se preocupe, vai dar tudo certo.

— Eu sei — respondeu ela, com total confiança.

Capítulo 27

Cinco noites antes, ao chegar ao baile dos Willington, Elizabeth sentira-se aterrorizada e envergonhada. Naquela noite, entretanto, quando o mordomo anunciou seu nome, ela entrou no salão sem qualquer sombra de receio ou preocupação, atravessando o terraço graciosamente e descendo a escadaria devagar, ao lado da Duquesa-mãe de Hawthorne. Com Jordan e Alexandra seguindo-as logo atrás, Elizabeth reparou que os convidados se viravam para observá-la, mas não se importou com a expressão daqueles seiscentos rostos. Usando um suntuoso vestido de seda verde entremeada com fios de ouro, o anel e o colar de diamantes e esmeraldas que Ian lhe dera, e com os cabelos arrumados em cachos elaborados, sentia-se muito calma e segura.

Ao alcançar o meio da escada, permitiu-se um olhar por entre a multidão, procurando o único rosto que lhe importava. E o encontrou no mesmo lugar em que estivera dois anos atrás, quando ela entrara no salão de baile de Charise — parado próximo ao pé da escada, ouvindo algumas pessoas que lhe falavam.

E, exatamente no momento que ela previra, Ian olhou para cima, como se também soubesse que iria encontrá-la ali. Seu olhar firme, repleto de admiração, mediu-a dos pés à cabeça antes de retornar ao rosto — e, então, compartilhando a lembrança, ergueu a taça e lhe fez o mesmo brinde silencioso.

A troca de olhares foi doce e de pungente familiaridade. Eles haviam protagonizado aquela mesma cena anos antes, só que tudo acabara da maneira errada. Porém, Elizabeth queria que aquela noite terminasse como deveria e não dava a mínima importância a quaisquer outros motivos para estar ali. As coisas que Ian lhe dissera no dia anterior, o som enrouquecido de sua voz, a maneira como ele a tomara nos braços... tudo soara como uma música suave em seu coração. Ele era terno, ardente e apaixonado — aliás, *sempre* fora assim — e Elizabeth estava cansada de mostrar-se sempre temerosa, decorosa e racional.

Os pensamentos de Ian também rondavam a lembrança da última vez que a vira entrar num salão de baile — até seus olhos enquadrarem Elizabeth com nitidez. Então, todos os pensamentos racionais o abandonaram. A mulher que descia a escadaria e passava a poucos metros dele *não* era mais a linda jovem vestida de azul de dois anos atrás.

Uma visão de tirar o fôlego, envolta em seda cor de esmeralda, ela era perfeita demais para ser de carne e osso, majestosa e altiva demais para permitir que ele a tocasse. Deixou escapar um suspiro ao se dar conta de que não havia respirado desde o instante em que a avistara. Assim como os quatro cavalheiros em sua companhia.

— Bom Deus — ofegou o Conde Dillard, virando-se para olhá-la, sem disfarçar a admiração. — Ela não pode ser real.

— Foi exatamente o que pensei na primeira vez que a vi — comentou Roddy Carstairs, aproximando-se por trás deles.

— Não me importo com os boatos — prosseguiu Dillard, tão enfeitiçado pela beleza daquele rosto a ponto de se esquecer que um dos homens do grupo estava envolvido naqueles "boatos". — Preciso ser apresentado a ela.

Passou sua taça a Roddy, em vez de entregá-la ao criado que estava do seu lado, e saiu na esperança de ser apresentado por Jordan Townsende

Observando-o, Ian precisou de todo o seu autocontrole a fim de manter uma expressão de cuidadosa indiferença, afastar os olhos das costas de Dillard e prestar atenção em Roddy, que o cumprimentava. Na verdade, Ian levou alguns instantes para se lembrar do nome dele.

— Como vai, Carstairs? — perguntou, afinal recordando-se.

— Enamorado, como, aliás, metade dos homens aqui presentes — respondeu Roddy, gesticulando na direção de Elizabeth, embora os olhos permanecessem analisando o rosto indiferente e o olhar contrariado de Ian. — Na verdade, estou tão admirado que, pela segunda vez em minha longa carreira, fiz uma gentileza a uma dama em dificuldades. *Sua* dama, a não ser que minha intuição esteja errada, algo que nunca acontece.

Ian levou a taça aos lábios, observando Dillard fazer uma reverência para Elizabeth.

— Creio que terá de ser mais específico — falou, impaciente.

— Bem, para ser mais específico, andei dizendo que, em minha respeitável opinião, ninguém, *ninguém* mesmo, jamais ousou macular a pureza daquela linda criatura. Nem mesmo você.

Ao ouvi-lo falar sobre Elizabeth como se ela fosse uma guloseima de deleite público, Ian foi invadido por uma onda de fúria. Porém, antes que tivesse chance de dar uma resposta ao infeliz comentário, outro grupo de pessoas ansiosas para serem apresentadas a ele aproximou-se. E Ian suportou, como estivera fazendo durante toda a noite, a excessiva torrente de cortesias, sorrisos galanteadores, olhares convidativos, reverências e apertos de mãos que se seguiu.

— Como se sente — indagou Roddy quando o grupo se dispersou e antes que outro se aproximasse — tendo-se transformado, do dia para a noite, no solteiro mais cobiçado da Inglaterra?

Ian respondeu e afastou-se abruptamente, destruindo, assim, as esperanças do novo grupo que caminhava em sua direção. O cavalheiro ao lado de Roddy, que estivera admirando o magnífico traje vinho-escuro que Ian vestia, inclinou-se para o lado e perguntou, erguendo a voz acima do burburinho:

— Diga-me, Roddy, o que Kensington lhe respondeu sobre ser o solteiro mais cobiçado da Inglaterra?

Roddy virou-se para encará-lo, com um sorriso sarcástico nos lábios.

— Disse que é uma amolação sem tamanho. — Lançou um olhar enviesado para o atônito cavalheiro e acrescentou: — Com Hawthorne casado e Kensington, em minha opinião, prestes a se casar também, o único solteiro com um ducado para oferecer será Clayton Westmoreland. E, graças ao tumulto que Hawthorne e Kensington provocaram com as respectivas cortes que prestaram a suas damas, só nos resta aguardar para descobrir como Westmoreland vai se comportar.

Ian levou vinte minutos para atravessar dez metros no salão e dirigir-se para onde estava seu avô — era interrompido a cada passo por alguém que queria cumprimentá-lo ou que insistia em trocar uma palavra amigável.

Passou a hora seguinte no mesmo salão em que Elizabeth dançava com outros cavalheiros, reparando que ela estava sendo quase tão requisitada quanto ele. À medida que a noite prosseguia, e ele a observava rir com seus parceiros de dança ou ouvir os elogios que se derramavam sobre ela, deu-se conta de que, enquanto ele achava bailes pouco divertidos, quase sempre entediantes, Elizabeth florescia naquele ambiente. Ela fazia parte daquilo, percebeu; era o mundo dela, o cenário no qual vicejava e brilhava, imperando como uma jovem rainha. Era um mundo que, claro, ela amava. Nem uma vez, desde que ela chegara, Ian a vira lançar mais do que um rápido olhar em sua direção, embora seus próprios olhos a tivessem seguido sem trégua — o que ele percebeu, soturno, quando afinal chegou sua vez de dançar com ela, tornando-o mais um entre tantos homens no salão. Como ele, todos a observavam de longe com olhares desejosos.

A fim de dar veracidade à farsa que era obrigado a encenar, Ian aproximou-se do grupo ao redor dos Townsende e foi falar primeiro com Jordan, que se postava entre a esposa e Elizabeth. Após enviar-lhe um olhar de bem-humorada compreensão, Jordan virou-se para resgatar Elizabeth da pequena multidão de admiradores que a rodeava.

— Lady Cameron — disse, desempenhando seu papel com dedicação enquanto assentia na direção de Ian —, creio que se lembra de nosso amigo Lorde Thornton, Marquês de Kensington.

O sorriso radiante que Elizabeth lhe endereçou não era, de maneira alguma, aquele que a duquesa-mãe insistira para que fosse "educado, mas imparcial".

— É claro que me lembro do senhor — disse ela, oferecendo-lhe a mão num gesto gracioso.

— Creio que esta valsa seja minha — disse ele em favor dos admiradores avidamente interessados que os observavam. Esperou que se aproximassem do meio do salão antes de acrescentar, tentando mostrar-se agradável: — Você parece estar se divertindo muito esta noite.

— Sim, estou — respondeu ela, distraída, mas, quando fitou os olhos dele, reparou na frieza que refletiam.

Com a nova compreensão de seus próprios sentimentos, Elizabeth conseguia compreender melhor os dele. Um sorriso tocou-lhe os lábios, enquanto os músicos faziam a valsa ressoar, e permaneceu em seu coração, quando os braços de Ian enlaçaram sua cintura e a mão esquerda fechou-se sobre seus dedos.

Acima deles, centenas de velas ardiam nos candelabros de cristal, mas Elizabeth estava de volta àquele caramanchão iluminado pelo luar tempos atrás. Como agora, Ian movera-se, naquela ocasião, ao som da música com uma habilidade natural. Aquela adorável valsa, anos atrás, iniciara algo que terminou de maneira muito, muito equivocada. Agora, dançando nos braços dele, ela sabia que poderia fazer tudo diferente, e essa certeza encheu-a de orgulho e uma pontinha de nervosismo. Ela esperou, ansiando para que ele lhe dissesse algo doce e terno, como fizera naquela última vez.

— Belhaven a está devorando com os olhos — comentou Ian em vez disso. — Aliás, é o que metade dos homens neste salão tem feito desde que você chegou. Embora nosso país se orgulhe das boas maneiras, parece ignorá-las quando se trata de admirar belas mulheres.

Aquele não era o início de conversa que ela esperava. E, pelo humor que ele demonstrava, concluiu que ela mesma teria de melhorar o clima. Erguendo os olhos para aquele rosto enigmático, disse baixinho:

— Ian, você já quis muito algo que estava ao seu alcance, mas, ainda assim, teve medo de agarrar?

Surpreso com a pergunta séria e com a maneira como ela dissera seu nome, Ian tentou ignorar o ciúme que o atormentara durante toda a noite.

— Não — respondeu, procurando disfarçar a irritação e baixando os olhos para aquele rosto adorável. — Por que pergunta? Há algo que você queira?

Elizabeth desviou o olhar e assentiu, fitando as pregas minúsculas do peitilho da camisa dele.

— O que você quer?

— Você.

Ian prendeu a respiração e fixou os olhos nos cabelos dourados dela.

— O que disse?

Elizabeth fitou-o antes de responder:

— Disse que quero você, mas tenho medo de...

Com o coração disparando em seu peito e os dedos pressionando-a mais contra si, ele a interrompeu:

— Elizabeth — disse, tenso, observando a ávida e curiosa plateia que os cercava e resistindo a um impossível impulso de levá-la para o terraço —, por que, em nome de Deus, você me diria uma coisa destas quando estamos no meio de um maldito baile, rodeados por uma multidão?

O sorriso radiante dela alargou-se.

— Ora, porque pensei que este fosse o lugar *certo* para fazê-lo — respondeu, observando os olhos dele nublarem-se de desejo.

— Porque é mais seguro? — indagou ele, incrédulo, referindo-se à sua reação ardente, que, era óbvio, se seguiria.

— Não. Porque foi assim que tudo começou, há dois anos. Estávamos num caramanchão e tocava uma valsa — relembrou ela. — Você se aproximou por trás de mim e disse "Dance comigo, Elizabeth"; e eu dancei — finalizou, sua voz sumindo diante do intenso ardor nos olhos dele. — Você se lembra? — acrescentou, hesitante, quando ele permaneceu em silêncio.

Os olhos de Ian mergulharam nos dela.

— Dê-me seu amor, Elizabeth — falou, então, com a voz rouca.

Ela estremeceu, mas encarou-o sem piscar.

— Eu amo você, Ian.

Os últimos acordes da valsa ressoaram no ar e, com um esforço supremo, Ian a soltou. Foram juntos através da multidão, sorrindo com educada formalidade para as pessoas que os interceptavam, sem ter a mais remota ideia do que diziam. Quando se aproximaram do grupo dos Townsende, Ian a fez diminuir um pouco os passos, tocando levemente seu ombro.

— Há algo que preciso lhe contar — falou. Cuidando ao máximo para manter as aparências, pegou uma taça de champanhe da bandeja de um criado que passava, usando aquilo como desculpa para a breve pausa. — Eu já teria lhe contado antes, mas imaginei que você iria questionar os meus motivos e não acreditaria em mim.

Elizabeth retribuiu graciosamente o cumprimento de uma senhora e, devagar, virou-se para pegar a taça das mãos de Ian, ouvindo enquanto ele falava num tom baixo e urgente:

— Eu nunca disse ao seu irmão que não queria me casar com você.

A mão dela parou no ar por um instante antes de pegar a taça. Continuaram caminhando na direção de seus amigos, muito devagar.

— Obrigada — disse ela, parando outra vez para beber um gole, em uma nova tentativa de permanecer mais um pouco ao lado dele.

— E há outra coisa — acrescentou ele, irritado.

— O quê?

— Odeio este maldito baile. Daria metade de tudo o que possuo para estar com você em qualquer outro lugar.

Para sua total surpresa, Elizabeth assentiu, concordando:

— Eu também.

— Daria metade de tudo? — provocou ele, sorrindo diante da maneira como ela desafiava todas as regras do "comportamento apropriado para uma dama".

— Bem, pelo menos um quarto — corrigiu ela, hesitante, estendendo-lhe a mão para o beijo protocolar enquanto juntava as saias, preparando-se para a leve reverência de agradecimento.

— Não se atreva a me reverenciar — avisou ele, sussurrando e rindo enquanto lhe beijava a mão enluvada. — Para onde quer que me vire, as mulheres desabam no chão como velas sendo baixadas num veleiro.

Elizabeth deu uma gostosa risada e, em provocante desobediência, mergulhou numa profunda e majestosa reverência.

Numa repentina mudança de humor, Ian decidiu que estava adorando aquele baile. Com perfeita compostura, dançou com todas as idosas e respeitáveis senhoras, verdadeiros pilares da sociedade, assegurando-se de que poderia ser considerado um acompanhante adequado para Elizabeth mais tarde. Durante toda a interminável noite, sua serenidade foi abalada apenas umas poucas vezes. Na primeira, quando alguém, que não o conhecia, confidenciou-lhe que, dois meses atrás, Julius Cameron enviara cartas a todos os antigos pretendentes de Elizabeth, oferecendo-lhes a mão dela em casamento.

Reprimindo o choque e tentando disfarçar o imenso desprezo por Julius Cameron, Ian forçou um sorriso divertido e confidenciou:

— Conheço o tio da jovem dama e lamento dizer que ele é um tanto perturbado. Como deve saber, essas coisas acontecem até nas *melhores* famílias — acrescentou numa referência inequívoca ao pobre Rei George, e recebeu uma farta gargalhada em resposta.

— É verdade — concordou ele. — É uma pena, mas é verdade. — Depois, afastou-se com a firme intenção de espalhar a notícia de que o tio de Elizabeth era um confirmado doido varrido.

Os métodos que Ian utilizou para lidar com Sir Francis Belhaven — que, conforme seu avô descobrira, andava gabando-se de que Elizabeth passara vários dias em sua companhia — foram bem menos sutis, embora mais eficientes.

— Belhaven — chamara Ian, depois de passar meia hora à procura desse repulsivo cavalheiro.

O homem robusto girou nos calcanhares, surpreso, e se afastou do grupo a fim de ouvir o que Ian lhe dizia em voz baixa e contida:

— Acho sua presença repugnante — falou Ian num tom perigoso. — Detesto sua casaca, sua camisa e até o laço de sua gravata. Na verdade, detesto você. Já o ofendi o bastante ou devo continuar?

Belhaven ficou de queixo caído, o rosto emplastrado adquirindo uma cor acinzentada.

— Você está... tentando forçar um... duelo?

— Em geral, eu não perderia meu tempo atirando em um alvo tão repulsivo, mas, neste caso, estou preparado para fazer uma exceção, uma vez que este alvo em particular não sabe manter a boca fechada.

— Um duelo com você? — ofegou o homem. — Ora, isso não seria um confronto justo, pois todos conhecem sua destreza com a pistola. Seria assassinato!

Ian inclinou-se um pouco mais, falando por entre os dentes cerrados:

— E será mesmo *assassinato*, seu maldito viciado em ópio, a não ser que esclareça a todos, em alto e bom som, que estava apenas brincando a respeito da visita de Elizabeth Cameron.

Ouvindo aquela menção ao ópio, Belhaven deixou cair a taça, que se estilhaçou no chão.

— Pois eu acabei de lembrar que foi tudo uma brincadeira.

— Ótimo — disse Ian, reprimindo o impulso de esganá-lo. — Agora, comece a dizer isso a todos que estão presentes neste salão.

— Pois bem, Thornton — disse uma voz intrigada por cima do ombro de Ian, enquanto Belhaven corria para obedecer a seu comando —, hesito em dizer que ele não está mentindo.

Ainda furioso com Belhaven, Ian virou e deparou com John Marchman.

— Ela também esteve em minha casa — acrescentou Marchman. — Mas, pelo amor de Deus, não olhe para mim como se eu fosse Belhaven! Elizabeth esteve acompanhada de sua tia Berta em todos os momentos.

— Acompanhada por quem? — indagou Ian, num misto de raiva e humor.

— Tia Berta — repetiu Marchman. — Uma mulherzinha gorducha, de poucas palavras.

— Então, trate de seguir o exemplo dela — ameaçou Ian.

John Marchman, que já tivera o privilégio de pescar no maravilhoso riacho da propriedade de Ian na Escócia, lançou um olhar ofendido ao amigo.

— Atrevo-me a dizer que não há necessidade alguma de desafiar a *minha* honra, Thornton. Cheguei a considerar a ideia de me casar com Elizabeth a fim de salvá-la das garras de Belhaven, enquanto você se limitou a pensar em *atirar* nele. Creio que meu sacrifício seria...

— Você considerou o quê? — perguntou Ian, sentindo como se acabasse de entrar num teatro no meio do segundo ato, sem conseguir entender o espetáculo ou identificar os personagens.

— O tio dela me rejeitou, pois recebeu uma oferta melhor.

— Sua vida será bem mais pacífica assim, acredite — comentou Ian, seco, antes de se afastar a fim de pegar uma bebida.

O terceiro confronto foi o que mais agradou Ian, porque Elizabeth estava com ele depois da segunda dança — a última permitida. O Visconde Mondevale aproximou-se, com Valerie dependurada em seu braço, acompanhado pelo grupo que sempre o seguia. A visão da jovem que causara tanto sofrimento a ambos provocou em Ian quase tanta raiva quanto o fato de Mondevale estar observando Elizabeth como se fosse um pretendente desprezado.

— Mondevale — cumprimentou Ian, breve, sentindo a tensão nos dedos de Elizabeth ao deparar com Valerie. — Parabéns pelo seu bom gosto. Estou certo de que a Srta. Jamison será uma ótima esposa, se você algum dia criar coragem para pedi-la em casamento. Porém, se o fizer, aceite meu conselho e contrate um professor, pois ela tem uma caligrafia terrível e tampouco sabe escrever. — Desviando o olhar arguto para Valerie, acrescentou: — "Estufa" escreve-se com "e", não com "i". Será que devo ensiná-la como soletrar "maldade" também?

— Ian — repreendeu Elizabeth gentilmente quando se afastaram —, isso já não tem mais nenhuma importância. — Fitou-o e sorriu, fazendo Ian sentir-se em total harmonia com o mundo.

A sensação foi tão duradoura que ele conseguiu suportar as três semanas seguintes — e todas as exigências sociais, rituais da corte e formalidades do noivado — com grande serenidade, enquanto contava mentalmente cada dia antes de poder tornar Elizabeth sua mulher e unir seu corpo faminto ao dela.

Com um sorriso educado, Ian frequentou chás enquanto pensava nas cartas que teria de ditar ao secretário; assistiu a óperas inteiras enquanto mentalmente a despia devagar; compareceu a onze encontros para o desjejum, durante os quais planejou um novo tipo de mastro para sua frota de navios. Acompanhou Elizabeth a dezoito bailes e, munido de muita prudência, impediu-se de ceder à fantasia recorrente de rasgar as rendas e sedas que a envolviam e mergulhar nas curvas suaves e deliciosas de seu corpo, sussurrando palavras de ardente paixão.

Foram as três semanas mais longas da vida dele.

E as mais curtas da vida de Elizabeth.

Capítulo 28

Nervosa e feliz, Elizabeth postou-se diante do longo espelho em seu quarto na casa da Rua Promenade. Alexandra sentava-se na cama, sorrindo para ela e para as quatro criadas que Ian enviara para ajudá-la a se arrumar.

— Com licença, milady. — Outra criada surgiu na porta. — Bentner pediu para avisá-la de que o Sr. Wordsworth está aqui e insiste em vê-la agora. Faz questão de falar com a senhorita, mesmo sabendo que hoje é o dia do seu casamento.

— Vou atendê-lo num instante — disse Elizabeth, olhando em volta à procura de um robe discreto o bastante para receber uma visita masculina.

— Quem é Wordsworth? — quis saber Alex, franzindo a testa diante da ideia de a amiga interromper os preparativos para a cerimônia nupcial.

— É o investigador que contratei para descobrir o paradeiro de Robert.

Elizabeth encontrou Wordsworth andando inquieto pela sala, segurando o chapéu na mão.

— Sinto muito incomodá-la no dia de seu casamento — começou ele —, mas, na verdade, este é o motivo da minha urgência em lhe falar. Creio que a senhorita deveria fechar a porta — aconselhou.

Trêmula, Elizabeth assentiu.

— Lady Cameron — continuou o investigador, com preocupação —, tenho razões para acreditar que seu futuro marido está envolvido no desaparecimento do seu irmão.

Ela desabou no sofá.

— Isso... isso é um despropósito! Como pode afirmar uma coisa assim?

O homem virou-se da janela e a encarou.

— A senhorita tem conhecimento de que seu irmão participou de um duelo contra Ian Thornton uma semana antes de desaparecer?

— Ah, isso! — disse ela, aliviada. — Sim, eu sei de tudo. Mas não houve nenhum dano real.

— Pelo contrário. Thornton, isto é, Kensington levou um tiro no braço.

— Sim, eu sei.

— E a senhorita também sabe que Robert disparou a arma antes de ser dado o aviso para atirar?

— Sim.

— Bem, no momento, é importante que a senhorita considere a situação em que Kensington se encontrava. Ele foi ferido pelo ato desonesto de seu irmão, e apenas esse fato já poderia levá-lo a querer vingança.

— Sr. Wordsworth — intercedeu Elizabeth, com um leve sorriso —, se Ian, Lorde Kensington, quisesse algum tipo de retribuição violenta, se é que estou entendendo sua insinuação, ele a teria conseguido naquele duelo, pois é um atirador excepcional. Porém, ele não o fez — continuou, engajada em sua leal defesa a Ian —, porque não concorda que se tire a vida de alguém por causa de desavenças pessoais.

— *Verdade?* — perguntou Wordsworth, com nítido sarcasmo.

— Sim, é verdade — afirmou ela, implacável. — O próprio Lorde Thornton assegurou-me disso, e eu tenho todos os motivos para acreditar em sua sinceridade— acrescentou, lembrando-se de quando Ian rejeitara o desafio de Everly, que o acusara de trapacear no jogo.

— E *eu* tenho todos os motivos para afirmar — retrucou Wordsworth, igualmente implacável — que o *escocês* com quem a senhorita vai se casar não tem o menor escrúpulo quando se trata de tirar a vida de um homem num duelo — disse, enfatizando a palavra "escocês" com todo o desprezo que muitos ingleses sentiam pelo povo que consideravam inferior.

— Eu não...

— É de meu conhecimento que ele matou pelo menos cinco homens.

Elizabeth engoliu em seco.

— Tenho certeza de que ele tinha... talvez tivesse um bom motivo e os duelos foram... justos.

— Se é nisso em que deseja acreditar... Entretanto, há mais.

Ela sentiu as palmas das mãos ficando úmidas. Por um lado, queria levantar-se e sair dali; por outro, a gravidade do assunto a paralisava.

— O que quer dizer com isso?

— Se me permite, vamos recordar o que já sabemos: Thornton foi ferido e, sem dúvida, ficou furioso, com razão, por seu irmão ter atirado nele antes da hora.

— Eu *sei* disso. Ou, pelo menos, estou disposta a aceitar, pois faz sentido.

— E a senhorita também sabe, milady, que, três dias depois da fracassada tentativa de matar Thornton num duelo, seu irmão tentou novamente, dessa vez na estrada de Marblemarle?

Elizabeth se pôs de pé, devagar.

— O senhor está enganado! Como sequer saberia disso? Por que Robert iria querer... — calou-se de repente. Três dias depois do duelo, o Visconde Mondevale retirara a proposta de casamento e, com isso, todas as esperanças de recuperação financeira, tanto as de Robert como as dela, haviam desvanecido.

— Sei disso porque, com as informações que a senhorita me deu, recriei inúmeras vezes todos os movimentos de seu irmão durante a semana de seu desaparecimento. É um procedimento de praxe reconstituir a época da ocorrência para reunir todas as pistas que possam nos guiar pelo mistério. Três dias depois do duelo, seu irmão passou a tarde no clube Knightbridge, onde bebeu um pouco demais e começou a falar sobre matar Ian Thornton. Pediu uma carruagem emprestada a um dos amigos e disse que iria à procura de sua vítima. Fui capaz de constatar que a "vítima" em questão se encontrava em Londres naquele dia e que partira no início da noite para Derbyshire, o que significa que só poderia ter seguido pela estrada de Marblemarle. Sabendo que ele teria de parar para a troca de cavalos em algum ponto da estrada, começamos a investigar em todas as estalagens, a fim de descobrir se alguém se lembraria das descrições de Thornton ou de Robert. Tivemos sorte na estalagem Black Boar: o cavalariço recordava-se de Thornton, que lhe dera meia coroa como pagamento. E ele também se lembrava, com muita clareza, de ter visto um buraco de bala perto da janela da carruagem de Thornton e de ter ouvido sua conversa com o cocheiro, que estava bastante abalado para contar de maneira precisa como a bala os atingira. Aparentemente, houvera uma confusão alguns quilômetros antes, quando um homem, cuja descrição correspondia à de Robert, e a quem Thornton chamara de Robert Cameron, ficara escondido na estrada e tentara atirar nele pela janela da carruagem.

O investigador fez uma breve pausa, antes de prosseguir:

— Dois dias depois, seu irmão contou a alguns companheiros do clube Knightbridge o que fizera. Ele afirmou que Thornton o arruinara, e à senhorita também, e que preferia morrer a vê-lo safar-se de toda a história. De acordo com um dos cavalariços de Thornton, naquela mesma noite, seu irmão tornou a emboscar-se na escuridão e atacou Thornton na estrada para Londres e, dessa vez, atingiu-o no ombro. Thornton conseguiu desarmá-lo com os próprios punhos, mas Robert fugiu a cavalo. E, dado que Thornton não poderia segui-lo pela floresta com a carruagem, ele conseguiu escapar. No dia seguinte, entretanto, depois de sair do clube, seu irmão desapareceu. Partiu deixando tudo, conforme a senhorita me informou, suas roupas, pertences pessoais, tudo. O que acha disso, Lady Cameron? — perguntou abruptamente.

Elizabeth engoliu em seco mais uma vez, recusando-se a imaginar mais do que sabia.

— Acho que Robert estava obcecado com a ideia de vingança e que seus métodos foram, bem, um pouco exagerados.

— E Thornton nunca mencionou esses fatos à senhorita?

Balançando a cabeça, ela acrescentou, na defensiva:

— Não costumamos conversar a respeito de Robert; é um assunto delicado para nós dois.

— A senhorita não está me ajudando, milady — confessou Wordsworth, com frustrada irritação. — Está evitando as conclusões óbvias. Acredito que Thornton tenha mandado raptar seu irmão, ou coisa pior, a fim de impedi-lo de cometer novos atentados contra a sua vida.

— Pois vou *perguntar* a ele — exclamou Elizabeth, pânico e dor começando a invadi-la.

— *Não* faça isso — alertou o investigador, parecendo conter o impulso de sacudi-la. — Nossas chances de descobrir a verdade estão no fato de Thornton não saber que está sendo investigado. Se tudo o mais falhar, talvez eu lhe peça para contar a ele tudo o que você sabe, assim poderemos observá-lo, ver aonde vai e o que fará em seguida, embora eu duvide que seja descuidado. Mas essa é nossa última opção. — Num tom de solidariedade, acrescentou:
— Lamento ser a provável causa de a senhorita enfrentar mais uma onda de comentários maldosos da sociedade, mas senti-me na obrigação de alertá-la antes que se casasse com aquele assassino *escocês*!

Outra vez, ele pronunciou com desdém a palavra "escocês", e, em meio a todo o tumulto de emoções que a invadia, *aquela* pequena tolice fez com que Elizabeth perdesse a paciência.

— Pare de dizer "escocês" nesse tom ofensivo! — bradou ela. — E fique sabendo que Ian... que *Lorde Thornton* é metade inglês! — acrescentou, furiosa.

— Bem, isso o torna apenas *meio* selvagem — replicou o investigador com mordaz desprezo. Depois, suavizou a voz ao reparar que a linda e pálida jovem o encarava, desafiadora. — A senhorita não imagina o tipo de gente que podem ser ou que costumam ser. Minha irmã casou-se com um escocês e não tenho palavras para descrever o inferno que é a vida dela.

— Ian Thornton não é o seu cunhado!

— Não, ele não é — disparou Wordsworth. — É um homem que fez fortuna jogando e foi acusado de trapaça mais de uma vez! Todos sabem que, doze anos atrás, ele arrebatou uma pequena mina de ouro num jogo de cartas com um viajante das colônias, que visitava Londres pela primeira vez. A mina começou a dar lucro e o pobre homem, que dedicara metade da vida para vê-la produtiva, tentou processar Thornton nas colônias. Jurou que o seu noivo trapaceara no jogo e... a senhorita sabe o que aconteceu?

Ela balançou a cabeça.

— O seu meio-escocês o matou a sangue frio. Está me ouvindo? Ele *matou* o homem, e todo mundo sabe disso, eu lhe asseguro.

Elizabeth começou a tremer com tanta violência que, a muito custo, não perdeu o equilíbrio.

— Eles duelaram, e aquele selvagem o *matou.*

A palavra "duelo" penetrou nos sentidos de Elizabeth como um ansiado anestésico. Um duelo não era de fato assassinato...

— Foi... foi um duelo justo?

Wordsworth deu de ombros.

— Os boatos afirmam que sim, mas, enfim, são apenas boatos.

Ela pulou da cadeira, uma acusação colérica reluzindo nos olhos verdes, incapaz de esconder a apreensão.

— O senhor descarta como boato algo capaz de inocentá-lo, mas, quando um boato o incrimina, acredita sem questionar nada! E ainda espera que eu faça o mesmo!

— Por favor, milady — pediu ele, parecendo desesperado. — Apenas tento lhe mostrar que é uma loucura ir adiante com este casamento. Não faça isso, eu imploro. Espere mais um pouco.

— Isso cabe a mim decidir — afirmou ela, ocultando o medo sob uma capa de orgulho e raiva.

Cerrando os dentes em frustração, ele finalizou:

— Se a senhorita for tola o bastante para se casar com aquele homem hoje, então só me resta pedir para que não informe a ele o que descobrimos e que continue evitando conversar a respeito de Robert Cameron. *Do contrário* — acrescentou num tom aterrorizante —, colocará em risco a vida de seu irmão, se é que ele ainda está vivo.

Elizabeth enterrou as unhas nas palmas das mãos, num esforço para se acalmar.

— O que o senhor quer dizer agora? Nada disso faz sentido! Tenho de perguntar a Ian, ele precisa ter uma chance de negar todas essas acusações, de se explicar, de...

Aquilo fez com que Wordsworth perdesse o controle de vez, a ponto de segurá-la pelos ombros, alarmando-a.

— Escute-me! — explodiu ele. — Se a senhorita começar a lhe fazer perguntas, poderá estar condenando seu irmão à morte! — Envergonhado da própria veemência, baixou as mãos, embora a voz continuasse insistente, suplicante: — Considere os fatos, já que se recusa a aceitar as conjecturas: seu futuro marido acabou de ser nomeado herdeiro de um dos títulos mais importantes da Europa. Vai se casar com a senhorita, uma bela jovem, uma *condessa*, que estaria muito além do alcance dele até poucas semanas atrás. A senhorita realmente acredita que ele arriscaria tudo isso ao permitir que seu irmão fosse encontrado e trazido à sua presença para apresentar provas contra ele? Se seu irmão não está morto, se Thornton limitou-se a enviá-lo para trabalhar numa de suas minas ou em um de seus navios, e a senhorita começar a questioná-lo, ele não terá outra escolha, exceto livrar-se das evidências. A senhorita está me ouvindo, Lady Cameron? Será que entende agora?

Elizabeth assentiu.

— Então, só me resta desejar-lhe um bom-dia e retomar as investigações. — Ele parou à porta e virou-se para a jovem no centro da sala, com a cabeça baixa e o rosto tomado de mortal palidez. — Para seu próprio bem, não se case com aquele homem até que tenhamos certeza de tudo.

— E quando isso vai acontecer? — indagou ela, num fio de voz.

— Quem sabe? Em um mês, talvez, ou em um ano. Ou nunca. — Wordsworth fez uma pausa e soltou um suspiro longo e frustrado. — Se a senhorita agir contra o bom senso e se casar com ele, então, pelo bem do seu irmão, mantenha-se em silêncio. A senhorita também corre perigo se ele for culpado e desconfiar que você sabe de algo e pretende denunciá-lo.

Depois que o investigador saiu, Elizabeth afundou de volta no sofá e fechou os olhos, tentando afastar as lágrimas. Em sua mente, ouvia a voz de Wordsworth. Em seu coração, via Ian sorrindo, sua voz rouca e apaixonada dizendo: "Dê-me seu amor, Elizabeth." E, então, lembrou-se de como ele confrontara seu tio, seu corpo emanando ódio. Lembrou-se dele na estufa do jardim, quando Robert irrompera afirmando que ela já estava comprometida com outro. Ian a havia encarado com um olhar assassino...

Mas não machucara Robert naquele duelo. Apesar de sua ira ser justificada, agira com frio controle. Engolindo em seco, Elizabeth afastou uma lágrima, sentindo-se despedaçar.

Viu o rosto dele diante de si, aquele rosto duro que era capaz de transformar-se num rosto de menino com apenas um sorriso. Viu seus olhos gélidos na Escócia, fulminantes contra seu tio, mas ternos e sorridentes no dia em que estiveram em Havenhurst.

Porém, era a voz dele que ressoava em sua mente, superando as dúvidas. Aquela voz rica, insinuante, enrouquecida: "Dê-me seu amor, Elizabeth."

Levantou-se lentamente e, embora continuasse pálida e confusa, tomou uma decisão. Se ele fosse inocente e ela cancelasse o casamento, estaria condenando-o ao ridículo; ela não poderia justificar tal ato, e ele jamais a perdoaria. E iria perdê-lo para sempre. Porém, se fosse em frente com o casamento, se seguisse seus instintos, talvez nunca soubesse o que acontecera com Robert. Ou, então, Ian seria inocentado. Ou, ainda, ela descobriria que se casara com um monstro, um assassino.

Alexandra observou o rosto pálido da amiga e pulou da cama, acolhendo-a nos braços.

— O que aconteceu, Elizabeth? Más notícias? Conte-me, por favor... Você parece prestes a desmaiar!

Elizabeth queria poder desabafar com a amiga, e teria lhe contado tudo, mas temia que Alex a convencesse a desistir do casamento. Já fora bastante difícil tomar aquela decisão, mas, agora que o fizera, achava que não suportaria ouvir mais argumentos que, na certa, a fariam fraquejar. Estava determinada a acreditar em Ian; assim, queria que a afeição de Alex por ele continuasse a crescer.

— Não foi nada — mentiu. — Por enquanto, pelo menos. O Sr. Wordsworth apenas precisava de mais informações sobre Robert, e é sempre muito difícil tocar nesse assunto.

Alexandra e uma das criadas arrumavam a cauda do vestido de Elizabeth. Na porta da igreja, gelada de nervosismo, atormentada pelas dúvidas, ela dizia a si mesma que tudo aquilo não passava da tensão causada pela cerimônia.

Espiou pelas portas, sabendo que, embora lotada, na catedral não havia uma única pessoa de sua própria família — nem mesmo um parente do sexo masculino que a levasse para o altar. Avistou Jordan Townsende sair por uma porta lateral e tomar seu lugar, seguido por Ian, alto, moreno e maravilhoso, exalando poder e força. Não havia ninguém que pudesse forçá-lo a manter a palavra no acordo que fizeram se ele decidisse ignorá-lo. Nem mesmo os tribunais.

— Elizabeth? — chamou o Duque de Stanhope, gentil, e lhe ofereceu o braço. — Não tenha receio, minha criança — disse, sorrindo para a noiva temerosa. — Tudo vai terminar antes mesmo que você perceba.

O órgão ressoou com uma súbita melodia e fez uma pausa, expectante, e, de repente, Elizabeth viu-se caminhando pelo corredor da igreja. Entre as centenas de pessoas que a observavam, imaginou quantas ainda se lembravam de sua ligação pecaminosa com Ian e especulavam em quanto tempo chegaria um bebê.

Porém, reparou distraidamente que muitos dos rostos eram generosos. Uma das irmãs do duque sorriu à sua passagem; a outra enxugava os olhos. Roddy Carstairs lançou-lhe uma piscadela audaciosa, e uma onda de riso a tomou por dentro até colidir com o nó de nervosismo em sua garganta. Ian também a observava, mas com uma expressão impassível. Apenas o olhar do vigário era acolhedor enquanto aguardava com o livro do ritual do sacramento do matrimônio aberto em suas mãos.

Capítulo 29

O Duque de Stanhope insistira na importância de uma grande recepção, seguida de um banquete com a presença de todas as pessoas influentes da sociedade, para colocar um ponto final nos rumores sobre o passado de Ian e Elizabeth. Como resultado, as festividades do casamento aconteciam em Montmayne, e não em Havenhurst, que carecia não apenas do espaço necessário para acomodar mil convidados, como também de mobília.

Postada na lateral do salão de baile, que o exército de decoradores contratados por Ian transformara num imenso caramanchão de flores, complementado por outro, menor, no extremo oposto, Elizabeth tentava, com todas as forças de seu ser, ignorar a perturbadora lembrança da visita de Wordsworth naquela manhã. Porém, por mais que tentasse, as palavras dele continuavam martelando em sua mente, assombrando-a. Lidava com o dilema da única maneira que podia: sempre que a tristeza e o temor ameaçavam invadi-la, procurava por Ian. Apenas olhar para ele, conforme descobrira no decorrer das longas horas desde o fim da cerimônia, bastava para apagar suas dúvidas e tornar absurdas as acusações de Wordsworth. Se Ian não estivesse por perto, ela pregava um sorriso no rosto e fingia ser a noiva radiante, feliz e despreocupada, que todos esperavam que fosse — inclusive, ela mesma. E, quanto mais praticava, mais se *sentia* assim.

Ian afastara-se para buscar uma taça de champanhe e seu retorno era retardado pelo assédio dos amigos. Assim, Elizabeth dedicou-se a sorrir para todos os convidados que passavam por ela num fluxo interminável, a fim de felicitá-la ou elogiar a magnífica decoração e o jantar suntuoso que fora servido. A frieza que ela pensara ter percebido ao entrar na igreja naquela manhã agora lhe parecia mais fruto de sua agitada imaginação. Deu-se conta de que havia julgado mal muitas daquelas pessoas. Sim, era verdade que a haviam condenado dois anos atrás — naturalmente —, mas, agora, a maioria mostrava genuína determinação em esquecer o passado.

O fato de as pessoas estarem fingindo que o passado não existira trouxe enorme alívio a Elizabeth. Com alguma satisfação, observou que a luxuosa decoração do salão guardava uma semelhança impressionante com os jardins da casa de campo de Charise Dumont, e que o caramanchão armado num dos cantos, com a entrada de treliça, era uma réplica exata do lugar onde ela e Ian haviam dançado pela primeira vez, naquela noite distante.

Do outro lado do salão, o vigário conversava com Jake Wiley, Lucinda e o Duque de Stanhope, e ergueu a taça para ela. Elizabeth meneou a cabeça, sorrindo. Jake Wiley reparou na comunicação silenciosa e voltou-se para seu pequeno grupo:

— É uma linda noiva, não acham? — declarou, não pela primeira vez.

Na última meia hora, os três homens haviam trocado cumprimentos efusivos sobre seus respectivos papéis para tornar aquele casamento possível, e os efeitos do álcool já começavam a transparecer no comportamento cada vez mais sociável de Duncan e Jake.

— Absolutamente maravilhosa — concordou Duncan.

— E será uma excelente esposa para Ian — disse o duque. — Fizemos um bom trabalho, cavalheiros — acrescentou, levantando a taça para mais um brinde de congratulações a seus companheiros. — A você, Duncan — falou, com uma reverência —, por ter feito Ian enxergar a luz.

— A você, Edward — retribuiu o vigário —, por obrigar a sociedade a aceitá-los. — Virando-se para Jake, acrescentou: — E a você, meu bom amigo, por ter insistido naquela ida ao vilarejo, levando o velho Átila e a Srta. Throckmorton-Jones consigo.

Um pouco tarde demais, lembraram-se da silenciosa dama de companhia, que permanecia postada rigidamente ao lado deles, mantendo o rosto sem qualquer expressão.

— E a Srta. Throckmorton-Jones — apressou-se Duncan, com uma profunda e galante reverência —, por tomar aquele láudano e confessar toda a verdade sobre o que Ian fizera, dois anos antes. Foi isso, e só isso, que fez com que todo o resto se desenrolasse, por assim dizer. Mas vejam só — ele fez um sinal para um criado que carregava uma bandeja com taças de champanhe —, a senhora não tem uma bebida, minha cara dama, para compartilhar nossos brindes.

— Não suporto bebidas fortes — informou Lucinda. — Além disso, meu bom homem — acrescentou com algo que poderia ser um sorriso ou uma careta —, também *não* bebo láudano.

E, com aquele anúncio surpreendente, juntou as saias cinza e afastou-se para acabar com a alegria de outro grupo. Deixou atrás de si três homens boquiabertos, que trocaram um breve olhar antes de explodir em gargalhadas.

Elizabeth fitou Ian com doçura ao aceitar a taça que ele lhe trazia.

— Obrigada — disse, sorrindo, e fez um gesto indicando Duncan, o duque e Jake, que agora riam convulsivamente. — Parece que estão se divertindo muito.

Ian lançou um olhar distraído para os homens e voltou-se para ela.

— Você fica maravilhosa quando sorri.

Ela notou a rouquidão em sua voz e o entorpecimento em seu olhar. E justamente quando começava a se perguntar qual seria a causa daquela composição, Ian indagou, com suavidade:

— Não acha que devemos nos recolher?

A sugestão levou-a à conclusão de que ele estava exausto. Ela não achava má a ideia de se recolher ao sossego de seus aposentos, mas, como nunca participara de uma recepção de casamento, presumia que o protocolo fosse o mesmo que o observado em todas as demais festas de gala — os anfitriões precisavam permanecer na solenidade até que o último convidado se retirasse. Muitos dos convidados iriam passar a noite na mansão e, para o dia seguinte, fora planejado um grande desjejum de casamento, seguido por uma caçada.

— Não estou com sono, apenas um pouco cansada de tanto sorrir — disse ela, calando-se por um instante para oferecer mais um sorriso a um dos convidados que acenara, cumprimentando-a. Virando-se para Ian, acrescentou:

— Foi um dia cansativo. Se quiser se retirar, tenho certeza de que todos irão entender.

— Estou certo que sim — retrucou ele, e Elizabeth reparou, intrigada, que os olhos dele adquiriam um brilho novo.

— Posso ficar aqui e continuar fazendo as honras — ofereceu-se.

O brilho nos olhos dele se intensificou.

— Não acha que parecerá um pouco estranho se eu me retirar sozinho?

Elizabeth sabia que poderia parecer falta de educação, mas não exatamente estranho. Porém, foi atingida por uma inspiração e disse, tranquilizando-o:

— Deixe tudo por minha conta. Inventarei uma desculpa se alguém perguntar.

Os lábios de Ian esboçaram um sorriso divertido.

— E permite-me saber qual desculpa você vai inventar?

— Posso dizer que você não se sente bem. Mas não deve ser nada grave; do contrário, descobrirão a mentira quando você aparecer disposto para a caçada amanhã. — Hesitou, pensativa, e afirmou: — Direi que você está com dor de cabeça.

Os olhos dele arregalaram-se de riso.

— É muita bondade sua sujeitar-se a tamanha dissimulação por minha causa, milady. Mas esta mentirinha em particular poderia me levar para um campo de duelo nos próximos dias, quando teria de me defender contra as insinuações que certamente surgiriam sobre a minha... sobre meu caráter masculino.

— Por quê? Por acaso, cavalheiros não sentem dor de cabeça?

— Não na noite de núpcias — respondeu ele, com um sorrisinho malicioso.

— Não vejo por quê.

— Não mesmo?

— Não. E tem mais uma coisa — cochichou ela, irritada —, não entendo por que todo mundo ainda está aqui, sendo tão tarde. Nunca fui a uma festa de casamento, mas me parece que já passou da hora de todos irem para suas camas.

— Elizabeth — disse ele, tentando não rir —, numa festa de casamento, os convidados não podem sair antes que os noivos se retirem. Se olhar naquela direção, verá que minhas tias-avós já estão cochilando nas cadeiras.

— Ah! Eu não sabia! Por que não me avisou antes? — exclamou ela, desolada.

— Porque eu queria que você aproveitasse cada minuto do nosso baile, mesmo que tivéssemos de obrigar os convidados a desmaiarem de sono por cima das plantas — respondeu ele, tomando-lhe o braço e começando a guiá--la para fora do salão.

— Por falar em plantas — brincou ela, parando na base da escadaria para lançar um último olhar ao "caramanchão" cercado de árvores em vasos e enfeitado com flores de seda, que ocupava quase a metade do salão —, todos estão dizendo que terão jardins e caramanchões como tema em seus futuros bailes. Acho que você acabou de lançar uma nova moda.

— Você deveria ter visto seu rosto quando se deu conta do que fiz — disse ele, retomando o passo.

— Creio que somos o primeiro casal a abrir um baile dançando a valsa fora do salão. — Quando a orquestra tocara a música de abertura, Ian a levara para o caramanchão e ali dançaram a primeira valsa.

— Isso incomodou você?

— Ora, você sabe que não — respondeu ela, e lado a lado subiram a escadaria.

Ele parou diante da porta do quarto dela, abriu-a e começou a tomá-la nos braços, mas parou ao ver um par de criados marchando pelo corredor, carregando uma pilha de lençóis.

— Teremos tempo para isso mais tarde — sussurrou. — Todo o tempo que quisermos.

Capítulo 30

Sem reparar na expressão contraída de Berta, que escovava seus fartos cabelos, Elizabeth permaneceu imóvel, sentada diante da penteadeira. Usava a camisola branca de seda e renda que Madame LaSalle recomendara para sua noite de núpcias.

Naquele momento, entretanto, ela não estava preocupada com a maneira como seus seios ficavam expostos pelo profundo decote em V do corpete, ou como a sedutora fenda da camisola deixava sua perna esquerda nua até o joelho. De qualquer modo, as cobertas da cama iriam cobri-la. Agora, em seu primeiro momento de solidão desde aquela manhã, achava muito difícil ignorar as perturbadoras revelações do Sr. Wordsworth.

Tentando pensar em outra coisa, Elizabeth mexeu-se impacientemente na cadeira e concentrou-se em sua noite de núpcias. Baixando os olhos para as mãos cruzadas no colo, inclinou a cabeça para que Berta alcançasse melhor as longas mechas de cabelo. Recordava-se da explicação de Lucinda sobre como os bebês eram concebidos. E, como Ian fora bastante enfático sobre sua vontade de ter filhos, era bem possível que desejasse começar logo naquela noite. Se assim fosse, de acordo com Lucinda, era evidente que dormiriam na mesma cama.

Franziu a testa, reconsiderando as explicações da dama de companhia. Em sua opinião, não faziam muito sentido. Elizabeth sabia como os animais se reproduziam. Por outro lado, não achava possível que seres humanos pudessem se comportar de um modo tão constrangedor. Ainda assim, um beijo do marido na cama? Nesse caso, por que ouvia ocasionais rumores escandalosos na sociedade, envolvendo uma ou outra dama casada cujo bebê na certa *não* era do marido? Era óbvio que haveria mais de uma forma de se gerar um filho, ou, do contrário, a informação de Lucinda estaria incorreta.

Aquilo a fez pensar na questão das acomodações para dormir. Sua suíte era contígua à de Ian, e Elizabeth não fazia ideia se ele iria querer dividir a cama com ela ou se ficaria em seu próprio quarto. Numa resposta imediata a tais perguntas, a porta que se conectava ao quarto dele se abriu. Berta deu um pulinho de susto e arregalou os olhos, pois, como vários outros criados de Elizabeth, continuava temendo e culpando Ian. Então, apressou-se em sair, fechando a porta atrás de si.

Elizabeth, no entanto, sorriu e sentiu apenas um leve tremor de admiração quando Ian veio em sua direção a passos largos e vagarosos. Ele sempre parecia ficar à vontade em qualquer lugar. Ainda usava a calça preta do casamento, mas retirara a casaca, o colete e a gravata. A camisa branca de preguinhas estava aberta no pescoço, revelando o torso firme e bronzeado. Parecia, pensou Elizabeth, tão viril e elegante em camisas de manga como quando usava trajes formais. E, em meio à admiração, ressurgiram as acusações de Wordsworth. Depressa, ela tratou de afastá-las.

Levantou-se um tanto envergonhada por causa da camisola reveladora, deu um passo para a frente e parou, colhida pelo lampejo de paixão que viu no semblante dele enquanto aqueles olhos cor de âmbar faziam uma lenta avaliação de seu corpo. Tomada de extremo embaraço, girou o corpo de volta para o espelho e, distraída, passou a mão pelos cabelos.

Ian aproximou-se por trás e pousou as mãos em seus ombros. Pelo espelho, Elizabeth viu-o inclinar a cabeça e sentiu os lábios quentes em seu pescoço.

— Você está tremendo — disse ele com uma doçura que ela jamais ouvira.

— Eu sei — admitiu Elizabeth, nervosa. — Só não entendo por quê.

— Não mesmo? — perguntou ele, sorrindo.

Ela balançou a cabeça, desejando virar-se para ele e implorar para que lhe contasse o que acontecera com Robert. Mas temia ouvir a resposta e arruinar aquela noite com suspeitas que, tinha *certeza*, careciam de fundamento. E temia, também, o que a esperava quando fossem para a cama...

Incapaz de desviar os olhos dos dele, Elizabeth viu-o deslizar a mão até a curva de sua cintura, puxando-a de encontro a si até que ela sentisse a firmeza do peitoral contra suas costas, as pernas dele colando-se às suas. Tornando a baixar a cabeça, Ian beijou-a na orelha. A outra mão acariciava-lhe o braço, subindo até a curva do seio, numa carícia ousada e possessiva.

Ian virou-a devagar, tomou-a nos braços e a beijou de novo; desta vez, com mais ardor, as mãos fazendo o corpo delicado moldar-se ao dele. Ela retribuiu o beijo, apanhada sem defesa naquela torrente de sensações que ele sempre lhe provocava. Enlaçou o pescoço de Ian, como se quisesse prendê--lo junto ao seu corpo. E, naquele instante, Ian pegou-a no colo, mantendo os lábios presos nos dela, e carregou-a através da porta para dentro de sua espaçosa suíte, onde havia uma imensa cama de casal sobre uma plataforma.

Perdida no beijo tempestuoso, Elizabeth sentiu as pernas escorregando contra as dele quando Ian a colocou no chão suavemente. Porém, no momento em que os dedos dele puxaram a fita que prendia a camisola em seu ombro, ela se afastou abruptamente, segurando-lhe a mão num gesto automático.

— O que está fazendo? — perguntou num soluço abafado.

Ian estacou, perplexo. A pergunta o apanhara de surpresa.

Quando reparou na apreensão refletida nos imensos olhos verdes, compreendeu vagamente o que a estava causando.

— O que acha que estou fazendo? — arriscou, cauteloso.

Ela hesitou, como se estivesse incerta se deveria acusá-lo de um ato tão inominável, mas admitiu em voz baixa e relutante:

— Está me despindo...

— E isso a surpreende?

— Ora, é claro que sim. Por que não surpreenderia? — retrucou ela, cada vez mais desconfiada da veracidade dos ensinamentos de Lucinda.

Ian tornou a falar, paciente:

— O que exatamente você sabe sobre o que acontece entre marido e mulher quando estão juntos na cama?

— Você... você está se referindo à maneira como os filhos são concebidos? — perguntou ela, citando as palavras dele no dia em que concordara com o casamento.

Ternura e divertimento assaltaram-no.

— Sim, creio que podemos colocar dessa forma por enquanto.

— Bem, sei apenas o que Lucinda me contou. — Vendo que ele aguardava uma explicação mais detalhada, acrescentou, relutante: — Ela disse que o marido beija a esposa na cama, e que dói na primeira vez, e é assim que os bebês são concebidos.

Ian vacilou, irritado consigo mesmo por não ter seguido seus instintos e tê-la questionado sobre o ato sexual, mas Elizabeth parecera muito bem informada e desinibida a esse respeito. Com a maior delicadeza possível, falou:

— Você é uma jovem muito inteligente, não uma solteirona antiquada e puritana como sua antiga dama de companhia. Será mesmo que acredita que as leis da natureza seriam diferentes para os seres humanos?

Os dedos dele deslizaram sob as fitas de cetim que prendiam a translúcida camisola em seus ombros, soltando-as.

Sentiu-a estremecer sob suas mãos e enlaçou-a, mas Elizabeth enrijeceu o corpo ainda mais.

— Prometo — sussurrou ele, maldizendo mentalmente Lucinda Throckmorton-Jones — que nada do que fizermos na cama lhe parecerá repugnante.

Percebendo que, para ela, o suspense seria pior do que a realidade, inclinou-se para o lado e apagou as velas na mesa de cabeceira. Depois, fez com que a camisola escorregasse pelos ombros. Elizabeth estremeceu sob seu toque e ele pressentiu as emoções tumultuadas que a invadiam. Pressionando as mãos em seus ombros a fim de impedi-la de se afastar, ele disse baixinho:

— Se eu soubesse que isso iria surpreendê-la tanto, teria lhe explicado tudo semanas atrás.

Por mais estranho que fosse, significou muito para Elizabeth saber que, embora Lucinda e todos os outros tivessem lhe ocultado os fatos, Ian se dispunha a esclarecê-los. Assentiu, um tanto desajeitada, e esperou, tensa, que ele lhe tirasse a camisola. Depois que a peça deslizou aos seus pés, pulou para a cama e cobriu-se com os lençóis, tentando não entrar em pânico.

Aquele não era o início que Ian imaginara para sua noite de núpcias. Ao se despir sob a luz de uma única vela, que ardia no outro lado do cômodo, decidiu que, ao menos, poderia fazer com que terminasse da maneira esperada. Elizabeth sentiu a cama afundar com o peso dele e encolheu-se num canto, tentando ocupar o menor espaço possível. Mas Ian virou-se de lado, apoiando-se num dos braços, e tocou-lhe o rosto.

Como ele se mantinha em silêncio, Elizabeth abriu os olhos e fixou-os no teto. Sentia-se nervosa por estar deitada nua ao lado de um homem que, ela sabia, também estava nu. Um redemoinho de emoções desencontradas assaltou-a. Por um lado, os avisos de Wordsworth voltaram a atormentá-la; por outro, começou a ponderar que sua ignorância sobre o ato nupcial não a desobrigaria do acordo que haviam feito. De toda forma, sentia-se enganada, presa numa armadilha.

Deitado ao seu lado, Ian começou a acariciar o braço dela de leve, ouvindo sua respiração tensa. Ela engoliu em seco antes de falar:

— Agora, entendo o que você esperava de sua parte em nosso acordo de casamento e quais direitos eu lhe garanti esta manhã, na igreja. Deve achar que eu sou a mulher mais ignorante e desinformada que existe, incapaz de saber como...

— Não faça isso, meu bem — pediu ele, e Elizabeth sentiu a urgência naquela voz.

Sentiu-a também quando ele se inclinou sobre ela e tomou-lhe os lábios num beijo insistente, que não cessou até obter uma resposta. Só então, Ian voltou a falar, em voz baixa, porém firme:

— Isso não tem nada a ver com direitos, sejam aqueles que me concedeu no noivado ou na igreja. Se tivéssemos nos casado na Escócia, teríamos feito os antigos votos. Sabe quais seriam as palavras, as promessas que faríamos se estivéssemos lá, e não aqui, esta manhã? — Ian segurou-lhe o rosto entre as mãos, como se quisesse suavizar o efeito de sua voz, e Elizabeth fitou o rosto adorado sob a luz da vela, sentindo a timidez e os temores desaparecerem.

— Não — sussurrou.

— Eu teria lhe dito: "Com meu corpo, eu te idolatro."

Ian pronunciou essas palavras como um voto e Elizabeth foi invadida por um sentimento pungente que a levou às lágrimas. Virando-se para a mão que segurava seu rosto, beijou a palma e entrelaçou os dedos aos dele. Sufocando um gemido, Ian beijou-a num misto de doçura e ansiedade. Elizabeth entreabriu a boca, acolhendo aquela língua ávida. Ela passou os braços pelos ombros largos e ele a puxou contra si, fazendo com que seus quadris se colassem. Num movimento rítmico sugestivo, ele penetrava a língua e voltava a tirá-la, provocando uma onda irreprimível de desejo em Elizabeth.

Fazendo-a deitar-se de costas, Ian acariciou-lhe os seios, possessivo, beliscando suavemente os mamilos e sentindo-os enrijecer. Seus lábios a abandonaram por um instante, e Elizabeth foi invadida por uma dolorosa sensação de perda, logo substituída por um doce tormento ao senti-los deslizando do pescoço aos seios, provocando-a devagar antes de se fecharem em torno de seu mamilo. Ela gemeu quando Ian começou a sugá-lo, o prazer torturante da carícia fazendo-a arquear o corpo instintivamente enquanto se agarrava aos cabelos dele. Aquelas mãos a acariciavam com grande destreza e sua pele ardia, incontrolável, sob seu toque.

Ele beijou-lhe a barriga lisa, traçando uma linha mais abaixo, até sua língua encontrar o umbigo. O riso ecoou em seu peito quando o corpo de Elizabeth reagiu com surpresa. Mas as mãos dele continuaram a escorregar pela curva do quadril de Elizabeth, os lábios aproximando-se sem pressa do triângulo de pelos entre suas pernas.

Quando Elizabeth percebeu o que ele estava prestes a fazer, já era tarde e entrou em pânico, cerrando as mãos em punho. Ian hesitou, e ela sentiu a relutância dele em interromper a carícia um instante antes de ele ignorá--la e beijar seu sexo muito levemente. Então, ergueu-se e tomou seus lábios macios novamente, atraindo a língua dela para dentro de sua boca enquanto apertava-a mais contra seu corpo.

Elizabeth achou que aquele seria o momento em que ele a possuiria, mas Ian continuou a beijá-la, enchendo-a de promessas de prazeres nunca imaginados. Rolando o corpo para o lado, ele a levou consigo, a mão descendo por suas costas, pressionando-a contra si, para que ela sentisse a intensidade de sua excitação, o membro rijo roçando a sensível maciez do sexo dela. O beijo foi se tornando cada vez mais leve, até que seus lábios estivessem apenas roçando um contra o outro. Quando Ian levantou a cabeça, a respiração de Elizabeth estava entrecortada, suas mãos agarravam-no pelos ombros e seu coração batia enlouquecido. De novo, ela esperou num misto de excitação e medo que ele a possuísse. Ian sentiu a tensão crescente que a tomava de assalto e, embora estivesse desesperado por aliviar sua própria paixão, pousou um leve beijo em sua testa.

— Ainda não — sussurrou.

Com esforço, Elizabeth obrigou os olhos a se abrirem e o encarou. O que viu fez seu coração bater com mais força ainda. À luz da vela, o rosto dele estava tenso e nublado de desejo — e, ainda assim, havia ternura naqueles olhos. A visão a fez desejar ser capaz de fazê-lo sentir-se como ele a fazia se sentir. Sem saber como, apenas acariciou-lhe o rosto macio, olhou em seus olhos e sussurrou:

— Amo você.

Em vez de falar, Ian segurou-a pela cintura e puxou-a contra seu peito. Elizabeth sentiu uma pontinha de decepção diante do silêncio — até perceber o significado daquele gesto: ele pressionava sua mão contra o próprio coração para que ela pudesse sentir a intensidade com que batia e soubesse que ele estava tão excitado quanto ela. Feliz, Elizabeth fitou-o por um instante, mas, invadida por uma súbita urgência de vê-lo por inteiro, baixou os olhos para o tronco largo e musculoso, coberto por uma fina penugem escura. Na penumbra do quarto, a pele de Ian reluzia como bronze, e os músculos dos ombros e dos braços eram rijos, perfeitos. Ele era, pensou Elizabeth, incrivelmente belo. Quis tocá-lo, mas hesitou, sem saber se seria adequado acariciá-lo.

— Sim — sussurrou ele, entendendo a pergunta silenciosa.

Perceber que ele ansiava por ser tocado encheu-a de orgulho e prazer. Deslizou as mãos pelos músculos firmes do peito, observando como se contraíam numa resposta apaixonada. Tocar a pele de Ian era como tocar cetim, e ela não resistiu ao impulso de roçar os lábios em seu braço. Depois, com um pouco mais de atrevimento, beijou-lhe o mamilo, tocando-o com a língua, sentindo Ian arfar de desejo e pressionar as mãos com mais força em suas costas. Ela continuou sua exploração descendo pelo corpo dele. Estava tão concentrada no prazer que obtinha ao lhe dar prazer, deslizando as mãos em carícias suaves, que demorou a perceber que a mão dele não mais acariciava suas costas, mas que descera com firmeza por entre suas pernas.

Incapaz de impedir a reação instintiva, Elizabeth fechou as pernas, os olhos assustados encarando-o repletos de apreensão.

— Não, querida — pediu ele, num sussurro ardente, fitando-a com intensidade, os dedos brincando com os pelos macios entre as coxas dela. — Não se feche para mim...

Escondendo o rosto no peito dele, Elizabeth soltou um suspiro entrecortado e obrigou-se a obedecer. Então, gemeu de prazer, e não de humilhação ou dor, quando as carícias continuaram, tornando-se cada vez mais íntimas, até Ian, afinal, mergulhar o dedo em seu calor úmido.

— Eu amo você... — murmurou ela contra seu pescoço, e a doçura daquela entrega foi mais do que Ian podia suportar.

Fazendo-a deitar-se de costas, ele cobriu-lhe a boca com a sua e aumentou o ritmo com que seu dedo a tocava. Quando Elizabeth passou a mover os quadris contra sua mão, ele se posicionou entre as pernas abertas, o membro rígido direcionado ao corpo dela. Desesperado para jorrar sua paixão dentro dela e, ao mesmo tempo, odiando a dor que iria lhe provocar, ergueu-lhe os quadris para recebê-lo.

— Vou machucá-la um pouco, meu amor, mas não há outro jeito. Se eu pudesse sentir a dor em seu lugar, não hesitaria nem um segundo.

Elizabeth não desviou o rosto, nem tentou livrar-se da doce prisão em que ele a mantinha. E o que disse, então, fez Ian sentir a garganta apertar-se de emoção.

— Você sabe — sussurrou ela, com um sorriso, os olhos repletos de lágrimas — quanto tempo esperei para ouvi-lo me chamar de "meu amor" novamente?

— Quanto? — indagou ele, a voz rouca.

Segurando-o pelos ombros, Elizabeth preparou-se para o que quer que estivesse prestes a acontecer. Sabendo que ele também se angustiava com isso, quis dizer algo que acalmasse a ambos:

— Por dois anos esperei e...

Arqueou o corpo e um gemido agudo escapou de seus lábios. Mas a dor desapareceu quase tão depressa quanto o desabafo, e seu marido finalmente penetrava a estreita passagem de seu corpo, até que ela o sentisse por inteiro, com toda a sua força e calor, prendendo-o contra si e entregando-se à pura beleza dos movimentos lentos e profundos que ele iniciava. Guiada apenas pelo instinto e pela imensidão de seu amor, Elizabeth moldou os quadris aos dele e passou a acompanhar-lhe os movimentos e, assim fazendo, levava-o a uma indescritível agonia de desejo. Ele se continha, determinado a assegurar-se de que ela chegaria ao clímax antes dele. Ian aumentou o ritmo, sempre prendendo os quadris dela com firmeza, e a mulher em seus braços acompanhava seus movimentos, acolhendo o membro pulsante em seu calor.

Elizabeth sentiu algo selvagem e primitivo crescer dentro de si, correndo em suas veias, explodindo em todo o seu corpo. Movia a cabeça loucamente sobre o travesseiro enquanto esperava pela chegada daquilo que Ian tentava lhe dar ao penetrá-la mais uma vez, e outra, e outra... Então, a sensação explodiu, fazendo-a arfar contra a boca dele e gritar.

Com os braços e ombros tensos pela contenção que se impunha, Ian atirou-se a ela com movimentos breves e afoitos. No instante em que ambos se entregaram ao gozo, ele a apertou mais em seus braços, jorrando dentro dela e gemendo alto. Seu corpo convulsionou-se ainda uma vez, e mais outra. Agarrou-se a ela, ofegando contra seu rosto. Seus corações disparavam no mesmo ritmo frenético e enlouquecido, e suas vidas se uniam de uma forma inexorável.

Quando um pouco de suas forças retornou, Ian virou-se para o lado, levando-a consigo. Os cabelos de Elizabeth derramaram-se em seu peito nu como uma cascata de cetim dourado e, com a mão trêmula, ele acariciou o rosto afogueado, sentindo-se humilde e abençoado com a doçura e o ardor generoso com que ela se entregara.

Vários minutos depois, com Elizabeth ainda aconchegada em seus braços, Ian ergueu o queixo dela, fitando-a nos olhos.

— Será que eu já lhe disse quanto você é maravilhosa?

Ela começou a balançar a cabeça em negativa, mas, de repente, lembrou-se e seus olhos encheram-se de lágrimas.

— Você já me disse isso uma vez — respondeu, roçando os dedos no ombro macio. — Quando estávamos...

— No chalé dos lenhadores — completou ele, também lembrando-se daquela ocasião.

Em resposta, ela o repreendera dizendo que ele agia como se também achasse Charise Dumont maravilhosa, Ian recordou, lamentando todo o tempo que haviam perdido desde então, os dias e as noites em que ela poderia ter estado em seus braços, como agora.

— Sabe como passei o resto da tarde depois que você foi embora do chalé? Fiquei antecipando os prazeres da noite de hoje. Naquela época, é claro, eu não fazia ideia de que teria de esperar anos por isso. — Fez uma pausa para cobrir-lhe as costas com o lençol e continuou: — Eu a queria tanto naquele dia que cheguei a sentir meu corpo doer quando a vi fechar a blusa. Contudo — acrescentou, resignado —, aquela condição *especial*, provocada por aquela causa em particular, acabou se tornando meu estado normal nestas últimas quatro semanas, portanto quase já me acostumei a isso. Começo até a me perguntar se sentirei falta — brincou.

— Sobre o que está falando? — perguntou Elizabeth, percebendo que ele estava sério, apesar do tom de brincadeira.

— Sobre a agonia do desejo satisfeito — respondeu ele, beijando-a na testa. — E que foi provocada por querê-la demais.

— Por me *querer*? — ela elevou a voz, espantada, erguendo-se tão abruptamente que quase o derrubou quando se apoiou no cotovelo para encará-lo e puxou o lençol sobre os seios. — É isso que... acabamos de fazer a que... você se referia...

— Os escoceses pensam nisso como "fazer amor" — interrompeu ele, com suavidade. — Ao contrário de muitos ingleses — acrescentou com desdém —, que preferem encarar o ato como "cumprimento das obrigações matrimoniais".

— Sim — murmurou Elizabeth, ainda pensando no que ele dissera sobre querê-la tanto a ponto de sentir dor —, mas era a isso que você se referia todas as vezes que disse que me queria?

Ian esboçou um sorriso sensual.

— Era, sim.

Um leve rubor tingiu as faces macias de Elizabeth. Apesar do esforço que fez para parecer zangada, seus olhos iluminaram-se com uma risada.

— E naquele dia em que negociamos nosso noivado, quando afirmou que eu tinha algo que você queria muito, era sobre *isso* que você falava?

— Entre outras coisas — concordou ele, roçando os dedos nas faces coradas.

— Se eu soubesse — disse ela, maliciosa —, pode estar certo de que teria estipulado algumas condições adicionais.

A ideia de que ela tentaria dificultar as negociações se soubesse a exata extensão do poder que exercia sobre ele aborreceu-o.

— Que tipo de condições? — perguntou, mantendo o rosto impassível.

Elizabeth recostou a cabeça em seu ombro e enlaçou-lhe o pescoço.

— Um noivado mais breve — sussurrou. — E uma cerimônia de casamento ainda mais breve.

Alívio, ternura e um profundo orgulho invadiram-no. Ian passou os braços protetores em torno dela e abraçou-a com força, sorrindo com imensa alegria. Fora capaz de perceber, minutos após conhecê-la, que ela era especial e, depois de algumas horas, reconhecera que Elizabeth era a mulher com quem ele sempre havia sonhado: apaixonada e gentil, inteligente e sensível, espirituosa. Amava todas as suas qualidades, porém apenas mais tarde descobrira o que mais admirava nela: a coragem. Uma coragem que a capacitara a enfrentar todas as dificuldades e todos os seus adversários — mesmo quando um desses adversários era ele próprio. Se não fosse corajosa, ele a teria perdido muito tempo atrás. Ela teria agido como a maioria das mulheres, casando-se com o primeiro homem disponível que pudesse suportar, encarregando-o de lidar com os aspectos difíceis e desagradáveis da vida. Sua Elizabeth, porém, não agira assim. Ao contrário, tentara enfrentar não apenas a ele, mas também a todos os terríveis reveses financeiros que a afligiam. Sorrindo, lembrou-se de seu senso econômico e decidiu — ao menos naquele momento — que essa era uma de suas qualidades mais encantadoras e divertidas.

— Em que está pensando? — perguntou ela.

Ian abaixou a cabeça a fim de vê-la melhor e afastou uma mecha dos cabelos loiros de seu rosto.

— Estava pensando em como fui esperto ao perceber, apenas minutos depois de conhecê-la, quanto você é maravilhosa.

Ela riu, tomando aquelas palavras apenas como um elogio descontraído.

— E em quanto tempo minhas qualidades se tornaram tão aparentes?

— Eu diria que... Creio que as descobri no instante em que você começou a defender Galileu.

Elizabeth esperava que ele lhe dissesse algo sobre sua aparência, e não sobre sua inteligência.

— É verdade? — indagou, com evidente prazer.

Ian assentiu, mas observou sua reação com curiosidade.

— O que pensou que eu iria dizer?

Ela encolheu os delicados ombros, envergonhada.

— Achei que diria algo como ter reparado primeiro no meu rosto. As pessoas ficam admiradas com meu rosto — explicou com um suspiro impaciente.

— Não posso imaginar por quê — brincou ele, sorrindo para aquele que, em sua opinião, e na opinião de muitos, era o mais belo rosto que Deus poderia ter dado a uma jovem.

— Acho que são meus olhos — disse ela. — São de uma cor estranha.

— Sim, estou reparando agora — tornou a brincar, porém logo ficou sério. — Mas acontece que não foi o seu rosto que achei tão admirável em nosso primeiro encontro no jardim porque... eu não podia *vê-lo*.

— Ora, é claro que podia. Eu o enxerguei muito bem, mesmo depois de ter anoitecido.

— Sim, mas eu estava parado perto de uma tocha, e você, muito perversamente, se manteve nas sombras. Pude constatar que você devia ter um rosto bonito, com traços perfeitos, e também que seus outros atrativos femininos eram bastante interessantes e bem distribuídos, mas foi tudo o que consegui ver. E, mais tarde naquela noite, quando a vi descendo a escadaria no salão, fiquei tão surpreso que precisei de muito autocontrole para não deixar cair a taça que estava segurando.

O riso alegre de Elizabeth espalhou-se pelo quarto como música suave.

— Elizabeth — falou ele, com gravidade —, não sou tolo a ponto de permitir que apenas um rostinho bonito me leve à loucura, ou ao casamento, ou ainda ao extremo desejo sexual.

Ela reconheceu a sinceridade de suas palavras e também ficou séria.

— Obrigada. Este é o maior elogio que o senhor poderia me fazer, meu senhor.

— Por favor, não me chame assim, a não ser que queira que eu seja o seu "senhor" — pediu ele, com delicadeza. — Não gosto de ouvi-la falar dessa maneira, como uma mera referência ao meu título.

Elizabeth roçou o rosto contra o peito dele e respondeu, suave:

— Como queira, *meu senhor.*

Ian não pôde mais se conter. Girando por cima dela, devorou-a com a sua boca, exigiu-a com as mãos e, depois, com o corpo.

— SERÁ QUE AINDA não a deixei cansada, querida? — murmurou Ian, horas mais tarde.

— Deixou, sim — respondeu Elizabeth, com um risinho exausto, aconchegada em seus braços e deslizando a mão em seu peito numa preguiçosa carícia. — Mas estou feliz demais para dormir.

Ele também estava, mas sentiu-se compelido a pelo menos sugerir que ela tentasse.

— Vai lamentar as horas de sono perdidas quando nos apresentarmos para o desjejum de amanhã — afirmou sorrindo, apertando-a mais contra si.

Para sua surpresa, ela franziu a testa ao ouvir esse comentário. Fitou-o por um instante, abriu a boca para dizer alguma coisa e, depois, mudando de ideia, tornou a fechá-la.

— O que foi? — indagou ele, segurando-lhe o queixo com as pontas dos dedos.

— Amanhã cedo — começou ela, com a expressão contrariada —, quando aparecermos para o desjejum, todos vão saber o que fizemos esta noite?

Imaginou que Ian tentaria evadir-se da resposta.

— Vão, sim — respondeu ele, objetivo.

Elizabeth assentiu e virou-se em seus braços.

— Obrigada por me dizer a verdade — murmurou com um suspiro de alívio e gratidão.

— Sempre lhe direi apenas a verdade — prometeu Ian, e ela acreditou.

Naquele momento, ocorreu-lhe que poderia perguntar a ele, já que acabara de fazer a promessa, se tinha algo a ver com o desaparecimento de Robert. Porém, afastou a ideia tão depressa quanto ela surgiu. Não iria profanar seu leito nupcial expressando as horríveis e infundadas suspeitas que haviam sido levadas até ela por um homem que, era óbvio, tinha um grave preconceito contra os escoceses.

Naquela manhã, ela tomara a decisão consciente de confiar em Ian e casar--se com ele. Agora, estava presa ao juramento de honrá-lo e não tinha a menor intenção de retroceder em suas decisões ou nos votos que fizera na igreja.

— Elizabeth?

— Humm?

— Já que estamos falando sobre sinceridade, tenho uma confissão a fazer.

Sentindo um aperto no peito, ela se enrijeceu.

— O que é? — perguntou, temerosa.

— O quarto ao lado é para ser usado como quarto de vestir, ou para você receber suas amigas. Não aprovo o costume inglês que exige que marido e mulher durmam em camas separadas. — Ela se mostrou tão satisfeita que ele sorriu. — Fico feliz em ver que estamos de acordo neste ponto.

Ele riu e depositou um beijo na testa dela.

Capítulo 31

Nas semanas que se seguiram, foi com prazer que Elizabeth descobriu que podia fazer qualquer pergunta a Ian, sobre qualquer tema, que ele lhe responderia da maneira mais detalhada possível. Nenhuma vez ele a fizera sentir-se diminuída ou a dispensara com a desculpa de tratar-se de um assunto que não interessaria a uma mulher — ou, pior, de que o entendimento estaria muito além da capacidade feminina de compreensão. O respeito que Ian demonstrava por sua inteligência era muito lisonjeiro — mais ainda depois de descobrir duas coisas sobre ele.

A primeira descoberta ocorreu três dias após o casamento, quando ambos decidiram passar a noite em casa, lendo.

Após o jantar, Ian escolhera um livro na biblioteca — um pesado volume com um título incompreensível — e o levara para a sala de estar. Elizabeth escolhera *Orgulho e preconceito*, que estivera ansiosa para ler desde que soube do alvoroço que a obra provocava entre os membros mais conservadores da sociedade. Depois de pousar um beijo em sua testa, Ian sentara-se na poltrona de encosto alto ao lado dela. Estendeu a mão por cima da mesinha que os separava e entrelaçou os dedos nos dela, abrindo seu livro em seguida. Elizabeth achou aconchegante estar ali, enroscada na poltrona perto dele, de mãos dadas e com um livro no colo, e nem se importou com o pequeno incômodo de ter de lidar com as páginas com uma única mão.

Ficou tão concentrada na leitura que meia hora transcorrera antes que ela percebesse a rapidez com que Ian virava as páginas do seu livro. Espiou-o pelo canto do olho, intrigada, reparando como os olhos dele pareciam voar pela página que lia, passando com rapidez para a seguinte. Brincando, perguntou:

— Está mesmo lendo o livro, meu senhor, ou só está fingindo para me agradar?

Ele ergueu a cabeça no mesmo instante, e Elizabeth percebeu um leve lampejo de hesitação perpassar-lhe o rosto.

— Tenho essa estranha capacidade de ler com rapidez.

— Ah... — retrucou ela. — Que sorte, a sua! Nunca ouvi falar num talento assim.

Um sorriso lento e fascinante iluminou os belos traços de Ian, que apertou a mão dela.

— Não é nem de longe tão raro quanto seus olhos — disse.

Ela achava que, pelo contrário, devia ser muito mais raro, mas deixou o assunto morrer. No dia seguinte, entretanto, tal descoberta foi ofuscada por outra ainda mais surpreendente. Graças à insistência de Ian, ela abrira os livros contábeis de Havenhurst na mesa dele, a fim de examinar as contas do trimestre. À medida que a manhã ia passando, as colunas de números que ela estivera somando e multiplicando começaram a confundir-se diante de seus olhos, e também em sua cabeça — devido, em parte, ela pensou com um leve sorriso, ao fato de seu marido tê-la mantido metade da noite acordada, fazendo amor.

Pela terceira vez, somara a mesma longa série de números referentes aos gastos e, pela terceira vez, chegara a um resultado diferente. Estava tão frustrada que nem percebeu quando Ian entrou na sala. Apenas quando ele se inclinou para beijar-lhe a cabeça é que percebeu sua presença.

— Está com problemas? — quis saber.

— Estou, sim — respondeu ela, consultando o relógio. Os cavalheiros que ele esperava para tratar de negócios chegariam a qualquer momento.

Elizabeth explicou-lhe o que estava acontecendo, já recolhendo os papéis espalhados e guardando-os nos livros, apressada em limpar a escrivaninha.

— Nos últimos quarenta e cinco minutos, estive somando as mesmas quatro colunas para que pudesse dividir o resultado entre dezoito criados, multiplicar por quarenta empregados, o número que temos lá no momento, e pelos quatro trimestres. Assim que souber o resultado, poderei prever os gastos que teremos com alimentação e suprimentos dos novos criados. Mas obtive três resultados diferentes nestas malditas colunas de números e nem mesmo comecei o restante dos cálculos. Amanhã, terei de começar tudo outra vez — finalizou, irritada — e vou levar uma vida inteira para organizar estas contas.

Ao vê-la fechar o último livro, Ian pediu que parasse.

— De que colunas você está falando? — perguntou com toda a calma e um pouco surpreso com a genuína irritação dela.

— Estas aqui, as mais longas, no lado esquerdo. Mas não faz mal; amanhã penso nisso.

Ela empurrou a cadeira para trás, derrubou duas folhas de papel e abaixou-se para pegá-las. Haviam escorregado para baixo do pé da escrivaninha e, com uma raiva crescente, Elizabeth engatinhou no chão para alcançá-las.

— O total é de 364 libras — falou Ian.

— O que disse? — indagou ela, emergindo do chão com as folhas na mão.

Ele escrevia num pedaço de papel.

— Eu disse 364 libras — repetiu.

— Ora, não me venha com brincadeiras, está bem? — avisou-o com um sorriso exasperado. Inclinando-se, pousou um leve beijo no rosto dele, apreciando o forte perfume de sua colônia. — Para dizer a verdade, gosto de trabalhar nos livros de contabilidade. Só que hoje estou um pouco sonolenta, pois meu marido me manteve acordada quase a noite inteira.

— Elizabeth — começou ele, hesitante —, há algo que eu... — calou-se, balançando a cabeça como se mudasse de ideia.

Vendo que Shipley já estava na soleira da porta para anunciar a chegada dos cavalheiros que vinham tratar de negócios com Ian, Elizabeth esqueceu o assunto.

Mas apenas até a manhã seguinte.

Em vez de usar a escrivaninha de Ian e ser obrigada a interromper o trabalho dele, Elizabeth levou seus livros e papéis para a biblioteca. Com a mente descansada e alerta, fez um rápido progresso e, uma hora depois, chegou ao resultado pelo qual tanto lutara no dia anterior, tornando a verificá-lo. Certificando-se de que 364 libras era o resultado correto, sorriu enquanto tentava se lembrar do número que Ian lhe dera, a esmo, na tarde anterior. E, quando não conseguiu se recordar, procurou entre os papéis aquele no qual ele escrevera o suposto resultado, até encontrá-lo entre as páginas do livro.

Com o próprio resultado na mão, comparou-o com os números escritos no papel e sentiu total incredulidade: 364 libras. Tomada por uma emoção que não soube identificar, tornou a olhar para o número que ele calculara de cabeça em uma questão de segundos, em vez de passar horas fazendo cálculos num pedaço de papel, como acontecera com ela.

Continuou imóvel por alguns instantes, quando Ian apareceu para convidá-la para um passeio a cavalo.

— Ainda está tentando encontrar o resultado, querida? — indagou ele com um sorriso solidário, interpretando de maneira errada seu olhar fixo nos livros.

— Não, já consegui fazer as contas — respondeu ela, e, embora sem intenção, sua voz soou acusadora quando deslizou as duas folhas na direção dele. — O que quero saber agora é como você conseguiu chegar ao resultado correto em questão de segundos.

O sorriso dele desapareceu. Enfiou as mãos nos bolsos, ignorando os papéis que ela lhe mostrava. Com uma expressão de cautelosa indiferença, disse:

— A resposta para isso é um pouco mais complicada do que aquela que anotei nesse papel...

— Você consegue fazer isso, calcular todos esses números de *cabeça*? Em alguns *segundos*?

Ian assentiu. Como Elizabeth continuou ao encará-lo com espanto, seu rosto endureceu. Num tom contido, falou:

— Eu agradeceria se você parasse de me olhar como se eu fosse um ser de outro planeta.

Ela ficou boquiaberta diante de seu tom de voz e de suas palavras.

— Não o estou olhando assim.

— Está — afirmou ele, implacável. — Está, sim, e foi por isso que não lhe falei nada antes.

Tomada de arrependimento e constrangida pela compreensível conclusão que ele havia tirado de sua reação, afastou-se da mesa e foi na direção dele.

— O que vê em meu rosto é admiração e espanto, independentemente do que tenha parecido.

— A última coisa que quero que sinta por mim é "espanto" — retrucou ele, severo.

De repente, Elizabeth deu-se conta de que, embora Ian não se importasse com o que os outros pensassem a seu respeito, a reação *dela* a tudo aquilo parecia-lhe de suma importância. Era evidente que ele já tivera experiências semelhantes com a reação de outras pessoas diante do que, com toda a certeza, era uma expressão de genialidade — considerada por alguns "esquisitice". Mordeu o lábio, incerta do que dizer. Quando nada lhe ocorreu, permitiu que o amor guiasse seus passos e agiu sem artifícios. Apoiando-se na mesa, ofereceu-lhe um sorriso divertido e disse:

— Imagino que você consiga fazer cálculos com tanta rapidez quanto consegue ler.

A resposta dele foi breve:

— Nem tanto.

— Entendo... — continuou ela, no mesmo tom casual.

— Suponho que haja cerca de dez mil livros na sua biblioteca... Já leu todos eles?

— Não.

Elizabeth assentiu, pensativa, mas seus olhos reluziam de admiração e riso.

— Bem, você andou bastante ocupado nas últimas semanas, acompanhando-me a bailes e festas. Sem dúvida, isso o impediu de terminar de ler os últimos dois mil volumes.

A expressão dele suavizou-se quando ela indagou, sorridente:

— Está *planejando* ler todos eles?

Com alívio, viu a sombra de um sorriso surgir nos lábios dele.

— Pensei em fazer isso na próxima semana — respondeu Ian, com fingida gravidade.

— Uma bela empreitada, sem dúvida — comentou ela. — Só espero que não comece sem mim. Eu gostaria muito de observá-lo.

A gargalhada de Ian ressoou no ar enquanto a tomava nos braços e mergulhava o rosto em seus cabelos perfumados.

— Por acaso, possui outras habilidades extraordinárias que se esqueceu de me contar, meu senhor? — sussurrou ela, abraçando-o com a mesma força com que era abraçada.

O riso na voz dele foi substituído por uma terna solenidade:

— Sou muito bom — murmurou — em amar você.

E, nas semanas seguintes, ele provou o que dizia das mais diversas maneiras. Entre outras coisas, jamais fizera objeção às viagens de Elizabeth a Havenhurst, ou ao tempo que ela ficava afastada. Para ela, que passara a vida inteira concentrada no passado e no futuro daquele lugar, foi quase uma surpresa perceber que era a contragosto que voltava à sua propriedade a fim de supervisionar as reformas e melhorias às quais dera início.

Para evitar ficar fora mais tempo do que o absolutamente necessário, começou a levar para casa os projetos que o arquiteto havia feito, bem como outros problemas que encontrava, para que pudesse consultar Ian. Não importava quanto estivesse ocupado, ele sempre encontrava algum tempo para ela. Sentavam-se à escrivaninha durante horas a fio, e ele lhe explicava as alternativas passo a passo, o que, Elizabeth logo percebeu, deveria ser uma prova da imensa paciência que ele tinha para com ela, pois Ian não estava acostumado a pensar ou agir "passo a passo". Com uma velocidade impressionante, a mente dele era capaz de ir de um ponto a outro, do problema à solução, sem ter de explorar as costumeiras etapas intermediárias.

À exceção das poucas vezes que ela fora obrigada a ficar em Havenhurst, passavam todas as noites juntos na cama dele, e Elizabeth logo descobriu que a noite de núpcias fora apenas uma pequena amostra da beleza selvagem e do esplendor primitivo com que Ian fazia amor. Havia ocasiões em que ele se demorava com as carícias, provocando-lhe sensações maravilhosas e desconhecidas, prolongando ao máximo o prazer de ambos, até que ela estivesse implorando pelo fim daquele doce tormento. Em outras noites, ele a procurava com uma ânsia faminta e a possuía com terna rudeza e poucas preliminares. E Elizabeth jamais conseguia decidir de que maneira gostava mais. Admitira isso certa noite, e, como resultado, ele a amara rapidamente e, depois, a mantivera acordada durante horas com suas doces carícias, para que ela tivesse a chance de decidir. Ensinou-a a pedir, sem medo ou vergonha, por aquilo que mais lhe dava prazer e, quando a timidez a fez hesitar, passou o resto da noite dando-lhe exemplos. Elizabeth achou aquela aula muito excitante, ouvindo-lhe a voz enrouquecida de desejo enquanto ele pedia para ser tocado e acariciado dessa ou daquela forma, e quando ela o fazia, o prazer revelava-se nele de uma forma maravilhosa.

Foram para Londres quase no final do verão, embora a cidade estivesse praticamente deserta e a chamada "curta temporada" ainda não tivesse começado. Elizabeth concordou com a viagem, pois achava que seria conveniente para Ian estar mais próximo das pessoas com quem investia enormes somas de dinheiro nos mais complexos empreendimentos, e também porque sabia que Alex estaria na cidade. Ian foi porque queria que Elizabeth desfrutasse da merecida posição de prestígio que conquistara na sociedade — e porque gostava de estar ao seu lado naquele cenário, onde ela brilhava como as joias com que ele a cobria. Sabia que Elizabeth o encarava como uma combinação de benfeitor amoroso e sábio professor; porém, nesse último aspecto, ela se enganava, pois ele também aprendia muito com a esposa.

Por meio do próprio exemplo, Elizabeth ensinara o marido a ser paciente com os criados; ensinou-o a relaxar e também que, assim como o ato de fazer amor, o riso era, sem dúvida, a diversão mais prazerosa da vida. Por insistência dela, Ian até aprendera a ser tolerante com as mais tolas fraquezas dos membros da corte.

E ela tivera tanto sucesso nessa última empreitada que eles se tornaram, em questão de semanas, um dos casais favoritos da sociedade, procurados para os mais variados tipos de eventos sociais e beneficentes. Os convites chegavam aos montes à casa da Rua Upper Brook. Juntos, eles riam enquanto inventavam desculpas para declinar muitos deles, a fim de que Ian pudesse trabalhar durante o dia e Elizabeth pudesse ocupar seu tempo com coisas mais interessantes do que obrigações sociais.

Para Ian, aquilo não era problema algum, pois estava sempre ocupado. E Elizabeth resolveu o seu, diante da insistência de alguns membros mais influentes da sociedade, incluindo a Duquesa-mãe de Hawthorne, concordando em participar de um grupo de apoio beneficente que pretendia construir um hospital para os necessitados, nos arredores de Londres. Infelizmente, o Comitê para Arrecadação de Fundos do Hospital, ao qual ela se associara, passava a maior parte do tempo dedicando-se a frivolidades e raramente tomava decisões sérias. Certo dia em que o comitê se reunira em sua sala de visitas, num impulso, Elizabeth pedira a Ian que se reunisse a eles e que os ajudasse com seus conselhos experientes.

— E lembre-se — avisou-o quando estavam a sós no escritório dele, um pouco antes de levá-lo à reunião —, não importa quanto eles comecem a esmiuçar cada insignificante detalhe, o que farão com certeza, quero que me prometa que *não* vai lhes dizer que é capaz de construir seis hospitais com menos esforço e tempo.

— E eu poderia fazer isso? — perguntou ele, sorrindo.

— É claro que sim! — suspirou ela. — A metade do dinheiro da Europa deve estar nas mãos daquelas pessoas em nossa sala, mas, ainda assim, discutem cada centavo que será gasto como se fosse deixá-los na miséria.

— Se chegam ao ponto de ofender *sua* sensibilidade econômica, devem formar um grupo bastante singular — brincou Ian.

Elizabeth lançou-lhe um sorriso distraído, mas, quando se aproximaram da sala de visitas, onde os membros do comitê tomavam chá em preciosas xícaras de porcelana de Sèvres, virou-se para ele e acrescentou apressadamente:

— Ah, e *não* faça nenhum comentário sobre o chapéu azul de Lady Wiltshire.

— Por que não?

— Porque é o cabelo dela.

— Ora, eu não faria uma coisa assim — protestou ele, rindo.

— Ah, faria, sim! — cochichou Elizabeth, tentando mostrar-se zangada, mas desatando a rir também. — A Duquesa-mãe me contou que, ontem à noite, você elogiou o cãozinho felpudo que Lady Shirley trazia nos braços.

— Madame, eu estava seguindo suas instruções específicas para mostrar-me gentil com aquela velhota excêntrica. Qual foi o problema em elogiar o cachorrinho?

— Não era um cachorro, e sim um novo regalo de pele raríssimo, que ela exibia com extremo orgulho.

— Ora, Elizabeth, não existe no mundo uma pele tão feia e esfarrapada como aquela — retrucou ele, com um sorriso impertinente. — A mulher estava se divertindo à custa de todos vocês — acrescentou, sério.

Elizabeth reprimiu uma gargalhada e disse, implorando:

— Prometa-me que será muito gentil e paciente com o comitê.

— Prometo — afirmou ele, com gravidade, mas, quando ela abriu a porta e já era tarde demais para dar um passo atrás e fechá-la, inclinou-se e sussurrou-lhe ao ouvido:

— Sabia que o camelo é o único animal inventado por um comitê e, por isso, deu no que deu?

Se o grupo reunido na sala ficou surpreso ao ver o antes tão sóbrio e irascível Marquês de Kensington entrar com um sorriso beatífico no rosto, mais parecendo um coroinha, certamente ficou ainda mais chocado ao ver sua esposa cobrindo o rosto com as mãos enquanto seus olhos lacrimejavam com o riso contido.

A preocupação de Elizabeth de que Ian pudesse ofendê-los, fosse ou não intencionalmente, logo foi substituída pela admiração e, depois, por um franco divertimento quando ele passou a meia hora seguinte encantando a todos com um sorriso ocasional ou expressando um elogio galanteador, enquanto o grupo debatia se os chocolates doados pela Gunther deveriam ser vendidos por cinco ou seis libras a caixa. A despeito da aparência tranquila e gentil de Ian, Elizabeth temia ouvi-lo dizer a qualquer momento que compraria o estoque inteiro do chocolate por dez libras cada, se isso os fizesse passar para o tópico seguinte. E sabia que ele estava louco para fazer isso.

Porém, não havia motivos para se preocupar, pois ele continuou a demonstrar genuíno interesse nas discussões. Por quatro vezes, o comitê fez uma pausa a fim de pedir-lhe a opinião, e, por quatro vezes, ele fez excelentes sugestões, sempre sorrindo. Por quatro vezes, todos ignoraram suas palavras e, por quatro vezes, ele não deu mostras de se incomodar com isso.

Prometendo a si mesma que, mais tarde, lhe agradeceria efusivamente por sua incrível paciência, Elizabeth manteve-se atenta aos convidados e à discussão em pauta até que, a certa altura, lançou um olhar inadvertido na direção de Ian e perdeu o fôlego. Sentado no lado oposto do grupo e de frente para ela, ele descansava o tornozelo esquerdo sobre o joelho direito e, embora parecesse absorto no assunto que estava sendo discutido, seus olhos semicerrados e sensuais fixavam-se nos seios da esposa. Ao perceber o sorriso discreto que se ocultava nos lábios dele, Elizabeth entendeu que ele pretendia que ela o descobrisse no ato.

Era óbvio que Ian decidira que ambos estavam perdendo tempo naquela reunião e iniciara uma brincadeira para diverti-la ou desconcertá-la por completo. Ela respirou fundo e o fitou com repreensão, mas os olhos dele deslizaram lentamente desde os seios suaves até o pescoço, fazendo uma longa pausa nos lábios, até encontrarem seu olhar zangado.

A expressão de censura, no entanto, não causou nada além de um leve arquear desafiador das sobrancelhas dele e um sorriso propositalmente sensual antes que Ian recomeçasse o passeio langoroso de volta aos seios.

A voz de Lady Wiltshire elevou-se e ela perguntou pela segunda vez:

— *Lady Thornton*, o que acha?

O olhar de Elizabeth desviou-se depressa do marido provocante para Lady Wiltshire.

— Eu... eu concordo — disse sem fazer a menor ideia sobre o que estavam discutindo.

Pelos cinco minutos seguintes, resistiu com bravura à insistência do olhar acariciante de Ian, firmemente decidida a sequer olhar na direção dele. Porém, quando o grupo embarcou de novo na discussão sobre o chocolate, ela lhe lançou um rápido olhar. No instante em que o fez, Ian prendeu-lhe a atenção completamente. Com a aparência de um homem em meditativa contemplação de algum grave problema, passou um dedo distraído sobre os lábios, tendo o cotovelo apoiado no braço da cadeira. O corpo de Elizabeth reagiu à carícia que ele lhe oferecia, como se os lábios dele realmente estivessem sobre os dela. Ela respirou fundo, tentando se acalmar, quando Ian voltou a fitar seus seios arfantes. Ele sabia muito bem o efeito que tinha sobre ela, e Elizabeth irritava-se com a própria incapacidade de ignorar as sensações que ele lhe provocava.

O comitê retirou-se cerca de meia hora mais tarde, lembrando que a reunião seguinte se daria na casa de Lady Wiltshire. Depois de se despedir do grupo e fechar a porta, Elizabeth aproximou-se do sorridente marido impertinente na sala de visitas.

— Seu descarado! Como pôde fazer uma coisa daquelas?

Porém, interrompendo seu protesto indignado, Ian mergulhou as mãos em seus cabelos e, erguendo-lhe o rosto, calou as palavras com um beijo longo e ardente.

— Não pense que está perdoado — avisou ela na cama, uma hora depois, com o rosto descansando em seu peito.

Um riso quente e profundo ressoou em seu ouvido.

— Não?

— De jeito nenhum! Vou lhe pagar na mesma moeda na primeira oportunidade que eu tiver.

— Pois acho que já pagou — sussurrou ele, com uma interpretação deliberadamente equivocada de suas palavras.

Poucos dias depois, retornaram a Montmayne a fim de passar o mês de setembro no campo, onde o clima era mais fresco. Para Ian, a vida ao lado de Elizabeth era tudo com que sempre sonhara e muito mais. Tudo estava tão perfeito que, às vezes, via-se obrigado a afastar o receio de que as coisas poderiam mudar a qualquer instante — um receio que existia, tentava convencer-se, apenas por já terem sido separados pelo destino dois anos antes. Porém, no fundo de seu coração, ele sabia que havia mais além disso. Os investigadores que contratara não haviam sido capazes de encontrar o menor rastro do irmão de Elizabeth, e Ian vivia o medo constante de que o detetive que ela empregara pudesse ter sucesso onde os dele haviam falhado. Assim, só lhe restava esperar para descobrir a extensão do mal que fizera a ela e a Robert, sabendo que chegaria o dia em que teria de implorar por seu perdão por ter-se casado com ela sem lhe dizer tudo o que sabia — que era tão culpado por dissimulação quanto pelo desaparecimento do irmão dela.

Sua mente lhe dizia que, ao despachar Robert a bordo do *Arianna*, ele salvara o jovem tolo e impetuoso de um destino muito pior nas mãos das autoridades. Agora, porém, sem saber qual de fato fora o destino dele, Ian não tinha certeza de que Elizabeth contemplaria seus atos por esse prisma. Ele próprio não conseguia mais vê-los assim, pois agora sabia algo de que não tinha conhecimento antes: que os pais de Elizabeth morreram tempos atrás e que, desde então, Robert fora a única proteção que ela tivera contra o tio.

O medo, uma emoção que ele desprezava acima de todas as outras, crescia com a mesma intensidade que seu amor por Elizabeth, até que Ian passou a desejar que alguém fosse capaz de descobrir algo concreto que lhe permitisse o alívio de confessar quaisquer que fossem os pecados de que era culpado, sendo, então, perdoado ou expulso de uma vez por todas da vida dela. Nesse ponto, ele reconhecia que seus pensamentos eram irracionais, mas não podia evitá-los. Encontrara alguém que amava infinitamente. Encontrara Elizabeth, e o fato de amá-la tanto o deixava mais vulnerável do que jamais estivera desde a morte de sua família. A ameaça de perdê-la o assombrava até que começou a imaginar por quanto tempo ainda suportaria o tormento daquela incerteza.

Em abençoada ignorância do conflito interno que ele travava, Elizabeth continuava amando-o sem reservas ou culpa. À medida que se sentia cada vez mais segura do amor dele, tornava-se ainda mais confiante e mais encantadora. Nas ocasiões em que via sua expressão tornar-se subitamente sombria, brincava com ele, beijava-o e, se essas táticas falhassem, dava-lhe pequenos presentes — um arranjo de flores dos jardins de Havenhurst, uma rosa, que colocava nos cabelos dele ou deixava sobre o travesseiro.

— Será que terei de chegar ao extremo de lhe comprar uma joia para vê-lo sorrir, meu senhor? — brincou Elizabeth certo dia, três meses depois do casamento. — Pelo que sei, é isso que fazem os homens quando sua amada começa a se mostrar desinteressada.

Para sua surpresa, Ian tomou-a nos braços, quase sufocando-a.

— *Não* estou perdendo o interesse por você, se é isso que está sugerindo — disse ele.

Elizabeth recostou-se em seu peito, um pouco espantada com a intensidade daquela declaração inesperada, e continuou brincando:

— Tem certeza?

— Sim.

— Você não mentiria para mim, não é? — indagou ela, num tom de falsa severidade.

— Eu jamais mentiria para você — afirmou ele, sério, mas se deu conta de que, ao lhe ocultar a verdade, estava, com efeito, enganando-a, o que não deixava de ser uma forma de mentira.

Elizabeth sabia que algo o incomodava e que, à medida que o tempo ia passando, o mal-estar assaltava-o com maior frequência. Mas jamais imaginara que ela própria seria a causa de seus silêncios e de sua preocupação. Pensava sempre em Robert, mas, desde o dia do casamento, não se permitira recordar as acusações do Sr. Wordsworth, nem por um momento sequer. Em primeiro lugar, porque não suportaria. Em segundo, porque não acreditava mais que haveria a mais remota possibilidade de ele estar certo.

— Preciso ir para Havenhurst amanhã — avisou ela, com alguma relutância, quando Ian a soltou. — Os pedreiros começaram as obras na casa e na ponte, e parte do sistema de irrigação já está funcionando. Se eu passar a noite lá, talvez só precise voltar depois de uns quinze dias.

— Vou sentir saudades — falou Ian baixinho, porém não havia sombra de ressentimento em sua voz. Tampouco tentou dissuadi-la a adiar a viagem. Ele mantinha sua parte no acordo com uma integridade que só fazia aumentar a admiração de Elizabeth.

— Não tanto quanto eu — sussurrou ela, beijando os lábios dele.

Capítulo 32

Concentrada na lista de provisões, Elizabeth andava devagar pela trilha que ia dos depósitos de suprimentos de Havenhurst até a casa principal. Uma alta sebe à sua direita evitava que os depósitos fossem vistos da mansão, onde os pedreiros trabalhavam. O ruído de passos ressoou atrás dela, e, antes que pudesse se virar, um braço agarrou-a pela cintura e puxou-a para trás. A mão de um homem cobriu sua boca, silenciando o grito.

— Shh... Elizabeth, sou eu! — falou com urgência uma voz dolorosamente familiar. — Não grite, está bem?

Ela assentiu. A mão soltou seu rosto e Elizabeth virou-se para deparar com os braços estendidos de Robert.

— *Onde* você esteve? — perguntou, rindo e chorando ao mesmo tempo enquanto o abraçava. — Por que partiu sem me dizer para onde iria? Eu deveria matá-lo por ter me deixado tão preocupada...

Robert segurou-a pelos ombros, afastando-a um pouco. Havia urgência em seu rosto abatido.

— Não tenho tempo para explicações. Encontre-me no caramanchão depois do pôr do sol e, pelo amor de Deus, não conte a ninguém que me viu.

— Nem mesmo a Bentner?

— Ninguém! Preciso sair daqui antes que alguém me veja. Estarei no caramanchão, perto da sua cerejeira favorita, ao anoitecer.

Deixou-a ali, afastando-se furtivamente pela trilha até o caramanchão, desaparecendo dentro dele após olhar para os dois lados, certificando-se de não ter sido visto.

Elizabeth sentia-se como se o breve encontro fosse fruto de sua imaginação. Tudo parecia irreal enquanto andava de um lado para outro na sala de estar, vendo o sol se pôr com uma lentidão exasperante. Tentava imaginar por que Robert temia ser visto até mesmo pelo velho e leal mordomo. Era óbvio que estava em apuros, talvez com as autoridades. Se assim fosse, ela falaria com Ian, pediria ajuda e conselhos. Robert era seu irmão e ela o amava apesar de todos os seus defeitos; e Ian entenderia. Com o tempo, talvez os dois homens pudessem vir a se tratar como parentes, pelo bem dela.

Afinal, escapuliu de casa, esgueirando-se como uma ladra.

ROBERT ESTAVA SENTADO com as costas apoiadas na antiga cerejeira, contemplando a ponta das botas gastas com uma expressão funesta. Levantou-se assim que Elizabeth se aproximou.

— Por acaso, trouxe alguma comida? — perguntou de imediato.

Ela percebeu que estivera certa ao calcular que ele estaria faminto.

— Sim, mas apenas um pedaço de pão e queijo — explicou, entregando-lhe um pequeno embrulho que escondera nas saias. — Não pude pensar num jeito de lhe trazer mais do que isso sem despertar suspeitas. — Sem conseguir se conter mais, indagou: — Robert, onde você esteve? Por que me abandonou daquela maneira e o que...

— Eu não a abandonei — interrompeu ele, furioso. — Foi seu marido quem mandou me sequestrar uma semana depois daquele duelo e, em seguida, me atirou num dos navios dele. Ele tentou me matar...

Uma onda de dor e incredulidade perpassou-a por inteiro.

— Não diga isso, Robert! — suplicou ela, balançando a cabeça em desespero. — Não pode ser... Ele não iria...

Robert cerrou os dentes e, puxando a camisa para fora da cintura, ergueu-a e virou-se de costas.

— Esta é uma das provas!

Elizabeth soltou um grito de horror. Cobriu a boca com a mão, sentindo uma tontura nauseante.

— Ah, meu Deus! — gemeu, olhando para as terríveis cicatrizes que cobriam as costas magras de Robert quase por inteiro. — Ah, meu Deus, meu Deus...

— Não vá desmaiar — disse ele, amparando-a pelo braço. — Você precisa ser forte, ou ele acabará conseguindo tudo o que pretende.

Elizabeth sentou-se no chão e apoiou a cabeça sobre os joelhos, balançando-se para frente e para trás.

— Meu Deus... — continuava repetindo sem conseguir afastar a imagem do corpo ferido. — Meu Deus...

Forçou-se a respirar fundo várias vezes, tentando se acalmar, e se recompôs um pouco. Todas as dúvidas, os avisos e as pistas que tivera cristalizaram-se em sua mente, fixando-se na indiscutível prova dos ferimentos de Robert. Um frio intenso invadiu-a, entorpecendo tudo, até mesmo sua dor. Ian fora seu amante e seu amor, ela se entregara aos braços do homem que desgraçara seu irmão.

Apoiando-se na árvore, ergueu o corpo trêmulo.

— Conte-me — pediu, com a voz embargada.

— Quer que lhe conte por que *ele* fez isso? Ou sobre os meses que passei trabalhando como um escravo numa miserável mina de carvão? Ou sobre a surra que levei na última vez que tentei escapar e voltar para você?

Elizabeth esfregou os braços, sentindo-se gelada e dormente.

— Diga-me o motivo — disse.

— Como diabos espera que eu explique os motivos de um louco? — sibilou Robert, e, num esforço supremo, recuperou o controle. — Tive dois anos para pensar, para tentar entender, e, quando soube que ele havia se casado com você, tudo ficou claro como cristal. Ele tentou me matar na estrada de Marblemarle na semana daquele duelo, você sabia?

— Contratei um investigador para encontrar você, e ele me falou sobre Marblemarle — disse ela, sem perceber que Robert empalidecera ainda mais. — Mas acreditam que *você* tentou matar Ian.

— Pura besteira!

— Bem, foi apenas uma... dedução — admitiu Elizabeth. — Mas por que Ian iria querer matá-lo?

— Por quê? — desdenhou Robert, devorando o pão com queijo como um animal faminto sob o olhar horrorizado de Elizabeth. — Em primeiro lugar, porque atirei nele no duelo. Mas esse não foi o principal motivo. Destruí os planos dele quando o enfrentei naquela noite na estufa. Thornton sabia que estava indo muito além de suas possibilidades quando tentou conquistá-la, mas eu o coloquei no lugar dele. Você sabia — acrescentou com um riso de desprezo — que algumas pessoas viraram as costas para ele depois daquele episódio? Muitas pessoas, aliás, conforme ouvi dizer antes de ser feito prisioneiro num dos navios dele.

Elizabeth soltou um suspiro trêmulo.

— O que pretende fazer?

Robert atirou a cabeça para trás e fechou os olhos, atormentado.

— Ele vai mandar me matar se souber que ainda estou vivo — disse com absoluta convicção. — Eu não suportaria ser chicoteado como da última vez, Elizabeth. Estive à beira da morte por uma semana.

Contendo um soluço de horror e piedade, ela perguntou:

— Vai processá-lo, então? Pretende denunciá-lo às autoridades? — Sua voz não passava de um sussurro de agonia.

— Já pensei nisso. E queria tanto fazê-lo que mal consigo dormir à noite. Mas ninguém acreditaria em mim agora. Seu marido se tornou um homem rico e poderoso. — Quando disse "seu marido", Robert fitou-a de maneira tão acusadora que Elizabeth não conseguiu sustentar seu olhar.

— Eu... — Ela ergueu as mãos num impotente gesto de perdão, embora nem soubesse por que deveria se desculpar, e as lágrimas nublaram seus olhos, impedindo-a de falar. — Por favor — chorou, indefesa —, não sei o que dizer, o que fazer. Não estou conseguindo pensar direito...

Robert largou o pedaço de pão e abraçou-a.

— Minha querida irmãzinha — disse. — Passei noites e noites em claro, temendo o que poderia estar lhe acontecendo, tentando não pensar nas mãos sujas daquele miserável tocando-a. Ele possui muitas minas... Imensos e profundos buracos no solo, onde homens vivem como animais e são tratados como gado. Toda a fortuna dele vem dessas minas, que lhe permitem comprar tudo o que deseja.

Incluindo as joias e as peles com que ele a presenteara, pensou Elizabeth, e a vontade de vomitar tornou-se quase incontrolável. Estremecendo nos braços de Robert, perguntou:

— Se não pretende levá-lo aos tribunais, então o que vai fazer?

— O que *eu* vou fazer? Este problema não é só meu, Elizabeth. Se Thornton desconfiar que você sabe de tudo, na certa vai tratá-la da mesma forma que a mim. Você não sobreviverá ao que os homens dele lhe farão.

Porém, naquele momento, a própria sobrevivência era o que menos importava a ela. Por dentro, já se sentia destruída e pronta para morrer.

— Precisamos fugir, Elizabeth. Mudar nossos nomes, começar uma nova vida.

Aquela foi a primeira vez que ela não parou para pensar em Havenhurst antes de tomar uma decisão.

— Para onde? — perguntou, num débil sussurro.

— Deixe isso comigo. Quanto dinheiro acha que consegue em apenas alguns dias?

Lágrimas rolavam em seu rosto atormentado, porque ela não tinha escolha. Nenhuma escolha. E não tinha Ian...

— Bastante, eu acho — respondeu, alheia. — Se encontrar um meio de vender minhas joias...

Robert pressionou-lhe os braços com mais força e pousou um beijo fraterno em sua testa.

— Você precisa seguir as minhas instruções. Prometa que vai fazer isso.

Elizabeth assentiu, deixando escapar um soluço.

— Ninguém pode saber que você pretende fugir. Ele a impedirá caso descubra.

Ela tornou a assentir. Ian não abriria mão dela com tanta facilidade, e nunca antes de passar semanas questionando-a com insistência. Depois da maneira tórrida com que ela se entregara ao seu amor, ele não acreditaria que quisesse se separar por não desejar viver ao lado dele.

— Venda tudo que for possível sem levantar suspeitas — prosseguiu Robert. — Vá para Londres, que é uma cidade grande. Se usar outro nome ou tentar se disfarçar, é bem provável que ninguém a reconheça. Na sexta-feira, alugue um coche em Londres e vá a Thurston Crossing, pela estrada de Bernam. Há uma estalagem lá. Estarei à sua espera. Thornton vai enviar um grupo de busca assim que notar seu desaparecimento; estarão procurando por uma mulher loira, e, caso me encontrem, estarei morto. E você também. Portanto, viajaremos como marido e mulher. Creio que será a melhor maneira.

Elizabeth ouvia, entendia, porém não conseguia se mover nem sentir nenhuma emoção.

— Para onde vamos? — perguntou, distante.

— Ainda não decidi. Bruxelas, talvez... Não, é perto demais. Quem sabe para a América? Seguiremos para o norte e poderemos ficar em Helmshead, um ermo vilarejo provinciano no litoral. Os jornais só chegam de vez em quando, por isso ninguém vai tomar conhecimento do seu desaparecimento. E ficaremos lá, esperando um navio para as colônias. — Robert afastou-a um pouco, encarando-a. — Preciso ir agora. Entendeu tudo o que tem de fazer?

Ela balançou a cabeça, confirmando.

— Mais uma coisa: quero que você brigue com ele na frente de alguém, se for possível. Não precisa ser nada sério, apenas o bastante para fazê-lo pensar que você está zangada. Assim, quando você partir, ele vai demorar até mandar os investigadores atrás de você, o que nos dará alguma vantagem. Se você desaparecer sem nenhum motivo aparente, ele começará as buscas imediatamente. Acha que pode fazer isso?

— Sim — respondeu ela, quase sem voz. — Acho que sim. Mas eu queria poder deixar-lhe um bilhete, dizer que... — Lágrimas nublaram os olhos dela diante da ideia de escrever um bilhete para Ian. Ele podia ser um monstro, mas seu coração recusava-se a esquecer o amor com a mesma rapidez com que sua mente aceitava a traição. — Para dizer *por que* estou partindo... — Sua voz estrangulou-se e os ombros foram sacudidos por soluços incontroláveis.

Robert tornou a abraçá-la. No entanto, apesar do gesto de conforto, a voz soava fria e implacável:

— *Sem bilhetes!* Está entendendo? Não deixe bilhete algum! Mais tarde — prometeu num tom mais suave —, depois que tivermos escapado, poderá lhe escrever uma carta e contar tudo. Pode até escrever um livro ao maldito se quiser! Mas agora é essencial que faça com que tudo pareça apenas uma breve fuga após uma discussão tola. Entendeu?

— Sim, entendi.

— Então, nos veremos na sexta-feira — confirmou ele, afastando-se depois de lhe dar um beijo no rosto. — Não falhe, Elizabeth.

— Não falharei.

RETOMANDO MECANICAMENTE AS tarefas rotineiras, Elizabeth mandou um recado a Ian anunciando sua intenção de passar aquela noite em Havenhurst, a fim de verificar os livros contábeis. No dia seguinte, uma quarta-feira, partiu para Londres levando suas joias numa bolsinha de veludo, oculta sob a capa. Tudo o que possuía estava ali, incluindo o anel de noivado.

Obedecendo às recomendações de discrição de Robert, fez com que Aaron a deixasse na Rua Bond e pegou um coche de aluguel. Parou na primeira joalheria que avistou, num bairro em que dificilmente seria reconhecida.

O joalheiro ficou impressionado com o que Elizabeth tinha a oferecer — atônito, na verdade.

— São pedras de excelente qualidade, Sra....

— Sra. Roberts — completou Elizabeth, com pouca criatividade. Agora que nada mais importava, era fácil mentir e dissimular.

A quantia que o homem propôs pelas esmeraldas provocou-lhe a primeira onda de emoção desde o dia anterior, mas foi apenas uma leve sensação de decepção.

— Elas devem valer vinte vezes mais... — comentou.

— Talvez trinta vezes mais, mas minha clientela não pode pagar preços assim tão altos. Terei de vendê-las por um valor que meus clientes estejam dispostos a pagar.

Elizabeth assentiu, seu espírito alheio demais para tentar negociar com o homem ou argumentar que poderia vender as joias em qualquer outra loja da Rua Bond por dez vezes a quantia oferecida por ele.

— Não tenho todo esse dinheiro aqui na loja — acrescentou o joalheiro. — A senhora terá de ir ao banco.

Duas horas depois, Elizabeth saiu do banco com uma fortuna em notas dentro da bolsinha e de uma sacola.

Antes de ir a Londres, ela mandara um bilhete para Ian, avisando-o de que ficaria na casa da Rua Promenade, sob a desculpa de que queria fazer algumas compras e verificar como estavam os criados. Era uma desculpa tola, porém Elizabeth não se sentia capaz de pensar de forma racional. Seguia as instruções de Robert de forma automática, sem se desviar um milímetro nem improvisar. Sentia-se morta, embora o corpo continuasse vagando como um zumbi.

Sentada, sozinha, em seus aposentos na casa da Rua Promenade, mantinha os olhos fixos na janela, fitando a noite impenetrável, os dedos retorcendo-se sobre o colo. Precisava enviar uma carta de adeus a Alex, pensou. Aquela era a primeira vez que pensava no futuro em quase dois dias. Porém, mal a ideia se formou em sua mente, descartou-a. Não poderia arriscar-se a escrever para Alexandra, por mais que isso lhe doesse. Mas o pior tormento, a verdadeira provação, ainda estava por vir: o confronto com Ian. Ainda teria de vê-lo, pois não poderia evitá-lo por mais dois dias sem levantar suspeitas. Ou poderia?, perguntou-se em desespero. Ele concordara que ela fosse independente, e, ocasionalmente, ela passava alguns dias longe dele, em Havenhurst, desde que se casaram. Mas, naquelas ocasiões, o motivo era o mau tempo, e não um simples capricho.

A madrugada começava a clarear o céu quando ela adormeceu na poltrona.

Quando sua carruagem a deixou em Havenhurst, no dia seguinte, Elizabeth quase esperava ver a de Ian parada na frente da casa. No entanto, tudo parecia normal e tranquilo. Graças ao dinheiro que ele deixava à sua disposição mensalmente, Havenhurst tinha agora muitos criados novos. Os cavalariços levavam um cavalo para o estábulo; os jardineiros espalhavam adubo em um novo canteiro de flores. Tudo normal e tranquilo, pensou de novo, um tanto histérica quando Bentner abriu a porta.

— Onde esteve, senhora? — perguntou o mordomo, ansioso, examinando seu rosto pálido. — O marquês enviou um recado pedindo que a senhora volte para casa.

Ela deveria ter previsto isso, mas sequer se deu ao trabalho.

— Não sei por que deveria voltar, Bentner — disse ela, num tom contido que pretendia passar por contrariedade. — Meu marido parece esquecer que fizemos um acordo quando nos casamos.

Bentner, que ainda se ressentia pelo tratamento que Ian dispensara à sua patroa no passado — sem mencionar a agressão à sua pessoa naquele dia em que forçara a entrada na casa da Rua Promenade —, não encontrou argumentos em defesa do marquês. Em vez disso, acompanhou os passos apressados de Elizabeth pelo vestíbulo, reparando ansiosamente em sua expressão.

— A senhora não me parece bem. Será que devo mandar Winston lhe servir um bom bule de chá, com alguns daqueles deliciosos bolinhos que a senhora tanto gosta?

Elizabeth balançou a cabeça e foi direto para a biblioteca, onde se sentou à escrivaninha e redigiu o que esperava ser um bilhete educado e evasivo ao marido. Comunicava a intenção de permanecer em Havenhurst por mais uma noite, a fim de finalizar seu trabalho nos livros de contabilidade. Um lacaio partiu levando o bilhete logo depois, com instruções de fazer a viagem em, no máximo, sete horas. Sob nenhuma circunstância, Elizabeth queria que Ian deixasse a casa deles — ou seja, a casa *dele* — e irrompesse em Havenhurst na manhã seguinte ou, pior, ainda naquela noite.

Depois que o lacaio saiu, os nervos de Elizabeth, antes entorpecidos, voltaram à vida. O pêndulo do antigo relógio de seu avô, colocado no vestíbulo, passou a se mover cada vez mais rápido, e ela começou a imaginar todos os desastres que poderiam acontecer. Precisava dormir, disse a si mesma. Sua imaginação corria à solta porque quase não dormira.

No dia seguinte, teria de encarar Ian, mas apenas por umas poucas horas...

ELIZABETH DESPERTOU ASSUSTADA quando a porta de seu quarto se escancarou de madrugada e Ian irrompeu pela escuridão.

— Quer falar primeiro ou falo eu? — disse ele bruscamente, parando ao lado da cama.

— O-o quê? — balbuciou ela, trêmula.

— Quero saber se você vai ser a primeira a me dizer por que raios parece ter passado a achar minha companhia repulsiva ou se prefere que eu lhe diga como me sinto quando não sei onde você está ou por que deseja ficar longe de mim!

— Eu lhe mandei um recado nas duas noites em que fiquei fora.

— Mandou um maldito bilhete, que chegou bem depois do anoitecer em ambas as vezes, informando-me que pretendia dormir em outro lugar. E eu quero saber *por quê.*

"Os homens dele são tratados como gado", lembrou-se Elizabeth.

— Pare de gritar comigo — disse tremendo, enquanto saía da cama e se enrolava nas cobertas para esconder seu corpo.

As sobrancelhas dele arquearam-se, ameaçadoras.

— Elizabeth? — insistiu Ian, segurando-a.

— Não me toque! — bradou ela.

A voz de Bentner ressoou na soleira da porta:

— Precisa de algo, milady? — perguntou o mordomo, lançando um olhar ousado para Ian.

— Saia daqui e feche esta maldita porta! — ordenou Ian, furioso.

— Deixe-a aberta — ordenou ela, nervosa, e o bravo mordomo obedeceu sem pestanejar.

Com seis longos passos, Ian atravessou o quarto e bateu a porta com tanta força que fez as paredes vibrarem, e Elizabeth começou a tremer de pavor. Quando ele voltou em sua direção, ela tentou se afastar, mas ficou presa nas cobertas e viu-se obrigada a permanecer onde estava.

Ian viu o medo estampado nos olhos dela e parou a milímetros de distância. Reparou que Elizabeth se encolhera, apavorada, quando ele ergueu a mão. Assim mesmo, tocou-lhe o rosto.

— Querida, o que está havendo? — perguntou.

Aquela voz suave fez Elizabeth desejar atirar-se a seus pés, chorando. Aquela linda voz de barítono. Quis implorar para que ele dissesse que Robert e Wordsworth estavam mentindo.

"Minha vida depende disso, Elizabeth. E a sua também. Não falhe", pedira Robert. Ainda assim, naquele momento de fraqueza, ela pensava em contar tudo a Ian e deixar que ele a matasse, se assim quisesse. Preferiria a morte ao tormento de viver com a lembrança da mentira que fora sua vida junto a ele — ao tormento de viver sem ele.

— Você está doente? — perguntou ele, franzindo a testa e observando-a com atenção.

Aproveitando a desculpa que ele lhe oferecia, ela assentiu depressa.

— Acho que sim. Não estou me sentindo muito bem.

— Por isso foi para Londres? Para procurar um médico?

Elizabeth assentiu e, com horror crescente, viu um sorriso espalhar-se no rosto dele; aquele sorriso lento e terno que sempre era capaz de deixá-la atordoada.

— Você está esperando um bebê, querida? Por isso anda agindo de maneira tão estranha?

Ela permaneceu em silêncio, tentando decidir se seria melhor dizer sim ou não — e concluiu que deveria negar. Ian a seguiria até os confins do mundo se acreditasse que ela esperava um filho seu.

— Não! Ele... o médico disse que são apenas meus... nervos.

— Você tem trabalhado demais — disse ele, a imagem perfeita do marido devotado. — Precisa descansar.

Ela não conseguia mais suportar nada daquilo — nem sua falsa ternura, nem sua preocupação, tampouco a lembrança das costas de Robert cobertas de cicatrizes.

— Vou dormir agora — disse, com a voz estrangulada. — *Sozinha* — acrescentou e viu o rosto dele empalidecer, como se o tivesse esbofeteado.

Durante toda a sua vida adulta, Ian confiara tanto em sua intuição como em sua inteligência e, naquele momento, não quis acreditar na explicação que ambas lhe ofereciam. Sua esposa não queria dividir a cama com ele; encolhera-se sob seu toque; estivera fora de casa por duas noites consecutivas e — o que mais o alarmava — havia medo e culpa estampados naquele rosto pálido.

— Sabe o que um marido costuma pensar — começou ele com uma calma que ocultava sua dor — quando a esposa passa noites fora e não o quer na cama, quando voltam a se encontrar?

Elizabeth balançou a cabeça.

— Ele pensa — afirmou Ian, com frieza — que talvez haja outro homem ocupando seu lugar nessa mesma cama.

Uma onda de fúria coloriu as faces dela.

— Você está ficando vermelha, meu bem — comentou ele, com desprezo.

— Estou furiosa! — retrucou ela, esquecendo por um instante que estava enfrentando um louco.

A expressão de Ian logo foi substituída por alívio e desconcerto.

— Peço que me desculpe, Elizabeth.

— Q-quer fazer o favor de sair daqui? — explodiu ela, suas forças quase chegando ao fim. — Vá embora e me deixe descansar. Eu lhe disse que estava cansada e não vejo que direito tem de ficar tão zangado! Fizemos um acordo quando nos casamos. Eu poderia ter minha própria vida, sem interferências. E ficar aqui me questionando é uma interferência! — calou-se e, depois de lhe lançar um olhar enviesado, Ian saiu do quarto.

Atordoada pelo alívio e pela dor, Elizabeth arrastou-se de volta para a cama e puxou as cobertas até o queixo. Porém, nem mesmo o calor dos cobertores fez cessar os tremores gélidos e febris que se alternavam em seu corpo. Vários minutos depois, uma sombra cruzou a cama e ela quase gritou de pavor antes de perceber que era Ian, que entrara silenciosamente pela porta que conectava os dois quartos.

Uma vez que reagira ao susto, seria inútil fingir que estava dormindo. Em silencioso terror, observou-o aproximar-se da cama. Sem dizer uma palavra, ele se sentou ao seu lado. Só então, ela viu que ele segurava um copo. Ian o deixou sobre a mesa de cabeceira e inclinou-se sobre ela, ajeitando-lhe os travesseiros, sem lhe dar outra escolha senão erguer o corpo e recostar-se neles.

— Beba isto — instruiu ele, com toda a calma.

— O que é? — indagou ela, desconfiada.

— Conhaque. Vai ajudá-la a pegar no sono. — Ian ficou observando-a sorver um gole e, quando voltou a falar, havia um sorriso terno em sua voz. — Já que descartamos a possibilidade de outro homem como explicação para tudo isso, só posso presumir que haja algo errado com Havenhurst. É isso?

Elizabeth agarrou-se à desculpa como se ela tivesse sido enviada dos céus.

— Sim — murmurou, assentindo com vigor.

Abaixando-se, ele pousou um beijo em sua testa e brincou:

— Deixe-me adivinhar... Você descobriu que o dono do moinho exagerou no preço da farinha? — Elizabeth achou que poderia morrer com aquele doce tormento quando ele continuou a provocá-la com ternura a respeito de sua excessiva preocupação com economias. — Não foi o moleiro? Bem, então só pode ter sido o padeiro, que se recusou a lhe dar um desconto quando você comprou dois pães, em vez de apenas um.

Lágrimas traiçoeiras surgiram nos olhos dela. Ian as percebeu.

— É tão ruim *assim*? — continuou brincando, observando o brilho de suspeita nos olhos dela. — Será que você gastou toda a sua mesada? — Quando ela não respondeu, Ian ofereceu-lhe um sorriso reconfortante e acrescentou: — Seja lá o que for, resolveremos tudo amanhã cedo.

Dando-se conta de que ele pretendia ficar, Elizabeth emergiu de seu estado de profunda infelicidade.

— Não... São os pedreiros... Estão me custando muito mais do que... eu esperava. Já gastei com eles parte da minha mesada, além do empréstimo que você fez para Havenhurst.

— Ah, então são os *pedreiros* — repetiu ele, rindo. — Precisa ficar de olho neles, querida; do contrário, eles a deixarão na miséria. Vou falar com eles de manhã.

— Não! — exclamou ela, inventando depressa uma desculpa. — Foi por isso mesmo que fiquei tão aborrecida. Eu não queria que você intercedesse. Quis resolver tudo sozinha e já o fiz. Foi tudo bem desgastante. Então, fui ao médico e ele disse que não há nada de errado comigo. Vou voltar para Montmayne depois de amanhã. Portanto, você não precisa ficar aqui. Sei quanto anda ocupado e... Por favor, Ian — pediu, desesperada —, deixe-me resolver tudo sozinha, eu imploro!

Ele endireitou o corpo e balançou a cabeça, incrédulo.

— Eu daria minha vida por um sorriso seu, Elizabeth. Você não precisa implorar por nada. Entretanto, não quero vê-la usar o dinheiro de seus gastos pessoais neste lugar. E, se continuar fazendo isso — brincou —, serei obrigado a cortar sua mesada. — Mais sério, acrescentou: — Se precisa de mais dinheiro para Havenhurst, basta me dizer, pois sua mesada é para ser usada apenas com você. Agora, termine de beber o conhaque — ordenou, gentil, e, depois que ela obedeceu, pousou mais um beijo em sua testa. — Fique aqui pelo tempo que achar necessário. Preciso ir para Devon a negócios. Estive adiando a viagem por não querer me afastar de você. Irei amanhã e voltarei a Londres na terça-feira. Gostaria de se encontrar comigo lá, em vez de em Montmayne?

Ela concordou.

— Só mais uma coisa — finalizou ele, observando-lhe o rosto pálido e as feições contraídas. — Você me dá sua palavra de que o médico não encontrou nada que fosse preocupante?

— Sim, dou minha palavra.

Elizabeth viu-o voltar para o próprio quarto. No instante em que ouviu o ruído da fechadura, virou-se e mergulhou o rosto no travesseiro. E chorou até pensar que havia esgotado as lágrimas de uma vida inteira.

No lado oposto do quarto, a porta que dava para o corredor abriu-se um pouquinho e Berta espiou pela fresta, fechando-a logo em seguida. Virou-se para Bentner — que fora chamá-la para pedir-lhe um conselho quando Ian batera com a porta em seu rosto e começara a gritar com Elizabeth.

— Ela está chorando como se o coração tivesse se partido ao meio — informou Berta. — Mas ele não está mais no quarto.

— Alguém deveria dar um tiro nele! — exclamou Bentner, com vigoroso desprezo.

Berta concordou timidamente e aconchegou-se em seu robe.

— Ele é um homem assustador, Sr. Bentner. Assustador, sem dúvida...

Capítulo 33

Quando Elizabeth não apareceu na casa da Rua Upper Brook, em Londres, até a noite de terça-feira, todas as suspeitas abafadas por Ian irromperam como um vulcão. Às onze horas daquela noite, ele mandou dois lacaios para Havenhurst, a fim de descobrir onde ela estava, e dois outros para Montmayne, para verificar se ela fora para lá.

Às dez e meia da manhã seguinte, foi informado de que os criados de Havenhurst achavam que Elizabeth partira em direção a Montmayne cinco dias atrás, enquanto os empregados dele acreditavam que ela estivera em Havenhurst durante todo esse tempo. Elizabeth desaparecera havia cinco dias, e ninguém sequer pensara em avisá-lo.

À uma hora daquela mesma tarde, Ian encontrou-se com o delegado de polícia da Rua Bow e, três horas depois, já havia contratado um exército de cem investigadores para procurá-la. Mas eram poucas as informações que podiam lhes fornecer. A única informação que todos tinham era que Elizabeth saíra de Havenhurst, onde fora vista pela última vez em companhia dele próprio, na noite em que discutiram. Aparentemente, não levara mais nada além das roupas que usava, mas ninguém sabia quais roupas eram.

Havia algo mais que Ian sabia, embora ainda não estivesse pronto para revelar, e só o faria se fosse necessário, sendo também o único motivo pelo qual tentava manter em segredo o desaparecimento da esposa. Ele sabia que Elizabeth estivera aterrorizada com alguma coisa, ou com alguém, naquela última noite em que a vira. Chantagem foi a primeira coisa que lhe ocorreu, mas chantagistas não costumavam sequestrar suas vítimas. Além disso, por mais que pensasse, não conseguia imaginar o que Elizabeth, em sua juventude e inocência, poderia ter feito para atrair um chantagista. Sem um motivo grave, nenhum criminoso seria louco o bastante para raptar uma marquesa e fazer com que todo o sistema judiciário da Inglaterra corresse em seu encalço.

Afastadas essas possibilidades, Ian não suportava considerar a única que lhe restava, nem se permitia imaginar que Elizabeth poderia ter fugido com um amante. Porém, à medida que as horas iam se passando e o dia se transformava em noite, ficava cada vez mais difícil banir aquele torturante pensamento. Arrastou-se pela casa e foi para o quarto dela, ansiando pela sua presença. E, depois, começou a beber. Bebeu até anestesiar a dor que sua ausência provocava e apagar o terror inominável que o invadia.

No sexto dia, os jornais descobriram a existência de investigações sobre o desaparecimento de Lady Elizabeth Thornton. As manchetes explosivas estamparam as primeiras páginas do *Times* e do *Gazette,* acrescidas de saborosas especulações que incluíam sequestro, chantagem e até insinuações genéricas de que a Marquesa de Kensington decidira desaparecer por "motivos pessoais desconhecidos".

Depois disso, nem mesmo a combinação de poderes das famílias Thornton e Townsende foi capaz de impedir que os jornais publicassem todo tipo de verdade, conjectura ou indiscriminada falsidade que pudessem descobrir ou inventar. Os repórteres pareciam saber, e publicavam, cada detalhe das informações que os policiais e os investigadores particulares conseguiam descobrir. Os criados foram inquiridos em todas as residências de Ian, e também em Havenhurst, e suas declarações eram "reproduzidas" pela imprensa. Detalhes da vida privada de Ian e Elizabeth alimentavam o insaciável público como lavagem alimenta os porcos.

Na verdade, foi por intermédio de um artigo do *Times* que Ian ficou sabendo, pela primeira vez, que se tornara um dos suspeitos. De acordo com o noticiário, o mordomo de Havenhurst supostamente testemunhara uma briga entre Lorde e Lady Thornton na mesma noite em que ela fora vista pela última vez. O motivo da discussão, o mordomo informava, fora um ataque cruel de Lorde Thornton ao caráter moral de sua esposa, com referência a "certas coisas que seria melhor não mencionar".

A criada pessoal de Lady Thornton, conforme prosseguia a notícia, sofrera um ataque nervoso enquanto relatava ter espiado no quarto da patroa e tê-la ouvido chorar, "como se o coração estivesse partido ao meio". A criada também disse que o quarto estava escuro e, por isso, fora impossível determinar se a patroa sofrera ou não agressão física, embora "não pudesse afirmar que isso não fosse bastante provável".

Apenas um trabalhador de Havenhurst não incriminou Ian em seu depoimento, e quando o leu, Ian sentiu-se invadido por uma agonia maior do que tudo o que já havia experimentado até aquele momento. Quatro dias antes do desaparecimento de Lady Thornton, um jardineiro recém-contratado, chamado William Stokey, a vira saindo pela porta dos fundos da casa, no início da noite, seguindo na direção de um caramanchão. Stokey pretendia chamá-la, pois precisava perguntar-lhe sobre a quantidade de adubo a ser colocada no canteiro de flores em que trabalhava, e foi atrás dela. Porém, não chegou a se aproximar, pois a vira abraçando um homem "que não era seu marido".

Os jornais logo ressaltaram que a infidelidade poderia levar um marido a fazer algo mais do que apenas censurar a esposa durante uma discussão: poderia levá-lo a fazer com que ela desaparecesse... para sempre.

As autoridades ainda hesitavam em acreditar que Ian tivesse se livrado da esposa apenas porque ela, supostamente, encontrara um homem desconhecido num caramanchão, o que, ao que parecia, seria sua única motivação.

Entretanto, ao final da segunda semana, uma testemunha que estivera fora da Inglaterra leu o jornal e reagiu com instantânea fúria ao saber do misterioso desaparecimento de Lady Thornton. Tão incriminador e chocante foi o depoimento do Sr. Wordsworth, um detetive contratado pela dama em questão, contra o Marquês de Kensington, que foi ouvido sob extremo sigilo e nem mesmo a imprensa teve como descobrir.

No dia seguinte, o *Times* publicou a notícia mais explosiva e surpreendente até então: Ian Thornton, Marquês de Kensington, fora procurado pela polícia em sua casa de Londres e levado para ser oficialmente interrogado acerca de sua participação no desaparecimento da esposa.

Embora Ian não tivesse sido formalmente acusado, nem mesmo aprisionado, recebeu ordens de não sair de Londres até que o tribunal se reunisse a portas fechadas, a fim de decidir se haveria ou não motivos suficientes para processá-lo, fosse pelo recente desaparecimento da esposa, fosse pela nova evidência apresentada por Wordsworth, referente à sua possível participação no desaparecimento de Robert Cameron, dois anos antes.

— Eles não farão isso, Ian — declarou Jordan Townsende na mesma noite em que Ian foi solto sob sua custódia. Marchando de um lado para outro na sala de estar da casa do amigo, repetiu: — Eles não farão uma coisa assim.

— Farão, sim — retrucou Ian, indiferente.

As palavras foram pronunciadas sem a menor sombra de preocupação, e nem mesmo seus olhos demonstravam qualquer interesse. Dias atrás, Ian passara a não se importar mais com as investigações. Elizabeth se fora sem deixar ao menos um bilhete, sem lhe dar qualquer explicação — ou qualquer razão que lhe permitisse continuar acreditando que fora levada contra a vontade. E, como ele sabia muito bem que não a havia matado ou sequestrado, a única conclusão que lhe restava era a de que Elizabeth o deixara por outro homem.

As autoridades continuavam relutantes em aceitar a hipótese de que ela se encontrara com alguém no caramanchão, pois haviam surgido provas de que a visão do jardineiro era bastante deficiente e, além disso, ele próprio admitira que "talvez tivessem sido os galhos de uma árvore balançando ao vento, e não os braços de um homem". Ian, no entanto, não tinha dúvidas. A existência de um amante era a única explicação lógica para tudo aquilo, e até mesmo chegara a suspeitar disso na noite em que fora procurá-la em Havenhurst. Elizabeth se recusara a dormir com ele e, se qualquer outro motivo, que não um amante, a estivesse preocupando, ela teria procurado a proteção de seus braços, mesmo que não lhe fizesse confidências. Porém, Ian sabia que *ele* era a última pessoa que ela quisera naquele momento.

Não, na verdade, Ian não havia *suspeitado* de nada naquela noite — pois teria sido insuportavelmente doloroso. Agora, entretanto, ele não apenas suspeitava, como também tinha certeza, e o sofrimento ia muito além do que podia suportar.

— Pois afirmo que não o levarão a julgamento — insistiu Jordan. — Honestamente, vocês acham que sim? — indagou, olhando primeiro para Duncan e, depois, para o Duque de Stanhope, que também estavam presentes.

Em resposta, os dois homens fitaram-no com dolorosa dúvida, menearam as cabeças num esforço de se mostrar assertivos e tornaram a baixar os olhos para as mãos.

Sob a lei inglesa, Ian tinha o direito de ser julgado por seus pares, e, como era um lorde britânico, isso significava que só poderia ser processado na Câmara dos Lordes, e Jordan agarrava-se a esse fato como se a vida do amigo dependesse disso.

— Você não é o primeiro entre nós cuja esposa mimada desaparece por alguns dias na esperança de convencê-lo a fazer-lhe as vontades — prosseguiu Jordan, tentando desesperadamente pintar um quadro no qual Elizabeth estivesse apenas escondendo-se em algum lugar, sem dúvida ignorando o fato de que a reputação do marido estava sendo demolida e que a própria vida dele estava em jogo. — Não vão conseguir convencer toda a maldita Câmara dos Lordes a condenar um marido importunado cuja esposa decidiu enlouquecer! — continuou, enfático. — Diabos, metade dos lordes na Câmara é incapaz de controlar as próprias mulheres. Por que você haveria de ser diferente?

Alexandra olhou-o num misto de tristeza e incredulidade. Como Ian, ela também sabia que Elizabeth não agira levada por um simples surto de frivolidade. Porém, ao contrário de Ian, ela se recusava a acreditar que a amiga fugira na companhia de um amante.

O mordomo de Ian surgiu na porta trazendo uma carta selada, que entregou a Jordan.

— Quem sabe? — brincou Jordan, abrindo o envelope. — Talvez seja Elizabeth pedindo-me que interceda por ela antes de se atrever a voltar para casa.

Mas seu sorriso desapareceu no instante em que leu a carta.

— O que foi? — perguntou Alex, ansiosa, ao ver a expressão transtornada do marido.

Jordan amassou o papel entre as mãos e virou-se para Ian com irada resignação.

— Estão convocando uma sessão na Câmara dos Lordes — disse.

— É bom saber — retrucou Ian, com fria indiferença enquanto levantava e retirava-se para seu escritório — que terei um amigo e um parente na reunião.

Depois que ele saiu, Jordan continuou andando pela sala.

— Tudo isso não passa de um punhado de ofensas e conjecturas forjadas... O duelo com o irmão de Elizabeth e tudo o mais. O desaparecimento de Robert é fácil de ser explicado.

— Um desaparecimento é relativamente fácil de ser explicado — falou o Duque de Stanhope. — Dois desaparecidos na mesma família é outra história, receio. Eles o farão em pedaços se Ian não se defender a contento.

— Estamos fazendo todo o possível — assegurou Jordan. — Nossos investigadores estão virando do avesso cada vilarejo do interior da Inglaterra. Porém, a polícia parece acreditar que já encontrou o culpado: Ian, e, por isso, abandonou a teoria de que Elizabeth possa ter fugido por vontade própria.

Alexandra levantou-se para sair e disse, mantendo-se leal à amiga:

— Se ela de fato fez isso, podem estar certos de que haverá uma *excelente* explicação que não se resuma a ataques de capricho nos quais vocês, homens, parecem ansiosos por acreditar.

Depois que o casal Townsende foi embora, o duque recostou a cabeça no encosto da poltrona e falou para Duncan:

— Que tipo de "excelente" explicação ela poderia nos dar?

— Isso não importa — retrucou o vigário, com amargura. — Não para Ian, pelo menos. A não ser que consiga provar que foi forçada a partir, ela já está morta para ele.

— Não diga uma coisa assim! — protestou Edward. — Ian ama a esposa... e será capaz de ouvi-la.

— Eu o conheço melhor do que você, Edward — argumentou Duncan, lembrando-se dos passos de Ian depois da morte dos pais. — Ele jamais dará a Elizabeth outra chance de magoá-lo. Se ela o envergonhou de propósito, se traiu sua confiança, então é o mesmo que estar morta. E Ian já acredita que foi isso que aconteceu. Basta olhar para o rosto dele. Nem sequer chega a pestanejar quando o nome da esposa é mencionado. Já está matando todo o amor que um dia nutriu por ela.

— Não se pode simplesmente arrancar alguém do coração. Sei disso muito bem, acredite.

— Ian pode — afirmou Duncan. — E fará isso de tal forma que Elizabeth nunca mais conseguirá se aproximar. — Quando o duque franziu a testa, incrédulo, acrescentou: — Deixe-me contar-lhe a mesma história que contei a Elizabeth, não faz muito tempo, quando ela me perguntou sobre alguns desenhos feitos por Ian, que ela encontrou na casa da Escócia. É a história da morte dos pais dele e de uma cadela da raça labrador que Ian criava desde menino...

Quando Duncan terminou o relato, os dois homens permaneceram em profundo silêncio enquanto o relógio badalava as onze horas. Ambos olharam para o relógio, escutando, esperando e temendo o inevitável som de batidas à porta. Não tiveram de esperar muito. Dois homens chegaram quinze minutos depois, e Ian Thornton, Marquês de Kensington, foi formalmente acusado pelo assassinato da esposa e de seu meio-irmão, o Sr. Robert Cameron. Foi-lhe dada a voz de prisão e informaram-no de que deveria preparar-se para o julgamento na Câmara dos Lordes, que se daria num prazo de quatro semanas. Como uma concessão ao seu título, não seria encarcerado antes do julgamento, mas guardas ficariam postados do lado de fora de sua casa, e foi avisado de que estaria sob constante vigilância sempre que saísse para as ruas da cidade. Sua fiança foi fixada em 100 mil libras.

Capítulo 34

Helmshead era um pequeno vilarejo sonolento, encravado acima de uma luminosa baía azulada onde ocasionais caravelas atracavam, abrindo espaço por entre as dezenas de pequenas embarcações de pesca espalhadas pelo cais. Às vezes, os marinheiros desembarcavam, esperando uma noite de mulheres e bebidas, e partiam com a maré da manhã seguinte — sempre lembrando a si mesmos para não se darem ao trabalho de sair do navio na próxima vez que ali aportassem. Não existiam bordéis em Helmshead, nem tavernas que acolhessem marinheiros, ou prostitutas vendendo sua mercadoria proibida.

Aquela era uma comunidade familiar: de pescadores rudes, cujas mãos eram tão ásperas quanto as cordas e redes que puxavam a cada dia; de mulheres que carregavam as trouxas de roupas para serem lavadas no poço e que tagarelavam entre si enquanto as mãos avermelhadas esfregavam o sabão de lixívia nas roupas alvejadas pelo sol; de crianças brincando de pega-pega; de vira-latas latindo contentes com a correria. Os rostos de seus habitantes eram bronzeados, sadios e marcados pelo tempo, com traços de caráter e linhas de expressão gravados em cada um deles. Não havia damas elegantes e cobertas de joias em Helmshead, tampouco cavalheiros galantes ricamente trajados oferecendo os braços a delicadas mãos enluvadas. Havia apenas mulheres carregando pesadas cestas de roupas úmidas para casa e pescadores broncos que as interceptavam e, sorrindo, transferiam a pesada carga para seus próprios ombros fortes.

Parada num rochedo coberto de relva, próximo ao centro da cidadezinha, Elizabeth recostou-se contra o tronco da árvore atrás dela, observando o movimento. Engoliu em seco, tentando desfazer o permanente nó de angústia que se formara em sua garganta naquelas últimas quatro semanas, e virou-se na direção oposta, olhando através do íngreme penhasco que se erguia da reluzente baía abaixo. Árvores retorcidas colavam-se à rocha, com seus troncos desfigurados pela eterna batalha contra os elementos — árvores estranhas, contorcidas, mas, ainda assim, extremamente belas, com seus esfuziantes tons de vermelho e dourado outonal.

Fechou os olhos para apagar a visão; a beleza sempre a fazia pensar em Ian. A força rude a fazia lembrar-se de Ian. O esplendor a lembrava Ian. Coisas contorcidas faziam-na pensar em Ian...

Soltando um longo e trêmulo suspiro, voltou a abrir os olhos. O tronco áspero da árvore feria-lhe braços e ombros, mas ela não se moveu; a dor servia para lhe provar que ainda estava viva. Exceto pela dor, nada mais existia. Apenas o vazio. Vazio e sofrimento. E o som da voz profunda de Ian em sua mente, sussurrando palavras de amor ao trocarem carícias, provocando-a.

O som da voz dele... e a imagem das cicatrizes nas costas de Robert.

— ONDE ELE ESTÁ? — perguntou Jordan ao mordomo que o recebeu na casa de Ian em Londres e, assim que obteve a resposta, passou correndo pelo homem e entrou no escritório do amigo. — Trago notícias, Ian.

Esperou até que ele acabasse de ditar um breve memorando, dispensasse o secretário e, finalmente, dedicasse-lhe sua atenção.

— Bom Deus, eu gostaria que você parasse com isso! — desabafou Jordan.

— Parasse com o quê? — indagou Ian, recostando-se na cadeira.

Jordan o encarou com impotente raiva, sem saber ao certo por que a atitude do amigo o incomodava tanto. Ian tinha as mangas da camisa dobradas, estava recém-barbeado e, exceto pela visível perda de peso, parecia um homem em perfeito controle de uma vida satisfatória.

— Gostaria que parasse de agir como se... como se tudo estivesse bem!

— E o que gostaria que eu fizesse? — retrucou Ian, levantando-se e aproximando-se da bandeja de bebidas. Serviu uísque em dois copos e entregou um ao amigo. — Se espera que eu comece a arrancar os cabelos e saia gritando pela casa, está perdendo seu tempo.

— Não, no momento fico satisfeito em ver que você não se entregou a uma versão masculina da histeria. Trago novidades, como já disse, e embora talvez não sejam agradáveis do ponto de vista pessoal, são as melhores possíveis no que se refere ao julgamento da próxima semana. Ian — comunicou, hesitante —, nossos... ou seja, os seus investigadores encontraram uma pista do paradeiro de Elizabeth.

A voz de Ian soou fria e a expressão parecia impassível quando perguntou:

— E onde está ela?

— Ainda não sabemos, mas temos informações de que foi vista viajando em companhia de um homem na estrada de Bernam duas noites depois do desaparecimento. Hospedaram-se numa estalagem a cerca de vinte quilômetros ao norte de Lister. E eles... — vacilou um pouco e despejou tudo de uma vez: — Eles estão viajando como marido e mulher, Ian.

Além de um espasmo imperceptível na mão que segurava o copo de uísque, Ian não demonstrou qualquer reação visível àquela estarrecedora notícia ou às suas implicações repulsivas.

— E há mais uma novidade, e muito boa, ou seja, no sentido de ser valiosa para nós.

Ian engoliu o conteúdo do copo e falou em um tom gélido e definitivo:

— Não vejo como qualquer outra notícia possa ser melhor do que esta. Agora, está provado que eu não a matei e, ao mesmo tempo, ela me deu motivos irrefutáveis para o divórcio.

Reprimindo uma expressão de compreensão que, sabia, Ian rejeitaria, Jordan observou-o voltar para a escrivaninha e continuou falando com determinação:

— O promotor ainda poderia argumentar que o companheiro de viagem de Elizabeth talvez fosse um sequestrador contratado por você. Por isso, a outra notícia que tenho para lhe dar servirá para persuadir a todos no julgamento que ela já havia planejado tudo e estava se preparando com antecedência para deixá-lo.

Ian o encarou em silêncio desinteressado enquanto ouvia a explicação.

—Elizabeth vendeu as joias a um joalheiro na Rua Fletcher quatro dias antes de desaparecer. O dono da loja disse que não se apresentou antes porque Lady Kensington, a quem ele conhecera como "Sra. Roberts", parecera-lhe muito assustada. O homem afirmou que estava relutante em entregá-la caso ela tivesse um bom motivo para fugir de você.

— Pois eu creio que estava mais relutante em entregar o lucro que obteve com a venda das pedras, no caso de não pertencerem a ela — contradisse Ian, com um cinismo calmo. — Como os jornais não noticiaram que as joias foram roubadas ou perdidas, ele presumiu que seria seguro apresentar-se.

— É bem provável. Mas a questão principal é que você não será julgado pela acusação forjada de dar cabo de sua esposa. E igualmente importante é o fato de que, sendo óbvio que ela "desapareceu" por livre e espontânea vontade, as coisas não vão parecer tão ruins quando você for julgado pela acusação de ter feito o irmão dela... — Jordan deixou a frase no ar, sem querer dizer as palavras.

Ian pegou a pena de escrever e um contrato no topo da pilha de papéis sobre a mesa enquanto ouvia Jordan finalizar:

— Os investigadores falharam em perceber que as joias sumiram porque os criados de Havenhurst acreditavam que estavam seguras em sua casa, e os seus criados achavam que estivessem aqui em Londres.

— Entendo o que deve ter acontecido — retrucou Ian, sem sombra de interesse. — No entanto, é mais provável que nada disso tenha o menor peso no caso da promotoria. Eles vão insistir na hipótese de que eu contratei impostores para vender as joias e viajar com Elizabeth, e tal argumento será muito mais forte. Agora, gostaria de dar continuidade àquela sociedade na empresa de navegação que estivemos discutindo ou prefere desistir?

— Desistir? — repetiu Jordan, incapaz de lidar com a evidente falta de emoção do amigo.

— Neste momento, minha reputação como homem honesto e íntegro está destruída. Se seus amigos quiserem retirar-se da sociedade, vou entender perfeitamente.

— Eles já se retiraram — admitiu Jordan, relutante. — Mas eu seguirei em frente.

— Foi melhor assim — comentou Ian, pegando os contratos e riscando os nomes dos outros sócios. — No final, o lucro será maior para nós dois.

— Ian — começou Jordan, num tom baixo e cuidadoso —, sinto-me tentado a lhe dar um soco só para ver se será capaz de piscar quando eu o atingir. Já não aguento mais presenciar sua indiferença a tudo que está acontecendo.

Ian ergueu os olhos dos documentos, e, então, Jordan viu o músculo latejando na mandíbula do amigo, uma reação quase invisível à fúria e ao tormento que o invadiam, e sentiu um misto de alívio e embaraço.

— Sinto muito por esse comentário infeliz — desculpou-se rapidamente. — E, se lhe serve de consolo, também sei como é acreditar ter sido traído pela esposa.

— Não preciso de consolo — retrucou Ian. — Preciso de tempo.

— Para superar tudo isso — concordou Jordan.

— Não. Preciso de tempo para analisar estes documentos — corrigiu Ian, com frieza.

Enquanto caminhava pelo corredor, em direção à porta da frente, Jordan não tinha certeza se havia apenas imaginado aquele breve e quase imperceptível sinal de emoção.

ELIZABETH ESTAVA PARADA perto da mesma árvore onde se acostumara a passar todos os dias, admirando o mar. A chegada de um navio estava prevista para qualquer momento — com destino à Jamaica, Robert lhe dissera. Ele estava ansioso para sumir da Inglaterra, nervosamente ansioso. "E quem poderia culpá-lo?", pensava ela, andando devagar sobre a beirada do rochedo. O penhasco no qual se encontrava fazia uma queda abrupta a centenas de metros das pedras e da areia abaixo.

Robert havia alugado um quarto para ambos num chalé que pertencia ao casal Hogan e, agora, alimentava-se bem e estava ganhando peso graças à excelente comida da Sra. Hogan. Como quase todos os habitantes de Helmshead, os Hogan eram pessoas bondosas e trabalhadoras, com seus filhos gêmeos de quatro anos que pareciam um milagre de energia incessante e sorrisos espontâneos. Elizabeth gostava imensamente da família Hogan e, se dependesse dela, preferiria ficar escondida ali para sempre.

Ao contrário de Robert, não tinha a menor vontade de partir da Inglaterra, nem temia ser descoberta. De uma forma um tanto estranha, encontrara uma paz entorpecedora naquele lugar — estava perto de Ian quase a ponto de sentir sua presença, e longe o bastante para saber que nada do que ele fizesse ou dissesse poderia magoá-la.

— É uma altura e tanto, dona — falou o Sr. Hogan, aproximando-se por trás e segurando o braço de Elizabeth com a mão calejada. — É melhor ficar longe da beirada, está bem?

— Eu nem havia percebido que estava tão perto — disse ela, surpresa ao perceber que estivera com as pontas dos pés fora do solo firme.

— A senhora deve entrar e descansar um pouco. Seu marido nos contou sobre os problemas que enfrentou, e como precisa ficar livre de preocupações por algum tempo.

A revelação de que Robert confidenciara a alguém os apuros em que se encontravam — principalmente aos Hogan, que sabiam apenas que estavam ali à espera de um navio com destino à América, ou qualquer outro lugar que lhes parecesse conveniente — penetrou em seus sentidos embotados o suficiente para fazê-la perguntar:

— O que meu marido lhe contou sobre esses "problemas"?

— Ele explicou que a senhora não poderia ver ou ouvir nada que a deixasse nervosa.

— O que eu mais gostaria de ver — disse ela quando cruzaram o portãozinho de madeira do chalé, aspirando o aroma de pão recém-assado — era um jornal!

— *Em especial*, jornais — salientou o Sr. Hogan.

— De qualquer forma, não tenho muita chance de sequer ver um por aqui — comentou Elizabeth, sorrindo distraída para um dos gêmeos, que correra ao seu encontro. — Embora não consiga conceber a ideia de que possa existir, na Inglaterra, um lugar aonde os jornais não cheguem.

— E quem se importa com o que noticiam? É sempre a mesma coisa... assassinatos, violência, política e danças.

Durante os dois anos em que Elizabeth permanecera em seu autoimposto confinamento em Havenhurst, raramente lia os jornais, pois isso apenas a fazia sentir-se ainda mais isolada de Londres e da vida na corte. Agora, entretanto, estava curiosa para saber se haveria alguma menção ao seu desaparecimento, e que importância estariam dando a esse fato. Imaginava que os Hogan não soubessem ler, o que não seria algo incomum; ainda assim, parecia-lhe muito estranho que o Sr. Hogan não pudesse localizar nem mesmo um jornal velho em *nenhum* lugar do vilarejo.

— Eu preciso ler um jornal — disse ela, um pouco mais enfática do que pretendia, e o garotinho soltou-lhe a perna, que estivera abraçando. — Quer que eu a ajude em alguma coisa, Sra. Hogan? — ofereceu-se assim que entraram, tentando amenizar a impressão de ansiedade que deixara no ar.

A Sra. Hogan estava no sétimo mês de gravidez e vivia trabalhando sem parar, com uma expressão de eterno contentamento no rosto.

— Em nada, Dona Roberts. Apenas sente-se aqui à mesa e descanse. Vou lhe trazer uma boa xícara de chá.

— Preciso muito mais de um jornal que de chá.

— Timmy! — sibilou a Sra. Hogan. — Vá guardar isso agora mesmo, está ouvindo? *Timmy!* — repetiu num aviso, mas, como sempre, o alegre garotinho a ignorou.

Em vez de obedecer, o menino puxou de leve a saia de Elizabeth, tentando chamar-lhe a atenção no exato instante em que o pai retirou algo da sua mãozinha.

— É para a moça! — chorou Timmy, subindo no colo de Elizabeth. — Eu trouxe para a moça!

Em sua surpresa, Elizabeth quase derrubou a criança no chão.

— É um jornal! — exclamou, lançando um olhar acusador ao Sr. Hogan e, depois, à esposa dele, e ambos tiveram a gentileza de exibir um rubor sob a pele bronzeada. — Sr. Hogan, por favor, deixe-me ver esse jornal.

— A senhora está ficando transtornada, exatamente como seu marido disse que ficaria se visse um destes.

— Estou ficando transtornada — retrucou ela, com tanta paciência e educação quanto conseguiu — porque o senhor *não* quer me deixar ver o jornal.

— É um jornal velho — argumentou ele. — Tem mais de três semanas.

Por mais estranho que fosse, aquela discussão por causa de um mero jornal provocou a primeira emoção verdadeira em Elizabeth depois de muito tempo. A recusa do homem em permitir que ela o lesse a deixava furiosa, e seus comentários anteriores a respeito de sua necessidade de descansar e sobre seu "transtorno" fizeram-na sentir-se bastante desconfortável.

— Não estou nem um pouco transtornada — disse, oferecendo um largo sorriso a Sra. Hogan, que tomava a maioria das decisões na casa. — Só estou querendo saber sobre as frivolidades de Londres, como, por exemplo, qual será a moda para esta estação, por exemplo.

— As damas estão usando azul — falou a Sra. Hogan, retribuindo-lhe o sorriso e balançando a cabeça para o marido, indicando que não devia entregar o jornal a Elizabeth. — Agora, a senhora já sabe. Azul não é uma linda cor?

— Então, a senhora sabe ler? — questionou Elizabeth, obrigando os dedos a se imobilizarem para não tirar o jornal das mãos do Sr. Hogan, embora estivesse disposta a fazer isso se fosse necessário.

— Mamãe sabe ler — confirmou um dos gêmeos, sorrindo.

— Sr. e Sra. Hogan — começou, em um tom calmo e sensato —, devo avisá-los de que ficarei muito, mas muito *transtornada* se não me deixarem ver esse jornal. Na verdade, acho que vou sair pelas ruas e bater de porta em porta até encontrar alguém que possa me emprestar um.

Foi a firmeza na voz dela, como a de uma mãe que repreende seus filhos travessos, que pareceu atingir os brios da Sra. Hogan.

— Não vai adiantar nada percorrer o vilarejo à procura de outro jornal — admitiu a mulher. — Pelo que sei, existe apenas um exemplar entre nós, e era a minha vez de lê-lo. O Sr. Willys ganhou-o de um capitão de navio na semana passada.

— Então, será que posso vê-lo, por favor? — insistiu Elizabeth, sentindo a mão comichar de vontade de arrancar o jornal da enorme mão do pescador enquanto uma imagem maluca de si mesma correndo atrás do homem na tentativa de conseguir o que queria lhe surgia na mente.

— Bem, já que a senhora parece tão interessada em saber sobre a moda e essas coisas, por mim, não vejo que mal pode haver, embora seu marido tenha sido muito firme em dizer que não deveria...

— Meu marido não me obriga a fazer tudo o que ele quer — interrompeu Elizabeth.

— Pois está me parecendo — intercedeu o Sr. Hogan, sorrindo — que ela gosta de usar as calças de vez em quando, exatamente como você, Rose.

— Dê-lhe o jornal, John — falou Rose, com um sorriso exasperado.

— Acho que prefiro ler no meu quarto, se me derem licença — disse Elizabeth assim que finalmente pôs as mãos no jornal.

Pela maneira como o casal a observou enquanto saía, percebeu que Robert devia tê-los feito imaginar que ela fugira de um hospício. Sentando-se na cama estreita, abriu o jornal.

MARQUÊS DE KENSINGTON ACUSADO PELOS
ASSASSINATOS DA ESPOSA E DO CUNHADO.
CÂMARA DOS LORDES CONVOCADA
PARA OUVIR DEPOIMENTOS.
ESPERA-SE CONDENAÇÃO PELOS DOIS CRIMES.

Um guincho de aflição e total desespero subiu pela garganta de Elizabeth, que se pôs de pé num salto, mantendo os olhos colados no papel entre suas mãos crispadas.

— Não — disse, balançando a cabeça com louca incredulidade. — Não — repetiu para as paredes. — *Não!*

Leu as palavras, milhares de palavras macabras, grotescas mentiras e insinuações repugnantes que passavam diante de seus olhos e faziam suas emoções recrudescerem. Depois, voltou a ler, esperando tirar delas algum sentido, e teve de reler por mais duas vezes até que conseguisse começar a pensar — ainda assim, estava ofegante como um animal encurralado.

Nos cinco minutos seguintes, as emoções de Elizabeth variaram do pânico à sensatez. Com uma rapidez quase histérica, pesava as alternativas e tentava fazer escolhas. Não importava o que Ian tivesse feito a Robert, ele *não* assassinara ninguém. De acordo com a notícia, foram apresentadas provas de que Robert tentara matar Ian por duas vezes, mas, naquele momento, nada disso se registrava de fato na mente de Elizabeth. Tudo o que ela sabia era que o início do julgamento estava marcado para o dia 18 — três dias atrás — e que havia uma grande possibilidade de Ian ser condenado à forca, e que a maneira mais rápida de se chegar a Londres seria seguir de barco pela primeira parte do caminho, não por terra.

Largou o jornal sobre a cama e correu para fora do quarto.

— Sr. e Sra. Hogan — apressou-se em dizer, tentando se lembrar de que eles já acreditavam que ela era um pouco perturbada —, há uma notícia no jornal, uma notícia grave, que diz respeito a mim. Preciso voltar para Londres o mais depressa possível.

— Agora se acalme, dona — disse o Sr. Hogan, com gentil firmeza. — A senhora não devia ter lido aquele jornal. Bem que seu marido avisou que ficaria transtornada.

— Meu *marido* está sendo julgado por assassinato! — argumentou ela em desespero.

— Seu marido está lá no porto, informando-se sobre o navio que vai levá-los numa viagem para conhecer o mundo.

— Não, aquele é o meu *irmão*.

— Era o seu marido hoje à tarde — lembrou o Sr. Hogan.

— Ele *nunca* foi meu marido, *sempre* foi meu irmão — insistiu Elizabeth. — Meu marido, meu marido de verdade, está sendo julgado por ter me matado.

— Dona — falava o pescador, em tom tranquilizador —, a senhora não está morta.

— Ah, *meu Deus*! — exclamou Elizabeth em desespero, afastando os cabelos do rosto enquanto tentava pensar no que fazer, em como convencê-lo a levá-la de barco até a costa. Virou-se para a Sra. Hogan, que costurava um remendo na camisa do filho e a observava com interesse. — Sra. Hogan? — Ajoelhando-se, tomou as mãos ásperas da mulher entre as suas, obrigando-a a encará-la e, em tom quase contido, começou a expor seu drama: — Sra. Hogan, eu não sou louca, não sou desequilibrada, mas estou com problemas e quero lhe explicar tudo. A senhora reparou que não tenho sido feliz aqui?

— Sim, minha querida, nós reparamos.

— E leu as notícias no jornal sobre Lady Thornton?

— Li, sim, cada palavra. Mas leio um pouco devagar e confesso que não entendo nada desses termos legais que eles usam.

— Sra. Hogan, eu sou Lady Thornton. Não, não olhe para o seu marido, olhe para mim. Veja bem o meu rosto. Estou preocupada e com medo, mas acredita mesmo que eu seja louca?

— Eu... eu não sei.

— Durante o tempo em que estive aqui, fiz ou disse algo que a levou a pensar que eu seria desequilibrada? Ou a senhora diria que eu parecia apenas muito infeliz e um pouco temerosa?

— Eu não diria que... — hesitou a Sra. Hogan, e, por um breve instante, houve compreensão, uma comunicação silenciosa que às vezes ocorre quando uma mulher pede ajuda a outra. — Eu *não* acho que a senhora seja louca.

— Obrigada — suspirou Elizabeth, apertando-lhe as mãos com gratidão, antes de continuar falando quase consigo mesma. — Agora que estamos nos entendendo, preciso encontrar um meio de lhes provar quem eu sou, e quem é Robert. No jornal... — lembrou-se, procurando mentalmente a prova mais rápida, mais fácil, até agarrar-se a *qualquer* prova — a notícia diz que acredita-se que o Marquês de Kensington tenha assassinado a esposa, Lady *Elizabeth*, e o irmão dela, *Robert* Cameron, a senhora se lembra?

A Sra. Hogan assentiu.

— São nomes bastante comuns — argumentou.

— Não, não comece a pensar ainda — pediu Elizabeth, agitada. — Vou encontrar mais uma prova num minuto. Espere, já sei! Venha comigo!

Quase arrancou a pobre mulher da cadeira e arrastou-a para dentro do minúsculo quarto onde ela e Robert dormiam. Sob o olhar atento do Sr. Hogan, que as seguira e parara na porta, Elizabeth pegou a bolsinha embaixo do travesseiro e abriu-a.

— Veja quanto dinheiro tenho comigo. É muito mais do que pessoas comuns, como Robert e eu, ou seja, como pessoas que vocês *pensam* que somos, podem ter, não acham?

— Não sei dizer com certeza.

— Não, é claro que não — Elizabeth apressou-se em concordar, percebendo que começava a perder a confiança da Sra. Hogan. — Espere um pouco, já sei! — Correu para a cama e apontou o jornal. — Leia onde falam sobre a roupa que acham que eu estava usando quando parti.

— Não preciso ler. Disseram que era uma roupa verde. Verde com detalhes pretos. Ou acham que também poderia ser uma saia marrom com uma jaqueta cor de creme.

— Ou — finalizou Elizabeth, triunfante, enquanto abria as duas valises onde guardava as poucas peças de roupa que trouxera — também pensaram que podia ser um traje de viagem cinza, não é?

A Sra. Hogan assentiu enquanto Elizabeth retirava das maletas todas as roupas que correspondiam àquela descrição, e as estendia sobre a cama com uma expressão vitoriosa. Pelo rosto da mulher, soube que ela acreditava e que seria capaz de convencer o marido também.

Girando o corpo, começou sua campanha para convencer o confuso Sr. Hogan.

— Preciso voltar para Londres imediatamente, e seria bem mais rápido se eu fosse de barco.

— Daqui a duas semanas, deve chegar um navio que vai até...

— Sr. Hogan, não posso esperar. O julgamento começou há três dias e, pelo que sei, podem ter acusado meu marido de assassinato contra mim e estão planejando enforcá-lo!

— Mas — bradou o homem, irritado — a senhora não está morta!

— Exatamente! E é por isso que preciso voltar e provar a verdade a eles. Não posso ficar aqui, esperando navios chegarem ao porto. Eu lhe pagarei a quantia que pedir se me levar para Tilbery em seu barco. A partir de lá, as estradas são boas, e eu posso alugar um coche para o restante da viagem.

— Não sei, não, dona... Eu gostaria de ajudar, mas a pesca começou a melhorar estes dias e... — calou-se ao ver o profundo desespero com que Elizabeth o encarava. Depois, olhou de relance para a esposa, erguendo as mãos com um encolher de ombros.

A Sra. Hogan hesitou, mas assentiu.

— Você vai levá-la, John.

Elizabeth abraçou a mulher com toda a força.

— Obrigada. Muito obrigada a vocês dois. Sr. Hogan, quanto o senhor ganharia numa excelente semana de pesca?

O homem informou a quantia e, pegando a bolsa, ela retirou várias notas, contou-as e as colocou nas mãos dele.

— Aqui tem cinco vezes mais — disse. Aquela foi a primeira vez que Elizabeth Cameron Thornton pagou mais do que o necessário por alguma coisa. — Será que podemos partir hoje à noite?

— Acho que sim, mas não é muito seguro sair em alto-mar durante a noite.

— Mas precisa ser hoje. Não posso perder nem mais um minuto. — Mesmo enquanto falava, ela tentava afastar o indescritível terror de que já poderia ser tarde demais.

— O que está acontecendo aqui? — A voz de Robert elevou-se, surpresa, ao ver as roupas de Elizabeth espalhadas pela cama. Então, seu olhar caiu sobre o jornal e seus olhos se estreitaram com ira. — Eu lhes disse para não...

— Robert — interrompeu Elizabeth —, precisamos conversar. A sós.

— John, creio que devemos sair para um passeio — disse a Sra. Hogan.

Foi naquele instante que Elizabeth se deu conta de que Robert estava lhe ocultando o jornal por saber o que estava acontecendo. A ideia de que ele sabia de tudo e não lhe contara foi quase tão terrível quanto descobrir que Ian estava sendo acusado pela morte de ambos.

— Por quê, Robert? — indagou num súbito ímpeto de raiva.

— Por que o *quê*? — disparou ele de volta.

— Por que não me falou sobre as notícias do jornal?

— Eu não queria que ficasse aborrecida.

—*Aborrecida*? — gritou ela e, então, percebeu que não tinha tempo a perder com uma discussão. — Precisamos voltar para Londres.

— Voltar? Eu não vou voltar coisa nenhuma! Ele que seja enforcado pelo meu assassinato. E espero que esse seja exatamente o fim daquele bastardo!

— Bem, ele não será enforcado pelo meu — retrucou ela, começando a guardar as roupas na mala.

— Receio que sim, Elizabeth.

A repentina suavidade na voz dele e sua completa indiferença fizeram o coração de Elizabeth gelar. Uma terrível suspeita crescia em seu íntimo.

— Se eu tivesse deixado um bilhete, como pretendia — começou —, nada disso teria acontecido. Ian poderia tê-lo mostrado a... — interrompeu-se, compreendendo tudo de repente: de acordo com os depoimentos das testemunhas publicados no jornal, fora Robert quem tentara matar Ian duas vezes, e não o contrário.

E, se Robert mentira a respeito disso, então ele poderia — não, certamente ele *havia* mentido sobre todo o resto. A antiga e familiar dor da traição atingiu-a em cheio, só que, dessa vez, fora seu irmão quem a traíra, não Ian. Na verdade, nunca fora Ian.

— Foi tudo uma mentira suja, não é? — perguntou com uma calma que encobria sua profunda revolta.

— Ele destruiu a minha vida — sibilou Robert, encarando-a com ódio, como se *ela* fosse a traidora. — E *não* é tudo mentira. Thornton me fez prisioneiro num de seus navios, mas eu consegui escapar em San Delora.

Elizabeth respirou fundo, trêmula.

— E suas costas?

— Eu estava sem dinheiro, diabos! Não tinha nada, exceto as roupas do corpo, quando desembarquei do navio. Por isso, vendi-me como escravo para pagar uma passagem para a América. — Virou-se para ela, furioso. — E era *assim* que meu patrão castigava os servos que rou... que não trabalhavam com a rapidez que ele exigia!

— Você ia dizer *roubavam*! — exclamou ela, tremendo. — Não minta mais para mim, Robert! E, quanto às minas, as minas sobre as quais você falou, os buracos negros no solo?

— Trabalhei numa mina por alguns meses — disse ele por entre os dentes, encaminhando-se para ela com passos ameaçadores.

Elizabeth agarrou a bolsa e afastou-se, mas Robert segurou-a pelos ombros, machucando-a.

— Vi coisas horríveis — foi dizendo —, fiz coisas horríveis! E tudo porque tentei defender sua honra enquanto você bancava a vagabunda para aquele desgraçado!

Elizabeth tentou se desvencilhar, mas ele a prendia com força. Um medo súbito começou a invadi-la.

— Quando, finalmente, consegui voltar, peguei um jornal e li tudo sobre minha irmãzinha, que se transformara na mais elegante dama de todas as festas da alta sociedade enquanto eu apodrecia numa selva, colhendo cana-de-açúcar...

— A sua irmãzinha — bradou ela, com a voz trêmula — estava vendendo tudo o que possuíamos para pagar as suas malditas dívidas! Você iria parar na cadeia se aparecesse por aqui antes que eu despojasse Havenhurst de todos os seus bens! — calou-se por um instante, tomada de pânico. — Robert, por favor... — soluçou, os olhos marejados de lágrimas perscrutando o rosto duro que a encarava. — Por favor... Você é meu irmão. E parte do que você diz é verdade: eu *sou* a culpada por boa tarde do que lhe aconteceu. Não foi Ian, fui *eu*. Ele poderia ter-lhe causado males muito maiores se fosse realmente cruel — argumentou. — Poderia tê-lo entregue à polícia. Isso é o que qualquer outro homem teria feito, e você passaria o resto da vida numa masmorra.

A pressão das mãos dele aumentou, e seu rosto estava lívido. Elizabeth perdeu a batalha contra as lágrimas, e até mesmo a batalha para tentar odiar o irmão por tudo o que ele planejara fazer contra Ian. Soltando um suspiro sufocado, pousou a mão no peito dele, as lágrimas correndo em seu rosto.

— Robert — disse, angustiada —, eu amo você, e acredito que também me ame. Se pretende me impedir de voltar para Londres, receio que terá de me matar, pois essa é a única maneira.

Robert empurrou-a para trás, como se o contato com a pele dela queimasse seus dedos. Ela caiu sobre a cama, ainda segurando a bolsa aberta. Enchendo-se de tristeza e piedade por tudo o que ele passara, observou-o andar pelo quarto como um animal enjaulado. Cuidadosa, retirou todo o dinheiro da bolsa, deixou-o sobre a cama e separou apenas a quantia de que precisaria para pagar o aluguel do coche.

— Bobby — chamou-o, baixinho. Os ombros dele enrijeceram ao ouvir o apelido de infância. — Venha aqui, por favor.

Elizabeth podia ver a luta que se desencadeava na mente dele enquanto andava pelo cômodo. Então, ele parou e aproximou-se da cama na qual ela estava.

— Há uma pequena fortuna aqui — disse Elizabeth, com a mesma voz suave e triste. — É sua. Use-a para ir aonde quiser. — Tocou-lhe o braço levemente. — Bobby? — sussurrou, procurando os olhos dele. — Está tudo acabado. Não haverá mais vinganças. Pegue o dinheiro e parta no primeiro navio para qualquer lugar.

Ele abriu a boca e Elizabeth apressou-se em balançar a cabeça.

— Não me diga para onde, se é o que pretendia fazer. As pessoas vão me questionar a seu respeito, e, se eu não souber as respostas, certamente estará a salvo de mim, de Ian e até mesmo da lei inglesa. — Viu-o engolir repetidas vezes, o lastimável olhar fixo no dinheiro. — Daqui a seis meses — continuou enquanto o desespero iluminava seus pensamentos —, vou depositar mais dinheiro em qualquer banco que você determinar. Coloque um anúncio no *Times* para Elizabeth... Duncan — inventou rapidamente —, e eu farei o depósito no nome que estiver indicado no jornal.

Ele se mostrava incapaz de se mover e ela agarrou a bolsa com força entre as mãos trêmulas.

— Bobby, você precisa decidir agora. Não há mais tempo a perder.

Robert parecia estar lutando para ignorar tudo o que ela dissera. Após um interminável instante, exalou um suspiro profundo e um pouco da tensão esvaiu-se de seu rosto.

— Você sempre teve um coração de manteiga — falou com resignação, os olhos examinando cada traço do rosto da irmã.

Sem dizer mais nada, pegou a valise e atirou dentro dela as poucas peças de roupa que tinha, recolhendo, em seguida, o dinheiro que estava sobre a cama.

Elizabeth pestanejou, tentando afastar as lágrimas.

— Não se esqueça — murmurou, sufocada. — Elizabeth Duncan.

Robert parou na porta e virou-se para ela.

— Isto já é o bastante — disse. Por um momento, irmão e irmã trocaram um longo olhar, sabendo que seria a última vez que se veriam. Então, os lábios dele se curvaram num breve sorriso doloroso. — Adeus... Beth.

Só depois que o viu passar pela janela do quarto, seguindo na direção da estrada que levava ao porto, Elizabeth permitiu-se relaxar e atirou-se na cama, exaurida. Baixou a cabeça, olhando para a bolsinha, que continuava agarrando com os dedos crispados, e deixou o pranto correr livremente: lágrimas de tristeza misturadas a lágrimas de alívio... mas todas eram por seu irmão, e não por si mesma.

Finalmente, largou a bolsa, onde havia guardado sua pistola.

E, naquele instante, deu-se conta de que, se Robert não tivesse concordado em deixá-la partir, ela teria apontado a arma para seu próprio irmão.

Capítulo 35

Elizabeth fez a viagem de quatro dias de Helmshead a Londres em dois dias e meio — um recorde que conseguiu bater graças ao método eficaz, ainda que caro e perigoso, de pagar somas exorbitantes aos cocheiros, que, relutantes, concordavam em viajar durante a noite, além de sempre dormir na carruagem. Suas únicas paradas na longa jornada foram para trocar os cavalos, mudar de roupa e engolir rapidamente uma refeição ocasional. E, em todos os lugares onde pararam, todas as pessoas, de cavalariços a estalajadeiros, só falavam sobre o julgamento de Ian Thornton, o Marquês de Kensington.

À medida que os quilômetros eram percorridos, os dias amanheciam e anoiteciam repetidamente. Elizabeth ouvia o bater constante dos cascos dos cavalos e as batidas de seu próprio coração aterrorizado.

Às dez horas da manhã, seis dias após o início do julgamento de Ian, a carruagem empoeirada em que estivera viajando parou diante da casa da Duquesa-mãe de Hawthorne, em Londres. Elizabeth saltou antes mesmo de os degraus serem baixados, erguendo as saias assim que os pés tocaram a rua e correndo escadaria acima para bater à porta.

— O que, em nome de Deus, está... — murmurou a viúva, parando no vestíbulo, distraindo-se de seu caminhar preocupado pelo estrondo da aldrava de bronze contra a madeira.

O mordomo abriu a porta e Elizabeth passou por ele correndo.

— Vossa Graça! — exclamou. — Eu...

— *Você!* — disse a Duquesa-mãe, atônita ao deparar com aquela mulher desgrenhada e coberta de poeira que abandonara o marido, causara um furor de sofrimento e escândalo e, agora, irrompia em seu vestíbulo, mais parecendo uma linda faxineira empoeirada, quando já era tarde demais para visitas. — Alguém deveria lhe dar uma surra! — disparou.

— Sem dúvida, Ian vai encarregar-se disso, mas depois. Agora, preciso... — Elizabeth fez uma pausa, tentando controlar o pânico e colocar seu plano em prática passo a passo. — Preciso entrar em Westminster. E a senhora tem de me ajudar, pois não permitirão a entrada de uma mulher na Câmara dos Lordes.

— O julgamento está no sexto dia e não hesito em lhe dizer que as coisas *não* estão correndo bem.

— Diga-me *depois*! — Elizabeth falava num tom de comando que poderia muito bem ser creditado à própria Duquesa-mãe. — Apenas pense em alguém influente que consiga me fazer entrar lá, alguém que a senhora conheça. Eu cuido do resto quando estiver lá dentro.

Com um ligeiro atraso, a Duquesa-mãe compreendeu que, apesar de seu comportamento imperdoável, Elizabeth era agora a maior esperança de absolvição para Ian e finalmente começou a agir.

— Faulkner! — chamou, virando-se na direção do que parecia ser uma escadaria.

— Vossa Graça? — perguntou a criada pessoal da viúva, materializando-se no balcão acima do vestíbulo.

— Leve esta jovem a um dos quartos de hóspedes. Mande escovar as roupas dela e arrume-lhe os cabelos. Ramsey! — Estalou os dedos, fazendo com que o mordomo a seguisse até o salão azul, onde sentou-se à escrivaninha. — Leve este bilhete direto a Westminster. Diga que é de minha parte e que deve ser entregue *imediatamente* a Lorde Kyleton. Vai encontrá-lo em seu posto na Câmara dos Lordes. — Escreveu depressa e entregou o papel ao mordomo. — Ordeno que ele interrompa o julgamento *agora mesmo*. E também que, em uma hora, estaremos à espera dele na frente de Westminster, na minha carruagem, para que nos faça entrar na Câmara.

— Agora mesmo, Vossa Graça — disse Ramsey, já saindo da sala.

A Duquesa-mãe o seguiu, ainda proferindo ordens:

— Na remota possibilidade de Kyleton ter decidido eximir-se de suas responsabilidades e não ter comparecido ao julgamento hoje, mande um lacaio até a residência dele, outro à de White e mais um à casa daquela atriz, que ele pensa que ninguém sabe que sustenta, na Rua Florind. Você — acrescentou, enviando um olhar gélido a Elizabeth —, venha comigo. Tem muito a explicar, senhorita, e é isso que vai fazer enquanto Faulkner cuida de sua aparência.

— *Não* vou me preocupar com a aparência num momento como este! — gritou Elizabeth, numa explosão de raiva.

A Duquesa-mãe encarou-a, franzindo a testa e examinando seus cabelos despenteados.

— Você veio persuadi-los de que seu marido é inocente?

— Bem, é claro que sim. Eu..

— Então, não o envergonhe mais do que já o fez! Parece ter fugido de um hospício. Terá sorte se não decidirem mandar *você* para a forca por lhes causar tantos problemas! — Começou a subir a escada, com Elizabeth seguindo-a a passos lentos e ouvindo vagamente seu sermão. — Agora, se aquele seu irmão infame nos der a honra de aparecer também, talvez Ian não precise passar nem uma noite no calabouço, que é *exatamente* o que Jordan acha que vai acontecer caso a promotoria consiga o que pretende.

Elizabeth parou no terceiro degrau.

— A senhora quer fazer o *favor* de me ouvir por um momento? — começou, irritada.

— Vou ouvi-la quando estivermos a caminho de Westminster — retrucou a Duquesa-mãe, sarcástica. — Aliás, ouso dizer que Londres inteira estará ansiosa para saber o que você tem a dizer em sua defesa nos jornais de amanhã!

— Pelo amor de Deus! — vociferou Elizabeth às costas dela, tentando pensar, quase ensandecida, a quem poderia apelar por uma ajuda mais eficiente. Uma hora seria uma eternidade! — Não vim apenas mostrar que estou viva. Posso provar que Robert também está vivo e que não sofreu dano algum pelas mãos de Ian e...

A viúva girou o corpo e começou a descer a escadaria. Seu olhar examinava o rosto de Elizabeth com um misto de desespero e esperança.

— Faulkner! — chamou sem se virar. — Pegue tudo o que precisa. Você pode arrumar Lady Thornton na carruagem!

Quinze minutos depois, o cocheiro puxou as rédeas dos cavalos com toda a força na frente de Westminster, e Lorde Kyleton acercou-se do veículo, com Ramsey correndo desajeitado em seu encalço.

— O que diabos... — começou ele.

— Ajude-nos a descer — interrompeu a Duquesa-mãe. — Explico tudo quando estivermos entrando. Mas, primeiro, conte-me como está a situação.

— Nada boa. Péssima para Kensington. O promotor-chefe está em sua melhor forma hoje. Até agora, conseguiu apresentar argumentos convincentes de que, embora haja rumores de que Lady Thornton está viva, não há nenhuma *prova* concreta disso.

Virou-se para ajudar Elizabeth, a quem não conhecia, a descer da carruagem enquanto continuava resumindo as táticas da promotoria para a viúva.

— Para explicar os rumores de que Lady Thornton foi vista numa estalagem com um homem desconhecido, os promotores estão insinuando que Kensington contratou um jovem casal para se passar por sua esposa e o suposto amante, uma insinuação que soa bastante plausível, uma vez que já se passou um longo tempo desde que supostamente foi vista e um bom tempo desde que o joalheiro se apresentou para dar seu depoimento. Por fim — concluiu quando atravessaram a entrada apressados —, os promotores também conseguiram mostrar-se bastante lógicos ao argumentar que, caso ela não esteja morta, é óbvio que teme pela própria vida; do contrário, já teria se apresentado. E isso se dá, segundo eles, porque Lady Thornton deve saber o tipo de monstro que é o marido. E, se ele é realmente um monstro, foi capaz de matar o cunhado. O desaparecimento de Robert é o crime para o qual eles acreditam ter mais evidências para mandá-lo para a forca.

— Bem, a primeira parte disso tudo já está resolvida. Você interrompeu o julgamento? — perguntou a Duquesa-mãe.

— Interromper o julgamento? — repetiu o lorde, atônito. — Minha cara duquesa, só o príncipe ou Deus em pessoa seriam capazes de interromper este julgamento.

— Pois terão de se conformar com Lady Thornton — disparou a Duquesa-mãe.

Lorde Kyleton virou-se e fitou Elizabeth, sua expressão indo do choque ao alívio e, depois, a um desprezo evidente. Desviou o olhar e voltou para a frente, com a mão estendendo-se na direção da pesada porta guardada por sentinelas.

— Aguardem um instante — disse. — Vou mandar um bilhete para que o advogado de Kensington nos encontre aqui fora. — Dirigindo-se à Duquesa-mãe, acrescentou: — Não converse com ninguém, nem revele a identidade desta jovem até que Peterson Delham venha lhes falar. Desconfio que ele vai querer surpreender a todos no momento certo.

Elizabeth parecia petrificada, os braços cruzados como se tentasse se proteger do penetrante olhar de desdém que o lorde lhe enviara. Mas sabia o que o causara: aos olhos de todos os que haviam acompanhado as reportagens nos jornais, ela estava morta ou era uma adúltera que abandonara o marido por um amante. E, como estava ali em carne e osso — não morta —, era óbvio que Lorde Kyleton acreditava na segunda hipótese. Elizabeth tinha consciência de que todos os outros homens, fechados na câmara cavernosa do outro lado daquela porta, incluindo seu marido, pensariam o mesmo até que ela lhes provasse que estavam errados.

A Duquesa-mãe mal falara durante o trajeto até ali. Ouvira as explicações de Elizabeth atentamente, mas era evidente que queria vê-las provadas naquela câmara antes de aceitá-las. Aquela recusa de fé por parte da viúva, que acreditara em Elizabeth quando ninguém mais o fizera, deixou-a muito mais magoada do que o olhar de condenação de Lorde Kyleton.

Poucos minutos depois, o lorde retornou ao vestíbulo.

— Peterson Delham já recebeu meu recado — avisou. — Vamos ver o que acontece em seguida.

— Você disse a ele que Lady Thornton está aqui?

— Saiba, Vossa Graça, que não — respondeu ele, exasperado. — Num julgamento, a escolha do melhor momento pode significar tudo. Delham deve decidir o que fazer e quando fazer.

Elizabeth sentia vontade de gritar de frustração diante de mais aquele atraso. Ian estava atrás daquelas portas, e ela queria tanto poder cruzá-las e mostrar-se a ele que lhe custava muito permanecer ali parada. Disse a si mesma que, em poucos minutos, ele a veria e ouviria o que teria a dizer. Apenas mais uns poucos minutos antes que pudesse explicar que era com Robert que estivera viajando, e não com um amante. Assim que ele soubesse disso, sem dúvida iria perdoá-la — mais cedo ou mais tarde — por todo o sofrimento que lhe causara. Elizabeth não se importava com o que as centenas de lordes encerrados naquela câmara pensariam a seu respeito. Podia suportar a censura pelo resto da vida, desde que Ian a perdoasse.

Depois do que lhe pareceu uma eternidade, e não 15 minutos, as portas se abriram e Peter Delham, o advogado de defesa de Ian, passou para o vestíbulo.

— Em nome de Deus, o que você quer, Kyleton? Estou fazendo o possível para evitar que este julgamento se transforme num massacre, e você me tira de lá bem no meio do depoimento mais prejudicial que já tivemos!

Lorde Kyleton lançou um olhar incerto à sua volta para os poucos homens que vagavam pelo vestíbulo e, fechando a mão em concha no ouvido de Delham, falou rapidamente. Os olhos do advogado congelaram sobre o rosto de

Elizabeth e, no mesmo instante, segurou-lhe o braço e marchou na direção de uma porta fechada.

— Vamos conversar lá dentro — disse, sucinto.

A sala na qual entraram tinha apenas uma mesa e seis cadeiras de espaldar reto. Delham foi direto para a mesa e atirou-se numa cadeira atrás dela. Fitou Elizabeth por cima das mãos cruzadas, perscrutando cada traço como se seus olhos fossem dragas azuis. Quando falou, sua voz mais parecia um punhal de gelo.

— Lady Thornton, quanta *bondade* sua ter encontrado tempo para nos fazer uma visita! Será que eu estaria sendo muito indiscreto se perguntasse sobre seu paradeiro nestas últimas seis semanas?

Naquele momento, a única coisa que Elizabeth pensou foi que, se o advogado de Ian se sentia daquela forma a seu respeito, ela iria defrontar-se com um ódio muito maior quando finalmente falasse com o próprio Ian.

— Eu... posso imaginar o que o senhor está pensando — começou, num tom conciliatório.

Ele interrompeu, sarcástico:

— Ah, creio que não, madame. Se pudesse, estaria horrorizada neste momento.

— Posso explicar tudo — afirmou ela.

— *É mesmo?* — ironizou ele, com desdém. — Mas é uma pena que não tenha feito isso há mais de um mês!

— É para isso que estou aqui *agora* — retrucou ela, agarrando-se a um frágil fio de autocontrole.

— Pois comece quando quiser — falou o advogado, o sarcasmo presente em sua voz. — Há apenas trezentas pessoas do outro lado do vestíbulo, esperando pela sua boa vontade.

Pânico e frustração fizeram com que a voz de Elizabeth tremesse e seus nervos explodissem:

— Agora, escute bem, meu senhor: não viajei por dias e noites sem descanso para ficar aqui parada enquanto o senhor perde tempo me insultando! Vim para cá no instante em que li um jornal e fiquei sabendo que meu marido estava com problemas. Vim provar que estou viva e a salvo, e que meu irmão também está vivo!

Em vez de mostrar-se satisfeito ou aliviado, ele pareceu ainda mais irônico do que antes.

— Então me conte tudo, madame. Estou mais do que ansioso para ouvir suas palavras.

— Por que está agindo assim? — gritou ela. — Pelo amor de Deus, estamos do mesmo lado!

— Pois dou graças aos céus por não termos mais aliados como a senhora.

Elizabeth preferiu ignorar tal comentário e passou a fazer um rápido, mas completo, relato de tudo o que acontecera desde o momento em que Robert surgira atrás dela em Havenhurst. Quando terminou, levantou-se pronta para atravessar o vestíbulo e fazer o mesmo diante dos lordes, mas Delham continuou ridicularizando-a com seu olhar, observando-a em silêncio, com as mãos cruzadas.

— Acha que acreditaremos neste conto de fadas? — disparou por fim. — Seu irmão está vivo, mas não está aqui. Espera mesmo que aceitemos a palavra de uma mulher casada que viajou com um homem que se fez passar por seu marido...?

— Era meu *irmão* — salientou ela, apoiando as mãos sobre a mesa, como se a mera proximidade pudesse fazê-lo entender.

— Parece que *espera* mesmo que acreditemos nisso. Por que, Lady Thornton? Por que esse súbito interesse no bem-estar de seu marido?

— Delham! — intercedeu a Duquesa-mãe por fim. — Você está louco? Qualquer um pode ver que ela está dizendo a verdade, até mesmo eu. E eu não estava inclinada a acreditar numa palavra sequer do que ela dissesse quando chegou à minha casa! Você a está torturando sem motivo algum...

Sem desviar os olhos do rosto de Elizabeth, o advogado interrompeu:

— Entenda, Vossa Graça, que não estou fazendo nada além do que a promotoria tentará fazer com a história dela. Se ela não puder sustentá-la aqui, não terá a menor chance no banco das testemunhas.

— Não consigo entender! — exclamou Elizabeth, movida pelo medo e pela fúria. — Minha presença aqui prova que meu marido não me fez mal algum. E eu tenho uma carta da Sra. Hogan, descrevendo meu irmão em detalhes e afirmando que ficamos hospedados na casa dela. Ela está disposta a vir depor, se for necessário, mas está grávida e não poderá viajar com tanta rapidez como eu. Este julgamento é para provar se meu marido é ou não culpado por esses crimes. Eu sei a verdade e posso provar que ele é inocente!

— Está enganada, Lady Thornton — retrucou Delham, amargo. — Devido a todo o sensacionalismo e às mais insanas conjecturas da imprensa, essa não é mais uma questão para a verdade e a justiça na Câmara dos Lordes. Tudo se transformou num teatro e a promotoria está agora no centro do palco, atuando no papel principal, diante de uma plateia de milhares de pessoas por toda a Inglaterra, que vão ler as notícias nos jornais. Pretendem oferecer uma atuação primorosa, e é exatamente isso que estão conseguindo. — Fez uma pausa e acrescentou: — Pois bem, vamos ver como a senhora se sai diante deles.

Elizabeth sentiu-se tão aliviada ao finalmente vê-lo se levantar que nem mesmo seus últimos comentários sobre os motivos da promotoria a deixaram abalada.

— Eu lhe contei tudo exatamente como aconteceu e trouxe a carta da Sra. Hogan para provar a participação de Robert. Como lhe disse, ela poderá vir até aqui e descrevê-lo diante de todos, e até mesmo identificá-lo pelos retratos que tenho dele...

— Talvez sim. Talvez não. Talvez a senhora tenha feito uma descrição minuciosa de seu irmão para essa mulher e esteja pagando para ela depor a seu favor — retrucou Delham, de novo assumindo o papel do promotor. — A senhora *prometeu* dinheiro a ela se viesse para cá, por falar nisso?

— Sim, mas...

— Esqueça — interrompeu o advogado, com raiva. — Isso não tem importância.

— Como não tem importância? — repetiu ela, confusa. — Lorde Kyleton afirmou que o melhor caso da promotoria, e o mais prejudicial, sempre foi o referente ao meu irmão.

— Como acabei de lhe dizer — tornou ele, com frieza —, essa não é minha preocupação principal neste momento. Vou posicioná-la de modo que poderá me ouvir pelos próximos minutos sem ser vista por ninguém. Depois, meu assistente a acompanhará até o banco das testemunhas.

— O senhor... o senhor vai contar a Ian que estou aqui? — perguntou Elizabeth com a voz aguda e sufocada.

— Absolutamente, não. Quero que ele a veja pela primeira vez junto com todos os outros. Quero que observem a reação inicial dele e julguem sua validade.

Seguido de perto pela Duquesa-mãe, o advogado as conduziu até outra porta, dando-lhes passagem, e Elizabeth percebeu que se encontravam numa espécie de saleta oculta, um cubículo de onde podiam avistar tudo sem que fossem vistas. Seu pulso acelerou enquanto seus sentidos tentavam se acostumar com o caleidoscópio de cores, movimentos e ruídos. A extensa câmara, com teto alto e côncavo, vibrava ao som de centenas de conversas murmuradas nas galerias acima e nos bancos abaixo, onde os lordes do reino estavam sentados, esperando com impaciência pela continuação do julgamento.

Não muito distante de onde estavam, o lorde-chanceler, com seus trajes em escarlate e peruca branca, sentava-se na tradicional almofada vermelha, de onde presidia o julgamento.

Abaixo e em torno dele, havia outros homens de expressões carrancudas, usando capas vermelhas e perucas, incluindo oito juízes e os promotores da Coroa. Sentados a outra mesa, estavam aqueles que Elizabeth presumiu serem os advogados de defesa de Ian e seus assistentes, mais homens carrancudos com roupa escarlate e perucas empoadas.

Ela viu Peterson Delham adiantando-se rapidamente pelo corredor e, tomada de desespero, tentou enxergar as pessoas à volta dele. Com certeza, Ian estaria por ali. Seu olhar frenético imobilizou-se de repente ao deparar com o rosto do homem que amava. O nome dele emergiu em seus lábios e ela os mordeu, impedindo-se de gritar, de chamá-lo, avisando que estava ali. Ao mesmo tempo, um sorriso lacrimejante iluminou-a, porque tudo nele — até mesmo a maneira descontraída com que estava sentado — era tão dolorosamente, tão maravilhosamente familiar. Outros acusados, sem dúvida, estariam sentados com rígida e respeitosa atenção, mas não Ian, ela pensou, sentindo orgulho e uma pontada de medo. Como se pretendesse demonstrar seu profundo desprezo pela legalidade e pela validade das acusações contra ele, Ian sentava-se no banco dos réus com o braço apoiado na bancada de madeira polida que o circundava, cruzando as pernas com a bota apoiada no joelho. Parecia desinteressado, frio e em completo controle de si mesmo.

— Confio que esteja pronto para prosseguir, Sr. Delham — disse o lorde--chanceler, irritado, e, no instante em que a voz potente elevou-se, o imenso salão ficou em silêncio.

Nas galerias suspensas e nos bancos abaixo, os lordes imobilizaram-se, atentos, e se viraram, em alerta, na direção do chanceler — assim como todos os outros presentes. Todos, Elizabeth reparou, exceto Ian, que continuava recostado na cadeira, parecendo agora um pouco impaciente, como se aquele julgamento fosse uma farsa armada com o único objetivo de desviá-lo de questões mais importantes.

— Peço novamente desculpas por este atraso, milordes — disse Delham depois de parar e cochichar alguma coisa para o mais novo dos advogados de Ian, que estava sentado a uma mesa próxima.

O rapaz levantou-se abruptamente e contornou o salão, dirigindo-se, Elizabeth percebeu, para o lugar onde ela estava. Voltando-se para o lorde--chanceler, Delham falou com extrema cortesia:

— Milorde, se me permitir uma pequena liberdade nos procedimentos, acredito que possamos resolver toda a questão sem mais debates ou depoimentos.

— Explique o que pretende, Sr. Delham — comandou o chanceler, breve.

— Gostaria de chamar uma testemunha de última hora e fazer-lhe uma única pergunta. Depois disso, nosso caro promotor poderá questioná-la à vontade, e pelo tempo que desejar.

O lorde-chanceler virou-se para consultar um dos homens que, Elizabeth supôs, devia ser o procurador-geral.

— O senhor tem alguma objeção, Lorde Sutherland?

Lorde Sutherland levantou-se, um homem alto com nariz de águia e lábios finos, trajando a capa vermelha e a peruca empoada de praxe.

— Evidente que não, milorde — respondeu, soando malicioso. — O Sr. Delham já nos fez esperar duas vezes hoje. O que é mais um atraso na execução da justiça inglesa?

— Traga sua testemunha, Sr. Delham. E saiba que não admitirei mais atrasos nestes procedimentos. Está claro?

Elizabeth assustou-se quando o jovem advogado entrou no cubículo e tocou-lhe o braço. Com os olhos sempre fixos em Ian, ela começou a descer os degraus de madeira, sentindo o coração saltar em seu peito... E isso foi *antes* de Peterson Delham dizer em um tom que chegou até os ouvintes mais distantes:

— Milordes, chamamos para o banco das testemunhas a Marquesa de Kensington!

De repente, foi como se ondas de espanto e tensão inundassem toda a câmara. Todos os homens inclinaram-se para a frente de seus assentos, mas Elizabeth sequer percebeu. Seus olhos continuavam fixos em Ian, e ela viu o corpo dele enrijecer-se quando se virou em sua direção. Seu rosto transformou-se numa máscara de fúria enregelante, os olhos cor de âmbar, frios e metálicos como o aço.

Tremendo sob a intensidade daquele olhar, Elizabeth caminhou até o banco de testemunhas e repetiu o juramento que estava sendo lido para ela. Então, Peter Delham aproximou-se.

— A senhora poderia declarar o seu nome, por favor, para que todos nesta câmara possam ouvi-la?

Elizabeth engoliu em seco e, afastando os olhos dos de Ian, disse o mais alto que conseguiu:

— Elizabeth Marie Cameron.

Um verdadeiro pandemônio emergiu em torno dela, e cabeças cobertas de perucas brancas inclinavam-se umas sobre as outras enquanto o lorde--chanceler bradava por silêncio.

— O tribunal me permite verificar esta afirmação e perguntar ao acusado se esta é mesmo sua esposa? — questionou Delham quando a ordem foi restabelecida.

O rosto franzido do chanceler virou-se primeiro para Elizabeth e, depois, para Ian.

— Pedido concedido.

— Lorde Thornton — começou Delham, com muita calma, observando a reação de Ian —, esta mulher diante de nós é a esposa por cujo desaparecimento, ou melhor, por cujo assassinato o senhor está sendo acusado?

Apertando a mandíbula, Ian assentiu.

— Para a informação dos presentes, Lorde Thornton identificou a testemunha como sua esposa. Não tenho mais perguntas.

Elizabeth agarrou-se ao espaldar de madeira que contornava o banco das testemunhas, arregalando os olhos para Peterson Delham, incapaz de acreditar que ele não iria questioná-la a respeito de Robert.

— Pois *eu* tenho *várias* perguntas, milordes — disse o procurador-geral, Lorde Sutherland.

Com o coração disparado, Elizabeth viu-o aproximar-se lentamente, mas, quando Lorde Sutherland falou, ficou perplexa com o tom de gentileza em sua voz. Mesmo em seu estado de desespero e medo, ela podia sentir o desprezo quase palpável, a fúria machista com que todos ali a fulminavam — todos, exceto ele.

— Lady Thornton — disse Lorde Sutherland, parecendo confuso e até mesmo um pouco aliviado por ela estar presente para esclarecer toda a questão. — Por favor, a senhora não precisa ficar receosa, pois tenho apenas algumas perguntas a lhe fazer. Será que poderia nos dizer o que a traz aqui com tantos dias de atraso, num estado de evidente ansiedade, a fim de revelar sua presença?

— Eu... vim porque descobri que meu marido é acusado de cometer assassinato contra mim e meu irmão — respondeu ela, tentando falar bem alto para ser ouvida por toda a câmara.

— E onde esteve até agora?

— Estive em Helmshead com meu irmão, Rob...

— Ela disse *irmão*? — inquiriu um dos procuradores da Coroa.

Lorde Sutherland foi atingido pelo mesmo choque que percorreu os outros membros da câmara, causando um novo alvoroço de conversas espantadas, o que, por sua vez, provocou mais uma chamada de ordem por parte do lorde-chanceler. O choque da promotoria, entretanto, não durou muito. Recobrando-se quase no mesmo instante, o procurador-geral disse:

— A senhora veio até aqui nos dizer que não apenas está viva e a salvo — resumiu, pensativo —, como também que esteve em companhia de seu irmão? Seu irmão, que esteve desaparecido por dois anos e que ninguém foi capaz de rastrear, fosse o seu investigador particular, o Sr. Wordsworth, ou os investigadores da Coroa, e nem mesmo os contratados por seu marido?

O olhar assustado de Elizabeth voou na direção de Ian e ricocheteou diante do ódio mortal no rosto dele.

— Sim, correto — respondeu.

— E onde está seu irmão? — Para dar ênfase, o promotor fez um gesto largo e olhou em volta, como se procurasse por Robert. — A senhora o trouxe consigo para que possamos vê-lo como a estamos vendo... viva e a salvo?

— Não — disse ela. — Ele não veio, mas...

— Por favor, limite-se a apenas responder às minhas perguntas — interrompeu Lorde Sutherland. Parecendo desconcertado, voltou a falar: — Lady Thornton, creio que todos nós gostaríamos de ouvir por que a senhora deixou a segurança e o conforto de seu lar seis semanas atrás, fugindo de seu marido, e retornando agora, neste último e desesperado minuto, clamando que todos cometemos um erro em pensar que sua vida e a de seu irmão estivessem em perigo. Comece do princípio, por gentileza.

Elizabeth sentiu-se tão aliviada por enfim ter a chance de contar sua história que a relatou palavra por palavra, como havia ensaiado durante toda a viagem até lá — evitando as partes que pudessem fazer com que Robert parecesse mentiroso ou insano, inclinado a permitir que Ian fosse enforcado por crimes que não cometera. Com cautela, ensaiara as palavras que mostravam Robert como ela realmente o via: um jovem que fora levado, pelo sofrimento e pela privação, a ansiar por vingança contra Ian; um jovem a quem Ian salvara da forca ou da prisão perpétua por meio do ato caridoso de colocá-lo a bordo de um navio e enviá-lo para terras estrangeiras; um jovem que, então, sofrera, pelos seus próprios atos não intencionais, enormes provações e até mesmo graves agressões físicas pelas quais erroneamente acusara Ian Thornton.

Por estar tão desesperada e assustada — e por haver praticado tantas vezes o que pretendia dizer —, Elizabeth deu seu testemunho no mesmo tom monótono e desprovido de emoção de um discurso ensaiado, encerrando-o num tempo excepcionalmente curto. A única vez que fraquejou foi quando teve de confessar que acreditara que seu marido fosse culpado pelas surras de chicote que Robert sofrera. Durante aquele terrível instante, seu olhar penitente deslizou para Ian, e a expressão alterada no rosto dele foi ainda mais apavorante, porque se tornara entediada — como se ela fosse uma péssima atriz, representando um papel ridículo que ele estava sendo obrigado a testemunhar.

Lorde Sutherland rompeu o silêncio ensurdecedor que se seguiu ao depoimento com um riso breve e piedoso e, subitamente, encarou-a, a voz elevando-se como um trovão.

— Minha cara senhora, tenho mais uma pergunta, e é bastante parecida com a primeira que eu lhe fiz: quero saber *por quê.*

Por algum motivo inexplicável, Elizabeth sentiu um gélido arrepio percorrer sua espinha, como se seu coração entendesse que algo horrível estava acontecendo — ela não estava sendo digna de crédito e, agora, o promotor iria se certificar definitivamente de que jamais o fosse.

— Por que... o quê? — balbuciou ela.

— *Por que* a senhora veio até aqui nos contar uma história tão impressionante na esperança de salvar a vida deste homem, a quem a senhora mesma admitiu ter abandonado semanas atrás?

Ela enviou um olhar de apelo a Peterson Delham, que encolheu os ombros com resignado desgosto. Petrificada pelo desespero, Elizabeth lembrou-se das palavras dele na antessala e as compreendeu: *"Não estou fazendo nada além do que a promotoria tentará fazer com a história dela... Esta não é mais uma questão de verdade e justiça... é um teatro, e a promotoria pretende oferecer uma atuação primorosa...".*

— Lady Thornton! — exclamou o promotor e começou a disparar perguntas com tanta rapidez que ela mal conseguia acompanhá-las. — Diga-nos a verdade, Lady Thornton. Aquele homem — apontou acusadoramente para onde Ian estava sentado — encontrou-a e subornou-a para que voltasse com essa história absurda? Ou será que ele ameaçou matá-la se a senhora não concordasse em testemunhar? Não é verdade que a senhora não faz a menor ideia de onde se encontra seu irmão? Não é verdade que, conforme a senhora mesma admitiu minutos atrás, fugiu, aterrorizada, desse homem cruel? Não é verdade que teme outros atos de crueldade da parte dele?

— Não! — gritou Elizabeth. Seu olhar percorreu os rostos masculinos em torno dela e não conseguiu encontrar nenhum que a fitasse com qualquer outra expressão que não fosse desconfiança ou desprezo pela verdade que ela acabara de declarar.

— Não tenho mais perguntas!

— Espere! — Naquele infinitesimal espaço de tempo, Elizabeth deu-se conta de que, se não pudesse convencê-los de que falava a verdade, talvez fosse capaz de convencê-los de que era estúpida demais para inventar tal história. — Sim, milorde — falou. — Não posso negar... a crueldade dele, quero dizer.

Sutherland girou de frente para ela, seus olhos iluminando-se. Uma empolgação renovada vibrou na grande câmara.

— A senhora admite que ele é um homem cruel?

— Sim, admito — afirmou ela, enfática.

— Minha pobre senhora, poderia dar a todos nós alguns exemplos dessa crueldade?

— Posso, sim. E, quando eu o fizer, os senhores vão entender quão cruel meu marido pode ser, e por que fui obrigada a fugir com Robert... ou seja, o meu irmão. — Loucamente, tentou pensar em meias-verdades que não constituiriam perjúrio e lembrou-se das palavras de Ian na noite em que fora procurá-la em Havenhurst.

— Continue, por favor. — Todos na galeria inclinaram-se para a frente ao mesmo tempo, e Elizabeth teve a sensação de que o prédio inteiro se curvava em sua direção. — Quando foi a última vez que seu marido se mostrou cruel?

— Bem, pouco antes de eu fugir, ele ameaçou cortar minha mesada. Eu havia gastado demais e odiava ter de confessar isso a ele.

— Teve medo de que ele batesse na senhora por causa disso?

— Não, mas fiquei com receio de que ele não me desse mais dinheiro até o trimestre seguinte!

Uma gargalhada ressoou na galeria e parou de repente. Sutherland franziu a testa, sombrio, mas Elizabeth continuou tagarelando:

— Meu marido e eu havíamos discutido por esse motivo duas noites antes de eu fugir com Bobby.

— E ele se mostrou agressivo durante a discussão? Isso aconteceu naquela noite em que sua criada testemunhou tê-la visto chorando?

— Sim, creio que sim.

— Por que estava chorando, Lady Thornton?

As galerias avançaram um pouco mais para a frente.

— Eu estava sob terrível tensão — disse ela, declarando a verdade. — Queria partir com Bobby; para isso, tive de vender as lindas esmeraldas que Lorde Thornton me dera. — Tomada de inspiração, virou-se para o lorde-chanceler. — Afinal, eu *sabia* que ele me compraria outras, o senhor entende. — Risos de surpresa espalharam-se pelas galerias, e era todo o encorajamento de que ela precisava.

Lorde Sutherland, entretanto, não estava rindo. Pressentia que ela pretendia ludibriá-lo, mas, com típica arrogância masculina, não acreditou que fosse inteligente o bastante para sequer tentar, quanto menos conseguir.

— Espera que eu acredite que vendeu suas joias levada apenas por um capricho, apenas um desejo frívolo de se evadir em companhia de um homem que afirma ser seu irmão?

— Bom Deus, não sei em que o senhor *deseja* acreditar. Só sei que foi exatamente isso que eu fiz.

— Madame! — disparou ele. — A senhora estava à beira das lágrimas, conforme o depoimento do joalheiro a quem vendeu as joias. Se fez isso apenas por um capricho, por que estaria tão abalada?

Elizabeth enviou-lhe um olhar apalermado.

— Ora, porque eu *gostava* das minhas esmeraldas!

Mais gargalhadas eclodiram, desde o térreo até as galerias.

Elizabeth esperou que terminassem antes de se curvar outra vez para a frente e dizer, confidente e orgulhosa:

— Meu marido sempre diz que esmeraldas combinam com meus olhos. Não é uma graça?

Sutherland começava a rilhar os dentes, ela reparou. Temendo olhar para Ian, relanceou os olhos para Peterson Delham e viu-o observando-a com uma expressão que quase poderia ser definida como de admiração.

— Então! — trovejou Sutherland. — Agora, a senhora espera que acreditemos que não estava realmente com medo do seu marido?

— É claro que estava. Não acabei de explicar quanto ele pode ser cruel? — respondeu ela com outro olhar abobalhado. — E, naturalmente, quando Bobby me mostrou as cicatrizes que tinha nas costas, não pude deixar de concluir que um homem que ameaça cortar a mesada da esposa seria capaz de *qualquer coisa*...

As altas gargalhadas se estenderam por muito mais tempo dessa vez e, mesmo depois de haverem silenciado, Elizabeth reparou que havia um ou outro sorriso onde antes houvera apenas condenação e descrédito.

— E — recomeçou Sutherland quando finalmente pôde ser ouvido — a senhora também espera que acreditemos que fugiu com um homem, que afirma ser seu irmão, e esteve confortavelmente abrigada em algum lugar da Inglaterra...

Ela assentiu, enfática, e explicou de bom grado:

— Sim, em Helmshead... um *adorável* vilarejo no litoral. E estava me divert... Isto é, estava *descansando* bastante, até que li os jornais e fiquei sabendo deste julgamento. Bobby achava que eu não deveria voltar, pois ainda estava muito zangado por ter sido obrigado a partir num dos navios do meu marido. Mas eu achei que deveria.

— E qual foi o motivo — perguntou Sutherland por entre os dentes — que a fez decidir voltar, Lady Thornton?

— Achei que Lorde Thornton não gostaria muito de ser enforcado... — Mais uma onda de risos explodiu pela Câmara, e Elizabeth teve de esperar um minuto inteiro antes de continuar: — Assim, entreguei todo o meu dinheiro a Bobby e ele partiu para tentar uma vida mais amena, como eu já lhes disse antes.

— Lady Thornton — falou Sutherland num tom sedoso e ameaçador que fez com que Elizabeth tremesse —, a senhora sabe o que significa a palavra "perjúrio"?

— Creio que significa mentir num lugar como este.

— Sabe qual é a punição da Coroa em casos de perjúrio? Os que cometem este crime são condenados ao cárcere e passam o resto da vida numa cela fria e escura. A senhora gostaria que isso lhe acontecesse?

— Certamente, não me parece muito agradável — disse ela. — Acha que eu poderia levar minhas joias e vestidos?

Gritos e risos balançaram os candelabros nos tetos côncavos.

— Não, não poderia!

— Bem, então fico muito contente por não ter mentido.

Sutherland já não tinha mais certeza se havia sido logrado, mas percebeu que seus esforços para retratar Elizabeth como uma adúltera astuta e ardilosa ou uma esposa aterrorizada e intimidada tinham ido por água abaixo. A admirável história de sua fuga com o irmão agora ganhava uma credibilidade absurda, e ele chegou a essa conclusão com um misto de frustração e fúria.

— Madame, a senhora cometeria perjúrio para proteger este homem? — perguntou, estendendo o braço na direção de Ian.

O olhar de Elizabeth seguiu o gesto e gelou de terror ao ver que ele parecia ainda mais entediado, mais friamente distante e inabalável do que antes.

— Eu lhe perguntei — trovejou o promotor novamente — se a senhora seria capaz de cometer perjúrio para impedir que este homem seja enforcado daqui a um mês.

Elizabeth seria capaz de dar a própria vida para salvá-lo. Afastando o olhar do rosto aterrorizante de Ian, esboçou um vago sorriso.

— Daqui a um mês? Ora, mas que coisa mais inconveniente o senhor está sugerindo! No mês que vem, teremos o baile de... de Lady Northam, e meu marido garantiu que iríamos! — As gargalhadas tornaram a ribombar, abafando suas últimas palavras: — Além disso, ele prometeu me comprar um casaco de pele novo.

Ela esperou, então, pressentindo que atingira seu intento, não porque sua atuação fora tão convincente, mas, sim, porque muitos dos lordes ali presentes tinham esposas que jamais pensariam em nada além do próximo baile ou do próximo casaco de peles e, portanto, aos olhos deles, ela soou legítima.

— Sem mais perguntas! — declarou Sutherland, lançando-lhe um olhar de desprezo.

Peterson Delham levantou-se devagar e, embora mantivesse a expressão impassível, ou apenas um pouco espantada, Elizabeth pressentiu que ele se continha para não aplaudir seu desempenho.

— Lady Thornton — disse, muito formal —, há algo mais que queira declarar perante este tribunal?

Ela percebeu que ele *queria* que ela dissesse algo, mas, mergulhada num estado de aliviada exaustão, não conseguiu imaginar o que seria. Assim, disse a única coisa que lhe veio à mente e, assim que começou, soube que ele ficara satisfeito.

— Sim, milorde. Gostaria de dizer quanto lamento por todos os problemas que Bobby e eu causamos a todos. Errei quando acreditei nele e desapareci. E ele errou ao permanecer zangado com meu marido por tanto tempo, sobre algo que foi, afinal, um ato de bondade da parte de Lorde Thornton. — Sentiu que estava indo longe demais, soando sensata demais e apressou-se em acrescentar: — Se Kensington tivesse mandado Bobby para a prisão por causa dos atentados que sofreu, tenho certeza de que meu irmão teria achado aquele lugar muito desagradável. Ele é — confidenciou — uma pessoa muito exigente!

— Lady Thornton! — disse o lorde-chanceler quando as ondas de riso diminuíram nas galerias. — A senhora pode se retirar.

Diante do tom severo na voz dele, Elizabeth atreveu-se a olhá-lo e, descendo os degraus da plataforma em que ficava o banco das testemunhas, quase tropeçou ao ver o furioso desdém com que ele a fitava. Os demais lordes, sem dúvida, consideravam-na uma frívola incorrigível, mas o lorde-chanceler a encarava como se estivesse disposto a enforcá-la com as próprias mãos.

Com as pernas trêmulas, permitiu que o assistente de Peterson Delham a escoltasse até o vestíbulo e, quando chegaram à porta que dava para o corredor, ela balançou a cabeça e implorou:

— Por favor — sussurrou, já espiando por cima dos ombros do rapaz, tentando ver o que aconteceria em seguida —, deixe-me voltar para a saleta onde eu estava. Não me obrigue a esperar lá fora, imaginando o que pode estar havendo aqui... — Enquanto falava, reparou num homem descendo o longo corredor rapidamente, indo direto para o lugar onde estava Peterson Delham.

— Está bem — concordou o jovem advogado após uma breve hesitação. — Mas não faça barulho. O julgamento deve acabar logo — acrescentou, consolando-a.

— Quer dizer — cochichou ela, mantendo os olhos fixos no homem que se aproximava de Delham — que eu me saí tão bem que eles vão liberar meu marido agora?

— Não, milady. É melhor fazer silêncio agora. E não se preocupe.

Porém, naquele momento, Elizabeth estava mais intrigada do que preocupada, pois, pela primeira vez desde que o vira, Ian parecia interessar-se pelo que estava acontecendo. Ele olhou brevemente para o homem que agora falava com o advogado e, por uma fração de segundo, Elizabeth imaginou ter visto um sorriso bem-humorado cruzar o rosto impassível do marido. Seguindo o assistente para dentro do cubículo, postou-se ao lado da Duquesa-mãe, sem perceber o olhar de aprovação que a senhora lhe lançava.

— O que está acontecendo? — perguntou ao rapaz quando ele não fez menção de retornar ao seu lugar.

— Ele vai encerrar o caso — respondeu o jovem, com um largo sorriso.

— Lorde-chanceler — Peterson Delham elevou a voz enquanto assentia rapidamente para o homem com quem estivera conversando. — Com a permissão do tribunal, ou sua indulgência, melhor dizendo, gostaria de apresentar mais uma testemunha que, acreditamos, vai fornecer provas irrefutáveis de que nenhum dano foi causado a Robert Cameron como resultado direto ou indireto do período que ele passou a bordo do navio *Arianna*. Se a prova for aceita, afirmarei com confiança que todo esse caso poderá ser encerrado em pouco tempo.

— Não sinto confiança alguma — objetou Lorde Sutherland.

Mesmo de onde estava, Elizabeth pôde ver o perfil do lorde-chanceler se endurecer quando se virou para o promotor.

— Vamos esperar pelo melhor — disse ele a Lorde Sutherland. — Este julgamento já excedeu os limites do decoro e do bom gosto, e, em muito, graças ao senhor, milorde. — Voltando-se para Peterson, ordenou, irritado: — Prossiga!

— Obrigado, lorde-chanceler. Chamamos o capitão George Granthome ao banco das testemunhas!

Elizabeth prendeu a respiração quando a suspeita do que iria acontecer insinuou-se em sua mente. As portas laterais do salão abriram-se e um homem alto e forte começou a descer pelo corredor a largas passadas. Atrás dele, um pequeno grupo de homens robustos, bronzeados e rudes reuniu-se em torno da porta, como se também esperassem ser chamados. Marinheiros. Elizabeth vira muitos pescadores em Helmshead, o suficiente para reconhecer a inconfundível aparência dos homens que viviam no mar.

Granthome sentou-se no banco de testemunhas, e, a partir do momento em que começou a responder às perguntas de Delham, Elizabeth percebeu que a absolvição de Ian pela suposta "morte" de Robert já era uma questão decidida antes mesmo de ela ter entrado naquela câmara. O capitão deu seu depoimento sobre o tratamento dispensado a Robert a bordo do *Arianna* e sobre o fato de que ele havia escapado quando o navio fez uma parada não planejada para reparos. E, sabiamente, deixou claro que toda a sua tripulação estava preparada para testemunhar também.

De repente, Elizabeth deu-se conta de que todo o pavor que sentira durante a viagem até ali e todos os temores por que passara enquanto dava seu depoimento haviam sido em vão. Se Ian fosse capaz de provar que Robert nada sofrera em suas mãos, o desaparecimento de Elizabeth teria perdido todas as suas implicações sinistras.

Virou-se com irada estupefação para o sorridente assistente, que ouvia atentamente o depoimento do capitão.

— Por que vocês não disseram aos jornais o que havia acontecido ao meu irmão? É evidente que meu marido e o Sr. Delham sabiam, e você também devia saber que podia contar com o capitão e a tripulação para provar isso.

Relutante, o assistente desviou o olhar da testemunha e disse baixinho:

— Foi ideia do seu marido esperar até que o julgamento estivesse quase no final para expor sua defesa.

— Mas por quê?

— Porque nossa ilustre promotoria não demonstrava sinais de encerrar o caso, não importavam quais fossem nossas alegações. Acreditavam que tinham evidências suficientes para uma condenação e, se falássemos sobre o *Arianna*, eles iriam pedir um adiamento para que pudessem providenciar mais provas, a fim de anular o importante depoimento do capitão Granthome. Além do mais, o *Arianna* e sua tripulação estavam fora do país e não tínhamos certeza se poderíamos localizá-los e trazê-los para cá a tempo de depor. Agora, nosso frustrado lorde-promotor não tem nenhum argumento preparado para refutar, pois não previu essa estratégia. E, se seu irmão nunca mais for visto, ainda assim, de nada adiantará a promotoria procurar por mais evidências circunstanciais e incriminatórias, porque, mesmo que as encontre, o que não vai acontecer, seu marido não poderá ser julgado duas vezes pelo mesmo crime.

Agora, Elizabeth entendia por que Ian se mostrara tão entediado e distante, embora ainda não pudesse compreender por que ele não suavizara sua expressão nem mesmo ao saber que fora Robert o homem a acompanhá-la, e não um amante, ou quando ela oferecera a prova da carta da Sra. Hogan, e até mesmo a promessa de sua presença para depor.

— Seu marido orquestrou toda essa manobra — continuou dizendo o jovem, olhando com admiração para Ian, que, agora, ouvia o que o lorde--chanceler dizia. — Planejou a própria defesa. Um homem brilhante, o seu marido. Ah, por falar nisso, o Sr. Delham mandou lhe dizer que a senhora esteve esplêndida lá dentro.

Dali em diante, os demais procedimentos passaram a transcorrer com a rapidez de um ritual necessário, mas insignificante. Percebendo que não tinha a menor chance de desacreditar o depoimento de toda a tripulação do *Arianna*, Lorde Sutherland fez apenas algumas perguntas superficiais ao capitão e logo permitiu que fosse dispensado. Depois disso, restaram apenas as declarações finais de ambos os lados, e, em seguida, o lorde-chanceler propôs a votação.

Com tensão renovada, Elizabeth viu e ouviu enquanto cada um dos lordes presentes era chamado pelo nome. Um após o outro, cada fidalgo levantava-se, pousava a mão sobre o peito e declarava "por minha honra, inocente" ou "por minha honra, culpado". O resultado final foi de 324 a 14, a favor da absolvição. Os que votaram contra Ian, conforme lhe cochichou o assistente de Peterson Delham, eram aqueles que ou vingavam-se de Ian por questões pessoais ou duvidavam da credibilidade do depoimento dela e do capitão Granthome.

Mas Elizabeth mal ouviu a explicação. O que importava era que a maioria dos votos fora a favor da absolvição, e que o lorde-chanceler finalmente pronunciava a sentença e dizia, enquanto Ian se levantava devagar:

— Lorde Thornton, esta comissão decidiu que o senhor é inocente de todas as acusações. O senhor está livre a partir de agora. — Fez uma pausa, como se uma dúvida o atormentasse e acrescentou com o que Elizabeth julgou ser uma dissonante nota de bom humor: — Porém, gostaria de lhe fazer uma sugestão informal: se o senhor tem a intenção de passar esta noite sob o mesmo teto que sua esposa, deve reconsiderar seriamente o resultado disso. Se estivesse em seu lugar, eu me sentiria bastante tentado a cometer o ato pelo qual o senhor foi acusado. Embora... — acrescentou enquanto algumas risadas começaram a ressoar nas galerias — me sinta seguro ao dizer que o senhor poderia contar com nossa absolvição, com base em motivos justificados.

Elizabeth fechou os olhos, invadida pela vergonha que não se permitira sentir durante seu depoimento. Disse a si mesma que era preferível ser considerada tola e frívola a uma adúltera ardilosa, mas, quando tornou a abri-los e viu Ian seguindo pelo corredor, e para longe dela, não se importou com mais nada.

— Venha, Elizabeth — falou a Duquesa-mãe, pousando a mão levemente em seu ombro. — Não tenho dúvida de que a imprensa está lá fora e, quanto mais depressa sairmos, maiores serão nossas chances de escapar.

Isso provou ser pura ilusão, Elizabeth percebeu assim que chegaram ao saguão. Os repórteres, e uma pequena multidão de espectadores ansiosos por saber o resultado daquele dia de julgamento, amontoavam-se por onde Ian passava agora. Em vez de tentar contorná-los, Ian abria caminho com os ombros, mantendo os dentes cerrados. Mergulhada em agonia, Elizabeth observava a cena, ouvindo as pessoas gritarem insultos e acusações contra ele.

— Ah, meu Deus... — murmurou. — Veja só o que eu fiz.

No instante em que a carruagem de Ian disparou para longe, a multidão se virou, procurando novas vítimas entre os lordes que saíam do prédio.

— É ela! — gritou um repórter do *Gazette* que escrevia sobre os acontecimentos sociais da corte, apontando na direção de Elizabeth, e, subitamente, todos começaram a se aproximar como uma onda assustadora.

— Depressa, Lady Thornton!— chamou um jovem desconhecido com urgência, levando-a para os fundos do prédio. — Siga-me! Há outra saída contornando a esquina.

Elizabeth obedeceu automaticamente, agarrando o braço da Duquesa-mãe enquanto trombava com os lordes que caminhavam para as portas da frente.

— Qual é a sua carruagem? — perguntou o jovem olhando de uma para outra.

A viúva descreveu o veículo e ele assentiu.

— Fiquem aqui. Não saiam. Vou mandar o cocheiro vir apanhá-las deste lado.

Dez minutos depois, a carruagem da Duquesa-mãe parou diante da porta lateral, e elas entraram a salvo. Elizabeth inclinou-se sobre a portinhola.

— Obrigada... — disse ao rapaz, esperando que ele lhe desse seu nome.

Ele tocou a aba do chapéu.

— Sou Thomas Tyson, Lady Thornton, do jornal *Times*. Não, não precisa ficar assustada — acrescentou, tranquilizando-a. — Não tenho a menor intenção de forçar uma entrevista agora. Acuar damas em carruagens não é o meu estilo. — Para dar ênfase à sua declaração, fechou a porta do veículo.

— Nesse caso — falou Elizabeth pela janela aberta, tentando esboçar um sorriso de gratidão —, receio que não vá muito longe como repórter.

— Talvez a senhora concorde em me receber em outra ocasião, para uma entrevista exclusiva?

— Talvez — disse ela vagamente enquanto o cocheiro atiçava os cavalos para um trote lento, abrindo caminho por entre os veículos que lotavam a rua movimentada.

Fechando os olhos, ela recostou a cabeça na almofada do assento. A imagem de Ian sendo seguido por uma multidão, sob gritos de "assassino" e "matador de mulheres", latejava em sua mente exausta. Quase num sussurro, perguntou à Duquesa-mãe:

— Há quanto tempo isso vem acontecendo? Há quanto tempo ele vem sendo cercado e insultado?

— Há mais de um mês.

Elizabeth soltou um trêmulo suspiro e mal conseguia conter o choro quando voltou a falar:

— A senhora faz ideia de como Ian é orgulhoso? Ele é tão orgulhoso... E eu fiz com que fosse acusado de assassinato. Amanhã, ele será motivo de chacota na cidade.

A Duquesa-mãe hesitou um pouco. Então, disse, brusca:

— Ian é um homem forte, que nunca se preocupou com a opinião alheia. Exceto, talvez, com a sua, a de Jordan e a de algumas outras poucas pessoas. De qualquer forma, receio dizer que é você, e não ele, que parecerá uma tola nos jornais de amanhã.

— A senhora pode me deixar em casa, por favor?

— Na Rua Promenade?

Um lampejo de espanto superou a infelicidade em que ela mergulhara.

— Não, é claro que não. Na Rua Upper Brook.

— Não creio que seja uma boa ideia — retrucou a Duquesa-mãe com firmeza. — Você ouviu as palavras do lorde-chanceler.

Elizabeth discordou, apenas um leve tremor de dúvida atravessava sua mente.

— Prefiro enfrentar Ian agora a passar uma noite inteira antecipando o confronto.

A viúva, determinada a conceder um tempo para que Ian pudesse conter a fúria, lembrou-se da necessidade urgente de parar na casa de uma amiga adoentada e, depois, de outra. Quando, finalmente, chegaram à Rua Upper Brook, estava quase escuro e os nervos de Elizabeth, à flor da pele — e isso antes de o mordomo abrir a porta, olhando-a como se ela fosse indigna até mesmo de seu desprezo. Com certeza, Ian já voltara para casa, e os mexericos entre os serviçais fervilhavam com a notícia do depoimento da patroa na Câmara dos Lordes.

— Onde está meu marido, Dolton? — perguntou ela.

— No escritório — respondeu o mordomo, afastando-se da porta.

Elizabeth deparou com malas e baús amontoados no centro do vestíbulo, e criados descendo as escadas com um novo carregamento. Sentindo o coração disparar loucamente, atravessou o vestíbulo depressa e entrou no escritório de Ian, parando abruptamente para se recompor antes que ele se virasse e a visse. Ele estava com um copo na mão, os olhos fixos no fogo que ardia na lareira. Havia retirado a casaca, enrolado as mangas da camisa, e, com remorso, Elizabeth percebeu que estava bem mais magro do que parecera no tribunal. Tentou pensar em como começaria. E, por estar tão sobrecarregada de emoções, explicações e desculpas, atacou primeiro o problema menos importante — embora mais imediato:

— Você... você está indo embora?

Viu-o enrijecer-se ao som de sua voz, e, quando ele se virou e olhou para ela, quase pôde sentir o esforço que fazia para conter a raiva.

— *Você* está indo embora — rosnou ele.

Num silencioso e impotente protesto, Elizabeth balançou a cabeça e adiantou-se, vagamente consciente de que aquilo era pior, muito pior, do que simplesmente postar-se diante de centenas de lordes na câmara.

— Eu não faria isso se fosse você — avisou ele, em voz baixa.

— Fazer... o quê? — questionou ela, com a voz vacilante.

— Aproximar-se de mim.

Ela se imobilizou, a mente registrando a ameaça concreta na voz dele, mas recusando-se a acreditar enquanto perscrutava seus traços duros como pedra.

— Ian — começou, estendendo as mãos num apelo mudo e deixando-as cair quando recebeu apenas um olhar de desprezo. — Eu reconheço... — tornou a falar, a voz trêmula de emoção. — Reconheço que você deve me odiar por tudo o que fiz.

— Tem toda a razão.

— Mas — continuou com bravura — estou disposta a fazer qualquer coisa, *qualquer coisa*, para reparar meus erros. Apesar do que você deve estar pensando agora, eu nunca deixei de amá-lo...

A voz dele retumbou no ar como um relâmpago:

— Cale a boca!

— Não, você precisa me ouvir — insistiu ela, falando mais depressa agora, movida pelo pânico e por um terrível pressentimento de que nada do que dissesse ou fizesse o faria ceder. — Nunca deixei de amá-lo, Ian, nem mesmo quando...

— Estou *avisando*, Elizabeth — interrompeu ele, ainda mais ameaçador. — *Cale a boca* e suma daqui! Saia da minha casa e da minha vida!

— É... é por causa de Robert? Não acredita que Robert era o homem com quem eu estava?

— Não me interessa saber *quem* era o patife.

Elizabeth começou a tremer. Ele estava falando sério...

— Era Robert, exatamente como eu disse! — prosseguiu, alterada. — Posso provar se você permitir!

Ele riu, um riso breve e estrangulado, ainda mais mortal do que a raiva que havia demonstrado até aquele momento.

— Elizabeth, eu não acreditaria em você nem mesmo se a tivesse *visto* com ele. Será que estou sendo claro? Você é uma perfeita mentirosa e uma atriz magnífica.

— Se está dizendo isso p-por causa das tolices que falei no banco das testemunhas, certamente s-sabe por que agi daquela maneira.

Ian atingiu-a com um olhar desdenhoso.

— É evidente que sei por que você agiu daquela maneira! Foi um meio que encontrou para atingir um objetivo... É o que você sempre faz. Seria capaz de dormir com uma serpente se isso fosse necessário para conseguir o que quer.

— Por que está falando assim comigo? — gritou ela.

— Porque, no mesmo dia em que seu investigador lhe contou que eu era responsável pelo desaparecimento de seu irmão, você postou-se ao meu lado numa maldita *igreja* e jurou me amar até a morte! Você se dispôs a casar com um homem que podia ser um assassino, a *dormir* com um assassino.

— Você não acredita no que está dizendo! Posso provar, Ian, posso provar tudo se você me der a chance...

— Não.

— Ian...

— Não quero prova alguma.

— Eu amo você — disse ela, trêmula.

— Não quero seu "amor", e não quero você. Agora... — calou-se quando Dolton bateu à porta.

— O Sr. Larimore está aqui, milorde.

— Diga que vou atendê-lo num instante — anunciou Ian.

Elizabeth encarou-o, perplexa.

— Você... vai ter uma reunião de negócios *agora*?

— Não exatamente, meu bem. Mandei chamar Larimore por um motivo diferente dessa vez.

Um arrepio de temor percorreu a espinha de Elizabeth ao ouvir o tom em que ele que lhe respondeu.

— Q-que outro motivo você teria para chamar um advogado numa hora destas?

— Vou iniciar o processo de divórcio, Elizabeth.

— Você vai o *quê*? — ofegou ela, sentindo a sala girar à sua volta. — Com base em quê? Na minha estupidez?

— Abandono — respondeu Ian, breve.

Naquele momento, Elizabeth teria feito ou dito qualquer coisa para sensibilizá-lo. Não podia acreditar, nem sequer podia compreender por que aquele homem terno e apaixonado, que tanto a amara, agia daquela forma — sem ouvir suas razões, sem lhe dar uma chance de explicar. Com os olhos repletos de lágrimas de medo e amor, ainda tentou brincar:

— Pois vai parecer um tolo, meu querido, se alegar abandono num tribunal. Pois eu estarei grudada em você, clamando que estou mais do que disposta a manter os meus votos.

Ian desviou o olhar do rosto dela.

— Se não estiver fora desta casa em três minutos — avisou com frieza —, vou mudar a alegação para adultério.

— Eu *não* cometi adultério.

— Talvez não, mas terá muito trabalho para provar algo que *não* fez. Acredite, pois tenho alguma experiência nessa área. Agora, pela última vez, saia da minha vida. Está tudo acabado. — Para provar o que dizia, Ian sentou-se atrás da escrivaninha e puxou o cordão da sineta. — Peça para Larimore entrar — instruiu Dolton, que apareceu quase no mesmo instante.

Elizabeth retesou-se, pensando desesperadamente numa maneira de atingi-lo antes que ele desse os primeiros passos irrevogáveis para bani-la de sua vida. Cada fibra de seu corpo acreditava que Ian a amava. E, com certeza, se uma pessoa amava alguém a ponto de ser tão magoado...

De repente, compreendeu tudo o que ele estava fazendo e por quê. Virou-se para ele enquanto a história que o vigário lhe contara, sobre a maneira como Ian agira depois da morte dos pais, emergia em sua memória. Ela, entretanto, *não* era um cão, que podia ser despachado para fora da vida dele.

Girando o corpo, encaminhou-se para a escrivaninha, apoiando as mãos úmidas no tampo de madeira, esperando, até que ele se viu forçado a encará-la. Parecendo um anjo corajoso e magoado, Elizabeth enfrentou seu adversário com a voz trêmula de amor.

— Escute-me com atenção, meu bem, pois vou lhe dar um aviso bastante claro de que não permitirei que faça isso conosco. Você me deu seu amor, e eu não vou deixar que o tome de volta. Quanto mais você tentar, mais força eu terei para lutar. Vou assombrar seus sonhos à noite, exatamente como você fez com os meus todas as noites em que ficamos separados. Vai permanecer por longas horas acordado, desejando ter-me ao seu lado e sabendo que eu também estarei ansiando por você. E, quando não puder mais suportar — prometeu dolorosamente —, então voltará para mim, e eu estarei à sua espera. Vou chorar em seus braços e lhe dizer quanto lamento todo o mal que lhe causei, e você me ajudará a encontrar uma maneira de perdoar a mim mesma...

— *Maldição!* — gritou ele, o rosto pálido de ira. — O que mais é preciso para fazê-la parar?

Ela se encolheu sob aquele ódio na voz que tanto amava. E rezou para conseguir dizer tudo o que tinha a dizer sem começar a chorar:

— Sei que o magoei demais, meu amor, e vou continuar a magoá-lo nos próximos cinquenta anos. E você também vai me ferir, Ian, embora eu espere que nunca mais da forma como está me ferindo agora. Mas, se é assim que tem de ser, estou disposta a suportar tudo, pois minha única alternativa seria viver sem você, e isso é o mesmo que a morte. A diferença é que eu sei disso, e você... ainda não sabe.

— Já terminou?

— Não — disse ela, endireitando-se ao ouvir o ruído de passos aproximando-se no corredor. — Há só mais um detalhe — informou-o, erguendo o queixo trêmulo. — *Eu* não sou sua cadela labrador! Você não pode me expulsar da sua vida, porque eu não ficarei fora dela!

Depois que Elizabeth saiu, Ian permaneceu encarando a sala vazia, antes tão repleta da presença dela, imaginando o que diabos ela teria insinuado com aquele último comentário. Ergueu os olhos para a porta, quando Larimore entrou, e fez um gesto para que o advogado se sentasse.

— Pelo recado que me enviou — disse Larimore em voz baixa, abrindo a pasta de couro —, presumo que esteja querendo iniciar o processo de divórcio.

Ian hesitou por um instante enquanto as palavras angustiadas de Elizabeth ressoavam em sua mente, misturadas com as mentiras e omissões que começaram na noite em que se conheceram, progredindo sempre até a última noite em que estiveram juntos. Lembrou-se do tormento das primeiras semanas depois que ela o abandonara e comparou-o ao abençoado entorpecimento que o substituíra. Olhou para o advogado, que esperava uma resposta.

E assentiu.

Capítulo 36

No dia seguinte, Elizabeth andava de um lado para outro no vestíbulo da casa da Rua Promenade, aguardando a entrega dos jornais. Ao recebê-los, viu a manchete do *Times*, que exonerava Ian na primeira página:

MARQUÊS ASSASSINO É, NA VERDADE, MARIDO EXPLORADO

O *Gazette*, aproveitando-se do humor, ressaltava que "o Marquês de Kensington mereceria não apenas a absolvição, como também uma medalha de honra ao mérito por Paciência Diante de Extrema Provação!".

Seguindo-se às manchetes dos dois jornais, havia longas e — para Elizabeth — embaraçosas descrições das ridículas explicações que ela dera para seu comportamento.

Um dia antes do julgamento, Ian fora considerado suspeito e degredado. No dia seguinte, merecia a bem-humorada simpatia e a solidariedade de quase toda a cidade. O povo, em geral, acreditava que, se havia uma acusação, era bem provável que houvesse alguma culpa, e que os ricos compravam a liberdade, enquanto acusados pobres eram enforcados. E Elizabeth sabia que essas pessoas continuariam associando o nome de Ian à perversidade.

A imagem dela diante da opinião pública também se modificara drasticamente. Não era mais a esposa maltratada ou a adúltera. Agora, tornara-se quase uma celebridade, admirada pelas mulheres de vida insípida, ignorada por aquelas sem vida alguma e muito censurada — mas logo perdoada — pelos maridos da sociedade, cujas esposas eram tão semelhantes à imagem que ela passara em seu depoimento na Câmara dos Lordes.

Ainda assim, no mês que se seguiu à absolvição de Ian, não fosse pela insistência de Roddy Carstairs para que ela aparecesse diante da sociedade na mesma semana em que os jornais anunciaram o veredicto, Elizabeth teria se recolhido à casa da Rua Promenade, ocultando-se atrás dos portões de ferro à espera de Ian.

Aquela teria sido a pior postura a assumir, pois Elizabeth não tardou a perceber que, a despeito de acreditar no contrário, Ian parecia ter achado muito fácil excluí-la de sua vida. Por intermédio de Alexandra e Jordan, Elizabeth soube que Ian retomara o ritmo de trabalho como se nada tivesse acontecido e, após uma semana do final do julgamento, já fora visto jogando com alguns amigos no clube Blackmore, comparecendo à ópera com outros e, ao que tudo indicava, levando a vida de um ocupado membro da alta sociedade que apreciava se divertir com a mesma intensidade com que trabalhava.

Essa não era a imagem que Elizabeth tinha do marido — um incansável admirador de atividades sociais. Tentou abrandar a dor em seu coração, dizendo a si mesma que aquele frenesi só servia para provar que Ian travava uma batalha perdida para esquecer que ela o esperava. Escreveu-lhe algumas cartas, que foram devolvidas sem ao menos serem abertas.

Finalmente, ela decidiu seguir o exemplo dele e manter-se ocupada, pois era só o que podia fazer para suportar aquela espera. Porém, a cada dia que passava, achava mais difícil não procurá-lo para uma nova tentativa de reconciliação. Viam-se de vez em quando, num baile ou na ópera, e, sempre que isso acontecia, Elizabeth sentia o coração bater descontrolado, e a expressão de Ian tornava-se ainda mais distante. O tio dele a avisara de que nada adiantaria insistir pedindo-lhe perdão, enquanto o avô, acariciando-lhe a mão, dissera: "Ele acabará cedendo, minha querida."

Alex conseguiu convencer a amiga de que talvez um pouco de ciúme era o que faltava para despertar o interesse de Ian e fazê-lo voltar. Certa noite, no baile de Lorde e Lady Franklin, Elizabeth viu Ian conversando com amigos e, reunindo toda a sua coragem, flertou abertamente com o Visconde Sheffield. Ficou observando Ian pelo canto do olho enquanto dançava e ria com o atraente visconde. Ian avistou-a — na verdade, olhou diretamente para ela, e para dentro dela. E, naquela noite, saiu do baile levando Lady Jane Addison pelo braço. Foi a primeira vez, desde a separação, que ele dava atenção a qualquer outra mulher ou comportava-se de maneira contrária a um homem casado que, embora não quisesse a esposa, tampouco estava interessado em casos amorosos.

Aquela atitude deixou Alex irritada e confusa.

— Ele está usando suas armas contra você! — exclamou quando ficou a sós com Elizabeth depois do baile. — Não deveria ser assim; ele deveria ter sentido ciúmes e ficado possesso! — Mas talvez — acrescentou, acalmando-se — ele *estivesse* com ciúmes e quisesse deixá-la enciumada *também*.

Elizabeth sorriu com tristeza e balançou a cabeça.

— Uma vez, Ian afirmou que sempre consegue pensar como seu oponente. Ele demonstrou que sabia exatamente o que eu estava fazendo com Sheffield e deixou claro que é inútil continuar tentando. Ele quer que eu me afaste, Alex. Não está apenas tentando me punir ou me fazendo sofrer um pouco antes de me aceitar de volta.

— Acredita mesmo que ele não a quer mais, Elizabeth? — perguntou Alexandra, com um ar infeliz, sentando-se no sofá ao lado da amiga e abraçando-a.

— Eu *sei* que ele não me quer.

— Então, o que vai fazer?

— O que for preciso, Alex, tudo que eu consiga pensar. Enquanto ele souber que há uma grande possibilidade de me encontrar aonde quer que vá, não poderá me apagar por completo de seus pensamentos. Ainda tenho uma chance de vencer.

Mas, logo, Elizabeth descobriu estar enganada. Um mês depois da absolvição de Ian, Bentner bateu à porta da sala onde ela conversava com Alex.

— Há um homem que quer falar com a senhora, o Sr. Larimore — disse, reconhecendo o nome do advogado. — Ele afirma trazer documentos que precisam ser entregues à senhora em mãos.

Elizabeth empalideceu.

— Ele falou que tipo de documentos?

— Recusou-se a dizer, até que eu expliquei que não poderia interrompê-la sem saber qual era o assunto.

— A que tipo de documentos ele se refere, Bentner? — perguntou ela, mas, que Deus a ajudasse, já sabia a resposta.

O mordomo desviou os olhos, a tristeza transparecendo em sua face.

— Disse que se referem a uma petição de divórcio.

O mundo de Elizabeth desabava enquanto ela tentava, com esforço, levantar-se.

— Acho que vou acabar odiando aquele homem! — exclamou Alex, amparando a amiga em seus braços, sua voz embargada de mágoa. — Até mesmo Jordan está ficando zangado com ele por permitir que essa rusga entre vocês se estenda.

Elizabeth mal percebia que estava sendo consolada; a dor era tão profunda que chegava a entorpecê-la. Afastando-se do abraço de Alexandra, olhou para Bentner, sabendo que, se assinasse os documentos, não haveria mais o que fazer para adiar o inevitável, nenhuma esperança, embora aquela certeza angustiante fosse terminar de vez. Aquilo, pelo menos, daria um abençoado fim a todos os seus tormentos e dúvidas. Reunindo toda a sua coragem para mais uma batalha hercúlea, respirou fundo e falou, devagar a princípio:

— Diga ao Sr. Larimore que eu saí enquanto você estava jantando. Diga que verificou com minha criada e ela lhe informou que eu planejava ir ao teatro com... — Olhou para Alex, pedindo permissão, e a amiga assentiu, enfática — com a Duquesa de Hawthorne. Invente qualquer coisa sobre minha programação para amanhã também e diga que não estarei aqui. Mas dê-lhe detalhes, Bentner. Detalhes que *justifiquem* a minha ausência.

Qualquer mordomo que não fosse tão aficionado por histórias de mistério teria alguma dificuldade para compreender seu raciocínio, mas Bentner assentiu e esboçou um largo sorriso.

— A senhora quer que ele vá procurá-la em outro lugar enquanto tem tempo para fazer as malas e fugir sem que ele saiba que está partindo.

— Exato — confirmou Elizabeth, com um sorriso de gratidão. — E, depois disso — acrescentou quando Bentner já se virava para sair —, envie um recado ao Sr. Thomas Tyson, o repórter do *Times* que esteve implorando por uma entrevista. Diga a ele que o receberei por cinco minutos se puder vir aqui ainda esta noite.

— Para onde você vai? — perguntou Alex.

— Se eu lhe contar, Alex, você tem de prometer não dizer nada a Ian.

— É claro que não vou dizer!

— Nem mesmo ao seu marido. Eles são amigos e não seria justo deixá-lo numa situação difícil.

Alexandra assentiu.

— Jordan vai entender quando souber que eu lhe dei minha palavra e não poderei revelar onde você está.

— Irei para o último lugar na face da Terra onde Ian pensará em me procurar — confidenciou Elizabeth, em voz baixa. — Porém, será o primeiro lugar para onde ele irá quando perceber que precisa me encontrar ou quando quiser ter um pouco de paz. Vou para o chalé dele, na Escócia.

— Você não precisaria fazer isso! Se ele não fosse tão frio, tão injusto...

— Antes que continue enumerando os defeitos dele — interrompeu Elizabeth, suave —, pergunte-se como se sentiria se Jordan fizesse com que todos acreditassem que você é uma assassina e, de repente, irrompesse na Câmara dos Lordes no último minuto, depois de expô-la a humilhação e sofrimento, dando a impressão de que tudo não teria passado de uma grande brincadeira. — Alex não respondeu, mas a raiva começou a desaparecer de seu rosto. Elizabeth continuou falando: — Pergunte-se como se sentiria quando descobrisse que, desde o dia em que ele se casou com você, acreditava que haveria uma grande possibilidade de que você realmente fosse uma assassina, e como se sentiria quando se lembrasse das noites que passaram juntos durante todo esse tempo. E, depois de tudo isso, lembre-se de que, desde o dia em que conheci Ian, ele sempre tentou me fazer feliz, de todas as maneiras possíveis.

— Eu... — começou Alex, mas desistiu, derrotada. — Quando você coloca as coisas dessa forma, adquirem uma perspectiva diferente. Não sei como consegue ser tão justa e objetiva.

— Ian me ensinou que a maneira mais rápida e eficaz de vencer um oponente é, em primeiro lugar, enxergar as coisas do ponto de vista dele. — Esboçou um triste sorriso e acrescentou: — Sabe o que o garoto do correio me perguntou ontem, quando me reconheceu?

Alex negou, e Elizabeth respondeu, sentindo-se culpada:

— Perguntou se eu ainda estava com medo do meu marido. As pessoas não esqueceram o que aconteceu, Alex. E muitos jamais acreditarão que Ian é completamente inocente. Eu cometi um erro terrível e duradouro, como pode ver.

Mordendo o lábio para conter as lágrimas, Alex falou:

— Se Ian não for buscá-la na Escócia até janeiro, quando está prevista a chegada do meu bebê, promete voltar e ficar conosco em Hawthorne? Não posso suportar a ideia de você passar todo o inverno sozinha, tão longe...

— Eu prometo.

RECOSTADO NA CADEIRA, Ian ouviu o relato enfurecido de Larimore sobre as infrutíferas buscas frenéticas a que se dedicara nos dois últimos dias por causa de Lady Thornton e de seu mordomo.

— E depois de tudo isso — declarou Larimore, indignado —, retornei à casa da Rua Promenade a fim de exigir que o mordomo me deixasse entrar. E sabe o que ele fez?

— Bateu a porta em seu nariz? — sugeriu Ian, desinteressado.

— Não, milorde, *convidou-me* para entrar! — exclamou o advogado. — Disse que eu poderia revistar a casa inteira se quisesse. Ela partiu de Londres — finalizou, evitando olhar para o rosto sombrio de seu cliente.

— Deve ter ido para Havenhurst — afirmou Ian e instruiu Larimore como chegar até a pequena propriedade.

Quando o advogado saiu, Ian pegou um contrato que precisava ler e aprovar; porém, antes que conseguisse ler duas linhas sequer, Jordan irrompeu no escritório sem ser anunciado, trazendo um jornal nas mãos e uma expressão que Ian jamais vira antes no rosto do amigo.

— Já leu o jornal de hoje?

Ian o encarou, intrigado com toda aquela raiva.

— Não, por quê?

— Leia — ordenou Jordan, atirando o jornal sobre a escrivaninha. — Elizabeth concedeu entrevista a um repórter do *Times*. Leia isto. — Apontou com o dedo algumas linhas sob o título do artigo escrito pelo Sr. Thomas Tyson. — *Esta* foi a resposta da sua esposa quando Tyson perguntou a ela como se sentiu ao vê-lo julgado perante seus pares.

Franzindo a testa, Ian leu a resposta de Elizabeth:

Meu marido não foi julgado perante seus pares, mas, sim, pelos lordes do reino britânico. Ian Thornton é um homem ímpar.

Ian afastou os olhos do jornal, recusando-se a reagir à indescritível doçura daquela resposta, mas Jordan não deixou por menos.

— Meus parabéns, Ian — disse, irado. — Enquanto você manda uma petição de divórcio à sua esposa, ela retribui *desculpando-se* publicamente! — Virou-se e saiu da sala, deixando Ian a fitar a reportagem com os dentes cerrados.

Um mês mais tarde, Elizabeth ainda não fora encontrada. Ian continuava tentando apagar a imagem dela de sua mente e arrancá-la de seu coração, mas cada vez com menos êxito. Sabia que perdia terreno naquela batalha desde o exato instante em que a vira entrando na Câmara dos Lordes.

Sentado sozinho diante da lareira na sala de estar, dois meses depois que Elizabeth haver desaparecido, Ian fixou os olhos nas chamas, tentando concentrar-se na reunião de negócios que teria com Jordan e outros cavalheiros no dia seguinte, mas era Elizabeth que ocupava seus pensamentos, em vez de números, lucros e custos. Elizabeth ajoelhada num canteiro de flores; Elizabeth praticando tiro ao alvo ao seu lado; Elizabeth fazendo uma reverência zombeteira diante dele, os olhos verdes iluminados pelo riso. Elizabeth fitando-o enquanto valsava em seus braços: *"Você já quis muito algo que estava ao seu alcance, mas, ainda assim, teve medo de agarrar?"*

Naquela noite, ele respondera que não, mas agora teria dito que sim, sem pestanejar. Entre outras coisas, queria saber onde ela estava. Um mês atrás, teria se convencido de que se preocupava com seu paradeiro porque tinha de lhe entregar a petição de divórcio. Agora, entretanto, estava exaurido demais pela longa batalha interna para se preocupar em continuar mentindo para si mesmo. Queria saber onde ela estava porque *precisava* saber. Seu avô afirmava que não sabia; seu tio e Alexandra sabiam, mas ambos se recusavam a lhe dizer, e ele também não os pressionava.

Cansado, Ian recostou a cabeça na poltrona e fechou os olhos, mas sabia que não iria dormir, embora fossem três horas da manhã. Nunca mais conseguira dormir, a não ser que tivesse um dia de atividades físicas exaustivas ou bebesse conhaque suficiente para se entorpecer. Mesmo assim, ficava acordado durante horas, ansiando por Elizabeth e sabendo — porque ela lhe dissera — que, onde quer que estivesse, também estaria acordada, ansiando por *ele*.

Um leve sorriso tocou-lhe os lábios ao se lembrar dela naquele banco de testemunhas parecendo dolorosamente jovem e bela, primeiro utilizando-se de lógica e sensatez para tentar explicar tudo o que acontecera — e, quando isso falhara, fazendo o papel de uma dondoca incorrigível. Ian soltou uma leve risada, como fazia sempre que pensava naquele dia. Apenas Elizabeth se atreveria a enfrentar toda a Câmara dos Lordes — e, quando não os convenceu com a razão, mudou de tática e apelou para a estupidez e a arrogância daqueles homens para derrotá-los. Se não estivesse se sentindo tão furioso e traído naquele dia, ele teria se levantado e lhe dado a salva de palmas que merecia! A tática que ela utilizara, então, fora a mesma daquela noite em que ele fora acusado de trapacear no jogo de cartas. Quando Elizabeth não pôde convencer Everly a recuar do duelo porque Ian era inocente, passou a agir como uma jovenzinha frívola e ultrajada, obrigando-o a desistir porque já se comprometera a acompanhá-la em um passeio no dia seguinte.

Apesar de tê-la acusado de que sua atuação na Câmara dos Lordes fora motivada apenas por interesse próprio, Ian sabia que aquilo não era verdade. Indo até lá, Elizabeth acreditara estar salvando-o da forca.

Quando seu ódio e sua dor diminuíram o suficiente para lhe permitir pensar, Ian reconsiderou a visita que Wordsworth fizera a Elizabeth no dia do casamento e colocou-se no lugar dela. Ele a amava muito e a desejava apaixonadamente naquele dia. Se seu próprio investigador tivesse aparecido apresentando-lhe conjecturas — mesmo que fossem execráveis — sobre Elizabeth, seu amor por ela o teria obrigado a rejeitá-las, e ele prosseguiria com o casamento.

O único motivo que ela teria para se casar com ele, além de amor, seria o desejo de salvar Havenhurst. E, para acreditar nisso, Ian teria primeiro de acreditar que fora logrado por cada beijo, cada carícia, cada palavra apaixonada de Elizabeth. E *isso* ele não podia aceitar. Embora não confiasse mais em seu coração, tinha plena confiança em sua inteligência.

E sua inteligência lhe dizia que, entre todas as mulheres do mundo, nenhuma seria melhor para ele, em todos os sentidos, do que Elizabeth.

Só ela ousaria procurá-lo logo depois de encerrado o julgamento e, após ter sofrido as mais terríveis humilhações, dizer-lhe que estavam prestes a travar uma longa batalha que ele não iria vencer. "*E, quando você não puder mais suportar, então voltará para mim... Vou chorar em seus braços e lhe dizer quanto lamento todo o mal que lhe causei, e você me ajudará a encontrar uma maneira de perdoar a mim mesma...*"

Com um suspiro derrotado, Ian pensou que era muito difícil dar-se por vencido quando não podia encontrar o oponente vitorioso para se render.

Acordou naquela mesma cadeira cinco horas mais tarde, piscando sob a pálida luz do sol que penetrava pelas cortinas. Esfregando os braços entorpecidos, foi para o andar de cima, banhou-se e fez a barba, antes de voltar ao escritório e mergulhar de novo no trabalho — uma rotina que seguia sem grande variação desde que Elizabeth partira.

A manhã já avançava e ele estava lendo uma pilha de correspondências quando o mordomo entregou-lhe um envelope enviado por Alexandra Townsende. Ian o abriu e um documento bancário caiu em sua mesa, mas ele o ignorou, lendo primeiro o curto bilhete: "Elizabeth me pediu que lhe enviasse isto", dizia. "Ela vendeu Havenhurst." Sentindo um baque de culpa e surpresa, Ian ergueu-se de um salto enquanto lia o restante: "Pediu-me também que o informasse de que este é o pagamento total, acrescido dos juros devidos, pelas esmeraldas que vendeu e que, ela acredita, na verdade, pertenciam a você."

Engolindo em seco, Ian pegou a ordem de pagamento bancário e um pequeno pedaço de papel que estava junto. No papel, Elizabeth anotara os cálculos dos juros que lhe eram devidos pelo número exato dos dias, desde que vendera as joias até a data de uma semana atrás.

Seus olhos arderam com as lágrimas contidas, enquanto os ombros sacudiam num riso silencioso: Elizabeth pagara-lhe os juros meio por cento a menos do que a taxa normal.

Trinta minutos mais tarde, Ian apresentou-se ao mordomo de Jordan e pediu para falar com Alexandra. Ela entrou na sala com os olhos azuis fulminando-o de raiva e acusação e disse, sarcástica:

— Fiquei imaginando se meu bilhete o traria até aqui. Faz alguma ideia de quanto Havenhurst significa... significava para Elizabeth?

— Vou providenciar que volte para as mãos dela — prometeu Ian, com um sorriso nublado. — Onde ela está?

Alexandra ficou boquiaberta diante da ternura que percebeu na voz e nos olhos dele.

— Onde ela está? — repetiu ele, com tranquila determinação.

— Não posso lhe dizer — respondeu Alex, sentindo uma pontada de arrependimento. — Você sabe que não posso. Dei minha palavra a ela.

— Será que adiantaria alguma coisa — retrucou Ian suavemente — se eu pedisse a Jordan que exercesse sua influência como marido para persuadi-la a me contar?

— Receio que não — assegurou Alexandra.

Esperava que Ian a desafiasse, mas, em vez disso, um sorriso relutante surgiu em seu rosto atraente. Quando tornou a falar, a voz dele soou gentil:

— Você se parece muito com Elizabeth. Faz-me lembrar dela.

Ainda não convencida totalmente daquela aparente mudança de comportamento, Alex respondeu, séria:

— Considero suas palavras um grande elogio, milorde.

Para sua total surpresa, Ian estendeu a mão e segurou-lhe o queixo com as pontas dos dedos.

— Foi exatamente essa a minha intenção — informou-a, sorrindo.

Ele se virou em direção à porta, mas estacou de repente ao deparar com Jordan, que se recostara no batente com um sorriso divertido no rosto.

— Se soubesse onde sua esposa está, Ian, não precisaria ficar procurando semelhanças na minha.

Depois que o inesperado visitante foi embora, Jordan perguntou a Alex:

— Não vai escrever para Elizabeth, avisando-a de que ele vai procurá-la?

Alex começou a assentir, mas parou, hesitante.

— Eu... acho que não. Vou dizer que ele me *perguntou* onde ela estava, o que de fato aconteceu.

— Ian irá até ela assim que desconfiar de onde ela está.

— Talvez.

— Você ainda não confia nele, não é? — comentou Jordan, com um sorriso surpreso.

— Acho que confio, depois de hoje, mas não completamente. E receio por Elizabeth, pois ele já a magoou demais. Não vou lhe dar falsas esperanças, pois, se o fizer, estarei ajudando-o a magoá-la outra vez.

Abraçando-a, Jordan segurou-lhe o queixo da mesma forma que seu primo fizera e puxou-a para si.

— Ela também o magoou, Alex, e você sabe bem disso.

— Talvez — admitiu ela, relutante.

Jordan sorriu com o rosto colado em seus cabelos.

— Você era mais condescendente quando eu arrebatei seu coração, meu amor.

— Porque eu o *amo* — disse ela, recostando o rosto no peito dele enquanto o enlaçava com os braços.

— E será que vai amar meu primo só um pouquinho se ele se entender com Elizabeth?

— Posso tentar... se ele devolver Havenhurst a ela.

— Vai lhe custar uma fortuna — riu Jordan. — Sabe quem comprou?

— Não. Você sabe?

Jordan assentiu.

— Philip Demarcus.

Alex riu.

— Não é aquele homenzinho asqueroso que disse que o príncipe teria de pagar se quisesse navegar no Tâmisa em seu novo iate?

— O próprio.

— Acha que o Sr. Demarcus enganou Elizabeth?

— Não a *nossa* Elizabeth — riu Jordan. — Mas eu não gostaria de estar no lugar de Ian se Demarcus descobrir que a propriedade tem um enorme valor sentimental. O preço vai chegar às nuvens!

No TRANSCORRER DE duas semanas, Ian conseguiu comprar de volta as esmeraldas de Elizabeth e também Havenhurst, mas foi incapaz de descobrir a mais remota pista sobre o paradeiro da esposa. Sua casa em Londres mais lhe parecia uma prisão em vez de um lar; ainda assim, ele esperava, pressentindo que, de alguma forma, Elizabeth o fazia passar por aquele tormento a fim de lhe ensinar uma bem-merecida lição.

Voltou para Montmayne, onde, por várias semanas, vagou pelos cômodos, formou uma trilha com seus passos no carpete da sala de estar e permaneceu horas a fio diante das diversas lareiras da casa, como se pudesse encontrar a resposta nas chamas ardentes.

Finalmente, não pôde mais suportar. Não conseguia concentrar-se no trabalho e, quando tentava, só cometia erros. Pior do que isso, estava começando a ser perseguido por pesadelos constantes de que algo terrível pudesse ter acontecido com Elizabeth — ou que ela se houvesse apaixonado por alguém mais gentil do que ele —, e as imagens torturantes acompanhavam-no a cada passo que dava pela casa vazia.

Numa clara e fria manhã de dezembro, após deixar instruções aos lacaios, ao mordomo e até mesmo ao cozinheiro de que deveria ser avisado imediatamente caso recebessem qualquer notícia de Elizabeth, Ian viajou para seu chalé na Escócia. Aquele seria o único lugar no qual encontraria paz, e seria possível preencher o crescente vazio que lhe provocava insuportável dor, pois não acreditava mais que Elizabeth voltaria para ele. Muito tempo já se havia passado e, se a linda e corajosa mulher com quem se casara estivesse disposta a uma reconciliação, já teria feito alguma coisa para consegui-la. Não era típico de Elizabeth deixar que as coisas acontecessem ao acaso. Assim, Ian foi para aquele que sempre seria seu verdadeiro lar, como costumava fazer quando precisava de um pouco de paz, só que agora não eram as pressões de sua vida que o faziam chegar à alameda em frente ao chalé naquela fria noite de dezembro, mas, sim, o insuportável vazio em que ela se transformara.

Dentro do chalé, Elizabeth postava-se à janela, olhando para a alameda coberta de neve, como estivera fazendo desde que a carta que Ian enviara ao caseiro lhe fora entregue pelo vigário, três dias antes. A mensagem ao caseiro dizia apenas que ele providenciasse para que o chalé fosse limpo e estocado com comida e lenha, pois Ian pretendia passar os próximos dois meses lá. Parada na janela, Elizabeth observava a estrada iluminada pelo luar, dizendo a si mesma que era ridículo pensar que ele chegaria à noite, e ainda mais absurdo ter-se arrumado para esperá-lo, usando seu vestido preferido de lã cor de safira e deixando os cabelos soltos nos ombros, como Ian gostava.

Uma silhueta alta e escura surgiu na curva da alameda, e Elizabeth fechou depressa as novas e pesadas cortinas que fizera, sentindo o coração disparar num misto de esperança e medo, lembrando-se de que, na última vez que o vira, Ian saía de um baile de braços dados com Jane Addison. Subitamente, a ideia de estar ali, onde ele não esperava que ela estivesse — e, provavelmente, nem sequer quisesse —, não lhe pareceu tão boa assim.

Depois de levar o cavalo para o estábulo, Ian escovou-o e certificou-se de que havia comida para o animal. Reparou na luz suave que brilhava por trás das janelas da casa enquanto seguia pela trilha coberta de neve e sentiu o odor de lenha queimada subindo pela chaminé. Era evidente que o caseiro estava ali, aguardando sua chegada. Batendo a neve das botas, estendeu a mão para a maçaneta da porta.

No centro da sala, Elizabeth permanecia imóvel, apertando as mãos nervosamente, vendo a maçaneta girar e incapaz até mesmo de respirar, tamanha era sua tensão. A porta se abriu, deixando entrar um sopro de ar congelante e um homem alto, de ombros largos, que relanceou os olhos para a sombra iluminada pelo fogo na lareira e disse:

— Henry, não era necessár...

Ian estacou de repente, a porta ainda aberta, olhando para o que julgou ser, momentaneamente, uma alucinação, uma magia provocada pelas chamas que dançavam na lareira. Então, percebeu que a visão era real: Elizabeth estava ali, imóvel, olhando para ele. E, aos seus pés, havia um filhote de labrador.

Tentando ganhar tempo, Ian virou-se lentamente e fechou a porta com todo o cuidado, como se trancá-la com a maior precisão possível fosse a coisa mais importante de sua vida, enquanto tentava decidir se ela estaria ou não feliz ao vê-lo. Nas longas e solitárias noites que passara sozinho, ensaiara dezenas de discursos que diria a ela — desde os mais acalorados sermões até promessas sussurradas. Agora, quando o momento finalmente chegara, não conseguia lembrar-se de uma palavra sequer.

Sem outra escolha, tomou o rumo mais neutro possível. Tornando a se virar de frente para ela, olhou para o cãozinho.

— Quem é esse? — perguntou, aproximando-se e abaixando-se para afagar o animal, pois não tinha a menor ideia do que dizer à esposa.

Elizabeth engoliu em seco, tentando disfarçar a frustração quando ele a ignorou e passou a mão pela cabeça do labrador.

— Ela se chama... Sombra.

O som da voz dela era tão doce que Ian teve o ímpeto de puxá-la para seus braços. Porém, em vez disso, encarou-a, pensando que era animador o fato de ela ter dado à cadela o mesmo nome daquela que ele tivera tempos atrás.

— Belo nome.

Elizabeth mordeu o lábio, tentando ocultar o súbito sorriso.

— É muito original também — falou.

Aquele sorriso o atingiu como um golpe na cabeça, afastando-o da exagerada atenção que dava ao animal. Endireitou o corpo e deu um passo para trás, sentando-se na beirada da mesa, apoiando-se numa das pernas.

Elizabeth percebeu a mudança na expressão dele no mesmo instante e, nervosa, observou-o cruzar os braços enquanto a observava, inescrutável.

— Você... parece ótimo — disse ela, embora achasse que ele estava insuportavelmente atraente.

— Estou bem — assegurou ele, sem desviar o olhar. — Aliás, bem demais para um homem que não vê a luz do sol há mais de três meses ou que não consegue dormir sem antes beber uma garrafa de conhaque.

O tom de voz dele era tão franco e desprovido de emoção que Elizabeth não se deu conta imediatamente do que ele estava dizendo. E, quando o fez, lágrimas de alívio e alegria encheram seus olhos. Ele continuou a falar:

— Estive trabalhando muito. Infelizmente, tenho encontrado alguma dificuldade em tomar decisões e, quando consigo, quase sempre são decisões erradas. Diria que estou me saindo muito bem... para um homem que esteve meio morto por três meses.

Ian viu as lágrimas reluzindo naqueles magníficos olhos verdes, uma delas formando uma trilha no rosto suave.

Com doloroso esforço, ele falou:

— Se estiver disposta a dar um passo à frente, minha querida, você poderia chorar em meus braços. E, enquanto isso, eu lhe direi quanto lamento por tudo o que fiz... — Incapaz de esperar, estendeu os braços e apertou-a com força contra o peito. — E, quando eu terminar — sussurrou quando Elizabeth o enlaçou e começou a soluçar —, você pode me ajudar a encontrar uma maneira de perdoar a mim mesmo.

Torturado por aquele pranto, abraçou-a com mais fervor e roçou o rosto contra a testa de Elizabeth, e prosseguiu num sussurro entrecortado:

— Perdoe-me... — Ele segurou o rosto dela entre as mãos, levantando-o para olhá-la nos olhos, seus dedos acariciando as faces úmidas. —

Perdoe-me. — Devagar, inclinou o rosto e cobriu-lhe a boca com a sua.

— Perdoe-me, *por favor*...

Ela retribuiu o beijo, apertando-o com força. Os soluços incontidos sacudiam-na por inteiro e lágrimas escorriam de seus olhos. Sem suportar tamanha angústia, Ian afastou os lábios, beijando-lhe o rosto molhado, acariciando as costas e os ombros trêmulos da amada, num esforço para confortá-la.

— Por favor, querida, não chore mais — pediu. — Não chore, por favor.

Elizabeth agarrava-se a ele, com o rosto pressionado contra seu peito, as lágrimas molhando a pesada blusa de lã e atingindo-lhe o coração.

— Não chore — repetiu ele num murmúrio rouco, contendo as próprias lágrimas. — Você está me despedaçando...

Um instante depois de pronunciar essas palavras, percebeu que ela parara de chorar para evitar que ele sofresse, e sentiu-a estremecer, tentando valentemente recuperar o controle. Segurou seu rosto, mergulhando os dedos nos cabelos sedosos, mantendo-a próxima ao seu peito e imaginando as noites em que ela havia chorado assim, sozinha, e desprezando-se com tamanho rancor que não podia suportar.

Fora ele quem a levara até ali para se esconder da vingança de seu pedido de divórcio e, ainda assim, ela o esperara. Nas infindáveis semanas desde que ela o enfrentara em seu escritório, avisando-o de que não permitiria que ele a afastasse de sua vida, Ian jamais imaginara que ela pudesse estar sofrendo tanto.

Elizabeth tinha apenas vinte anos e o amava. Em troca, ele tentara divorciar-se dela, desprezara-a publicamente, ele a humilhara na intimidade, e, então, a obrigara a fugir para os confins do mundo, onde pudesse chorar na solidão e esperar por ele. Ódio e vergonha por si mesmo invadiram-no, quase fazendo com que ele se dobrasse de dor. Atordoado, murmurou:

— Quer ir para o quarto comigo?

Ela assentiu, e Ian pegou-a no colo, aconchegando-a ternamente contra o corpo, tocando-lhe a testa com os lábios. Carregou-a para cima, pretendendo deitá-la na cama e dar-lhe tanto prazer que — pelo menos naquela noite — ela seria capaz de esquecer a infelicidade que ele lhe causara.

Elizabeth soube, no instante em que seus pés tocaram o chão do quarto e Ian começou a despi-la devagar, que havia algo diferente. Sentiu-se invadir por uma onda de confusão, mesclada com desejo, quando ele a deitou na cama e a abraçou, o corpo rígido de ansiedade. Começou a beijá-la e acariciá-la, mas, no instante em que ela passou a retribuir os beijos e as carícias, ele a forçou de encontro aos travesseiros, impedindo-a de tocá-lo, aprisionando-a delicadamente pelos pulsos.

Excitada pelos beijos e pelas carícias, desesperada por lhe dar prazer como ele a ensinara, Elizabeth abraçou-o tão logo Ian lhe soltou os pulsos. Mas ele se esquivou de seu toque.

— Não — sussurrou, num tom carregado de paixão, e ela obedeceu.

Recusando-se a permitir que ela fizesse qualquer coisa que aumentasse seu prazer, Ian levou-a ao clímax com as mãos e a boca, antes de cobrir-lhe o corpo com o seu e penetrá-la de uma só vez. Elizabeth acolheu-o com urgência, as unhas cravando-se nas costas dele quando os movimentos rítmicos se iniciaram, lentos a princípio, crescendo até se tornarem indômitos. A maravilha indescritível de ser possuída novamente por ele, combinada com o poder daquele corpo mergulhado no seu, provocou um prazer intenso em Elizabeth, que se arqueou por instinto, na ânsia febril de compartilhá-lo com ele. Ian contornou-lhe os quadris com as mãos enquanto aumentava o ritmo de seus intensos movimentos, forçando o êxtase ao invadi-la até que ela gritasse, estremecendo sob sua doce violência, mantendo os braços apertados contra os ombros fortes.

Devagar, ela começou a emergir do turbulento esplendor daquele ato de amor, ciente, em algum ponto obscuro de sua mente inebriada de paixão, de que fora a única a gozar desse prazer enlouquecedor. Abriu os olhos e, sob a luz do fogo, viu o esforço contundente que Ian fazia para obrigar-se a parar de se mover dentro dela e, assim, encontrar o próprio alívio. Suas mãos agarravam os ombros dele enquanto ele mantinha o peitoral afastado do corpo dela. Os olhos dele estavam cerrados e um músculo latejava em sua face.

Ambos estavam tão sintonizados um com o outro durante os meses do casamento que, por instinto, ela percebeu o que ele fazia. Sentiu-se encher de uma comovente ternura: Ian tentava desculpar-se da única maneira possível — com uma generosidade maravilhosa, continha o próprio prazer a fim de prolongar o ato de amor. E, para isso, negava a si mesmo o alívio, pelo qual, Elizabeth sabia, ansiava com verdadeiro desespero. Aquele gesto era uma prova de amor, embora desnecessária. Porque não era o que ela queria, e Ian a ensinara a demonstrar tudo o que queria. Também lhe ensinara seu poder sobre o corpo dele — e lhe demonstrara como usá-lo. Sempre uma excelente aluna, ela pôs os ensinamentos em prática de imediato e de uma forma muito eficaz.

Uma vez que o peso do corpo dele a impedia de se mover sedutoramente, ela usou as mãos e a voz para estimulá-lo. Falando em um tom repleto de amor e desejo, passou a acariciar-lhe as costas, tocando cada músculo dos ombros e a curva das costas.

— Eu amo você — sussurrou.

Ele abriu os olhos e Elizabeth fitou-os com intensidade.

— Sonhei tanto com isso, sonhei com a maneira como você sempre me abraçava e fazia amor comigo, e na maravilhosa sensação de estar deitada ao seu lado, sabendo que uma parte de você ainda estava dentro de mim, e pensando que você poderia me dar um filho. — Segurou o rosto dele entre as mãos, acariciando suas faces enquanto, lentamente, colava os lábios nos dele. — Mas, acima de tudo — murmurou —, eu me lembrava de como era maravilhoso senti-lo movendo-se dentro de mim...

Ian não suportou mais aquela doce sedução. Um gemido torturante formou-se em seu peito e, com um beijo devorador, colou o corpo ao dela e novamente a possuiu, retomando os movimentos dos quadris, penetrando-a mais e mais, procurando sua absolvição dentro dela... e encontrando-a quando arqueou o corpo, estremecendo com violência, jorrou dentro dela. Com o coração pulsando loucamente, continuou penetrando-a, determinado a lhe dar prazer mais uma vez. Elizabeth gritou o nome dele, erguendo os quadris, o corpo invadido por tremores.

Quando um pouco de suas forças retornou, Ian passou um braço em torno das coxas de Elizabeth e outro em seus ombros e virou-se de lado, levando-a consigo num abraço íntimo e quente, colado a ela, com sua semente dentro dela. E deu-se conta de que aquele era o momento mais profundo e intenso de toda a sua vida. Acariciando-lhe os cabelos, engoliu em seco e falou, mas sua voz soava entrecortada:

— Eu amo você — confessou, dizendo o que ela lhe dissera naquele dia terrível em seu escritório. — Jamais deixei de amar você.

Ela o encarou, e sua resposta ardeu no peito dele:

— Eu sei.

— Como, meu amor? — perguntou ele, tentando sorrir.

— Porque eu queria muito que isso fosse verdade... Você sempre me deu tudo o que eu quis. Eu não podia acreditar que você não faria isso por mim mais uma vez. Só mais uma vez...

Ela se moveu levemente, e Ian a segurou, apertando-a mais contra si.

— Fique quietinha, querida — murmurou com ternura. Vendo a interrogação nos olhos dela, explicou: — Nosso filho está sendo concebido.

— Por que você acha isso?

— Porque — disse ele, afastando uma mecha de cabelos do rosto dela — eu quero muito que isso seja verdade, e *você* sempre me deu tudo o que eu quis. — Com um nó de emoção na garganta, aconchegou-a mais contra si.

Ian sabia que Elizabeth também queria que isso fosse verdade, tanto quanto sabia que, de alguma maneira, já era verdade.

A LUZ CLARA da manhã penetrava pelas janelas quando Ian começou a emergir de seu sono profundo. Uma sensação de bem-estar, ausente de sua vida por mais de três meses, invadiu-o. E foi a estranheza da sensação que o fez despertar. Pensando que algum sonho a provocara, virou-se na cama, mantendo os olhos fechados, agarrando-se a esse sonho em vez de acordar para o vazio que habitava as horas de seu dia.

Mas a consciência foi retornando aos poucos. Sentiu que a cama parecia menor e mais dura do que deveria e, achando que estivesse em Montmayne, pensou que havia adormecido no sofá do quarto. Tantas vezes bebera até o esquecimento naquele mesmo sofá, preferindo dormir ali a se deitar no vazio da imensa cama de casa que dividira com sua amada.

Tudo começava outra vez — a persistente agonia do remorso e da culpa —, e, sabendo que o sono não retornaria mais, virou-se de barriga para cima e abriu os olhos. As pupilas retraíram-se sob a ofuscante luz do sol, e os sentidos confusos captaram a familiaridade inesperada daquele quarto. Então, lembrou-se de onde estava e quem havia passado a noite em seus braços, em esplendorosa nudez e desinibida entrega. Felicidade e alívio fizeram com que fechasse os olhos outra vez, permitindo-se mergulhar naquela sensação.

Porém, aos poucos, suas narinas tomaram consciência de algo mais: o aroma de toucinho frito. Um sorriso tocou-lhe os lábios ao se lembrar da última vez que Elizabeth lhe preparara o desjejum. Fora naquela casa e ela queimara o pouco que tinham para comer. Animado, decidiu que, naquela manhã, comeria até papel chamuscado — contanto que pudesse banquetear-se com a presença dela durante a refeição.

Usando uma camisola de lã verde-claro, com um avental amarelo amarrado na cintura, Elizabeth estava parada diante do fogão, servindo-se de chá. Sem perceber que Ian acabara de se sentar no sofá, olhou para Sombra, que fitava, esperançosa, o toucinho esfriando na frigideira.

— O que achou do seu dono? — perguntou ela à cachorrinha, acrescentando um pouco de leite ao chá. — Eu não lhe disse que ele era bonito? Mas não me lembrava mais de quanto ele é bonito! — confidenciou, sorrindo e afagando a cabeça acetinada do animal.

— Obrigado — falou Ian, abrindo um largo sorriso.

Surpresa, Elizabeth levantou a cabeça tão depressa que os cabelos espalharam-se sobre os ombros como uma cascata dourada. Virou-se para ele, contendo um riso de alegria diante da imagem de absoluta masculinidade com que seus olhos depararam. Vestindo uma camisa de camurça e calças cor de café, Ian estava estirado no sofá, as mãos cruzadas atrás da cabeça e os pés apoiados na mesinha em frente.

— Você parece um sultão escocês — disse ela, rindo.

— Bem, é como estou me *sentindo*. — O sorriso esvaiu-se quando ela lhe entregou uma caneca de café. — Será que nosso desjejum não pode esperar um pouco?

Elizabeth assentiu.

— Pensei tê-lo ouvido acordar uma hora atrás e comecei a fritar o toucinho. Pretendia preparar mais quando você descesse, mas isso pode esperar. O que foi? — perguntou, imaginando se ele estaria com medo de comer a refeição que ela havia preparado.

— Precisamos conversar sobre algumas coisas.

Ela sentiu um inesperado temor invadi-la. Na noite anterior, enquanto estavam abraçados na cama, havia explicado tudo a ele, desde o dia em que Robert aparecera em Havenhurst até o momento em que ela chegara à Câmara dos Lordes. Quando terminou, estava tão exausta pelo relato e pelas horas que haviam passado fazendo amor que adormecera antes que Ian pudesse explicar seus próprios atos. Agora, era óbvio que ele queria discutir o assunto, mas Elizabeth não tinha muita certeza se gostaria de estragar a magia da reconciliação revolvendo mágoas passadas.

— Nós dois nos magoamos — disse ele, como se pudesse adivinhar seus pensamentos. — Se tentarmos nos esquivar, fingindo que nada aconteceu, isso estará sempre entre nós, voltando para nos assombrar nos momentos mais inesperados, pelos motivos mais inexplicáveis, ameaçando nos separar. Algo que eu diga ou faça, por menor que seja, poderá reabrir a ferida e sequer vou saber por que você está triste ou zangada. Assim como você, a meu respeito. Ontem à noite, você me deu suas explicações, e não é necessário tornarmos a falar sobre isso. Mas creio que tem o direito de ouvir as minhas também.

— Quando foi que você ficou tão sensato? — brincou ela, sorrindo.

— Se eu fosse sensato — respondeu ele, sério —, nossa separação teria acabado meses atrás. Entretanto, tive muito tempo para pensar na melhor maneira de superarmos tudo isso, presumindo que você permitiria que eu a encontrasse, e descobri que falar sobre o assunto e esclarecer tudo abertamente seria o único modo.

Elizabeth ainda hesitava, lembrando-se da fúria dele no dia em que se enfrentaram no escritório, logo após a absolvição. Se a conversa o irritasse agora, ela não tinha certeza se valeria tanto a pena.

Tomando a mão dela, Ian a fez sentar no sofá, observando a maneira delicada como ela ajeitava as saias, concentrando-se em cada prega e, depois, erguendo os olhos preocupados para a janela coberta de neve. Com um aperto no peito, percebeu que ela estava nervosa.

— Dê-me sua mão, meu amor. Pode me perguntar o que quiser, sem temor. Não vou me zangar com você.

O som daquela voz profunda, tranquilizadora, combinado com a sensação da mão forte fechada sobre a sua, foi o suficiente para afastar todas as dúvidas de Elizabeth. Fitando-o com intensidade, ela perguntou:

— Por que não me contou que Robert tentou matá-lo e que você o mandara para longe num de seus navios? Por que permitiu que eu acreditasse que ele havia desaparecido?

Por um instante, Ian recostou a cabeça no sofá e fechou os olhos. Elizabeth viu o remorso estampado em seu rosto e ouviu-o em sua voz quando ele falou.

— Até o dia em que você partiu daqui, na última primavera, quando Duncan me presenteou com uma lista dos meus crimes contra você, eu presumia que seu irmão tivesse voltado para a Inglaterra depois de ter fugido do *Arianna*. Não sabia que você estava vivendo sozinha em Havenhurst desde o desaparecimento de Robert, nem que se transformara numa pária da sociedade por minha causa ou que não tinha seus pais para protegê-la. Também não sabia nada sobre sua precária situação financeira. Você precisa acreditar em mim.

— Eu acredito — disse ela, sincera. — Sei que Lucinda contou tudo para Duncan e que você foi para Londres à minha procura. Chegamos a falar sobre isso antes de nos casarmos, mas deixamos de lado a parte que se refere a Robert. Por que não me contou o que sabia?

— Quando? — perguntou ele, num tom repleto de autorrecriminação. — Quando eu poderia ter-lhe contado? Lembra-se de como você se sentia a meu respeito quando corri para Londres e a pedi em casamento? Você já estava quase convencida de que eu lhe propunha casamento por piedade e remorso. Se eu confessasse minha participação no desaparecimento de Robert, você se convenceria disso. Além do mais, você não confiava muito em mim naquela época — lembrou ele. — Teria atirado toda a nossa "negociação" contra mim se eu admitisse haver raptado seu irmão, não se importando com a validade dos meus motivos.

Ian fez uma pausa e acrescentou com total franqueza:

— Houve mais uma razão para eu não lhe contar tudo: queria me casar com você e estava disposto a fazer qualquer coisa para conseguir isso.

Elizabeth ofereceu-lhe um de seus sorrisos capazes de desarmá-lo e perguntou:

— E, mais tarde, quando soube que eu o amava, por que não me disse a verdade?

— Ah, sim, mais tarde... — disse ele, vagamente. — Quando fiz com que você me amasse? Em primeiro lugar, não estava muito ansioso para lhe dar um motivo para mudar de ideia. Em segundo lugar, éramos tão felizes juntos que eu não queria que nada, nada mesmo, estragasse nossa felicidade. E, por fim, eu ainda não tinha certeza do que exatamente era culpado. Meus investigadores não conseguiam encontrar uma pista sequer... Sim — interrompeu-se, reparando no olhar espantado de Elizabeth —, contratei investigadores na mesma época que você. Até onde eu sabia, seu irmão havia desaparecido para fugir dos credores, como você suspeitava. Por outro lado, era bem possível que ele tivesse morrido tentando voltar para a Inglaterra. E, nesse caso, eu teria de lhe confessar um crime.

— Se não conseguíssemos nenhuma informação sobre ele, algum dia teria me contado por que Robert havia partido da Inglaterra?

Ian estivera olhando fixamente para as mãos dela, com a ponta do dedo traçando seus contornos, mas, quando respondeu, encarou-a.

— Sim. — Após um breve silêncio, acrescentou: — Um pouco antes de você desaparecer, eu já havia decidido dar um prazo de mais seis meses à investigação. Se não encontrassem nenhum rastro de Robert até então, pretendia lhe contar tudo o que sabia.

— Ainda bem — disse ela, suavemente. — Eu não gostaria de pensar que você estava disposto a me enganar para sempre.

— Admito que não foi uma decisão inteiramente nobre — falou ele. — O medo teve certo peso sobre ela. Eu vivia em constante temor de que Wordsworth pudesse aparecer em nossa casa e lhe entregar provas de que eu havia causado um mal irreparável ao seu irmão. Houve ocasiões em que desejei sinceramente que um dos meus investigadores pudesse conseguir provas que me culpassem ou me inocentassem, para dar um fim a toda aquela incerteza. Eu não tinha ideia de qual seria sua reação.

Ficou em silêncio, esperando que ela fizesse algum comentário. Diante de seu silêncio, continuou:

— Significaria muito para mim, e para nosso futuro juntos, se você fosse capaz de acreditar em tudo o que contei. É a pura verdade, eu juro.

— Eu *acredito* em você, Ian.

— Obrigado — murmurou ele, com modéstia.

— Não há o que agradecer — tentou encerrar Elizabeth. — O fato é que me casei com um homem brilhante, que me ensinou a analisar as coisas do ponto de vista do meu oponente. Foi o que fiz e, há muito tempo, pude adivinhar quais teriam sido suas motivações para manter segredo sobre o desaparecimento de Robert. — O sorriso dela esvaiu-se quando acrescentou: — Ao me colocar em seu lugar, fui capaz até de imaginar como você reagiria quando eu voltasse a Londres. E soube, antes mesmo de ver a expressão em seu rosto, quando olhou para mim na Câmara dos Lordes, que acharia muito difícil me perdoar por tê-lo magoado e envergonhado tanto. Entretanto, nunca imaginei que sua raiva o levaria a me expulsar de sua vida.

Ian viu a dor refletida nos olhos dela e, apesar de acreditar que tudo deveria ser esclarecido, precisou fazer um esforço para se impedir de abraçá-la e beijá-la.

— Sabe... — recomeçou ela, falando devagar — cheguei a imaginar que talvez você me mandasse embora até que sua raiva passasse, ou que continuasse vivendo ao meu lado, mas vingando-se pouco a pouco em nossa intimidade. Afinal, são atitudes que qualquer homem tomaria. Mas jamais pensei que quisesse acabar com nosso casamento... e comigo. Eu devia ter previsto isso, sabendo o que Duncan me contou a seu respeito. Mas eu estava contando demais com o fato de que, antes de eu fugir, você havia dito que me amava...

— E você sabe muito bem que isso era verdade. E ainda é. Pelo amor de Deus, Elizabeth, mesmo que não acredite em mais nada do que eu disse, pelo menos creia nisso.

Esperou que ela retrucasse, mas, quando Elizabeth permaneceu em silêncio, Ian deu-se conta de que ela poderia ser jovem e inexperiente, mas era também muito sábia.

— Eu sei que sim — disse ela, afinal. — Se não me amasse tanto, eu jamais poderia tê-lo feito sofrer como fiz. E você jamais tentaria impedir que eu tornasse a magoá-lo, pedindo o divórcio. Percebi tudo isso naquele dia no seu escritório. Se eu não o compreendesse, não teria encontrado forças para lutar até agora.

— Não vou discutir esta conclusão, mas posso jurar-lhe que nunca mais farei uma coisa dessas com você.

— Obrigada. Não sei se poderia suportar tanto sofrimento outra vez.

— Será que pode me esclarecer o que Duncan lhe contou que a fez chegar a tais conclusões?

Elizabeth lançou-lhe um sorriso repleto de ternura e compreensão.

— Ele me contou o que você fez quando voltou para casa e descobriu que sua família havia morrido.

— E o que eu fiz?

— Você se afastou do único resquício daqueles a quem amava, uma cadela da raça labrador chamada Sombra. Agiu assim para não sofrer mais, pelo menos não por algo sobre o qual tivesse controle. E agiu da mesma maneira, embora um pouco mais drástica, quando tentou se divorciar de mim.

— Em seu lugar — falou Ian, enrouquecido de emoção, tocando-lhe o rosto —, acho que eu me odiaria.

Elizabeth beijou-lhe a palma da mão.

— Será que faz ideia de como é saber que sou tão amada? — disse com um sorriso marejado e balançou a cabeça, tentando encontrar um modo de se expressar melhor. Recomeçou com a voz embargada de ternura: — Sabe o que reparei sempre que saímos juntos?

Incapaz de se conter mais, Ian puxou-a para seus braços, apertando-a contra o coração.

— Não. O que você reparou?

— Na maneira como os outros homens tratam suas esposas, como olham e falam com elas. E sabe de uma coisa?

— O que é?

— Com exceção de Alex, sou a única esposa adorada pelo marido, que não se importa que o mundo inteiro saiba disso. E sei também — acrescentou com um sorriso doce —, com certeza, que sou a *única* esposa cujo marido já tentou seduzi-la diante do Comitê de Levantamento de Fundos para o Hospital.

Rindo e abraçando-a com força, Ian tentou seduzir a esposa naquele sofá e foi muito bem-sucedido.

Flocos de neve caíam lá fora e a lenha estalava na lareira, lançando fagulhas avermelhadas pela chaminé. Feliz e saciada, aconchegada nos braços de Ian sob a manta com que ele os cobrira, Elizabeth pensou vagamente no desjejum que eles ainda não haviam tomado, comparando-o com a suntuosa refeição que, sem dúvida, lhes seria servida se estivessem em Montmayne. Com um suspiro resignado, afastou-se dele e se vestiu.

Quando virava o toucinho na frigideira, Ian aproximou-se por trás e enlaçou-a pela cintura, espiando por cima de seu ombro.

— Isso me parece terrivelmente comestível — brincou. — Já estava até contando com o nosso desjejum "tradicional".

Elizabeth sorriu e deixou que ele a virasse de frente para ele.

— Quando teremos de voltar para a Inglaterra? — perguntou enquanto pensava em como era deliciosamente aconchegante estar ao lado dele.

— O que acha de... daqui a dois meses?

— Parece ótimo, mas tem certeza de que não ficará entediado? Ou preocupado com seus negócios?

— Se meus negócios sofrerem um revés por causa da minha negligência, amor, ainda teremos dinheiro para sobreviver durante uns três meses. Além disso — acrescentou sorrindo —, Jordan prometeu me avisar se surgir algum problema que exija minha presença em Londres.

— Duncan me abasteceu com quase uma centena de livros — disse ela, tentando pensar em coisas com as quais ele pudesse se distrair se ficassem —, mas é bem provável que você já tenha lido todos eles e, mesmo que não, acabaria com todos antes da quarta-feira. Receio que você se entedie — disse com risível exagero.

— Sim, será muito difícil ficar isolado pela neve, sozinho com você... Sem ter livros ou negócios com que me ocupar, imagino o que mais poderia fazer — falou ele, lançando-lhe um olhar lascivo.

Elizabeth corou com a insinuação, mas estava séria quando observou seu rosto.

— Se as coisas tivessem sido diferentes, se você não tivesse acumulado toda a fortuna que possui hoje, poderia ser feliz aqui, não é?

— Com você?

— É claro!

— Sem a menor sombra de dúvida — afirmou ele, tão sério quanto ela. — Porém — disse, prendendo as mãos dela nas costas e puxando-a para mais perto —, talvez você não queira ficar aqui quando souber que suas esmeraldas foram devolvidas às suas gavetas, em Montmayne.

Elizabeth ergueu a cabeça, e seus olhos brilhavam de amor e alívio.

— Fico tão contente com isso. Quando soube que a história de Robert era pura invenção, fiquei terrivelmente arrependida de tê-las vendido.

— Pois talvez se sinta um pouco pior — brincou ele, provocando-a — quando souber que a ordem de pagamento que você me enviou não foi suficiente para cobrir os custos. Precisei desembolsar 45 mil libras para comprar de volta as joias, que já haviam sido vendidas, e mais 5 mil para pagar o restante delas, que ainda estavam com aquele joalheiro.

— Mas isso... isso é um roubo! — exclamou ela, perplexa. — Ele me pagou apenas 5 mil libras por todas elas! — Balançou a cabeça, impressionada com a falta de habilidade de Ian para pechinchar. — Ele se aproveitou de você de maneira escandalosa!

— Eu não estava preocupado com isso — continuou ele, divertindo-se —, porque já pretendia descontar esses valores da sua *mesada*. Com juros, é claro. De acordo com meus números... — fez uma pausa, calculando de cabeça o que Elizabeth levaria vários minutos para calcular no papel. — Hoje, você está me devendo um total 151.126 libras.

— *Cento e cinquenta e o quê?* — exclamou ela, meio risonha, meio irada.

— Ah, sim, tem também o pequeno problema da compra de Havenhurst. Eu acrescentei o valor aos cálculos.

Lágrimas de felicidade surgiram naqueles lindos olhos verdes.

— Você comprou Havenhurst de volta do horrendo Sr. Demarcus?

—Sim. E ele é mesmo *horrendo*. Aliás, ele e seu tio deveriam formar uma sociedade, pois ambos têm os instintos de um comerciante de camelos. Paguei 100 mil libras pela propriedade.

Ela ficou boquiaberta.

— Cem mil libras? Oh, Ian...

— Adoro quando você diz meu nome.

Ela sorriu, mas sua mente ainda estava concentrada no excelente negócio que ele fizera.

— Eu não teria feito melhor! — admitiu, generosa. — É exatamente o valor que ele pagou! E, depois que os papéis foram assinados, assegurou-me de que poderia vender por 150 mil libras se esperasse um ano ou mais.

— E talvez vendesse mesmo.

— Mas não para você! — exclamou ela, orgulhosa.

— Não para mim.

— E ele tentou?

— Tentou, por 200 mil libras, assim que percebeu quanto era importante para mim devolvê-la a você.

— Você deve ter sido muito esperto e habilidoso para convencê-lo a vender por um valor tão inferior.

Tentando desesperadamente não cair na risada, Ian encostou o rosto no dela e assentiu.

— Sim, muito habilidoso — concordou, com a voz sufocada.

— Ainda assim, como conseguiu que ele cedesse?

Engolindo o riso, Ian respondeu:

— Imagino que foi por eu lhe mostrar que havia algo de que ele precisava muito mais do que um lucro exorbitante.

— É mesmo? — Elizabeth estava completamente fascinada. — E o que era?

— O pescoço dele.

Epílogo

Parado no terraço, Ian ficou olhando para os magníficos jardins de Mont-mayne, onde, ajoelhadas num canteiro de gerânios, estavam Elizabeth e Caroline, sua filha de três anos. Suas cabeças estavam tão próximas que era quase impossível distinguir onde os cabelos dourados de Elizabeth acaba-vam e onde começavam os de Caroline. Algo que Elizabeth falou fez com que a menina risse alegremente, e os olhos de Ian se enrugaram com um sorriso.

Sentados à mesa de ferro atrás dele, seu avô e Duncan dedicavam-se a uma partida de xadrez. Naquela noite, cerca de setecentos convidados par-ticipariam do baile que Ian organizara em comemoração ao aniversário da esposa. A silenciosa concentração dos jogadores foi abruptamente interrom-pida com a chegada de um garotinho de seis anos, que já exibia uma impres-sionante semelhança com Ian, seguido pelo tutor, que parecia levado às raias do desespero por ter de lidar com uma criança cuja inteligência também guardava grande semelhança com a do pai.

— Desculpem-me interrompê-los, senhores — disse o Sr. Twindell, fazendo uma reverência aos dois jogadores —, mas o Sr. Jonathon e eu estávamos debaten-do um assunto sobre o qual acredito que o senhor, vigário, poderia nos esclarecer.

Desviando a atenção do tabuleiro de xadrez e a mente da partida, que já considerava ganha, Duncan sorriu com simpatia para o atarantado professor.

— Em que posso ajudá-los? — perguntou, olhando para o belo menino de seis anos, cujo interesse já se voltara para o tabuleiro.

— Nossa dúvida — explicou o Sr. Twindell — refere-se à questão do pa-raíso, vigário. Ou, mais especificamente, a uma descrição desse lugar que, conforme tentei convencer o Sr. Jonathon durante toda a manhã, não está repleta de incoerências absurdas.

A essa altura, Jonathon ergueu os olhos entretidos do tabuleiro de xadrez, cruzou as mãozinhas atrás das costas e encarou o tio-avô e o bisavô como se fosse lhes contar uma história absurda demais para merecer crédito.

— O Sr. Twindell acha que o paraíso tem ruas cobertas de ouro — disse o menino, tentando esconder o riso. — Mas é claro que isso é impossível.

— *Por que é* impossível? — indagou o velho duque, surpreso.

— Porque, no verão, as ruas ficariam quentes demais até mesmo para as patas dos cavalos — explicou Jon, parecendo um pouco exasperado com a falta de visão do bisavô. Voltando-se para o tio-avô, acrescentou, esperançoso: — O senhor não acha a ideia de ruas cobertas de metal no paraíso muito pouco provável?

Duncan, que se recordava de debates muito parecidos com Ian, quando este tinha a mesma idade do menino, recostou-se na cadeira e sorriu, satisfeito.

— Jon — disse, com ansioso divertimento —, pergunte ao seu *pai*. Ele está bem ali, perto da sacada.

O garotinho assentiu, concordando, e fez uma pausa para cochichar alguma coisa ao ouvido do duque antes de obedecer.

— Por que não respondeu à pergunta dele, Duncan? — indagou o duque, curioso. — Uma descrição do paraíso, certamente, é um assunto do qual você entende.

Duncan arqueou a sobrancelha numa negação zombeteira.

— Quando Ian tinha seis anos — disse —, *ele* costumava envolver-me em debates retóricos e teológicos como este. E quase sempre eu perdia. Confesso que era bastante constrangedor. — Desviando o olhar para o garotinho, que esperava que o pai percebesse sua presença, acrescentou, com contentamento: — Esperei anos por este momento. A propósito, o que Jon cochichou em seu ouvido há pouco?

O duque ruborizou.

— Ele... hã... disse que você me daria xeque-mate em quatro movimentos se eu não movesse meu cavalo.

Foi a gargalhada dos dois homens que fez com que Ian olhasse por cima do ombro e reparasse que Jon estava ao seu lado. Sorrindo, virou-se para dar toda a atenção ao filho, que fora concebido naquela noite de inverno em que retornara ao chalé na Escócia.

— Você parece um homem com um problema grave — brincou. Olhou de relance para a expressão perturbada do professor e, depois, novamente para o menino, acrescentando com simpatia: — Imagino que você e o Sr. Twindell tiveram mais um desentendimento. O que foi dessa vez?

Um sorriso aliviado iluminou o rosto de Jon, e ele assentiu. Enquanto todos os outros pareciam chocar-se com a forma como ele pensava ou surpresos com as perguntas que fazia, o menino sabia que sempre podia contar com o pai, que não apenas o entendia, como também lhe dava as respostas mais satisfatórias.

— É sobre o paraíso — confidenciou Jon, girando os olhinhos com um ar exasperado. — O Sr. Twindell quer que eu acredite que o paraíso é um lugar cheio de ruas cobertas de ouro. O senhor pode imaginar — acrescentou, com um risinho — a temperatura que o ouro puro atingiria se ficasse sob o sol forte por mais de dez horas consecutivas no verão? Ninguém iria querer andar por essas ruas!

— E o que disse o Sr. Twindell quando você mencionou este detalhe? — indagou Ian, com bem-humorada gravidade.

— Disse que, provavelmente, nós não teríamos pés.

— Bem, esta é uma opinião alarmante — concordou Ian. — Como *você* acha que deve ser o paraíso?

— Não tenho a menor ideia. E o senhor?

— Tenho, sim. Mas é uma visão muito pessoal. — Ian ajoelhou-se e, passando o braço em torno do ombro do filho confuso, fez um gesto na direção do jardim. Como se sentissem que estavam sendo observadas, Elizabeth e Caroline olharam para o terraço, sorriram e acenaram: duas meninas de olhos verdes e cabelos dourados, iluminadas de amor. — Na minha opinião — confessou Ian, solene, ao seu filho —, o paraíso é aqui mesmo, onde estamos.

— Mas não tem anjos... — ressaltou Jon.

— Pois eu estou vendo dois anjos ali no jardim — retrucou Ian. Depois, olhou para o menino e corrigiu-se, sorrindo: — *Três*, na verdade.

O garotinho assentiu enquanto um sorriso de compreensão espalhava-se em seu rosto. Virando-se para o homem alto ao seu lado, disse:

— O senhor acha que o paraíso tem tudo aquilo que uma pessoa mais deseja, não é?

— Creio que isso é bem possível.

— Eu também — concordou Jon, após uma breve pausa meditativa. Começou a se virar, mas viu o professor e os avós observando-o com expectativa, e acrescentou com um sorriso desanimado: — Eles vão me perguntar o que o senhor disse. E, se eu contar ao Sr. Twindell que o senhor acha que o paraíso é como a nossa casa, ele ficará muito desapontado. Afinal, está contando com ruas de ouro, anjos e cavalos alados.

— Entendo que isso possa ser um problema — concordou Ian. Pousou a mão no rostinho corado do filho, sentindo-se invadido por uma ternura imensa. — Nesse caso, você pode dizer a ele que eu acho que aqui é *quase o paraíso.*

Impresso no Brasil pelo
Sistema Cameron da Divisão Gráfica da
DISTRIBUIDORA RECORD DE SERVIÇOS DE IMPRENSA S.A.
Rua Argentina, 171 – Rio de Janeiro, RJ – 20921-380 – Tel.: (21)2585-2000